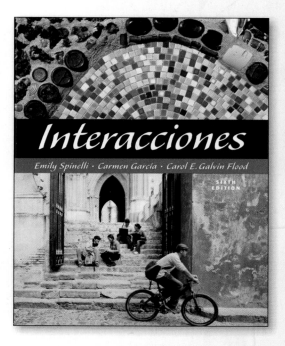

Interacciones

Emily Spinelli · Carmen García · Carol E. Galvin Flood

SIXTH EDITION

Meaningful communication through the interaction of language and culture

Integrated, interactive, and authentic, **Interacciones, Sixth Edition**, uses a communicative approach to teach intermediate-level students about both Spanish language and culture. By using examples drawn from Hispanic culture, the text develops students' proficiency in listening, speaking, reading, and writing in real-world contexts—giving them the tools to interact meaningfully within the rich and varied cultures of the Spanish-speaking world.

In this edition, you'll find enhancements such as new information gap activities, the integration of popular music in the text and workbook, improved treatment of reading, a brand-new video program, and more. In addition, the program's extensive teaching and learning components enhance and enrich students' language-learning experience, both in and out of the classroom. From iLrn™: Heinle Learning Center's all-in-one audio- and video-enhanced learning environment to Heinle iRadio's MP3-ready language tutorials, **Interacciones** offers everything you need to transform your course into your *perfect* course! *For more information on the resources available with this text, please turn to page 8 of this preview.*

"The interactive and communicative thrust behind **Interacciones** *fuses with a well-organized grammar structure that is guided by a wide range of cultural issues."*

—**Robert Vela Córdova,**
Texas A&M University

"The three most positive aspects or strengths of the revision are the addition of music and other interactive performance activities such as the art-based information gap activity in ¿Qué me dices?… Heinle iRadio with correlations… the more I think about this one, the more excited I am to try it… and the alternative literary readings for the student who can't get enough of it."

—**Janet Horton-Payne,**
Southwestern Oregon Community College

A meaningful integration of culture and language

Herencia cultural sections feature significantly **updated cultural information** on famous historical and contemporary personalities from the countries or regions of the Spanish-speaking world. These famous persons represent a wide variety of cultural fields such as literature, government, arts and entertainment, and sports.

Perspectivas

Los apellidos en el mundo hispano

Los hispanos acostumbran llevar tanto el apellido paterno, como el apellido materno, en ese orden. Por ejemplo, en el nombre Luis Felipe Loyola Chávez, Loyola es el apellido paterno y Chávez, el materno. Sin embargo, es necesario destacar que normalmente la persona será identificada por el apellido paterno.

Algunos apellidos (paternos o maternos) son compuestos y se utiliza un guión (*hyphen*) para unirlos; por ejemplo, Ruiz-Fernández. Las personas que llevan un apellido compuesto también llevan el otro apellido; por ejemplo,

Mariano Ruiz-Fernández Salas. En este caso, Ruiz-Fernández es el apellido paterno y Salas el apellido materno. En el caso de María Cecilia Chocano Pérez-Sosa, Chocano es el apellido paterno y Pérez-Sosa, el apellido materno.

Al casarse, la mujer añade el apellido paterno de su esposo a su apellido de soltera, utilizando la partícula **de**. Por ejemplo, si Carmela Vásquez Mendoza se casa con Francisco Ortega Reyes, su nombre de casada será Carmela Vásquez de Ortega y sus hijos se apellidarán Ortega Vásquez.

Expanded and enhanced cross-cultural information and exercises have been included to allow students to gain greater cultural sensitivity and appreciation, make comparisons with their own cultures, and learn how to function in Hispanic culture. The *Perspectivas* section on cultural concepts has been moved forward in each chapter so that students can use the cross-cultural information throughout the remainder of the chapter.

New links to Spanish-language films have been added as marginal annotations in the Annotated Instructor's edition, allowing instructors to correlate *Interacciones* chapters to recent Hispanic films. There are viewing activities and additional information on these films in *Más allá de la pantalla: El mundo hispano a través del cine* (Heinle, 2006).
ISBN-10: 1-4130-1010-5 • ISBN-13: 978-1-4130-1010-7

Point out. For additional information on the concept of family in the Hispanic world, view the film *La historia oficial* and complete the activities in *Más allá de la pantalla: Capítulo 3*. RESUMEN: Una mujer quiere saber el origen de su hija adoptiva y descubre lo que ocurrió en Argentina durante la dictadura.

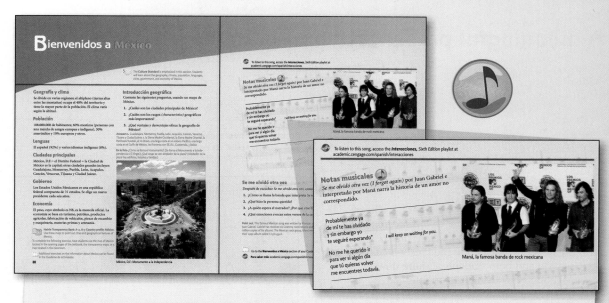

New musical selections representative of the countries or regions of the Hispanic world have been added to each unit of the text. Each unit opener now highlights a popular song (available for purchase at the iTunes Store) and its performer with a brief cultural activity called *Notas musicales*. The complete iTunes playlist can be found at the book's Companion Website (**academic.cengage.com/spanish/interacciones**) and additional listening activities are in the Workbook/Lab Manual/Video Manual. *iTunes is a trademark of Apple, Inc., registered in the U.S. and other countries*

"I think the Notas musicales *is a wonderful feature. I do this in class as often as possible."*

—Maria Villieres, *Villanova University*

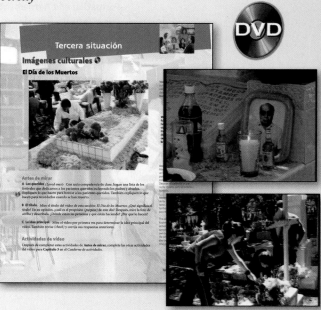

An all-new *Imágenes culturales* video program has been created for this edition from ABC News footage. Integrated with chapter content and correlated to the chapter theme, these videos expose students to authentic language and culture while giving them an opportunity to practice their listening and interpretive skills. Accompanying video exercises in the student textbook and workbook take students from the pre-viewing exercises of *Antes de mirar* and the viewing exercises of *Al mirar* to the post-viewing comprehension exercises of *Después de mirar.*

A meaningful presentation of grammar and vocabulary

New Information Gap Activities have been created for every chapter of ***Interacciones***. These activities, titled *¿Qué me dices?* are generally located in the *Presentación* section and help students acquire new vocabulary by using it in an interactive, task-based gap activity.

Práctica y conversación

3.11 La familia Aguilar. Los Aguilar acaban de comer y ahora están en la sala haciendo diferentes actividades. En parejas, describan a los miembros de la familia con diversos adjetivos.

3.12 ¿Qué me dices? En el dibujo de **Práctica 3.11**, Ud. ve algunas de las actividades de la familia Aguilar. Su compañero/a va a mirar otro dibujo de la misma familia que muestra otras actividades y está en el **Apéndice A.** Conversen sobre las actividades de la familia Aguilar para descubrir la información que falta.

---

práctica para los padres. Ser madre o padre requiere tiempo, atención, paciencia, fuerza y sobre todo amor.

Variation 3.10. Have students list all the activities they used to do when they were children. Then, have them share this information with their partner. Students should ask and answer questions about their childhood activities. After completing the dialogue with a partner, each student should report to the class about the similarities / differences they found in their lives.

 To hear more about adjectives, visit academic. cengage.com/spanish/ interacciones..

Describing People

Formation and Agreement of Adjectives

In order to describe family members and friends as well as their belongings, you need to use a wide variety of adjectives.

In Spanish, adjectives change form in order to agree in gender and number with the person or thing being described. There are four basic categories of descriptive adjectives.

a. Adjectives ending in **-o** have four forms: **viejo, vieja, viejos, viejas.**

b. Adjectives ending in a vowel other than **-o** have two forms and add **-s** to become plural: **alegre, alegres.**

c. Adjectives ending in a consonant have two forms and add **-es** to become plural: **azul, azules.**

A functional presentation of grammar helps students develop advanced Spanish-language proficiency by asking them to practice what they've learned in real-world contexts. The text's numerous communicative and interactive exercises and role plays walk students through the steps of skills like asking and answering questions; initiating, sustaining, and closing a conversation; and learning to respond to a predictable situation in the target culture.

New in-text correlations to Heinle's iRadio podcasts offer students the opportunity to get extra support for grammar explanations and pronunciation guidelines. With these downloadable, MP3-ready audio tutorials, students now have the freedom to choose when, where, and how they practice.

Estructuras

Discussing Conditions, Characteristics, and Existence

Uses of *ser*, *estar*, and *haber*

In English the verb *to be* is used for a variety of functions and situations. In Spanish there are several words that are used as the equivalent of *to be*. You will need to learn to distinguish and use **ser**, **estar**, and **haber** in order to discuss and describe characteristics and conditions.

Compare the uses of **ser** and **estar** in the following chart.

Uses of ESTAR

1. With adjectives to express conditions or health:
   ¿Cómo **está**...?
   Anita **está** enojada.
   Estoy muy bien pero mi esposo **está** enfermo.
2. To express location:
   ¿Dónde **está**...?
   Taxco **está** en México.
   Mis suegros **están** en una fiesta hoy.
3. With **de** in certain idiomatic expressions denoting a condition or state of being.
   estar de acuerdo
   estar de buen / mal humor
   estar de huelga
   estar de pie
   estar de vacaciones
   estar de + *profession*
   Manolo **está** de vacaciones.
   Está de camarero en un café en la playa.
4. With the present participle in progressive tenses:
   ¿Qué **estás** haciendo?
   Estoy hablando con mi nuera.

Uses of SER

1. With adjectives to express traits or characteristics:
   ¿Cómo **es**...?
   Anita **es** linda y muy coqueta.
   Soy baja pero mi esposo **es** alto.
2. To express time and location of an event:
   ¿Dónde y cuándo **será** la boda?
   Será en la Iglesia San Vicente a las dos.
3. With **de** to express origin:
   ¿De dónde **es**...?
   Felipe **es** de Guadalajara.
4. With **de** to show possession:
   ¿De quién **es** esa casa?
   Es de mi madrastra.
5. With nouns to express who or what someone is:
   ¿Quién **es**...?
   Es mi prima Carolina. **Es** abogada.
6. To express time and season:
   ¿Qué hora **es**?
   Son las cuatro en punto.
   Era verano.
7. To express nationality:
   Manuel **es** mexicano.

a. Normal speech patterns favor the use of certain adjectives with **ser** or with **estar**.

estar casado/a	*to be married*	ser alegre	*to be happy*
estar contento/a	*to be happy*	ser feliz	*to be happy*
estar muerto/a	*to be dead*	ser soltero/a	*to be single, unmarried*

To hear more about **ser** and **estar** visit academic. cengage.com/spanish/interacciones.

Point out. The only use that both **ser** and **estar** share is when they are followed by adjectives. Emphasize estar + adjectives that express a state or condition and ser + adjectives that express an inherent characteristic.

Point out. Estar is used with **vivo / muerto** because alive and dead are viewed as states or conditions and not as an inherent characteristics of human beings.

Gramática suplemental. Sometimes there is a complete change in the meaning of a sentence depending on whether **ser** or **estar** is used with the adjective or adverb: **Carlos es aburrido.** (*Carlos is boring.*) versus **Carlos está aburrido.** (*Carlos is bored.*); **María es mala.** (*María is bad [evil].*) versus **María está mala.** (*María is sick [in poor health].*); **José es listo.** (*José is clever [smart].*) versus **José está listo.** (*José is ready.*); **La manzana es verde.** (*The apple is green [its natural color].*) versus **La manzana está verde.** = (*The apple is green [unripe].*); **Ana es viva.** (*Ana is lively [alert].*) versus **Ana está viva.** (*Ana is alive.*).

"Rarely have I found a book that is as clear in its explanation of relative pronouns, if clauses, and other more complex grammar points. It is one reason that this book stands out from the others."

—**Claudia Polo Vance**, *University of North Alabama*

Meaningful skill development

By focusing on the four skills of language learning—listening, speaking, reading, and writing—**Interacciones** teaches students to function within Hispanic culture as they practice using the language in real contexts.

New audio recordings of the dialogues from *Así se habla* and *¿Qué oyó Ud.?* are available on the Text Audio CDs. In addition, exercises for completion before, during, and after each listening selection encourage students to think critically about the material.

Así se habla CD 1, Track 11

Extending, Accepting, and Declining an Invitation

La celebración de un aniversario

CRISTINA: Hola, Ana María, ¡qué gusto de verte!
ANA MARÍA: ¡Hola! ¡Qué milagro es éste!
CRISTINA: Así es. Mira, aprovecho que te veo para decirte que la próxima semana, el sábado, vamos a tener una reunión en la casa y quiero que vayas con Ramiro. Tú sabes que Juancho estuvo muy enfermo.
ANA MARÍA: ¡No me digas! ¡Cuánto lo siento! ¡Yo no sabía nada!
CRISTINA: Sí, fue muy feo. Tuvo un virus y no sabían qué era. Hemos pasado unas semanas..., pero bueno... ahora ya está bien. Por eso queremos reunirnos con los amigos. No es nada formal, ni mucho menos, sino sólo para estar juntos y pasar un rato agradable, nada más.
ANA MARÍA: Oye, con mucho gusto. ¿A qué hora quieres que vayamos?
CRISTINA: Como a las siete u ocho, ¿te parece?
ANA MARÍA: Perfecto. Ahí estaremos. Muchas gracias y me alegro mucho que Juancho esté bien ya. Dale un saludo de mi parte.
CRISTINA: Ay sí, francamente... Gracias. ¡Estoy feliz!

If you want to invite someone to do something, you might use the following expressions.

¿Crees que podría/s venir a... este...?	Do you think you could come to ... this ... ?
Estoy preparando un/a..., y me gustaría que Ud. (tú) viniera/s.	I am preparing a (an) ... and I'd like you to come.
El próximo viernes / sábado vamos a tener una reunión en casa.	Next Friday / Saturday we are going to have a party at home.

Warm-up. Before listening to the dialogue, have students work in pairs and describe the people in the photo. Then have students brainstorm the phrases that the people in the photo might be saying to each other.

Point out. Explain the meaning of the following expressions: *Aprovecho que te veo...* (Now that I see you.) *Hemos pasado unas semanas..., pero bueno... ahora ya está bien.* (We went through some hard times, but everything is going well now.)

Have students listen to the dialogue once. Then ask them to provide a statement explaining the gist of the conversation.

Comprehension check. After playing the dialogue a second time, have students answer the following: ¿Qué va a pasar el próximo sábado y a qué hora? (Va a haber una reunión en la casa de Cristina a las siete u ocho.) ¿Cuál es el motivo de la reunión? (Es una reunión para pasar un rato agradable con los amigos.) ¿Qué frase se usa para hacer la invitación? (Quiero que vayas con Ramiro.) ¿Quiénes han sido invitados? (los amigos) ¿Qué frase se usó para aceptar la invitación? (Perfecto. Ahí estaremos.)

Variation. Have two students read the dialogue aloud as a role-play. Then have students locate phrases in the dialogue that illustrate the function *Extending, Accepting, and Declining an Invitation.*

Interacciones

A Una fiesta. Call a classmate to invite him / her to a party you are giving this weekend. Chat for a few minutes and then extend your invitation. Your classmate should inquire about the details of the party—who will be there, when it will start, where your house is located, if he/she can bring something to eat or drink. After your friend accepts your invitation, repeat the time, date, place, and address.

B Celebraciones familiares. As a grandparent you often remember your youth with great nostalgia. Tell your grandchildren (played by your classmates) what a typical family celebration was like in your family. Explain what family members were present and what you used to do. Describe what various family members used to be like as well.

C La quinceañera *(special fifteenth birthday party).* You are the mother / father of a fifteen-year-old daughter and you are planning her **quinceañera.** You hold a family meeting with your spouse, daughter and two other children to make decisions about the celebration. Decide on the date, the location, the food, her attendants, the number of guests, and other details. Decide if the following cruise is a good option for your family.

Communicative modes incorporated. A: interpersonal B: presentational C: interpersonal D: presentational

Vocabulary incorporated. A: expressions for extending, accepting, and declining invitations B: family members, family activities C: family members, family activities D: wedding vocabulary, family members

Grammar incorporated. A: Asking and answering questions; ser vs. estar B: imperfect tense; formation and agreement of adjectives C: formation and agreement of adjectives; possessive adjectives and pronouns; ser vs. estar D: formation and agreement of adjectives; possessive adjectives and pronouns; ser vs. estar.

QUINCEAÑERA
Cruceros de siete noches

Celebre los Quince años de su hija en un crucero por el Caribe
Desde $929 p.p. cuádruple

Explorer of the Seas
Julio 4, 18 y 25, Agosto 1
Navigator
Junio 12 y 19

D La boda del año. You are a reporter for a local radio station and have been assigned to cover the wedding of the only daughter of a wealthy and prominent local citizen. As the guests and wedding party approach the church, describe them for your radio audience. Tell what the bride, groom, parents, and other relatives are like and how they look or are feeling today. Explain how many people are present, who they are, etc. As the bride and groom approach, ask them how they feel on this important day.

Expanded opportunities to practice speaking appear in every chapter—from the new Information Gap activities to numerous communicative and interactive exercises and role plays.

"...the Lecturas culturales, Perspectivas *and* Interacciones *sections have worked well providing both good opportunities to read and listen and speak, as well as presenting interesting topics to discuss."*

—**Daniel Woolsey,** *Hope College*

Improved reading selections in each chapter help students focus on the main ideas and themes of the selection by dividing each reading into small, sub-titled sections that highlight the significance of the material. In addition, updated selections reflect modern trends of interest to students, while mini-biographies on historical and contemporary figures represent areas such as literature, sports, politics, and entertainment.

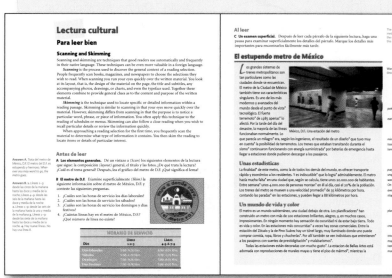

New, alternative literary selections from the **Heinle Voices Collection**—an online database of readings—are suggested in the teacher's marginal annotations to supplement the text's *Lecturas literarias* sections. You can learn more about **Heinle Voices** by visiting **www.textchoice.com/voices**.

Writing activities correlated to the **Atajo 4.0 CD-ROM: Writing Assistant for Spanish** teach students new strategies for developing a composition related to the chapter topic. Students can then put that strategy into practice by completing the pre-writing *Antes de escribir* exercises, *Al escribir* compositions, and post-writing *Después de escribir* exercises.

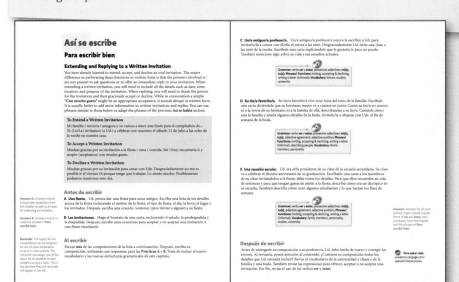

Atajo 4.0 CD-ROM: Writing Assistant for Spanish combines the features of a word processor with databases of language reference material, a searchable dictionary, a verb conjugating reference, and audio recordings of vocabulary and example sentences.

ISBN-10: 1-4130-0060-6
ISBN-13: 978-1-4130-0060-3

These program components are designed to enhance and enrich the language-learning experience—both in and out of the classroom.

Annotated Instructor's Edition (with Audio CDs)
ISBN-10: 1-4282-2969-8 • ISBN-13: 978-1-4282-2969-3
This expanded version of the student textbook contains detailed suggestions for using the various components of the *Interacciones* program, as well as teaching annotations designed to simplify your lesson planning and preparation.

PowerLecture: Instructor's Resource CD-ROM with Testing Program
ISBN-10: 1-4282-2979-5
ISBN-13: 978-1-4282-2979-2
This CD-ROM includes guides for the use of the textbook, **Workbook/Lab Manual/Video Manual**, the **Video Program**, and the **Testing Program**, as well as sample course outlines and syllabi, sample lesson plans, and teaching tips.

Imágenes culturales Video on DVD
ISBN-10: 1-4282-2967-1
ISBN-13: 978-1-4282-2967-9
Turn to page 3 of this preview for more information.

Workbook/Lab Manual/Video Manual
ISBN-10: 1-4282-2964-7 • ISBN-13: 978-1-4282-2964-8
This essential resource features three distinct sections for each chapter of the text: *Actividades escritas*, *Actividades del vídeo*, and *Actividades orales*.

Lab Audio Program
ISBN-10: 1-4282-2965-5 • ISBN-13: 978-1-4282-2965-5
The set of nine **Lab Audio CDs** provide the audio input for the *Actividades orales* section of the **Workbook/Lab Manual/Video Manual**.

Workbook/Lab Manual/Video Manual Answer Key
ISBN-10: 1-4282-3103-X • ISBN-13: 978-1-4282-3103-0
This resource contains the answers to the **Workbook/Lab Manual/Video Manual**, as well as complete transcriptions of all lab audio and video material.

QUIA™ Online Workbook/Lab Manual/Video Manual
Printed Access Card ISBN-10: 1-4282-2966-3
ISBN-13: 978-1-4282-2966-2
Designed specifically for world language educators and today's computer-savvy students, **QUIA** is an advanced and easy-to-use e-learning platform for delivering activities to students over the Web. The online version of the **Workbook/Lab Manual/Video Manual** in the **QUIA** platform allows students to get immediate feedback on their work—anytime, anywhere.

iLrn™: Heinle Learning Center
Printed Access Card ISBN-10: 1-4282-2974-4 • ISBN-13: 978-1-4282-2974-7
Turn to the front of this text for additional information.

Text Audio CDs
ISBN-10: 1-4130-3379-2 • ISBN-13: 978-1-4130-3379-3
Packaged with new copies of the text.

Book Companion Website
academic.cengage.com/spanish/interacciones
This outstanding site offers teaching tips and resources, as well as a **Transparency Bank**. For students, the site includes self-correcting grammar exercises, cultural exploration activities, vocabulary flashcards, links to **Heinle iRadio** tutorials and an **iTunes** playlist as well as information linked to chapter themes and resource materials such as dictionaries or maps.

Also available:

Nuevo Latino Music CD
ISBN-10: 1-4130-1877-7 • ISBN-13: 978-1-4130-1877-6

Typing Spanish Accents Bookmark
ISBN-10: 0-7593-0659-1 • ISBN-13: 978-0-7593-0659-2

Merriam-Webster's® Spanish-English Dictionary
ISBN-10: 0-87779-916-4 • ISBN-13: 978-0-87779-916-0

Spanish Grammar Chart
ISBN-10: 1-55431-189-6 • ISBN-13: 978-1-55431-189-7

....

To create the perfect learning package tailored to your course, contact your Heinle sales representative today!

Author Background

Emily Spinelli

Emily Spinelli received her Ph.D. in Spanish from Ohio State University, where she studied Spanish language and Hispanic literature and culture as well as foreign language education and second language acquisition theory. Currently, she is the Executive Director of the American Association of Teachers of Spanish and Portuguese (AATSP) and Professor of Spanish at the University of Michigan–Dearborn where she teaches courses in all levels of Spanish language, literature, language of business, as well as culture and civilization. Professor Spinelli also coordinates the foreign language teaching-certification program and teaches courses in foreign language methodology. In addition to several textbooks, Professor Spinelli has also published many articles and reviews in scholarly journals. She is a frequent speaker and presenter at local, state, and national conferences and has consulted with school districts and universities throughout the country on issues related to foreign language education and methodology. Through the years, Professor Spinelli has been very active in professional organizations. She has served on the Executive Council of the American Council on the Teaching of Foreign Languages (ACTFL) and is a past president of that organization. She has also served as editor of *Foreign Language Annals,* the official journal of ACTFL, and as the president of the AATSP.

Carmen García

Carmen García, a native of Lima, Perú, received her Ph.D. from Georgetown University in Linguistics. She is currently Associate Professor of Spanish, Applied Linguistics, and Pragmatics, Director of the Undergraduate Spanish Language Program and Coordinator of the Masters in Spanish Linguistics Program at Arizona State University. Professor García is author or co-author of several college-level Spanish textbooks. She has also published many articles in national and international journals on foreign language teaching as well as on Spanish pragmatics and cross-cultural communication. In addition, she has recently published *Research on Politeness in the Spanish-speaking World.* She is a frequent speaker and presenter at local, regional, national, and international meetings and conferences and a member of many national language organizations.

Carol E. Galvin Flood

Carol E. Galvin Flood has a M.A. degree in foreign language education from the University of Michigan as well as a M.A. degree in Spanish language and literature from Wayne State University (Detroit). Currently, she teaches Spanish in the Bloomfield Hills (Michigan) school district where she has helped develop and implement a two-year program to prepare high school students for the Advanced Placement Spanish Language Exam. Throughout her career she has taught Spanish at many levels ranging from early elementary bilingual–bicultural classes to university advanced composition and conversation. She has also been active in professional organizations such as the AATSP and ACTFL throughout her teaching career.

Philosophy of the Authors

As experienced and well-respected teachers and authors, Professors Spinelli, García, and Flood are strong advocates of an approach to the teaching of languages that emphasizes interpersonal communication as well as the integration of language and culture. The texts written by these three authors focus on authentic language and materials and include numerous exercises and activities that integrate the four skills within the interpersonal, interpretive, and presentational modes of communication. Such exercises and activities are designed to help students learn to use language to accomplish tasks and to communicate with others while developing an understanding of and appreciation for Hispanic culture.

Preface

Interacciones is a complete intermediate Spanish program that emphasizes an interactive, communicative approach to the teaching of language and culture. The *Interacciones* program adheres to the goals of the national *Standards for Foreign Language Learning* and stresses the teaching of the four skills of listening, speaking, reading, and writing within the interpersonal, interpretive, and presentational modes of communication. The program also helps students develop a sensitivity to and appreciation for the perspectives, practices, and products of Hispanic culture and guides them in cross-cultural comparisons. The program consists of several components that promote the use of language to converse with others and to accomplish tasks in a variety of situations so that students will learn to communicate and function within Hispanic culture. A complete description of how *Interacciones* incorporates the National Standards can be found in the *Instructor's Resource Manual* in the *PowerLecture Instructor's CD-ROM*.

This sixth edition of *Interacciones* utilizes considerable input and advice from reviewers, instructors, and students. The careful integration of their suggestions has helped to make this text an even more effective tool in the development of language skills and the appreciation of Hispanic culture. The features that were enthusiastically received by fifth edition users have been enhanced but not compromised in this edition.

Highlights of the *Interacciones* Program

- **Integrated language and culture.** The cultural information represents the countries and regions of the Spanish-speaking world including Spanish speakers in the United States. The cultural information is thoroughly integrated into exercises and activities so that students learn about the culture as they learn to function within it.

- **Interactive exercises, activities, and role-plays.** The numerous exercises, activities, and role-plays simulate the language tasks performed by native speakers and promote real communication.

- **Authentic materials and language models.** The use of authentic materials and authentic language models provides students with the same type of listening and reading materials that native speakers hear and read.

- **Skill development strategies.** Detailed strategies for developing the listening, speaking, reading, and writing skills are presented in each chapter. Students then practice these strategies in sequential fashion within exercises and activities that will help them become independent learners of Spanish.

- **Vocabulary acquisition.** Vocabulary has been carefully selected and controlled to focus on linguistic functions in a variety of situations. The vocabulary is presented early in each chapter and is practiced throughout in order to develop the students' ability to describe and narrate in the target language.

- **Spiral sequencing of grammar.** The presentation of grammar structures in smaller, more manageable units, combined with the recycling of these structures, allows students to proceed from conceptual to partial to full control of individual structures with less frustration.

- **Cross-cultural information.** The cross-cultural comparisons and contrasts help students develop a sensitivity to and appreciation for Spanish-speaking culture as well as a deeper understanding of their own culture. Information on people, art, architecture, and literature gives students insight into the cultural achievements of the Spanish-speaking peoples.

- **Development of proficiency.** The presentation and practice of intermediate-level communicative functions such as creating with language within a variety of contexts; asking and answering questions; initiating, sustaining, and closing a conversation; and learning to respond to a predictable situation in the target culture serve as a foundation for the development of advanced-level proficiency.

- **Language skills and modes of communication.** The four skills of listening, speaking, reading, and writing are taught and practiced independently and in combination in order to develop the three communicative modes: interpersonal, interpretive, and presentational.

- **Functional terms.** Terminology that focuses on communicative functions is used in the presentation of vocabulary, grammar, and expressions so that students see the relationship between the grammatical structures and their communicative use.

New to This Edition

- **A new video program** has been created for this edition of *Interacciones* from ABC News footage, filmed on location in the Spanish-speaking country represented in each chapter. The video segments are located in the *Imágenes culturales* section of the twelve main chapters. The segments are thoroughly integrated into the chapter and correlate with the chapter theme, communicative goals, and the country or region under study.

- **New video exercises** to accompany the new *Interacciones* video have been placed in the *Imágenes culturales* sections of the student textbook and the *Cuaderno de actividades*. The exercises proceed sequentially from the pre-viewing exercises of *Antes de mirar* in the textbook, through the viewing exercises of *Al mirar* and the post-viewing comprehension exercises of *Después de mirar* in the *Cuaderno de actividades*. Students are exposed to authentic language and culture and can practice their listening and interpretive skills.

- **New music selections** representative of the countries or regions of the Hispanic world have been added. Each *Bienvenidos* section now includes *Notas musicales,* a music selection accompanied by a selection of the song lyrics and information on the performers. A short comprehension exercise concludes this section. Students can download and listen to the music by accessing the *Interacciones, 6th Edition* playlist. Additional exercises on the music selection are located in the *Cuaderno de actividades*.

- **Information gap activities** have been created for every chapter of *Interacciones*. These activities entitled *¿Qué me dices?* are generally located in the *Presentación* sections and help students acquire new vocabulary by using it in an interactive, task-based information gap activity.

- **Expanded and enhanced cross-cultural information and exercises** have been included throughout the program. The *Perspectivas* section on cultural concepts has been moved closer to the beginning of each chapter so that students can use the cross-cultural information throughout the remainder of the chapter. Updated and new information allows students to gain greater cultural sensitivity and appreciation, make comparisons with their own cultures, and learn how to function in Hispanic culture.

- **Updated cultural information** on famous historical and contemporary personalities from the countries or regions of the Spanish-speaking world has been added to the *Herencia cultural* sections. These famous persons represent a wide variety of cultural areas such as literature, sports, politics, and entertainment. The outline information on the countries and regions of the *Bienvenidos* section has also been updated.

- **Improved reading selections** are included in each chapter. All reading selections are divided into smaller sections and accompanied by a sub-title which provides general information about the content of the material to follow. This division of reading into smaller segments and the sub-titles allows students to focus on the main ideas and themes of the entire reading selection. In addition, many of the existing reading selections have been shortened allowing for greater comprehension on the part of all students.

- **The newly organized *Cuaderno de actividades*** has been expanded to include *Actividades escritas, Actividades orales* and a new section of *Actividades de vídeo* for each chapter. Students will have many opportunities to develop all language skills, improve their accuracy, and practice with cultural and geographical information.
- **New links to Spanish-language films** have been added. Marginal annotations are provided to allow instructors to correlate ***Interacciones*** chapters to *Más allá de la pantalla* and its explanations and activities on recent Hispanic films.
- **New links to Spanish-language literature** have been added. Marginal annotations are provided to allow instructors to choose alternative literary selections that link to *Voices,* the Heinle on-line literature bank.
- **New links to Heinle iRadio** are included to provide students with an on-line source of additional information about grammar structures and help with Spanish pronunciation.
- **New audio recordings** of the dialogs from *Así se habla* and *¿Qué oyó Ud.?* are available on the Text Audio CDs.
- **Additional teaching annotations and models** have been placed in the margins of the *Annotated Instructor's Edition.* These teaching annotations as well as answers to exercises have been placed in the margins of the *AIE* in order to simplify lesson planning and preparation.
- **Enhanced student annotations** for the *Atajo 4.0, Writing Assistant for Spanish* have been developed. Students are encouraged to use this on-line writing assistant during the pre-writing phase of the writing process.
- **An improved and expanded *Instructor's Resource CD-ROM*** provides detailed suggestions for using the student textbook, video, and other ancillaries, sample syllabi, and a complete testing program with two versions of each examination with Answer Key. The testing program on CD-ROM will facilitate the creation of exams that match the needs of any Spanish program. In addition, a new section of optional testing materials for the unit cultural information has been created for this edition.

Organization of Each Two-Chapter Unit

Bienvenidos

Each two-chapter unit of the student textbook begins with the *Bienvenidos* section, which provides information in outline form about the geography, climate, population, important cities, government, and economy of the countries under study. A photo and an exercise on the information are also included. The *Bienvenidos* section also includes *Notas musicales* which provides students with access to a song representative of the country or region under study as well as lyrics and information about the performers.

Chapter Opener

The chapter opener page contains a photo which illustrates the cultural theme of the chapter. The cultural themes and communicative goals for the chapter are also listed.

Presentación

The first two *situaciones* of each chapter begin with a *Presentación* that teaches the vocabulary necessary for describing a situation and communicating within it. *Capítulo 7,* for example, is titled «*De compras*». The *Presentación* of the *Primera situación* teaches vocabulary for the variety of stores and/or merchandise typically found in a shopping center. The *Segunda situación* expands on clothing vocabulary as well as fabric type, color, and design.

Each *Presentación* opens with an illustration of the place, situation, or event under study. Students first name the people and objects depicted in the illustration, using the new vocabulary presented in the list at the end of the *Presentación*. Other contextualized vocabulary acquisition exercises follow. These exercises end with *Creación,* an exercise in which students must describe what is happening in the illustration. The *Creación* serves to develop narration skills in the present, past, and future. In this way, students progress from mechanical vocabulary drills to communicative exercises involving the new vocabulary.

Approximately forty to forty-five vocabulary items are listed at the end of each *Presentación.* The items are grouped semantically in categorized lists for ease of learning. For example, in the chapter on shopping, the groups for the *Primera situación* include *El centro comercial* (names of store types), *La joyería* (jewelry items), and *La zapatería* (footwear items). Within each semantic group, words are alphabetized and grouped by part of speech.

The vocabulary has been selected keeping in mind the regional diversity of the Hispanic language as well as the varying ability levels of intermediate students. In most cases, only one Spanish equivalent is presented for a given idea or item. A variant for Spain as well as Latin America is presented only for certain terms, such as the word for *potato* which is listed as *la papa (A)* for the Americas and *la patata (E)* for España.

In addition to the vocabulary chart at the end of the *Presentación* section, vocabulary is also presented in the following ways.

1. At the intermediate level students need to be aware that regional vocabulary differences exist and that certain words are appropriate only in certain regions. To that end, student marginal annotations specifying regional variants are provided. Students should be told which form(s) will be used within the classroom and/or tested.
2. Most students should enter an intermediate-level language course with a certain basic or core vocabulary. To avoid the repetition of this most basic vocabulary within the *Presentación,* in the case of *Capítulo 7,* items such as colors, articles of clothing, and calendar terms are included in *Appendix B: Vocabulary at a Glance,* which appears at the end of the student text. This appendix also contains basic terms used to talk about any drawing or photo.
3. For students who want vocabulary in addition to that which is listed in the chart, student marginal annotations provide other related vocabulary items.

Así se habla

The *Así se habla* sections of the first two *situaciones* contain the routines, patterns, and gambits of normal discourse. The phrases listed expand upon the vocabulary of the *Presentación* and allow the student to perform additional linguistic functions pertinent to the situation of the chapter. In the example chapter, «De compras», the *Así se habla* sections teach the phrases for making routine purchases and complaining—two important linguistic functions associated with the shopping situation.

The *Así se habla* section begins with a brief printed dialogue that contextualizes the vocabulary of the *situación* as well as the new functional phrases. The printed dialogue is followed by the phrases and expressions for the linguistic function under consideration. These phrases and expressions are accompanied by role-play exercises, which review the vocabulary of the *Presentación* and expand upon the type of situations in which students can function. Students complete these exercises in pairs or small groups.

Estructuras

In a communicative textbook, grammar retains a central position in terms of importance. However, many differences in grammar sequencing and presentation can be noted when a communicative text is compared with a traditional text with a grammar-based syllabus.

In a communicative textbook, grammar is not an end in itself; grammar has a purpose. The grammar structures of the *situaciones* are related to the communicative theme of the chapter and can be used in order to function in the situation under consideration. For example, the communicative goal of the *Primera situación* of *Capítulo 7, «De compras»*, is making routine purchases. The corresponding *Estructuras* section explains and practices the present progressive and the superlative forms of adjectives. These grammar points are tied respectively to the functions of expressing actions in progress and making comparisons. These functions are, of course, useful when making routine purchases. Likewise, in another chapter, the teaching of the future tense is combined with the situation involving activities in the city so that tourists can discuss where they will go and what they will see when they travel to the city in the future.

In a communicative text grammar also has meaning. One problem with the grammar explanations of many traditional textbooks is that the explanation fails to tell students when and where the structure can be used; such explanations contain little meaning for learners. In *Interacciones,* care has been taken not only to relate the grammar structures to the situation of the chapter but also to link each structure to a linguistic function so that students see the relationship between the grammar structure and its meaning. For example, in *Capítulo 7, «De compras»*, superlative forms of adjectives are introduced in the following manner:

Making Comparisons

Superlative forms of adjectives

In certain situations such as shopping or discussing family or friends, you often want to compare objects or persons and set them apart from all others: *This is the largest mall in the state.* To make statements comparing one item to many others in the same category, the superlative form of the adjective is used. The English superlative is composed of *the most* or *the least* + adjective or the adjective + the ending *-est.*

The titles of the *Estructura* sections also link the purpose and meaning of the grammar structure under consideration with the traditional name of that structure: for example, "Indicating Ownership: Possessive Adjectives"; "Expressing Likes, Dislikes, and Interests: Verbs like *gustar*."

The learning of grammar structures involves three stages: the learner passes from *conceptual control* to *partial control* to *full control* of the grammar points he or she is taught. The amount of time required to obtain full control of a given structure will vary according to the student and to the difficulty of the structure when compared with the learner's first language. For example, an English-speaking intermediate student should have full control of present tense verbs and will make few errors using them in simple conversations. However, an English-speaking intermediate student will have only partial control of the preterite and imperfect tenses; the student will sometimes use the forms correctly but will not be able to narrate in the past with fluency or accuracy. Finally, an English-speaking inter-mediate student will have only conceptual control of contrary-to-fact *if* clauses. The student will understand and will recognize the verb forms involved, but will need considerable practice to complete mechanical exercises with accuracy and is a very long way from the full control of the structures needed for hypothesizing.

Many of the other intermediate texts currently on the market do not take into account the fact that intermediate students will have full control of certain structures, partial control of others, and only conceptual control of difficult items. In many existing texts, all grammar structures are generally treated in the same fashion and practiced to the same extent; that is, they are explained and practiced as if they were being presented for the first time in a beginning text. Further, the grammar sequencing in most other intermediate texts is the same as that found in traditional first-year textbooks. As a result, students become easily bored doing exercises for which they have full control and frustrated that they do not receive enough practice on structures such as narrating in the past, for which they have only partial control.

In *Interacciones,* we have attempted to eliminate some of these problems of scope and sequence by giving only cursory review to items that should already be under full control and more explanation and practice to items that are in the conceptual or partial control phase.

Another salient feature of a communicative textbook is spiral grammar sequencing; that is, the more difficult grammar structures are presented in small doses and re-entered, recombined, and reviewed throughout the textbook so that students can progress naturally from conceptual control to partial control to full control of the various grammar structures. In *Interacciones,* only one aspect of difficult grammar structures is presented per *situación.* For example, preterite forms and uses are reviewed in one chapter, the imperfect in another, and the distinction between the imperfect and preterite is treated in still another chapter. In addition, exercises and activities practicing narration in the past are included in almost all subsequent chapters of the textbook so that students have many opportunities to practice this important function. In this way, there remains ample opportunity for reentry and constant review of the grammar.

Within each *Estructura,* there are five or six subsections; each subsection treats one grammar point, which is explained with the aid of charts and examples. Care has been taken to provide only those rules and examples that are necessary for the communicative goal under study.

Perspectivas

The cultural objectives of *Interacciones* are to help students learn more about the products, practices, and perspectives of Hispanic culture. Students will also learn more about their own culture through cross-cultural comparisons with Hispanic culture. In order to accomplish these objectives, the *Interacciones* program

1. introduces students to the various geographic regions where Spanish is spoken and to the diverse ethnic backgrounds of the people who speak the language
2. provides the cultural information necessary to function successfully in Hispanic countries
3. points out and explains cultural differences and provides exercises that help students become aware of the differences and similarities among cultures
4. avoids stereotyped aspects of culture and emphasizes positive aspects without distorting reality
5. helps students become sensitive to the target and native cultures while appreciating the best features of both

The cultural information is presented in several places within each two-chapter unit: *Bienvenidos, Presentación, Perspectivas, Imágenes culturales, Lectura cultural,* and *Herencia cultural.* In addition, many grammar exercises are designed to present functional culture or cross-cultural information.

The *Perspectivas* section is designed to help students learn to function within the Spanish-speaking world. The section consists of a reading that is related to the cultural theme of the chapter, a photo or piece of realia that helps illustrate the cultural information, and exercises designed to check comprehension and help students assimilate cultural differences. In *Capítulo 1, «La vida de todos los días»,* students learn about the daily schedule in the Spanish-speaking world; in *Capítulo 3, «En familia»,* students learn about surnames and how they are formed; in *Capítulo 4, «En el restaurante»,* students learn how to read a basic menu in several Spanish-speaking countries or areas. Authentic materials in various forms—brochures, pamphlets, instruction cards, forms, and applications—are used as instructional tools in this section. Thus, in *Perspectivas* students are given the cultural information needed to function effectively in a Spanish-speaking region or country.

A marginal annotation in the Instructor's Annotated Edition explains the relationship of each *Perspectiva* section to the Culture and Comparisons standards of the national *Standards for Foreign Language Learning* by pointing out the products, practices, and perspectives being taught as well as the cross-cultural information presented. A second annotation, titled *Práctica intercultural,* provides instructors with warm-up questions about the students' own culture; these questions help students make cross-cultural comparisons and awaken background knowledge.

Information Gap Activities

All chapters of *Interacciones* include an information gap activity, called *¿Qué me dices?* that is based on two versions of the same illustration. Students practice negotiation of meaning as they ask and answer questions in order to discover what is missing from each drawing and complete the communicative task. The information gap activities provide practice of vocabulary and/or grammatical structures and are located in either the *Presentación* or *Estructuras* sections.

¿Qué oyó Ud.?

The *¿Qué oyó Ud.?* sections located at the end of the *Segunda situación* of each chapter are designed to develop the listening comprehension skill and interpretive mode of communication. The placement of these sections in the *Segunda situación* allows students to study the functional vocabulary and phrases of the entire chapter prior to using those phrases in a listening activity. The student textbook is sold with an audio CD containing the conversations of the *¿Qué oyó Ud.?* section.

The *¿Qué oyó Ud.?* sections are designed to help students develop the listening skill in a process fashion. Each *¿Qué oyó Ud.?* section begins with a drawing or photo illustrating the content of the conversation that students will hear later. A listening strategy that provides the student with techniques to help improve listening comprehension in the target language follows the illustration. After studying the listening strategy, students proceed to the exercises of *Antes de escuchar;* these exercises ask the student to describe the illustration and predict what the people in the illustration might be discussing. Students then proceed to the exercises of *A escuchar,* which are to be completed as they listen to the dialogue on the audio CD. The dialogue is organized around the phrases and expressions of the *Así se habla* section and relates to the cultural theme of the chapter.

After listening to the dialogue, students proceed to *Después de escuchar,* which contains two additional exercises based on the dialogue heard on the CD. The first exercise checks comprehension about factual information contained in the dialogue and practices the listening strategy. The second exercise asks students to analyze linguistic, sociolinguistic, and cultural elements of the dialogue and encourages critical thinking.

Tercera situación

The first two *situaciones* of each chapter present and practice the vocabulary, situational phrases, grammatical structures, and basic cultural information that will be recombined and synthesized in the *Tercera situación*. The *Tercera situación* has been designed to engage students in activities and tasks that involve real communication and use language for real-world purposes, such as the tasks that native speakers perform on a daily basis. To accomplish this goal, the *Tercera situación* includes a variety of sections so that students will practice and use all four language skills—listening comprehension, speaking, reading, and writing—in the three communicative modes—interpersonal, interpretive, and presentational. The following sections are included in the *Tercera situación*.

Imágenes culturales	Video (listening and viewing) segment
Para leer bien	Reading strategy
Lectura cultural	Cultural reading
Interacciones	Topics for oral communication
Así se escribe	Writing strategy followed by exercises and topics for composition and writing activities

Imágenes culturales

Description of the Video Program

The *Imágenes culturales* section features a text-specific video on DVD that is an important and integral component of the *Interacciones* textbook. The video program is available for instructors upon adoption of *Interacciones*.

The *Interacciones* video was created from ABC News footage filmed on location in several countries of the Spanish-speaking world and contains segments that correlate with each of the twelve chapters of the textbook. The video episodes are related to the culture, grammar, vocabulary, communicative functions, or general theme of the chapter. The *Imágenes culturales* section trains students to listen and view the video content in process fashion and consists of exercises to that end. The pre-viewing exercises of *Antes de mirar* are contained in the student textbook. The viewing *(Al mirar)* and post-viewing *(Después de mirar)* sections are contained in the *Cuaderno de actividades*.

In recent years video has become a standard component of the second-language classroom. Research and practice have shown that video is an effective tool for the teaching of listening comprehension and for providing cultural information. The incorporation of video enhances classroom teaching and learning in a number of ways since video segments present or illustrate the following:

- authentic models of spoken language
- authentic cultural context
- appropriate language for a variety of situations
- appropriate behavior for a variety of situations
- connotative meaning of vocabulary items
- models of pronunciation, dialects, and accents
- models of gestures and body language

In addition, the use of video in the classroom relates to the national *Standards for Foreign Language Learning*. Video can be used to teach the interpretive mode of communication, thus helping instructors to meet Standard 1.2: Students understand and interpret written and spoken language on a variety of topics. Video can also be effectively used to help meet the Cultures standard: Students demonstrate an understanding of the relationship between the practices and perspectives of the culture studied and between the products and perspectives of the culture studied.

Exercises and Activities of *Imágenes culturales*

As previously stated, the *Interacciones* video is designed to teach cultural information and to develop the listening comprehension skill and the interpretive mode of communication. Teaching listening comprehension is much like teaching reading. It is a process that depends upon activating students' background knowledge so that they can learn new material. To be effective, this background knowledge must be activated prior to viewing the video and listening to the content.

The exercises that accompany the video segments are process oriented and have been planned to develop the listening comprehension skill and reinforce cultural awareness and understanding. Each segment is accompanied by exercises and activities that represent three stages: *Antes de mirar* (pre-viewing stage), *Al mirar* (viewing stage), and *Después de mirar* (after-viewing stage).

1. *Antes de mirar:* Pre-viewing Exercises

   The first set of video exercises and activities is located in the *Imágenes culturales* section of the student textbook and includes pre-viewing exercises and activities that are designed to activate student background knowledge and listening strategies. The pre-viewing stage in the development of listening comprehension is vital. It is this step that teaches students how to listen and allows students to listen effectively. Skipping the pre-viewing exercises will frequently turn the video viewing into a frustrating experience for students and instructor alike.

   The exercises of the *Antes de mirar* section use still photographs from the video to help students correlate the exercises with the video segments and to help them remember details.

2. *Al mirar:* Viewing Exercises

   The second set of exercises and activities is located in the *Actividades de vídeo* section of the *Cuaderno de actividades* and includes exercises to complete while viewing the video segment or immediately afterward. These exercises help students focus on content and meaning.

   Some of the *Al mirar* exercises are global in nature and ask students to listen for the gist and assign meaning to the entire passage. Such exercises ask students to identify main ideas and verify hypotheses from the pre-viewing exercises. Other *Al mirar* exercises ask students to listen for detail and specific information. Such exercises ask students to complete grids and charts, answer information questions, and select or match specific information. Students may need to see the video segment two or three times in order to complete those exercises that ask for specific information.

3. *Después de mirar:* Concluding Exercises

   The third set of exercises and activities is also located in the *Actividades de vídeo* section of the *Cuaderno de actividades.* These activities ask viewers to think about what they have seen and draw conclusions about cultural elements and information or linguistic elements such as register and tone. As students progress through the course, the exercises and activities of the *Después de mirar* sections could serve as the basis for lengthier written work.

Para leer bien *and* Lectura cultural

Reading used to be referred to as a "passive skill,"which implied that little or no effort was required on the part of the reader to develop or use the skill. Today, however, reading is labeled a receptive skill, a term that acknowledges effort on the part of the learner. In the case of the productive skills of speaking and writing, the instructor knows almost immediately if students are grasping a new structure or form; the spoken or written words are readily available for assessment. However, it is not easy to ascertain if students are reading correctly or even if they are reading at all. Therefore, instructors need to prepare students for reading with as much or even more care than they give to speaking preparation. This is one way to avoid frustration and error on the part of the student.

Reading is also an important component of the interpretive mode of communication. In the interpretive mode, students read (or listen) and then interpret what they have learned. Frequently, they will need to discuss or write about what they have read. Thus, reading, as well as the interpretive mode, often links to the productive skills of speaking and writing.

As stated before, one of the main purposes of *Interacciones* is the development of the reading skill. To that end the following sections are provided: *Perspectivas, Para leer bien + Lectura cultural, Personalidades, Arte y arquitectura,* and *Para leer bien + Lectura literaria.*

Recent research on reading has shown that comprehension of a reading passage is facilitated if students are provided with information about content, vocabulary, and structures of the selection prior to actually reading it. This information in the form of explanations and exercises called advance organizers allows the students to organize their thinking and previous knowledge in order to make the correct predictions and guesses about content.

Para leer bien

The primary reading component of the *Interacciones* textbook consists of the *Para leer bien* section followed by the *Lectura cultural.* The exercises of these sections are process oriented and help students proceed through pre-reading, reading, and post-reading stages.

Para leer bien consists of a reading strategy that serves as an advance organizer for facilitating the reading of the *Lectura cultural* that follows. The *Para leer bien* section precedes the reading selection and offers concise explanations and exercises on such topics as cognate recognition, word families, prefixes and suffixes, predicting and guessing content, scanning, skimming, contextualized meanings, and chronological ordering. The content of this section is related to the content of the reading selection that follows; most examples and exercise items are taken directly from that reading selection. The exercises pertaining to the reading strategy are contained in a section titled *Antes de leer* and pertain to the prereading stage of development.

Lectura cultural

The readings of the *Lectura cultural* are taken from articles in contemporary Hispanic magazines and newspapers and are chosen for their relation to the cultural theme(s) of the chapter. By being provided with a variety of topics from a variety of sources, students should gain confidence in reading and progress rapidly.

Immediately prior to the reading selection is the *A leer* section, which provides students with advice on how to utilize the reading strategy of the preceding *Para leer bien* as they read. The *Después de leer* section follows each reading; it consists of a series of exercises to check comprehension, improve cultural knowledge, and develop the reading skill.

Interacciones

The *Interacciones* section is intended to be the culminating activity of the chapter and one that allows the students to use the language in interesting and entertaining ways. This section is pedagogically sound since each activity combines the vocabulary, grammar, linguistic functions, and cultural information of the entire chapter in new communicative patterns. The activities are varied; while some activities are geared to the individual student, most are pair or small-group activities. Many activities are task oriented and involve the students in realistic situations such as those encountered in the target culture; games and role-playing are stressed. Marginal annotations in the Instructor's Annotated Edition provide information about the communicative modes practiced in the individual activities; these annotations help the instructor link this section to the national *Standards for Foreign Language Learning.*

Así se escribe *and* Composiciones

The *Así se escribe* section helps develop the writing skill and consists of several process-oriented sections and exercises.

The initial section of the writing component is titled *Para escribir bien;* it offers a series of strategies designed to teach writing as a process. Students are given general writing techniques (such as information on preparing to write, improving accuracy, or using a dictionary) as well as the expressions and techniques for writing for specific situations (such as extending and replying to an invitation, filling out an application, and writing personal and business letters).

Each *Para escribir bien* section is followed by two or three exercises in the *Antes de escribir* section. These exercises help students put the writing strategy into practice and link to the composition topics that follow. Students are asked to brainstorm lists of vocabulary items and/or phrases that will be needed to complete a composition and to respond to writing prompts.

The *Al escribir* section provides composition topics that are related to the chapter and that practice the writing strategy. The topics represent a variety of types of writing: forms, informal notes, messages, and letters, as well as more formal, academic topics. The emphasis, however, is on writing tasks that are similar to those performed by native speakers on a routine basis.

The *Después de escribir* section offers strategies to help students revise and edit their composition after writing it and prior to handing it in to the instructor.

Herencia cultural

Each two-chapter unit closes with a section titled *Herencia cultural*; it is designed to introduce the student to the achievements of the Hispanic peoples and their visual and literary arts. Each section correlates with the country or region to which the two-chapter unit is devoted. *Personalidades de ayer y de hoy* provides information on six historical or contemporary figures that represent the countries under study. *El arte y la arquitectura* provides information about important museums, artists, and works of art or architecture; photos and comprehension exercises accompany the explanations. The *Lectura literaria* is composed of short stories, memoirs, and poetry by authors from the country or region represented in the two-chapter unit. Each reading is preceded by a *Para leer bien,* which provides information on literary topics such as genre, theme, character, figurative language, or symbolism. Students are guided through the literary reading with exercises in sections titled *Antes de leer, A leer,* and *Después de leer.*

Personalidades de ayer y de hoy

Each *Herencia cultural* section begins with *Personalidades de ayer y de hoy.*
Generally two historical and four contemporary figures pertaining to the country
or region of the unit are highlighted. A portrait or photo is provided along with
brief biographical information.

Arte y arquitectura

Arte y arquitectura provides information about important museums, artists, and
works of art or architecture for the country or region studied within the two-
chapter unit. Photos and comprehension exercises accompany the explanations.

Lectura literaria

The *Lectura literaria* is composed of short stories, memoirs, and poetry by authors
from the country or region represented in the two-chapter unit. Each reading is
preceded by a *Para leer bien,* which provides information on literary topics such as
genre, theme, character, figurative language, or symbolism. Prereading exercises
titled *Antes de leer* follow the reading strategy of the *Para leer bien* section. A
photograph and short biography of each author is also provided prior to the
reading selection. The *A leer* exercise is designed to help students utilize the reading
strategy they have just studied as they read the literary selection. Following the
reading, postreading exercises designed to check comprehension are provided in
the *Después de leer* section.

The literary selections have been included in order to provide students with an
introduction to the Hispanic literary heritage. It should be noted that many
students have little familiarity or practice with the reading of literature and will
need to be guided through the process. The end goal for reading these selections is
to have students relate a brief summary of the selections and to be able to explain
the main theme or importance of the topic. It is not expected that students will be
able to engage in deep literary analysis or to apply critical theory to the reading
selections.

AMÉRICA DEL SUR

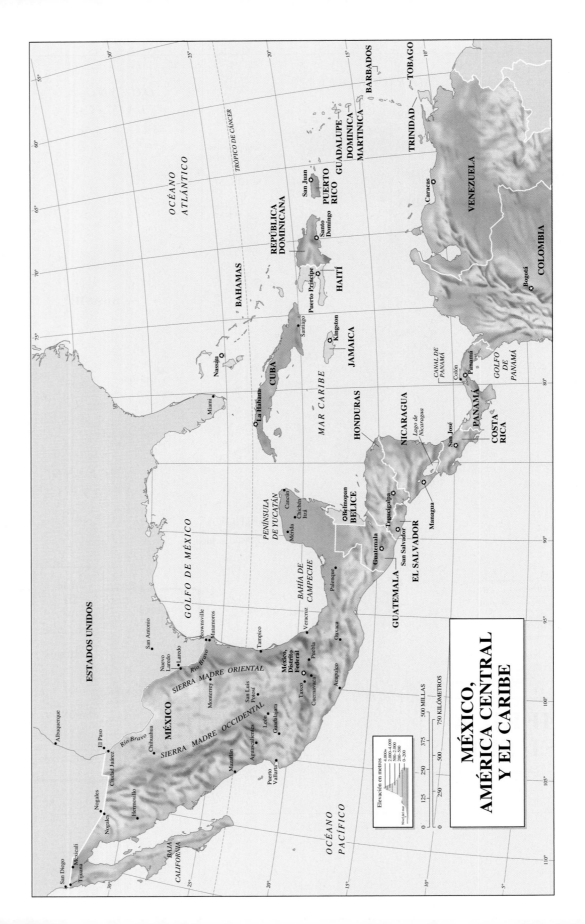

MÉXICO,
AMÉRICA CENTRAL
Y EL CARIBE

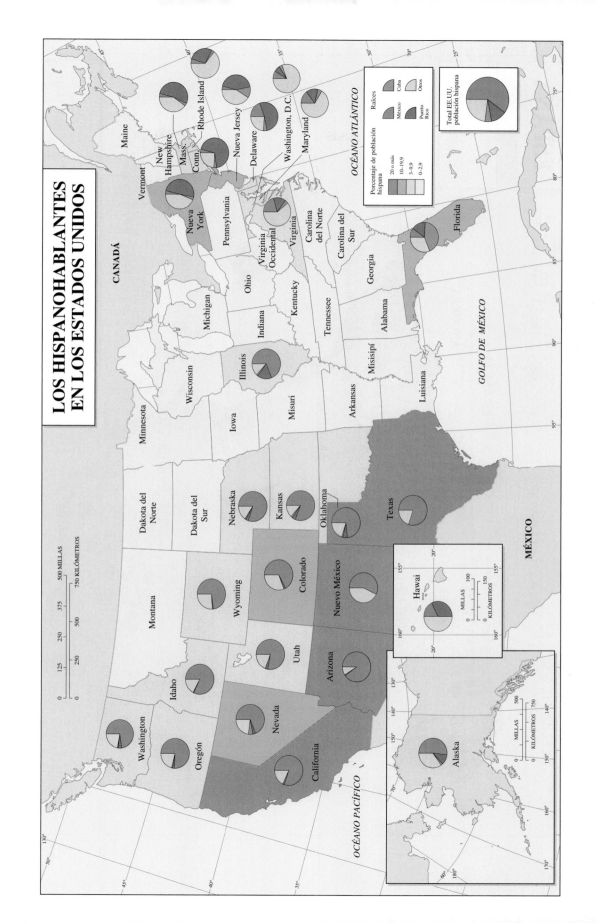

LOS HISPANOHABLANTES EN LOS ESTADOS UNIDOS

CANADÁ

OCÉANO ATLÁNTICO

OCÉANO PACÍFICO

GOLFO DE MÉXICO

MÉXICO

Raíces

Porcentaje de población hispana
- 20 o más
- 10-19,9
- 3-9,9
- 0-2,9

México
Cuba
Puerto Rico
Otros

Total EE.UU.
población hispana

Hawai

Alaska

Washington
Oregón
Idaho
Montana
Wyoming
Nevada
Utah
California
Arizona
Nuevo México
Colorado
Dakota del Norte
Dakota del Sur
Nebraska
Kansas
Oklahoma
Texas
Minnesota
Iowa
Misuri
Arkansas
Luisiana
Wisconsin
Illinois
Michigan
Indiana
Kentucky
Tennessee
Misisipí
Alabama
Ohio
Virginia Occidental
Virginia
Carolina del Norte
Carolina del Sur
Georgia
Florida
Pennsylvania
Nueva York
Maine
Vermont
New Hampshire
Mass.
Conn.
Rhode Island
Nueva Jersey
Delaware
Washington, D.C.
Maryland

500 MILLAS
750 KILÓMETROS

MILLAS
KILÓMETROS

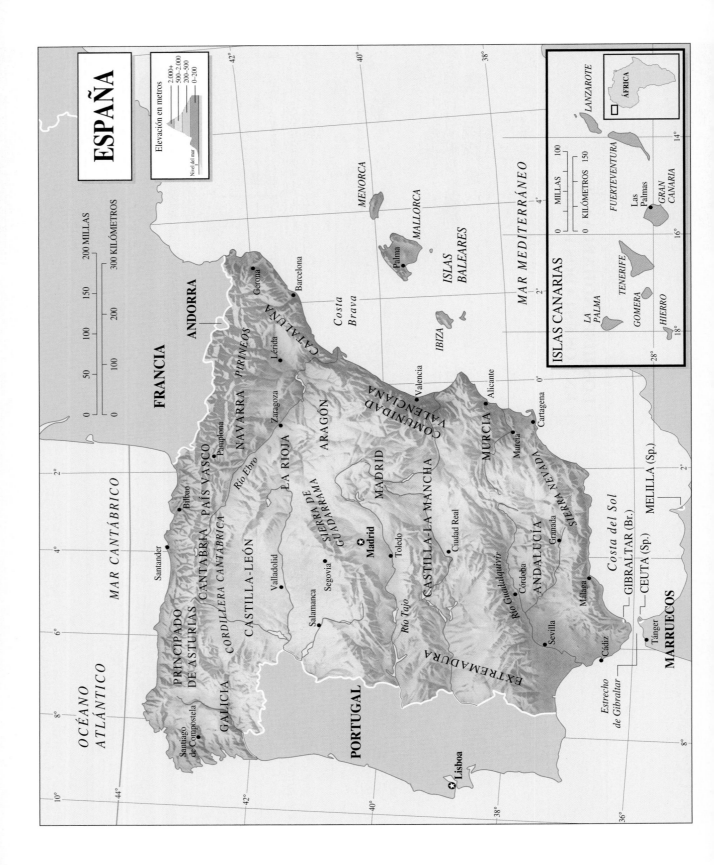

ESPAÑA

Elevación en metros

2.000+
500–2.000
200–500
0–200
Nivel del mar

OCÉANO ATLÁNTICO

MAR CANTÁBRICO

FRANCIA

ANDORRA

PORTUGAL

MARRUECOS

MAR MEDITERRÁNEO

200 MILLAS
300 KILÓMETROS

GALICIA

Santiago de Compostela

PRINCIPADO DE ASTURIAS

CANTABRIA

PAÍS VASCO

CORDILLERA CANTÁBRICA

Santander

Bilbao

Pamplona

NAVARRA

PIRINEOS

CATALUÑA

Gerona

Barcelona

Costa Brava

LA RIOJA

Río Ebro

Zaragoza

ARAGÓN

Lérida

CASTILLA-LEÓN

Valladolid

Salamanca

Segovia

SIERRA DE GUADARRAMA

MADRID

☉ Madrid

Toledo

Río Tajo

EXTREMADURA

CASTILLA-LA MANCHA

Ciudad Real

COMUNIDAD VALENCIANA

Valencia

Alicante

MURCIA

Murcia

Cartagena

SIERRA NEVADA

ANDALUCÍA

Río Guadalquivir

Córdoba

Granada

Sevilla

Málaga

Costa del Sol

GIBRALTAR (Br.)

CEUTA (Sp.)

MELILLA (Sp.)

Cádiz

Tánger

Estrecho de Gibraltar

Lisboa

MENORCA

MALLORCA

Palma

ISLAS BALEARES

IBIZA

ISLAS CANARIAS

ÁFRICA

LANZAROTE

FUERTEVENTURA

Las Palmas

GRAN CANARIA

TENERIFE

LA PALMA

GOMERA

HIERRO

100
150

MILLAS

KILÓMETROS

0

100

50

0

100

150

200

200 MILLAS

300 KILÓMETROS

Interacciones

Sixth Edition

Emily Spinelli
University of Michigan–Dearborn

Carmen García
Arizona State University

Carol E. Galvin Flood
Bloomfield Hills (Michigan) Schools

HEINLE
CENGAGE Learning

Australia • Brazil • Japan • Korea • Mexico • Singapore • Spain • United Kingdom • United States

HEINLE
CENGAGE Learning

Interacciones
Sixth Edition
Spinelli | García | Galvin Flood

Executive Editor: Lara Semones

Development Editor: Marisa Garman

Senior Content Project Manager:
   Esther Marshall

Editorial Assistant: Katie Latour

Associate Technology Project Manager:
   Morgen Murphy

Senior Marketing Manager:
   Lindsey Richardson

Marketing Assistant: Denise Bousquet

Senior Marketing Communications Manager:
   Stacey Purviance

Creative Director: Rob Hugel

Senior Art Director: Cate Rickard Barr

Manufacturing Manager: Marcia Locke

Text Designer: Glenna Collett

Photo Researcher: Kim Adams

Cover Designer: Joyce Weston

Compositor: Pre-Press PMG

Cover Photos: Top: QT Luong/
   terragalleria.com; Bottom: RF/Masterfile

For product information and technology assistance, contact us at
Cengage Learning Academic Resource Center, 1–800–423–0563

For permission to use material from this text or product,
submit all requests online at **cengage.com/permissions**
Further permissions questions can be e-mailed to
permissionrequest@cengage.com.

Library of Congress Control Number: 2007943558
Student Edition
ISBN-13: 978-1-4130-3378-6
ISBN-10: 1-4130-3378-4

Heinle, Cengage Learning
25 Thomson Place
Boston, MA 02210
USA

Cengage Learning products are represented in Canada by Nelson Education, Ltd.

For your course and learning solutions, visit **academic.cengage.com.**

Purchase any of our products at your local college store

Printed in the United States of America
1 2 3 4 5 6 7 12 11 10 09 08

For our families

whose love and support through the years have helped us create *Interacciones.*

Emily Spinelli   Carmen García   Carol E. Galvin Flood

Table of Contents

CAPÍTULO OCHO   *En la ciudad*   276

CAPÍTULO DOCE　Los deportes　　430

Appendixes

To the Student

¡Bienvenidos!

Welcome to the *Interacciones* program and the world of the Spanish language and Hispanic culture. With the *Interacciones* program you will develop your Spanish-language proficiency as you explore the 21 countries where Spanish is spoken and become acquainted with the variety and diversity of Hispanic culture. As authors of the *Interacciones* program, we hope that these *interacciones* with the Spanish language and Hispanic culture will be interesting and personally rewarding for you.

Becoming a Successful Language Learner

As you continue your study of Spanish, here is a list of general hints and pointers for helping you study and become a successful language learner.

- Keep in mind that you are developing a skill—communicating in another language. As a result, your language class will be very different from classes where the focus is on content such as history, psychology, or economics. In your intermediate Spanish class the focus is on skill development; you will learn to listen, speak, read, and write in Spanish with greater accuracy and in more situations. To develop those skills, you will engage in many different types of exercises, activities, and role plays in your language class; you will need to be actively involved. Learning another language is like learning to play a musical instrument or sport—the more you practice, the better you become.

- Set aside time to study Spanish on a regular, preferably daily, basis. It is far more effective to study for shorter, frequent periods of time than it is to study for one marathon session.

- To develop the conversational skills, practice aloud and preferably with a partner, such as a classmate, a friend who speaks or studies Spanish, or a family member.

- We know that successful language learners have a common personality trait—they are risk takers. They actively participate in class, they volunteer for classroom exercises and activities, and they take advantage of every opportunity to speak and practice. They make intelligent guesses about what words or phrases mean. Most importantly, they are not afraid of making mistakes—even in front of others. People who become proficient in another language make lots of errors but, nonetheless, they communicate and that, after all, is the goal.

- Remember that vocabulary and grammar structures are the building blocks of language. Learn the vocabulary and grammar as soon as they are presented in class and practice them in the context of exercises and activities.

- As you develop the your ability to read and listen, focus on the general meaning. Don't panic or shut down mentally if you don't understand a specific word or phrase. Continue listening or reading and attempt to understand the main idea. If you understand the main idea, the details will fall into place.

- Find opportunities outside the classroom to speak and use Spanish. Read Spanish-language newspapers on the Internet, listen to radio and TV broadcasts in Spanish, watch Spanish-language videos and films, listen to music in Spanish, or speak Spanish with a native speaker. Even if you do not understand every word, the exposure to the language is important and over time it will help improve your pronunciation and build vocabulary.

- Get to know the textbook and its various components. Every chapter in *Interacciones* has different sections, each designed for a specific purpose or to develop a specific skill. Become familiar with the various sections and keep the purpose of the section in mind as you do the activities.

- The *Interacciones* textbook will provide you with many additional strategies or tips on how and what to study. Pay particular attention to the following sections of *Interacciones*.

  Así se habla provides strategies for developing the speaking skill, that is your ability to engage in conversation with others in Spanish.

  ¿Qué oyó Ud.? provides strategies for developing the listening skill, that is your ability to comprehend and interpret spoken Spanish.

  Para leer bien provides strategies for developing the reading skill, that is your ability to comprehend and interpret written Spanish.

  Para escribir bien provides strategies for developing the writing skill, that is your ability to present your ideas in written Spanish.

- Remember that the principal goal of your Spanish instruction is for you to be able to communicate with Spanish speakers and to function in Spanish-speaking culture. Learning vocabulary and grammar is not the end goal; it is a means to develop your ability to communicate. Keeping the goal in mind will help you see the purpose behind the exercises you do and will ultimately help make you a successful language learner.
- Last, and perhaps most important, enjoy your language learning experience and use your developing Spanish language and culture skills for personal satisfaction. Interact with a Spanish-speaking community for entertainment—eat in a Mexican, Spanish, or Latin American restaurant, listen to Latin music or go dancing, attend festivals or concerts. Have fun!

¡Buena suerte!

Acknowledgments

The publication of this sixth edition of *Interacciones* could not have been accomplished without the contributions of many people. We would first like to thank Heinle Cengage Learning and P.J. Boardman, Editor in Chief, for the continued support of the Interacciones program. We would also like to acknowledge Lara Semones, Executive Editor, for her guidance, support, and vision that led to the conceptualization of this sixth edition. We are especially grateful to our wonderful and creative Developmental Editor, Marisa Garman and to the Senior Content Project Manager, Esther Marshall, who have been extremely supportive and patient throughout this project. Without their attention to detail and their extraordinary ability to listen and negotiate solutions, this edition would never have been completed on time. We also acknowledge the fine work and contribution the Marketing and Technology department, and in particular Lindsey Richardson, Stacey Purviance, Morgen Murphy, and Katie Latour; the compositor Pre-Press PMG and their Project Manager Melissa Mattson; Glenna Collett, the Interior Designer; and Kim Adams, the Photo Researcher.

Last, we would like to acknowledge the work of the many reviewers who provided us with insightful comments and constructive criticism for improving our text:

Carmen Arranz, University of Kentucky
Monica Botta, Washington and Lee University
Herbert Brant, IUPUI (Indiana University – Purdue University, Indianapolis)
Michelle Connolly, Community College of Rhode Island
Kit Decker, Piedmont Virginia Community College
Victoria Defferding, George Fox University
Janet Horton-Payne, Southwestern Oregon Community College
Jeff Kubaszyk, Bethel College
Suzanne LaVenture, Davidson County Community College
Lee Mitchell, Henderson State University
Mary O'Donnell, Purdue University
Claudia Ospina, Wake Forest University
Claudia Polo Vance, University of North Alabama
Patricia Swier, Wake Forest University
Ángel T. Tuninetti, Lebanon Valley College
Roberto Vela Córdova, Texas A & M University, Kingsville
Maria Villieres, Villanova University
Natalie Wagener, UTA (University of Texas at Arlington)
Daniel Woolsey, Hope College
Patricia Crespo-Martín, Foothill College

Unos amigos en un café al aire libre

Cultural Theme

The Spanish-speaking World

Communicative Goals

Finding out about others
Expressing small quantities
Discussing when things happen
Discussing activities

For information on the **Cultural Themes and Communicative Goals** section and how to use it, see "Using the *Interacciones* Program" located in the *Instructor's Resource Manual*, that is included in the *PowerLecture: Instructor's Resource CD-ROM*.

Have students provide examples in English of topics, situations, and phrases that would be covered in each of the communicative goals. **Modelo:** Finding out about others: Students might answer with questions such as *Where do you live?; Where are you from?; What are you studying this semester?*

 Video on DVD

Cuaderno de actividades

iLrn Heinle Learning Center

 academic.cengage.com/
spanish/interacciones

 Audio

Atajo

 Music

iRadio

Presentación

¿Quién soy yo?

For information on the **Presentación** and how to use it, see "Using the *Interacciones* Program" located in the *Instructor's Resource Manual*.

Warm-up 1. Have students explain who the people in the drawing are: **unos amigos / unos estudiantes / un joven / una joven.**

Warm-up 2. Have students explain what objects are seen in the drawing.

Práctica y conversación

P.1 **¿Qué se ve en el dibujo?** *(What do you see in the drawing?)* Utilizando el **Vocabulario** a continuación, describa a las personas y las actividades que se ven en el dibujo.

Answers P.1. Answers should include new vocabulary for this **Presentación.**

P.2 **Su documento de identidad, por favor.** Explique qué documento de identidad necesita Ud. en las siguientes situaciones.

1. Ud. acaba de llegar al aeropuerto de Barajas en Madrid después de un vuelo largo de Nueva York. el pasaporte
2. Un policía lo/la detiene porque Ud. está conduciendo demasiado rápido. el permiso de conducir
3. Ud. necesita sacar un libro de la biblioteca de la universidad. el carnet estudiantil o la tarjeta de identidad
4. Ud. compra un traje de baño y quiere pagar con cheque. el permiso de conducir
5. Ud. compra entradas para el concierto con descuento estudiantil. el carnet estudiantil
6. Ud. entra en un bar en Miami para tomar algo con sus amigos. el permiso de conducir

P.3 Un autorretrato (self-portrait). Conteste las siguientes preguntas describiéndose a sí mismo/a.

1. ¿Cómo es Ud.?
2. ¿Cuál es su fecha de nacimiento? ¿Su lugar de nacimiento?
3. ¿Cuál es su estado civil?
4. ¿Cuál es su profesión?
5. ¿Cuáles son sus pasatiempos favoritos?

P.4 La conocí ayer (I met her yesterday). Utilice el siguiente anuncio *(advertisement)* para contestar. ¿Quién es este hombre? ¿Cómo es la nueva mujer en su vida? ¿Quién es ella? ¿Qué edad tiene? ¿Cuándo y cómo la conoció?

"La conocí ayer. Se llama Maribel. Pelo negro, ojos claros, chinitos...No me habló una palabra pero su sola presencia me aceleró el corazón. Es la nueva mujer en mi vida...es mi hija.

Ayer la conocí por teléfono. Por fin mañana la abrazaré."

En larga distancia, nadie le da la ayuda, calidad y años de experiencia de AT&T.

AT&T
La mejor decisión.

P.5 ¿Qué me dices? Pilar les ha enviado el siguiente mensaje de texto a Ud. y a su compañero/a. Desafortunadamente, hubo problemas al enviar el mensaje y partes del mensaje no salieron bien. Conversen para descubrir la información que falta.

P.6 Creación. En una narración cuente lo que pasa en el dibujo de la **Presentación,** contestando las siguientes preguntas. ¿Cómo son las personas del dibujo? ¿Cómo se llaman? ¿Cuáles son sus pasatiempos favoritos? ¿Adónde van? ¿Cómo sabe Ud. eso? Use su imaginación.

VOCABULARIO

Los documentos de identidad	Identification		
el apellido	last name	la edad	age
el carnet estudiantil	student I.D. card	el estado civil	marital status
la dirección	address	la fecha de nacimiento	date of birth
el domicilio	residence	el lugar de nacimiento	birthplace

For information on **Information Gap Activities** and how to use them, see "Using the *Interacciones* Program" located in the *Instructor's Resource Manual.*

In the language of Spanish text messages, **k** and **q** are used to represent the sound **qu** and the letter combination **-que,** and **y** replaces the letter combination **-ll.** **Vowels** are usually dropped from words, for example **bbr** for **beber.** Instead of writing the letter combination **-dos,** the number 2 is used, for example, **a2** for **adiós.** This abbreviated language is appropriate only for use in text messages.

The alternate drawing that corresponds to this activity can be found in **Apéndice A.**

Answer P.5. Saludos. ¿Qué tal? Fiesta del sábado aquí en mi casa. Llámame.

Note that the first exercise of each **Presentación** section asks students to use the vocabulary in lists, phrases, and short sentences. The final exercise in each **Presentación** is entitled **Creación.** It is designed to help students use that same vocabulary to develop their narrating skills by having students explain and describe what is happening in the drawing of the **Presentación.** For further information on how to use the **Creación** exercise of the **Presentación,** see "Using the *Interacciones* Program" located in the *Instructor's Resource Manual.*

Variation P.6. You might want to use the **Creación** exercise as a warm-up or review of the vocabulary at the beginning of the class period following the class when the vocabulary was first introduced and practiced.

Los documentos de identidad — *Identification*

la nacionalidad	*nationality*
el nombre	*name*
el pasaporte	*passport*
el permiso de conducir	*driver's license*
la profesión	*profession, job*
la tarjeta de identidad	*I.D. card*
estar casado/a	*to be married*
divorciado/a	*divorced*
separado/a	*separated*
quedar viudo/a	*to be widowed*
ser soltero/a	*to be single*

La descripción física — *Physical description*

llevar anteojos	*to wear glasses*
lentes *(m.)* de contacto	*contact lenses*
ser alto/a	*to be tall*
bajo/a	*short*
de talla media	*of average height*
ser atlético/a	*to be athletic*
delgado/a	*thin*
gordo/a	*fat*
ser calvo/a	*to be bald*
ser moreno/a	*to be brunette*
pelirrojo/a	*red-haired*
rubio/a	*blond(e)*
tener los ojos	*to have*
azules	*blue eyes*
de color café	*brown eyes*
tener el pelo	*to have*
castaño	*chestnut hair*
negro	*black hair*
rubio	*blond hair*
tener el pelo	*to have*
corto	*short hair*
largo	*long hair*

tener barba	*to have a beard*
bigote *(m.)*	*a moustache*
una cicatriz	*a scar*
un lunar	*a beauty mark*
pecas	*freckles*

Los pasatiempos — *Leisure time activities*

bailar	*to dance*
charlar con amigos/as	*to talk with friends*
contar (ue) chistes	*to tell jokes*
dar un paseo	*to take a walk*
descargar canciones	*to download songs*
entrar en un chat (en línea)	*to chat online*
enviar (mandar) mensajes de texto	*to text someone, to send a text message*
escuchar un reproductor de mp3	*to listen to a mp3 player*
hacer crucigramas	*to solve crossword puzzles*
hacer ejercicios	*to exercise*
ir a un concierto	*to go to a concert*
ir de compras	*to go shopping*
jugar (ue) al fútbol	*to play soccer*
al golf	*golf*
al tenis	*tennis*
leer una novela	*to read a novel*
el periódico	*the newspaper*
una revista	*a magazine*
mirar (ver) la televisión	*to watch television*
poner un CD	*to play a CD*
DVD	*DVD*
vídeo	*video*
practicar deportes	*to participate in sports*
tocar la guitarra	*to play the guitar*
el piano	*the piano*

Así se habla  CD 1, Track 2

Finding Out About Others

Warm-up 1. Have students describe the two women in the drawing.

Warm-up 2. Before students listen to the dialogue on the CD, ask them to brainstorm what types of things the women might be talking about and what phrases they might be using.

Have students listen to the dialogue once. Then ask them to provide a statement explaining the gist of the conversation.

YOLANDA: Oye, Maribel, uno de mis compañeros de la universidad va a venir esta noche a la casa. Vamos a escuchar música y conversar un rato. Quiero presentártelo. Es muy inteligente, guapo y simpático. Te va a gustar.

MARIBEL: ¿Ah, sí? ¿Cómo se llama?

YOLANDA: Javier Salas. Es alto, delgado, tiene el pelo castaño y los ojos negros.

MARIBEL: ¡Umm! ¿Y cuántos años tiene?

YOLANDA: Calculo que debe tener veinte o veintiún años.

MARIBEL: ¿Sabes a qué hora va a venir?

YOLANDA: Entre las siete y las siete y media, más o menos. Va a venir con un amigo, o sea que tienes que venir.

MARIBEL: ¡Oye, qué bien! Vengo como a las ocho, ¿te parece?

YOLANDA: ¡Perfecto! Nos vemos entonces.

If you want to get someone's attention, you can use the following phrases:

Oiga (Oye)...	*Listen . . .*
Mire (Mira)...	*Look . . .*
Dígame (Dime), por favor...	*Please, tell me . . .*
Quisiera saber...	*I would like to know . . .*
¿Quiere/s decirme/nos, por favor... ?	*Would you please tell me (us) . . . ?*

Comprehension check. Play the dialogue a second time, then have students answer the following: ¿Por qué invita Yolanda a Maribel a su casa? (Porque uno de sus compañeros de la universidad va a ir a su casa esa noche.) ¿Qué van a hacer? (Van a escuchar música y conversar.) ¿A qué hora van a ir? (Entre las siete y las siete y media.) ¿A qué hora va a ir Yolanda? (A las ocho.)

Have two students read the dialogue aloud as a role play. Then ask the class to locate the phrases in the dialogue that illustrate the function *Finding Out About Others*.

Point out. In the list of functional phrases, the formal **(Ud.)** form of the phrase is presented first; the familiar **(tú)** form is located within parentheses.

If you want to find out personal information about someone, you can ask the following questions:

¿Cuál es su (tu) nombre? ⎫	*What is your name?*
¿Cómo se (te) llama/s? ⎭	
¿Dónde vive Ud. (vives)?	*Where do you live?*
¿De dónde es Ud. (eres)?	*Where are you from?*
¿Dónde nació Ud. (naciste)?	*Where were you born?*
¿Cuál es su (tu) nacionalidad?	*What is your nationality?*
¿Cuántos años tiene Ud. (tienes)?	*How old are you?*
¿Cuándo es su (tu) cumpleaños?	*When is your birthday?*
¿Dónde estudia Ud. (estudias)?	*Where do you study?*
¿Dónde trabaja Ud. (trabajas)?	*Where do you work?*
¿Qué estudia Ud. (estudias)?	*What are you studying? / What do you study?*
¿Cuál es su (tu) pasatiempo favorito?	*What is your favorite hobby?*
¿Cuál es su (tu) profesión?	*What is your profession?*

Fórmulas

Después de encuestar a hombres y mujeres en 50 bares de solteros, el sociólogo Thomas Murray publicó sus conclusions en un artículo titulado "El lenguaje de los bares de solteros", publicado en la revista *American Speech*. Según Murray, las cuatro fórmulas más habituales de iniciar una conversación, son las siguientes:

1. Mi nombre es...
2. Me gusta tu (referencia a algún elemento de vestimenta)
3. ¿Viene seguido?
4. Veo que estamos tomando la misma cosa.

¿En qué lugar o situación se puede usar estas preguntas? ¿Qué otras preguntas se puede usar en esta situación?

Práctica y conversación

P.7 En una reunión social. Ud. está en una fiesta y como no conoce a nadie, comienza a hablar con otra persona que también está sola.

Temas de conversación: ocupación / lugar de trabajo / lugar de residencia / deporte favorito

Modelo   Estudiante 1: *Disculpe. ¿Cómo te llamas?*
Estudiante 2: *Rocío, ¿y tú?*
Estudiante 1: *Aurora, Aurora Bravo. Soy colombiana, de Bogotá.*
Estudiante 2: *Yo soy chilena.*

P.8 Su nuevo/a compañero/a. Ud. va a ir a una nueva universidad el próximo semestre y antes de llegar allí, Ud. habla por teléfono con su futuro/a compañero/a de cuarto para conocerlo/a un poco. Uds. intercambian información personal.

Temas de conversación: edad / estatura / color del pelo / color de los ojos / pasatiempo favorito / especialización / lugar de residencia

Modelo   Estudiante 1: *Yo soy de Detroit. Tengo 19 años. ¿Y tú?*
Estudiante 2: *Tengo 18 años y soy de Washington, DC.*

Margin notes (left column):

After explaining the expressions, have students repeat expressions aloud. Correct pronunciation and intonation when necessary.

To hear more about Spanish pronunciation visit academic.cengage.com/spanish/interacciones.

Answers. Se puede usar estas preguntas en un bar de solteros / en una fiesta / en una reunión. Answers for the second question could include: **¿Cómo te llamas? ¿De dónde eres? ¿Dónde vives?**

Warm-up P.7. Have students provide the questions they would ask other people when they first meet them at a party.

Answers P.7. *Possible answers:* ¿Eres estudiante? No, yo trabajo; ¿En dónde trabajas? En un banco; ¿Cuál es tu deporte favorito? El tenis; ¿Dónde vives? En esta ciudad.

Expansion. After completing P.7, have several pairs of students role-play the situation in front of the class.

Warm-up P.8. Have students brainstorm the type of information they wanted to know about their roommate before they arrived at the university and what type of questions they would have liked to ask him/her.

Práctica P.8. Students will work in pairs and ask each other questions in order to get to know each other. Then, several pairs of students role-play the situation in front of the class.

Answers P.8. *Possible answers:* ¿Cuánto mides? Seis pies. ¿Y tú? Seis pies también; ¿Cuál es tu pasatiempo favorito? Levantar pesas; ¿De dónde eres? De Phoenix.

Estructuras

Expressing Small Quantities

Numbers

Numbers are the basic vocabulary for many important situations and functions such as counting, expressing ages, telling time, discussing dates, expressing addresses and phone numbers, and requesting and giving prices.

For information on the **Estructuras** section and how to use it, see "Using the Interacciones Program" located in the *Instructor's Resource Manual*.

Throughout the textbook, emphasize the linguistic function being taught (*Expressing small quantities / Providing basic information*) so that students understand what they can do with the grammar structures presented (numbers / present tense of regular **-ar** verbs).

0 cero	10 diez	20 veinte	30 treinta
1 uno	11 once	21 veintiuno	40 cuarenta
2 dos	12 doce	22 veintidós	50 cincuenta
3 tres	13 trece	23 veintitrés	60 sesenta
4 cuatro	14 catorce	24 veinticuatro	70 setenta
5 cinco	15 quince	25 veinticinco	80 ochenta
6 seis	16 dieciséis	26 veintiséis	90 noventa
7 siete	17 diecisiete	27 veintisiete	100 cien, ciento
8 ocho	18 dieciocho	28 veintiocho	
9 nueve	19 diecinueve	29 veintinueve	

a. The numbers 16–19 have an optional spelling: 16 = **diez y seis**; 17 = **diez y siete**; 18 = **diez y ocho**; 19 = **diez y nueve.**

b. The numbers 21–29 may also be written as three separate words: 21 = **veinte y uno**; 22 = **veinte y dos**, etc.

c. The numbers beginning with 31 must be written as three separate words: 31 = **treinta y uno**; 46 = **cuarenta y seis.**

d. When **uno** occurs in a compound number (21, 31, 41, 51, etc.), it becomes **un** before a masculine noun and **una** before a feminine noun.

> 21 libros = **veintiún** libros   51 novelas = **cincuenta y una** novelas

e. 1. The word **ciento** is used with numbers 101–199: 117 = **ciento diecisiete**; 193 = **ciento noventa y tres.**
   2. The word **cien** is used before any noun: **cien libros; cien novelas. Cien** is also used before **mil** and **millones**: 100.000 = **cien mil**; 100.000.000 = **cien millones.**

Práctica y conversación

Antes de empezar los siguientes ejercicios, busque ejemplos de las formas gramaticales de esta sección en el diálogo escrito de **Así se habla.**

 P.9 ¡A contar! En grupos, cuenten de 30 a 50 / de 60 a 80 / de 0 a 100 de diez en diez / de 0 a 100 de cinco en cinco.

Warm-up 1. Have students count off around the classroom.

Warm-up 2. Hold up classroom items such as 3 books or 4 pieces of chalk and have students identify the quantity. *Profesor/a: ¿Cuántos libros hay? Estudiante: Hay tres libros.*

Answers P.9. Use the chart of numbers 0–100 to verify student answers.

P.10 Unos números de teléfono. Ud. trabaja de telefonista para el servicio de información en Bogotá, Colombia. Déles a los clientes los números que piden.

Modelo Ramón Gutiérrez / 428-63-11

Cliente: *Quisiera el número de Ramón Gutiérrez, por favor.*
Telefonista: *Es cuatro, veintiocho, sesenta y tres, once.*
Cliente: *¿Cuatro, veintiocho, sesenta y tres, once?*
Telefonista: *Exacto.*
Cliente: *Muchas gracias.*

1. Manolita Reyes / 639-75-15
2. Hotel Colón / 263-11-48
3. Federico González / 584-07-29
4. Clínica Ramírez / 458-92-17
5. Restaurante Cali / 721-56-13
6. Sofía Cano Pereda / 396-31-22
7. Cine Estrella / 885-04-36
8. José Luis Gallegos / 977-61-12

P.11 Datos personales. You are involved in a minor car accident with a classmate. Exchange relevant information such as your name, home / work / school address and phone number, your license plate number, make and year of your car. Write down the information that your classmate gives you and then have your classmate check it for accuracy.

Discussing When Things Happen

Telling Time

When you want to know what time it is, you ask: **¿Qué hora es?**

¿Qué hora es?

Es la una.

Son las tres y cuarto.

Son las seis y veintidós.

Son las ocho y media.

Son las diez menos veinte.

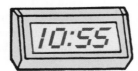

Son las once menos cinco.

a. From half past to the hour, time can also be expressed in the following manner: 2:35 = **Son las dos y treinta y cinco;** 8:42 = **Son las ocho y cuarenta y dos;** 10:55 = **Son las diez y cincuenta y cinco.** With the increasing use of digital clocks and watches, this method is becoming more common.

b. The following variations for **cuarto** and **media** are often used: 3:15 = Son las tres **y quince;** 8:30 = Son las ocho **y treinta;** 9:45 = Son las diez **menos quince.**

c. Other expressions of time include the following:

Son las dos en punto.	*It's two o'clock sharp (on the dot).*
Es mediodía / medianoche.	*It's noon / midnight.*
Es temprano / tarde.	*It's early / late.*
a tiempo	*on time*
tarde	*late*

d. **De la mañana / tarde / noche** follow a specific time and express A.M. and P.M.

Son las nueve y cuarto **de la noche.**	*It's 9:15 P.M.*

Por la mañana / tarde / noche mean *in the morning / afternoon / evening* and are used without specific times.

Me gusta ir a la discoteca **por la noche.**	*I like to go to the discotheque in the evening.*

e. When you want to know at what time things are taking place, you ask **¿A qué hora... ?**

¿A qué hora sales para el concierto?	*(At) What time are you leaving for the concert?*
A las siete y cuarto.	*At 7:15.*

f. In the Spanish-speaking world the 24-hour system is frequently used, especially for expressing time in official schedules. The system begins at midnight and the hours are numbered 0–24.

El concierto empieza **a las 20:30** (veinte y treinta).	*The concert begins at 8:30 P.M.*

Práctica y conversación

Antes de empezar los siguientes ejercicios, busque ejemplos de las formas gramaticales de esta sección en el diálogo escrito de **Así se habla.**

P.12 ¿Qué hora es? Exprese la hora y explique lo que hacen las personas.

> **Modelo** 8:30: Federico / mirar la televisión
> *Son las ocho y media. Federico mira la televisión.*

1. 10:00: María / tocar el piano
2. 10:45: tú / hacer ejercicios
3. 1:20: Miguel / jugar al golf
4. 3:27: mi abuelo / leer
5. 7:30: los Ruiz / bailar
6. 8:50: yo / ir al concierto
7. 9:22: Uds. / escribir cartas
8. 11:00: Tomás y yo / charlar

P.13 ¿A qué hora? Pregúntele a un/a compañero/a de clase a qué hora hace las siguientes actividades. Su compañero/a debe contestar en una manera lógica. *(A ¿? symbol following the last item of an exercise means that you are free to add items of your own. Try to use as many new vocabulary words and structures as you can. This is your opportunity to be imaginative and say what you would like to say.)*

> llegar a la universidad / asistir a sus clases / salir de la universidad / comer por la noche / charlar con amigos / trabajar / ¿?

Answers P.13. *Times will vary.* ¿A qué hora llegas a la universidad? Llego a la universidad a la/s... ¿A qué hora asistes a tus clases? Asisto a mis clases a la/s... ¿A qué hora sales de la universidad? Salgo de la universidad a la/s...¿A qué hora comes por la noche? Como a la/s... por la noche. ¿A qué hora charlas con amigos? Charlo con amigos a la/s... ¿A qué hora trabajas? Trabajo a la/s...

Point out. The phrases **de la mañana / de la tarde / de la noche** are often used as the equivalent for A.M. or P.M.

The word **a** in the phrase **¿A qué hora...?** generally is not expressed in English: **¿A qué hora empieza tu clase?** = *What time does your class begin?*

Son las... is used to answer the question **¿Qué hora es?** and is used to express what time it is. The phrase **a las...** is used to answer the question **¿A qué hora...?** and is used to express when an activity takes place.

Warm-up. Write the following times on the board or on an overhead transparency. *Ask students:* ¿Qué hora es? 8:10 / 5:45 / 10:30 / 1:00 / 6:12 / 3:35 / 4:15 / 9:55 / 12:05. *Answers.* Son las ocho y diez. / Son las seis menos cuarto. (Son las cinco y cuarenta y cinco.) / Son las diez y media. / Es la una. / Son las seis y doce. / Son las cuatro menos veinticinco. (Son las tres y treinta y cinco.) / Son las cuatro y cuarto. / Son las diez menos cinco. (Son las nueve y cincuenta y cinco.) / Son las doce y cinco.

Answers P.12. 1. Son las diez. María toca el piano. 2. Son las once menos quince (diez y cuarenta y cinco). Haces ejercicios. 3. Es la una y veinte. Miguel juega al golf. 4. Son las tres y veintisiete. Mi abuelo lee. 5. Son las siete y media. Los Ruiz bailan. 6. Son las nueve menos diez (ocho y cincuenta). Voy al concierto. 7. Son las nueve y veintidós. Uds. escriben cartas. 8. Son las once. Tomás y yo charlamos.

Note P.13. The ¿? symbol will be used as the last item in many exercises throughout the textbook. It is designed to help students express their own ideas and opinions. It is important to encourage students to provide their own items so that they are not always responding to a given prompt. In this manner students begin to expand beyond learned or memorized material and begin to create with language.

Providing Basic Information

Present Tense of Regular Verbs

In order to discuss activities and provide basic information about yourself and other people, you need to be able to conjugate and use many verbs in the present tense. The following shows the conjugation of regular -ar, -er, and -ir verbs in the present tense.

	Verbos en –AR TRABAJAR	Verbos en –ER APRENDER	Verbos en –IR ESCRIBIR
yo	trabajo	aprendo	escribo
tú	trabajas	aprendes	escribes
él ella Ud.	trabaja	aprende	escribe
nosotros nosotras	trabajamos	aprendemos	escribimos
vosotros vosotras	trabajáis	aprendéis	escribís
ellos ellas Uds.	trabajan	aprenden	escriben

a. To conjugate a regular verb in the present tense, first obtain the stem by dropping the -ar, -er, or -ir from the infinitive. The endings that correspond to the subject noun or pronoun are then added to this stem.

Point out. In spoken English we emphasize certain words or phrases by stressing those words with our voice. In spoken Spanish emphasis is often accomplished by adding additional words such as the subject pronouns in the example for item b. Model the spoken English by stressing "I" in *I study a lot but my roommate doesn't.* Then model the Spanish without the additional stress on **yo** in **Yo estudio muchísimo, pero mi compañero de cuarto no.**

b. When the verb ending corresponds to only one subject pronoun, that pronoun is usually omitted: **trabajo** = *I work*; **trabajas** = *you work*; **trabajamos** = *we work*. **Yo, tú,** and **nosotros** are not used because the verb ending indicates the subject. When the pronouns **yo, tú,** or **nosotros** are used with the verb, the pronoun subject is given extra emphasis.

> **Yo** estudio muchísimo, pero mi compañero de cuarto no.

> *I study a lot but my roommate doesn't.*

c. It is often necessary to use the third-person pronouns for clarification since the third-person verb endings refer to three different subject pronouns.

d. Spanish verbs in the present tense may be translated in three different ways: **escribo** = *I write, I am writing, I do write.*

e. Verbs are made negative by placing **no** directly before the verb. In such cases **no** = *not.*

> —¿Tocas la guitarra?
> —Sí, pero **no toco** bien porque **no practico** mucho.

> *Do you play the guitar?*
> *Yes, but I don't play well because I don't practice a lot.*

Práctica y conversación

Antes de empezar los siguientes ejercicios, busque ejemplos de las formas gramaticales de esta sección en el diálogo escrito de **Así se habla.**

 P.14 **Unas actividades estudiantiles.** Cuando un/a compañero/a le dice lo que hace, explíquele si Ud. y sus amigos hacen las mismas cosas o no.

> **Modelo** Compañero/a: *Estudio en la biblioteca.*
> Usted: *Mis amigos y yo estudiamos en la biblioteca también.*
> *Mis amigos y yo estudiamos en la biblioteca.*

1. Aprendo y practico el español.
2. Descargo canciones.
3. Estudio para exámenes cada noche.
4. Mando mensajes de texto.
5. Escucho mi iPod.

Expansion P.14. 6. Toco la guitarra y canto. 7. Como en un restaurante a menudo. 8. Les hablo a mis padres por teléfono cada día.

Answers P.14. *All answers should begin with* Mis amigos/as y yo... 1. (no) aprendemos español y (no) lo practicamos mucho. 2. (no) descargamos canciones. 3. (no) estudiamos para exámenes cada noche. 4. (no) mandamos mensajes de texto. 5. (no) escuchamos el iPod.

 P.15 **Sus pasatiempos.** Usando la lista de los pasatiempos del **Vocabulario** de la **Presentación,** explíquele a un/a compañero/a de clase lo que Ud. hace (o no hace) y con quién lo hace.

> **Modelo** *Escucho música rock / clásica / popular con mi novio/a / mis amigos / mi familia.*

 P.16 **Entrevista.** Pregúntele a un/a compañero/a de clase lo siguiente. Su compañero/a debe contestar de una manera lógica.

Pregúntele...

1. a qué hora llega a la universidad. ¿Y a la clase de español?
2. si vive en una casa / una residencia / un apartamento.
3. a qué hora regresa a su cuarto / casa / apartamento.
4. si trabaja. ¿Dónde? ¿Gana mucho dinero?
5. lo que estudia este semestre.
6. qué deportes practica.
7. si viaja mucho. ¿Adónde?

For information on the **¿Qué oyó Ud.?** section and how to use it, see "Using the *Interacciones* Program" located in the *Instructor's Resource Manual*.

Have students describe the photo. If necessary ask specific questions such as the following: **¿Cuántas personas hay en la foto? ¿Qué hacen estas personas?**

¿Qué oyó Ud.? CD 1, Track 3

Para escuchar bien

Madrid: Unos jóvenes en un autobús

Using Background Knowledge

When you are talking with someone in English or are listening to a narration or description, you anticipate or predict what you are going to hear because of previous experiences you have had in similar situations. For example, when you arrive at the airport, you don't expect the airline ticket agent to ask you about your hobbies or your parents' health. Instead, you expect the person to ask you for your ticket, your seat preference, and so on. This is because your knowledge of the world and your previous experiences in similar situations help you to predict what you are going to hear. Similarly, you should use your knowledge of the world to anticipate what is going to be said when listening in Spanish.

Antes de escuchar

Answers P.17. 1. Están mirando los horarios de los autobuses. No saben qué autobús tomar para ir a otro lugar. 2. *Some possible answers:* Sí, porque vivo lejos. No, porque tengo carro. 3. *Some possible answers:* Le pregunto a alguien. Llamo a la compañía de autobuses.

P.17 La foto. Con un/a compañero/a de clase, mire la foto de arriba y conteste las siguientes preguntas.

1. ¿Qué están haciendo los muchachos en el autobús? ¿Por qué cree Ud. que están haciendo esto?

2. ¿Tiene Ud. que tomar un autobús u otra forma de transporte para ir a la universidad o al trabajo? ¿Por qué?

3. ¿Qué hace Ud. cuando no sabe qué autobús tomar?

Al escuchar

P.18 Los apuntes. Mientras escucha la conversación entre José Manuel y Santiago, tome los apuntes que considere necesarios y complete las siguientes oraciones con la información correcta.

1. El nombre completo de Santiago es _____ Santiago Valverde _____ .

2. Él es de _____ Sevilla _____ .

3. Santiago estudia en _____ la Universidad de Madrid, _____ y no sabe por dónde pasa _____ el autobús 52 _____ .

4. José Manuel también es estudiante. Él está en el _____ tercer _____ año de _____ ingeniería _____ .

Después de escuchar

P.19 Resumen. Trabajando en parejas, resuman la conversación entre José Manuel y Santiago.

P.20 Análisis. Conteste las siguientes preguntas.

1. ¿Son corteses o descorteses José Manuel y Santiago? Mencione una frase que ellos usan que apoye su opinión.

2. ¿Qué clase de personas cree Ud. que son Santiago y José Manuel? De las siguientes opciones, escoja las que según Ud. los describen mejor: tímido / temeroso / sociable / amigable / difícil. Mencione una frase que ellos usan para justificar su opinión.

It will probably be necessary to play the dialogue more than once. During the first playing, students listen for the general idea. During the second playing, students should focus on the details and take notes.

Answers P.19. *A possible summary may be:* Santiago es un nuevo estudiante de la Universidad de Madrid. Él es de Sevilla y no conoce la ciudad. Por eso, le pregunta a otro estudiante, José Manuel, por dónde pasa el autobús número cincuenta y dos. José Manuel es de Madrid y sí sabe. Él ayuda a Santiago y éste está muy agradecido.

Answers P.20. 1. Son corteses. José Manuel dice: ¡Mucho gusto! ¡Buena suerte! Santiago dice: Disculpe; Gracias por todo. 2. sociables, amigables, Comprendo; Mi nombre es...; Yo soy de Sevilla; ¿De dónde eres?

Perspectivas

Addressing other People in the Spanish-Speaking World

For information on the **Perspectivas** section and how to use it, see "Using the *Interacciones* Program" located in the *Instructor's Resource Manual.*

Point out. The information and exercises of the **Perspectivas** section are designed to help students better understand Hispanic culture and learn to function in it. The section also helps students compare and contrast the concepts, values, and customs of their own culture with those of the Spanish-speaking world.

The national **Standards for Foreign Language Learning** advocate teaching cultural practices, products, and perspectives, as well as cultural comparisons. For each **Perspectivas** section, an annotation similar to the one that follows will be provided explaining the cultural practices, products, perspectives, and comparisons that are being taught. **Addressing Other People in the Spanish-Speaking World: Cultural practice:** use of various pronouns to address others; variety of linguistic registers. **Cultural comparison:** use of one pronoun for *you* in English versus the variety in Spanish; lack of register in English.

Ask students to explain how they would address the following people so that they distinguish between formal and informal situations. **Modelo:** your friend: *Hi, Charlie! What's new?* your boss: *Good afternoon, Dr. Jones. How are you?* your sister / your dentist / your favorite high school teacher / your new neighbor / your parents / your boyfriend or girlfriend / your mail carrier. *Answers vary.*

The selection of the words and phrases you use to address other persons depends upon the level of formality of the relationship between you and the person/s you are addressing. In English in formal situations, you would use a title followed by a last name: *Good morning, Dr. Russell / Ms. Montgomery.* When you address a family member or a friend, you would use a first name: *Hi, Bill / Carol.* The greeting *Good morning* used in a formal situation would change to *Hi* in an informal situation.

In English there is only one pronoun used to address other people: *you.* In the Spanish-speaking world, however, there are several words used as an equivalent for the word *you.* The selection of the correct form of *you* depends upon the level of formality of the relationship between you and the persons you are addressing as well as the area of the Hispanic world in which you live. Each form of *you* has specific corresponding verb endings.

a. **Tú** is the familiar, singular form of *you* used to address one person that you would call by a first name, such as a relative, friend, or child. It is also used with pets.

b. **Usted** is the formal, singular form used to address one person that you do not know well or to whom you would show respect. In general, **usted** is used with a person with whom you would use a title such as **profesora, señor,** or **doctor.** When addressing a native speaker, it is better to use **usted;** he or she will tell you if it is appropriate to use the **tú** form. In writing, **usted** is generally abbreviated **Ud.**

c. In Hispanic America and the United States, **ustedes** is the plural of both **tú** and **usted.** It is used to address two or more persons regardless of your relationship to them. In Spain, **ustedes** serves only as the plural of **usted** and thus is a formal, plural form. In writing, **ustedes** is generally abbreviated **Uds.**

d. In Spain the familiar, plural forms **vosotros** and **vosotras** are used as the plural of **tú.**

e. In Argentina, Uruguay, and other parts of Hispanic America, the pronoun **vos** replaces **tú** as a familiar, singular pronoun.

f. In this textbook, only the forms **tú, Ud.,** and **Uds.** will be practiced in exercises and activities since they are the most widely used forms. However, when living in areas where **vos** or **vosotros** forms are used, it is relatively easy to understand the forms you hear other people using.

For additional information and examples of the pronouns **vos** and **vosotros/as,** view the following films: *El silencio de Neto* (with **vos**) and *La lengua de las mariposas* (with **vosotros/as**). Then complete the activities in ***Más allá de la pantalla:*** **Capítulo 2** and **Capítulo 1.**) RESUMEN de *El silencio de Neto:* Un niño guatemalteco recuerda las dificultades y la violencia durante la intervención de los EE.UU. en su país en el siglo XX. RESUMEN de *La lengua de las mariposas:* La historia de la relación entre Moncho, un niño de ocho años, y su maestro, Don Gregorio, en un pueblo en España antes de la Guerra Civil.

Práctica

P.21 ¿Qué forma usaría Ud.? Escoja **tú, Ud., Uds., vosotros/as,** o **vos** según la situación.

1. Ud. vive en Madrid y habla con sus dos compañeros/as de cuarto en la residencia estudiantil.   *vosotros/as*
2. Ud. vive en la Ciudad de México y habla con sus dos compañeros/as de cuarto en la residencia estudiantil.   *Uds.*
3. Ud. vive en Buenos Aires y quiere hablar con su mejor amigo/a.   *vos*
4. Ud. vive en el Perú y necesita hablar con los padres de un amigo.   *Uds.*
5. Ud. vive en Panamá y habla con un niño de cinco años.   *tú*
6. Ud. vive en Colombia y necesita darle de comer a su gato.   *tú*
7. Ud. vive en Venezuela y necesita hablarle a su dentista.   *Ud.*

P.22 Mafalda. Mafalda es el personaje *(character)* principal en una tira cómica popular. Una de sus características es que no le gusta la sopa. En la siguiente tira, ¿a quién le habla Mafalda? ¿Usa ella la forma familiar o la formal? En su opinión, ¿de dónde es Mafalda? Justifique su respuesta.

Interacciones

A Un autorretrato. You are an exchange student and will be spending your next semester in Quito, Ecuador. You must provide your host family with an audio CD describing yourself and some of your interests and activities. Be accurate in your self-portrait so they will recognize you when they meet you at the airport.

B Jugar a la Berlina. You and your classmates will divide into groups of four to play this popular Latin American game. One person will leave the group for a moment while the others decide to be a famous person such as a movie or TV star, a political personality, or a sports figure. The person re-enters the group and asks *yes* or *no* questions until he/she guesses the identity of the person in question.

C Una entrevista. You are looking for a job and you go to a department store that has an opening for a sales manager. The director of personnel (played by a classmate) interviews you and asks you a series of typical questions such as your name, address, phone number, age, marital status, number of children, names and addresses of previous employers, your education, and so on.

Assign specific students to one particular activity. Students should prepare the activity as an outside assignment that will be presented in class.

Vocabulario suplementario. *department store* = **el almacén, los almacenes (E)**; *sales manager* = **el/la jefe/a de ventas**; *director of personnel* = **el/la director/a de personal.**

Answers P. 22. Mafalda le habla a su madre (a su mamá). Usa la forma familiar de vos. Es de la Argentina o el Uruguay porque en esos países usan *vos* en vez de *tú.* (Mafalda es una tira cómica muy popular de la Argentina.)

For information on the **Interacciones** section and how to use it, see "Using the ***Interacciones*** Program" located in the *Instructor's Resource Manual.*

 The national **Standards for Foreign Language Learning** promote language proficiency in the three communicative modes: interpersonal, interpretive, and presentational.(See "Using the Interacciones Program" in the *Instructor's Resource Manual* for further information on the **Standards.**) For each of the items in the **Interacciones** section, an annotation similar to the one that follows will be provided. These annotations explain the communicative modes that are incorporated in each of the activities. **Communicative modes incorporated A:** presentational **B:** interpersonal **C:** interpersonal.

Vocabulary incorporated. A: Physical description, leisure-time activities **B:** leisure-time activities, physical description **C:** physical description, identification, numbers.

Grammar incorporated. A: Present tense of regular **-ar** verbs, adjectives **B:** Question formation, present tense of regular **-ar** verbs **C:** Present tense of regular **-ar** verbs.

***Interacciones:* Capítulo preliminar**

 Para saber más: academic.cengage.com/spanish/ interacciones

Bienvenidos a España

The **Culture Standard** is emphasized in this section. Students will learn about the geography, climate, population, languages, cities, government, and economy of Spain.

For information on the **Bienvenidos** section and how to use it, see "Using the *Interacciones* Program" located in the *Instructor's Resource Manual*.

Geografía y clima

- En extensión, el tercer país de Europa
- País montañoso; es el segundo país europeo en altitud media después de Suiza.
- País marítimo; con Portugal ocupa la Península Ibérica, casi totalmente rodeado de mares
- Clima muy variado según la región

Población

40.448.000 de habitantes

Lenguas

El castellano (el español); el catalán (7.000.000 de hablantes); el gallego (3.000.000 de h.); el vascuence *(Basque)* (800.000 h.)

Ciudades principales

Madrid es la capital; otras ciudades grandes incluyen Barcelona, Valencia y Sevilla.

Gobierno

Monarquía constitucional; Juan Carlos I, el rey actual

Economía

El euro es la moneda oficial. La economía se basa en turismo, productos agrícolas (vino, fruta y verdura); pesca; fabricación de acero, barcos, productos de cuero, ropa, textiles y vehículos.

Point out. As a member of the European Union, Spain began using **el euro** as the official currency of Spain January 1, 2002.

Heinle Transparency Bank: A-1, A-5 Country profile: España. Use these maps to illustrate cities and geographical features of Spain to your students.

To complete the following exercise, have students use the map of Spain located in the opening pages of the textbook, the transparency maps, or a map located in the classroom.

Introducción geográfica

Conteste las siguientes preguntas usando un mapa de España.

1. ¿Cuáles son las ciudades principales de España?

2. ¿Cuáles son los rasgos *(characteristics)* geográficos más importantes?

3. ¿Qué ventajas y desventajas ofrece la geografía de España?

Answers. 1. Barcelona, Madrid, Sevilla, Valencia **2.** montañas: la Cordillera Cantábrica, los Pirineos, la Sierra de Guadarrama, la Sierra Nevada; ríos: el río Guadalquivir, el río Ebro, el río Tajo; una larga costa en el mar Mediterráneo; las fronteras con Francia, Portugal; la proximidad al África

Una playa en el Mediterráneo

Additional exercises on the information about Spain can be found in the *Cuaderno de actividades*.

To listen to this song, access the *Interacciones, 6th Edition* playlist at academic.cengage.com/spanish/interacciones

Notas musicales

Savia negra (*Black Sap*) por Las Niñas trata del tema de los problemas medioambientales (*environmental*) y sociopolíticos con el sonido conocido como «R & B andaluz», un ritmo que combina varios estilos musicales, incluso *hip hop* y *soul*.

Sigue arrancando° la savia la mamá	*extracting*
La tierra llora pero no perdona	
Y canjeando° la sangre de niños	*exchanging*
Por oro negro que a ti te hace más rico.	
[...]	
Los ricos, los vivos,	
Los pobres, los muertos	

Alba Molina, Vicky G. Luna y Aurora Power, las artistas del grupo sevillano, Las Niñas

Savia negra

Después de escuchar *Savia negra,* conteste las siguientes preguntas.

1. ¿Cómo se llama la banda que canta *Savia negra*? ¿De dónde es?

2. ¿Qué simboliza el «oro negro»? ¿Y la «savia negra»?

3. ¿Cuál es el tema de la canción?

4. ¿De quiénes se canta en *Savia negra*?

Answers. 1. La banda se llama Las Niñas y es de España. **2.** El oro negro y la savia negra simbolizan el petróleo. **3.** El tema es los problemas medioambientales y sociopolíticos en el mundo. **4.** Se canta de los niños del futuro y de los ricos, los vivos, los pobres y los muertos.

Point out. The music of Las Niñas is known for a combination of styles, including flamenco, hip hop and soul. Their songs, which have been classified as "R & B andaluz," display an energetic beat and a clearly Andalusian sound mixing the modern with the traditional.

 Go to the **Bienvenidos a España** section of your *Cuaderno de actividades* for additional exercises on this song.

 Para saber más: academic.cengage.com/spanish/interacciones

CAPÍTULO 1

La vida de todos los días

El metro es un medio de transporte popular para llegar a la universidad.

Cultural Themes

Spain
The Hispanic schedule

Communicative Goals

Discussing daily activities
Expressing frequency and
    sequence of actions
Describing daily routine
Expressing lack of
    comprehension
Asking questions

Ask students questions: ¿Qué cosas se ven en la foto? ¿Quiénes son las personas? ¿Qué llevan? ¿Qué hacen?

Have students provide examples in English of topics, situations, and phrases that would be covered in each of the communicative goals. **Modelo:** *Discussing daily activities:* Students might answer with sentences such as: *Everyday I go to my classes, study in the library, and meet my friends in the student union.*

 Video on DVD
 Cuaderno de actividades
 iLrn Heinle Learning Center
 academic.cengage.com/spanish/interacciones

 Audio
 Atajo
Music
iRadio

Presentación

Un día típico

Práctica y conversación

1.1 **¿Qué ve Ud. en el dibujo?** Utilizando el **Vocabulario** al final de esta sección, nombre los sitios comerciales que se ven en el dibujo. ¿Cuáles son algunas diligencias que lo/a llevan a Ud. a estos sitios?

1.2 **Hay que trabajar.** ¿Qué habilidades profesionales necesita Ud. para conseguir empleo en los siguientes lugares?

un banco / una tienda / una escuela primaria / una oficina / una estación de servicio / un supermercado / una biblioteca / una agencia de viajes

Answers 1.1. Answers should include new vocabulary for the **Presentación**.

Expansion 1.2. *Ask students:* ¿Adónde va Ud. en las siguientes situaciones? **1.** Su traje azul está sucio. (Voy a la tintorería.) **2.** Quiere mandar un paquete a Bolivia. (Voy al correo) **3.** No tiene suficiente gasolina para llegar a la universidad. (Voy a la estación de servicio.) **4.** No hay leche en casa. (Voy al supermercado) **5.** Necesita sacar una fotocopia de una carta. (Voy a la biblioteca.) **6.** Tiene que prepararse para un examen de español. (Voy a la biblioteca / al laboratorio de lenguas.) **7.** Quiere descansar. (Voy a casa.)

1.3 ¿Qué me dices? Mire otra vez el dibujo de la **Presentación** en la página 21. Hay una chica cansada que está sentada sola en el café al aire libre. Ud. quiere saber lo que ella hace en un día típico. Su compañero/a va a mirar otro dibujo que tiene la información que Ud. necesita. Pregúntele a su compañero/a qué hace la chica primero, luego qué hace más tarde, y por fin, qué hace la chica al final del día. Su compañero/a va a contestarle utilizando la información en el segundo dibujo que está en el **Apéndice A.** Uds. conversan para descubrir la información que falta.

1.4 El lunes. Usando la información a continuación, conteste las siguientes preguntas. ¿Qué hace esta persona primero? ¿Después? ¿Y por último? ¿Es un día típico para un/a estudiante? ¿Es un día típico para Ud.?

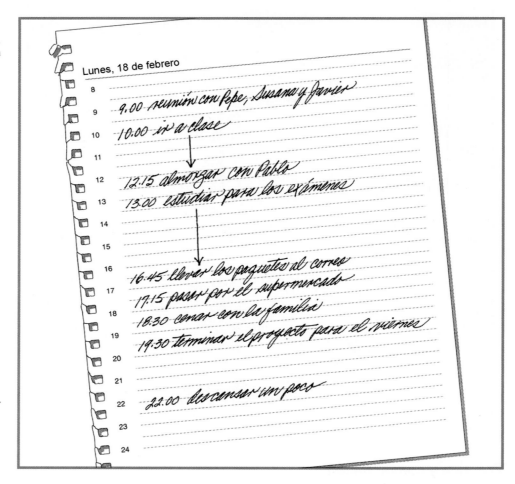

Lunes, 18 de febrero

- 9.00 reunión con Pepe, Susana y Javier
- 10.00 ir a clase
- 12.15 almorzar con Pablo
- 13.00 estudiar para los exámenes
- 16.45 llevar los paquetes al correo
- 17.15 pasar por el supermercado
- 18.30 cenar con la familia
- 19.30 terminar el proyecto para el viernes
- 22.00 descansar un poco

1.5 Entrevista personal. Pregúntele a un/a compañero/a de clase lo que hace en un día típico.

Pregúntele lo que hace...

1. a las 7:30 de la mañana.
2. a las 9:00 de la mañana.
3. a las 10:15 de la mañana.
4. al mediodía.
5. a las 2:00 de la tarde.
6. a las 4:45 de la tarde.
7. a las 8:00 de la noche.
8. a las 11:05 de la noche.

1.6 Creación. En una narración, cuente lo que pasa en el dibujo de la **Presentación** contestando todas las siguientes preguntas. ¿Qué día de la semana es? ¿Cómo lo sabe Ud.? ¿Por qué está cansada la chica? ¿Qué acaba de hacer? ¿Qué va a hacer ahora?

Reminder. The final exercise in each **Presentación** is entitled **Creación.** It is designed to help students develop their narrating skills by having students explain and describe what is happening in the drawing of the **Presentación.** For further information on how to use the **Creación** exercise of the **Presentación,** see "Using the *Interacciones* Program" located in the *Instructor's Resource Manual.*

VOCABULARIO

Descansar	*To relax*	llenar el tanque	*to fill the (gas)*
echar una siesta	*to take a nap*		*tank*
mirar	*to watch*	llevar (recoger)	*to drop off (pick up)*
una telenovela	*a soap opera*	ropa	*clothing*
las noticias	*the news*		
los deportes	*sports*	**Trabajar**	*To work*
reunirse con	*to get together with*	llevarse bien con	*to get along well*
amigos	*friends*	los clientes	*with customers*
		tener empleo en	*to have a job in*
Estudiar	*To study*	una agencia	*an agency*
hacer la tarea	*to do homework*	un banco	*a bank*
prepararse para	*to prepare for exams*	una compañía	*a company*
los exámenes		una fábrica	*a factory*
		una oficina	*an office*
Hacer diligencias	*To run errands*	tener habilidades	*to have job skills*
comprar estampillas	*to buy stamps*	profesionales	
enviar (mandar)	*to send*	trabajar	*to work*
una carta	*a letter*	horas extra	*overtime*
un paquete	*a package*	medio tiempo	*part-time*
hacer compras en	*to shop in a*	tiempo completo	*full-time*
un gran almacén	*department store*	usar una	*to use*
un supermercado	*supermarket*	computadora	*a computer*
una tienda	*store, shop*	un escáner	*a scanner*
ir al centro comercial	*to go to the shopping*	una fotocopiadora	*a copier*
	center / mall	una impresora	*a printer*
al correo	*to the post office*	una máquina	*a fax machine*
a la estación de	*to the gas*	de fax	
servicio	*station*	el correo	*e-mail*
a la tintorería	*to the dry*	electrónico	
	cleaner		

Point out. *To work overtime =* **trabajar horas extra(ordinarias).** The phrase **horas extra** is generally invariable although in some regions Spanish-speakers say **horas extras.**

Vocabulario regional. In Spain the word for *stamps* is **los sellos;** in the Americas *stamps* is **las estampillas.**

Vocabulario suplementario. Un consultorio *(doctor's, dentist's, lawyer's office);* **una escuela** *(school),* **una peluquería** *(beauty shop, barber shop),* **un taller** *(garage, repair shop, workshop).*

Vocabulario regional. In Spain the word for *computer* is **el ordenador;** in the Americas *computer* is **la computadora.**

Answers to Realia. Es de Madrid, España. Va a ponerla en su coche (en el paragolpes / parachoques de su coche).

Vocabulario. el orgullo = *pride;* **un título =** *title (of nobility).*

SER ESPAÑOL UN ORGULLO
MADRILEÑO UN TITULO

¿De qué país y de qué ciudad es la persona que va a usar esta pegatina *(sticker)*? ¿Dónde va a ponerla?

 Heinle Transparency Bank: F-2, F-3, L-2 Los lugares; la rutina estudiantil. Use these images to illustrate additional places and tasks to your students.

Expressing Frequency and Sequence of Action

PATRICIA: Hola, Raquel, ¿cómo estás? ¡Tienes una cara de cansada! ¿Qué te pasa?

RAQUEL: No, nada. Lo único es que mi madre está enferma y todas las mañanas tengo que hacer muchas cosas en la casa. En las noches tengo que cuidar a mis hermanitos, cocinar y todo eso. Encima de eso estoy en época de exámenes. ¡Imagínate! ¡Como si fuera poco!

PATRICIA: Pero mira, ¿estás durmiendo bien por lo menos? Porque si no, te vas a enfermar. Nadie puede trabajar del amanecer al anochecer sin un descanso.

RAQUEL: Sí, lo sé. A veces no tengo tiempo ni de comer. Generalmente como algo mientras estudio y todos los días me acuesto tardísimo, a medianoche, más o menos.

PATRICIA: ¡Pero, Raquel, es que te vas a enfermar si sigues así!

RAQUEL: No te preocupes, que ya termino los exámenes esta semana.

PATRICIA: ¡Menos mal! ¡Pero bueno, amiga, cuídate, por favor!

RAQUEL: Vale, vale, no te preocupes.

PATRICIA: Mira, dale un beso a tu mamá y dile que espero que se mejore pronto.

RAQUEL: Gracias. Nos vemos.

If you need to express frequency of actions, you can use the following phrases. They answer the questions **¿Cuántas veces?** = *How many times?, How often?* or **¿Cuándo?** = *When?*

a veces / a menudo / algunas veces	*sometimes / often*
siempre	*always*
nunca / jamás	*never*
ya	*already*
(casi) todos los días / todas las mañanas / las noches	*(almost) every day / morning / night*
una vez / dos veces al día / al mes / al año / a la semana	*once / twice a day / month / year / week*
cada dos días	*every other day*
cada / todos los lunes / martes	*every Monday / Tuesday*
frecuentemente	*frequently / often*
de vez en cuando	*from time to time*
del amanecer al anochecer	*from dawn to dusk*
la mayor parte de las veces	*most of the time*
generalmente / por lo general	*generally*

After explaining the expressions, have students repeat expressions aloud. Correct pronunciation and intonation when necessary.

If you want to describe when actions take place in relation to other actions, you can use the following phrases.

primero	*first*
luego / después	*then / afterward(s)*
más tarde	*later*
finalmente / por último	*finally*
en primer / segundo / tercer lugar	*in the first / second / third place*

To hear more about Spanish pronunciation visit academic.cengage.com/spanish/interacciones.

Práctica y conversación

1.7 Vidas diferentes. Ud. es un/a estudiante a tiempo completo en la universidad y está en el equipo de natación. Su hermano/a lo/a llama por teléfono y quiere saber cómo está. El/ella está casado/a y tiene tres hijos. Uds. hablan de sus actividades diarias, la frecuencia con la que hacen las diferentes cosas, cómo se sienten, etc.

Modelo   Estudiante 1: *Todas las mañanas me levanto muy temprano, voy a la piscina y nado durante hora y media. Luego, voy a clase, a la biblioteca y...*
Estudiante 2: *Yo también me levanto temprano pero me voy a trabajar. Voy al supermercado una vez a la semana, algunas veces cocino,...*

1.8 Hablando de sus ocupaciones. Ud. está muy cansado/a porque tiene muchas responsabilidades con su trabajo y su familia. Hable con dos compañeros/as de clase y cuénteles lo que tiene que hacer todos los días.

Temas de conversación: estudiar / prepararse para las clases / participar en deportes / reunirse con amigos / ayudar a su familia / ¿?

Modelo   Estudiante 1: *¿Qué te pasa... ?*
Estudiante 2: *¡Estoy muy cansado/a! ¡Tengo mucho que hacer! Todos los días tengo que... Dos veces por semana tengo que...*
Estudiante 3: *Te comprendo. ¡Yo también tengo que... dos veces por semana y... !*
Estudiante 1: *Yo también. ¡Trabajo del amanecer al anochecer!*

Warm-up 1.7 Have students explain what activities they have to do every day that stress them out.

Answers 1.7. Answers should include the phrases to express frequency and/or sequence of action.

Answers 1.8. Answers should include the phrases to express frequency and/or sequence of action.

Estructuras

Discussing Daily Activities

Present Tense of Irregular Verbs

Prior to introducing these irregular verbs, review the conjugation of regular -ar, -er, and -ir verbs in the present tense. Use the following infinitive phrases: llenar el tanque / recoger ropa limpia / escribir cartas.

Many of the verbs that you need in order to talk about daily activities are irregular verbs in the present tense. These irregular verbs can be divided into two main groups: verbs that are irregular only in the first person singular (**yo**) form and those that show irregularities in many forms.

Common Verbs with Irregular *yo* Forms			
hacer *(to do, make)*	**hago**	**traer** *(to bring)*	**traigo**
poner *(to put, place)*	**pongo**	**saber** *(to know)*	**sé**
salir *(to leave)*	**salgo**	**ver** *(to see)*	**veo**
Verbs ending in **-cer** like **conocer** *(to know):* **conozco**			
Verbs ending in **-cir** like **conducir** *(to drive):* **conduzco**			

Common Irregular Verbs					
dar *(to give)*	doy	das	da	damos	dais	dan
decir *(to say, tell)*	digo	dices	dice	decimos	decís	dicen
estar *(to be)*	estoy	estás	está	estamos	estáis	están
ir *(to go)*	voy	vas	va	vamos	vais	van
oír *(to hear)*	oigo	oyes	oye	oímos	oís	oyen
ser *(to be)*	soy	eres	es	somos	sois	son
tener *(to have)*	tengo	tienes	tiene	tenemos	tenéis	tienen
venir *(to come)*	vengo	vienes	viene	venimos	venís	vienen

Verbs ending in **-uir** like **destruir** *(to destroy):*
destruyo, destruyes, destruye, destruimos, destruís, destruyen

a. Common verbs ending in **-cer** include **aparecer** = *to appear;* **conocer** = *to know, be acquainted with;* **merecer** = *to merit, deserve;* **obedecer** = *to obey;* **ofrecer** = *to offer;* **parecer** = *to seem;* **reconocer** = *to recognize.*

b. Common verbs ending in **-cir** include **conducir** = *to drive;* **producir** = *to produce;* **traducir** = *to translate.*

c. Common verbs ending in **-uir** include **construir** = *to construct;* **contribuir** = *to contribute;* **destruir** = *to destroy.*

Práctica y conversación

Antes de empezar los siguientes ejercicios, busque ejemplos de las formas gramaticales de esta sección en el diálogo escrito de **Así se habla.**

1.9 Un día típico. Compare las actividades de un día típico en la vida de Manuel con un día típico de Ud. y sus amigos.

> **Modelo**   Manuel: *Conduzco a clase.*
>   Usted: *Mis amigos y yo conducimos a clase también.*
>   *Mis amigos y yo no conducimos a clase.*

1. Soy estudiante y tengo mucho que hacer.
2. Hago compras en el centro comercial.
3. Voy al correo y a la tintorería.
4. Traduzco ejercicios en la clase de español.
5. Pongo la televisión y oigo las noticias.
6. Veo a los niños y les doy dinero.

1.10 ¿Con qué frecuencia? Complete las siguientes oraciones con una de las frases dadas, explicando con qué frecuencia Ud. hace las siguientes actividades.

decir la verdad	salir de casa a tiempo
venir a clase	poner la radio / televisión
hacer la tarea	ver a mis amigos
ir al cine	traer libros a clase
conducir rápidamente	ofrecer a ayudar a mis amigos

1. _____ a menudo.
2. Nunca _____.
3. _____ (casi) todos los días.
4. Una vez al mes _____.
5. _____ frecuentemente.
6. Siempre _____.
7. Del amanecer al anochecer _____.
8. La mayor parte de las veces _____.

 1.11 Entrevista. Usando las frases de la **Práctica 1.10,** pregúntele a un/a compañero/a de clase cuándo o con qué frecuencia hace diferentes actividades. Su compañero/a debe contestar de una manera lógica.

> **Modelo**   Usted: *¿Con qué frecuencia ves a tus amigos?*
>   Compañero/a: *Veo a mis amigos a menudo.*

Talking About Other Activities

Present Tense of Stem-Changing Verbs

To discuss other daily activities such as sleeping or having lunch and activities such as requesting, recommending, preferring, wanting, and remembering, you will need to learn to conjugate and use stem-changing verbs. There are three categories of stem-changing verbs.

e → ie **querer** *to wish, want*	o → ue **almorzar** *to have lunch*	e → i **pedir** *to ask for, request*
quiero	almuerzo	pido
quieres	almuerzas	pides
quiere	almuerza	pide
queremos	almorzamos	pedimos
queréis	almorzáis	pedís
quieren	almuerzan	piden

a. Certain Spanish verbs change the last vowel of the stem from **e → ie, o → ue,** or **e → i** when that vowel is stressed. These verbs may have infinitives ending in **-ar, -er,** or **-ir.** There is no way to predict which verbs are stem-changing; these verbs must be learned through practice. In many vocabulary lists or dictionaries the stem-changing verbs may be listed in the following manner: **querer** (**ie**); **volver** (**ue**); **servir** (**i**).

b. Some common stem-changing verbs **e → ie** are:

cerrar	*to close*	perder	*to lose, waste (time),*
comenzar	*to begin*		*miss (bus)*
empezar	*to begin*	preferir	*to prefer*
entender	*to understand*	querer	*to want, wish*
pensar	*to think*	recomendar	*to recommend*

c. Some common stem-changing verbs **o → ue** are:

almorzar	*to eat lunch, have lunch*	poder	*to be able*
contar	*to count*	probar	*to try, taste*
dormir	*to sleep*	recordar	*to remember*
encontrar	*to find, meet*	soñar	*to dream*
morir	*to die*	soler	*to be accustomed to*
mostrar	*to show*	volver	*to return*

d. Some common stem-changing verbs **e → i** are:

pedir	*to ask for, request*	seguir	*to follow*
repetir	*to repeat*	servir	*to serve*

Práctica y conversación

Antes de empezar los siguientes ejercicios, busque ejemplos de las formas gramaticales de esta sección en el diálogo escrito de **Así se habla**.

 1.12 Preferencias. Las siguientes personas no quieren hacer ciertas cosas; prefieren hacer otras. Dígale a un/a compañero/a de clase lo que prefieren hacer.

> **Modelo** Miguel: prepararse para los exámenes / practicar deportes
> *Miguel no quiere prepararse para los exámenes.*
> *Prefiere practicar deportes.*

1. tú: trabajar / echar una siesta
2. nosotros: mirar una telenovela / reunirnos con amigos
3. María: hacer la tarea / hacer compras
4. yo: ir a la tintorería / ir a la tienda
5. José y yo: trabajar horas extra / estar de vacaciones
6. Uds.: trabajar en un banco / tener empleo en una oficina

 1.13 ¡Hay mucho que hacer! Dígale a un/a compañero/a de clase lo que Paco hace hoy. Luego, dígale si Ud. y sus amigos hacen las mismas cosas.

> **Modelo** comenzar a estudiar
> *Paco comienza a estudiar.*
> *Mis amigos y yo (no) comenzamos a estudiar.*

despertarse a las seis
encontrar los libros en la biblioteca
empezar a leer una novela
pedirle ayuda a José
almorzar con amigos

jugar al tenis
volver a casa temprano
acostarse antes de la medianoche
soler trabajar los fines de semana

 1.14 Entrevista personal. Hágale preguntas a un/a compañero/a de clase sobre los planes que tienen él (ella) y sus amigos/as.

Pregúntele...

1. dónde almuerzan.
2. qué piensan hacer esta noche.
3. si recomiendan una buena película.
4. cuándo vuelven a casa.
5. si quieren jugar al tenis.
6. ¿?

Perspectivas

El horario hispano

El Museo del Prado

El horario *(schedule)* español es muy distinto del horario estadounidense. Por lo general los españoles trabajan ocho horas al día pero dividen el día en dos partes. En España la mayoría de las oficinas, de las tiendas y de los negocios abren a las diez de la mañana y cierran a las dos de la tarde. Pero abren de nuevo entre las cuatro y las ocho. Entre las dos y las cuatro de la tarde los españoles comen su comida principal en casa y después de comer se quedan un rato allá hablando con la familia o descansando. Este descanso entre las dos y las cuatro se llama **la siesta.** Se nota que esta tradición de la siesta está desapareciendo en las ciudades y hay muchas tiendas, museos y negocios que no cierran para la siesta. Como los negocios cierran alrededor de las ocho de la noche, muchos españoles se pasean *(stroll)* por el centro de la ciudad; finalmente vuelven a casa para cenar entre las diez y las once de la noche. En los países de las Américas el horario tiene muchas variaciones, pero generalmente se come entre el mediodía y las dos de la tarde y otra vez entre las siete y las nueve de la noche.

Práctica

1.15 **Una visita a Madrid.** Ud. y su familia están en Madrid por dos días y medio. Durante estos días quieren ver lo máximo posible pero también necesitan comer, descansar y cambiar dinero. Prepare un horario con la información dada abajo.

- **Banco Nacional**
  10,00-13,30
- **Cine Madrileño**
  16,00; 18,30; 21,00; 23,30; 1,30
- **Club Elegante**
  Espectáculos a las 23,30; 1,30
- **Corrida de Toros**
  17,00

- **Excursión al Escorial**
  Palacio y monasterio real a unos 35 kilómetros de Madrid. Martes a domingo: 10,00-18,00; Días festivos: Cerrado
- **Piscina Municipal**
  10,00-13,30; 16,00-20,30
- **El Palacio Real**
  Lunes a sábado; 9,00-18,00; Domingos y días festivos: 9,00-14,00
- **El Prado**
  Museo de arte de fama internacional Martes a sábado: 9,00-19,00; Domingos y días festivos: 9,00-14,00 Lunes: Cerrado

Museo del Prado

Segunda situación

Presentación

La rutina diaria

Heinle Spanish Transparency Bank M-1, M-2 La rutina diaria. Use these images to illustrate daily activities to your students.

Reminder. This is the last time that the exercise **¿Qué ve Ud. en el dibujo?** will appear in the student textbook. In future chapters this type of exercise will appear only as an annotation in the *Annotated Instructor's Edition* . Students should continue to focus on the drawing and create lists of the people and items that they see as a warm-up to additional vocabulary exercises. Remember to take advantage of the drawings of the **Presentación** to help students focus on the new vocabulary being introduced.

Práctica y conversación

1.16 ¿Qué ve Ud. en el dibujo? Utilizando el **Vocabulario** al final de esta sección, nombre los ejemplos de actividades de arreglo personal que se ven en el dibujo.

Answers 1.16. Answers should include the new vocabulary of the **Presentación**.

1.17 Mi arreglo personal. ¿Qué productos usa Ud. para hacer lo siguiente?

despertarse a tiempo / bañarse / lavarse el pelo / lavarse los dientes / afeitarse / rizarse el pelo / maquillarse / perfumarse

1.18 Las rutinas diarias. Dígale a su compañero/a de clase lo que Ud. hace para arreglarse en un día típico. Él/Ella escribirá lo que Ud. dice. Luego, le toca a Ud. *(it's your turn)* escribir lo que su compañero/a dice. Cuando terminen, le dirán a su profesor/a lo que cada uno/a hace para arreglarse.

1.19 Creación. Cuente en una narración lo que pasa en el dibujo de la **Presentación,** contestando las siguientes preguntas: ¿Está de buen humor el hombre que Ud. ve en el dibujo? ¿Por qué se levanta tan temprano? ¿Para qué se arreglan los chicos? ¿Y las chicas? ¿Qué hace la mujer?

¿Qué tipo de productos llevan la marca *(brand name)* "Naturaleza y Vida"? ¿Quiénes pueden usar estos productos? ¿Usaría Ud. estos productos?

VOCABULARIO

El arreglo personal	Personal care	despertarse (ie)	to wake up
la afeitadora eléctrica	electric shaver	desvestirse (i, i)	to get undressed
el agua (f) caliente	hot water	ducharse	to shower
el cepillo de dientes	toothbrush	lavarse los dientes	to brush one's teeth
la crema de afeitar	shaving cream	lavarse el pelo	to wash one's hair
el champú	shampoo	levantarse temprano	to get up early
el desodorante	deodorant	tarde	late
el espejo	mirror	maquillarse	to put on make-up
el jabón	soap	peinarse	to comb one's hair
la laca	hair spray	perfumarse	to put on perfume
el lápiz de labios	lipstick	poner el despertador	to set the alarm clock
el maquillaje	make-up		
la pasta de dientes	toothpaste	ponerse	to put on
el peine	comb	la camisa	one's shirt
el rímel	mascara	los pantalones	one's pants
el secador	hair dryer	el vestido	one's dress
la sombra de ojos	eye shadow	quitarse la camisa	to take off one's shirt
las tenacillas de rizar	curling iron		
la toalla	towel	rizarse el pelo	to curl one's hair
afeitarse	to shave	secarse	to dry off
arreglarse	to get ready	secarse el pelo	to dry one's hair
bañarse	to bathe, take a bath	ser madrugador/a	to be an early riser
		dormilón(-ona)	a heavy sleeper
cambiarse de ropa	to change clothes	vestirse (i, i)	to get dressed
cepillarse el pelo	to brush one's hair		

Vocabulario regional. In Spain the word for *toothpaste* is **el dentifrice;** in the Americas *toothpaste* is **la pasta de dientes, la crema dental, la pasta dental.**

Así se habla  CD 1, Track 5

Expressing Lack of Comprehension

Warm-up. Before students listen to the dialogue on the CD, have them describe the drawing. Students should then brainstorm the types of things that the women are talking about and what phrases they might be using.

Have students listen to the dialogue once. Then ask them to provide a statement explaining the gist of the conversation.

Comprehension check. Play the dialogue a second time, then have students answer the following: ¿Por qué está preocupada Sara? (porque Linda no se levanta) Según Ana, ¿cuál es el problema de Linda? (Según Ana, Linda sólo llora, ve televisión y duerme desde que peleó con su novio Jorge.) ¿Cómo se sienten Ana y Sara ante esta situación? (Están muy preocupadas y no comprenden nada.)

Have two students read the dialogue aloud as a role-play. Then ask the class to locate the phrases that illustrate the function *Expressing Lack of Comprehension.*

After explaining the expressions, have students repeat expressions aloud. Correct pronunciation and intonation when necessary.

🎧 To hear more about Spanish pronunciation visit academic.cengage.com/spanish/interacciones.

SARA: Ana, ¿qué pasa con Linda que no se levanta? Ya son las once de la mañana y tiene que ir a clases. Incluso, creo que tiene un examen hoy.

ANA: ¿Qué dices? ¿Puedes repetir, por favor? No puedo oír nada con este secador de pelo.

SARA: Te preguntaba qué pasaba con Linda que sigue en cama. Ya es tarde.

ANA: Mira, francamente no tengo la menor idea. Hace ya más de una semana que se acuesta a las cinco de la madrugada y se levanta a las once o doce del día. No se viste, no se peina, no se arregla, ni siquiera se baña. No sé lo que le está pasando. Desde que peleó con Jorge, sólo llora, ve televisión, duerme y nada más. No dice nada.

SARA: No comprendo, no comprendo nada. ¿Y por qué han peleado?

ANA: No sé. Yo tampoco comprendo nada pero no quiero preguntarle. Tú sabes cómo es ella.

SARA: Sí, pero estoy preocupada.

ANA: Yo también.

If you do not understand what is being said to you, you can use the following phrases.

¿Cómo dijo / dijiste?	*What did you say?*
¿Puede/s repetir, por favor?	*Can you repeat, please?*
No comprendo / entiendo nada (de nada)	*I don't understand anything.*
¡No entiendo ni pizca!	*I don't understand one bit!*
¡Estoy perdido/a!	*I'm lost!*
¡Ya me confundí!	*I'm confused!*
No sé si comprendo bien...	*I don't know if I understand correctly . . .*
A ver si comprendo bien...	*Let's see if I understand . . .*
¿Quiere/s decir que... ?	*Do you mean that . . . ?*
¿Mande? (México)	*What?*

Práctica y conversación

1.20 No comprendo. ¿Qué diría Ud. en las siguientes situaciones?

1. Su profesor/a le explica un tema de cálculo pero Ud. no entiende nada.

2. Su novio/a le está hablando pero hay mucho ruido y Ud. no puede oír bien.

3. Ud. estudió muchas horas pero no sabe nada. Su compañero/a le pregunta si está preparado/a para el examen.

4. Su profesor/a de español le hace una pregunta que Ud. no entiende.

5. Su jefe le dice que Ud. está despedido/a y Ud. no sabe por qué.

6. Su compañero/a de cuarto le hace una pregunta pero Ud. no estaba prestando atención.

1.21 ¿Por qué necesitas tanto tiempo? Su compañero/a de cuarto ocupa el baño dos horas todas las mañanas antes de ir a clases. Ud. no entiende por qué tiene que tomar tanto tiempo. Hable con él (ella).

Modelo   *Estudiante 1:* *¿Qué haces tanto tiempo en el baño? ¡No entiendo por qué te demoras tanto!*
Estudiante 2: *Es que me tengo que poner el maquillaje y además tengo que rizarme el pelo y...*

Estructuras

Describing Daily Routine

Reflexive Verbs

Many of the Spanish verbs used to describe and discuss daily routine are reflexive verbs, that is, verbs that use a reflexive pronoun throughout the conjugation. The reflexive pronouns indicate that the subject does the action to or for himself or herself; **me levanto** = *I get (myself) up;* **nos arreglamos** = *we get (ourselves) ready.* In Spanish these reflexive verbs can be identified by the infinitive form, which has the reflexive pronoun **se** attached to it: **levantarse** = *to get up.*

Present Indicative Reflexive Verbs		Reflexive Pronouns	
me arreglo	I get ready	me	myself
te arreglas	you get ready	te	yourself
se arregla	he gets ready she gets ready you get ready	se	himself herself yourself
nos arreglamos	we get ready	nos	ourselves
os arregláis	you get ready	os	yourselves
se arreglan	they get ready you get ready	se	themselves yourselves

Point out. Generally the reflexive pronoun is not translated into English: **me levanto** = I get (myself) up; **me baño** = I take a bath (I bathe myself); **me acuesto** = I go to bed (I put myself to bed).

a. In English the reflexive pronouns end in *-self / -selves.* However, the reflexive pronoun will not always appear in the English translation, for it is often understood that the subject is doing the action to himself or herself.

Silvia siempre **se ducha** y **se lava** el pelo por la mañana.

Silvia always takes a shower and washes her hair in the morning.

Note that with reflexive verbs, the definite article (rather than a possessive pronoun) is used with parts of the body or with clothing.

b. The reflexive pronoun precedes an affirmative or negative conjugated verb.

Eduardo **se dedica** a sus estudios y **no se queja** nunca.

Eduardo devotes himself to his studies and never complains.

Point out. The reflexive pronoun used with the infinitive changes to agree with the subject: **(Tú) Vas a acostarte a las ocho. María va a acostarse a las ocho. (Nosotros) Vamos a acostarnos a las ocho.**

c. Reflexive pronouns attach to the end of an infinitive. When both a conjugated verb and an infinitive are used, the reflexive pronoun may precede the conjugated verb or attach to the end of the infinitive. Note that the reflexive pronoun always agrees with the subject even when attached to the infinitive.

¿Cuándo vas a **acostarte?**
¿Cuándo **te** vas a **acostar?**

When are you going to bed?

d. The following list contains common reflexive verbs; others are listed in the **Presentación.**

acordarse (ue) de	*to remember*	**hacerse**	*to become*
acostarse (ue)	*to go to bed*	**irse**	*to go away, leave*
dedicarse a	*to devote oneself to*	**llamarse**	*to be called*
despedirse (i) de	*to say good-bye to*	**preocuparse (por)**	*to worry (about)*
divertirse (ie)	*to have a good time*	**quejarse (de)**	*to complain (about)*
dormirse (ue)	*to go to sleep*	**sentirse (ie)**	*to feel*

Práctica y conversación

Antes de empezar los siguientes ejercicios, busque ejemplos de las formas gramaticales de esta sección en el diálogo escrito de **Así se habla.**

Have students locate reflexive verbs in the vocabulary list of the **Presentación** for the **Primera** and **Segunda situación** of **Capítulo 1.**

1.22 Su rutina diaria. Usando las frases dadas, describa su rutina diaria en orden lógico.

Modelo *Primero me despierto.*

primero / en segundo lugar / en tercer lugar / más tarde / después / finalmente

1.23 Consejos. Explique por lo menos tres cosas que estas personas hacen para arreglarse.

1. Ud. toma un examen de matemáticas.
2. Manolo y Pepe van a la escuela primaria.
3. Isabel sale con su novio.
4. Tú vas a una fiesta.
5. Nosotros jugamos al tenis.
6. La Sra. Ruiz habla con unos clientes importantes.

Expansion 1.23. Have students use the same sentences to explain two things that they must do in order to get ready for the situations. **Modelo:** 4. Tú vas a una fiesta. Yo debo ducharme y vestirme bien.

1.24 Hoy y ayer. Trabajando en parejas, compare lo que Ud. hace hoy con lo que Ud. hizo ayer.

despertarse / levantarse / vestirse / sentirse / preocuparse / quejarse / acostarse / ¿?

Answers 1.24. *Answers should include the following verb forms:* hoy me despierto... y ayer me desperté... / hoy me levanto... y ayer me levanté... / hoy me visto... y ayer me vestí... / hoy me siento... y ayer me sentí... / hoy me preocupo... y ayer me preocupé... / hoy me quejo... y ayer me quejé... / hoy me acuesto... y ayer me acosté...

Asking Questions

Question Formation

Since most conversation consists of a series of questions and answers, it is important to learn to form questions in a variety of ways.

Questions Requiring a Yes / No Answer

a. A statement can become a question by adding the tag words **¿no?** or **¿verdad?** to the end of that statement.

Raúl se levanta temprano, **¿no?**   *Raúl gets up early, doesn't he?*
Se divierten en clase, **¿verdad?**   *You have a good time in class, don't you?*

Point out. The translations of **¿no?** and **¿verdad?** will vary according to the verbs used in the tag questions. Generally, both words can be translated by using a negative form of do/does followed by the subject pronoun. **Anita se viste bien, ¿verdad?** *(Anita dresses well, doesn't she?)* **Jorge se despierta a tiempo, ¿no?** *(Jorge gets up on time, doesn't he?)*

b. A statement can also become a question by inversion, that is, placing the subject after the verb. When using inversion to form a question that contains more than just a subject and verb, the word order is generally:

VERB	+	REMAINDER	+	SUBJECT
¿Se levantan		temprano		Uds.?

However, when the remainder of the sentence contains more words than the subject, then the word order is generally:

VERB	+	SUBJECT	+	REMAINDER
¿Se levantan		Uds.		temprano todos los días?

Questions Requesting Information

Point out. Cuál *(which one)* is used when the expected answer is singular: **Aquí hay dos libros. ¿Cuál es tuyo? Cuáles** *(which ones)* is used when the expected answer is plural: **Aquí hay muchos libros. ¿Cuáles son tuyos?**

Point out. The interrogative word **cuánto** has four forms; it agrees with the noun it precedes or replaces. **¿Cuánto** tiempo necesitas para arreglarte? **¿Cuánta** ropa nueva necesitas comprar? **¿Cuántos** libros necesitas para tu curso de matemáticas? **¿Cuántas** horas necesitas trabajar esta semana?

Point out. Quién *(who)* is used when the expected answer is singular; **quiénes** *(who)* is used when the expected answer is plural. **¿Quién** mira la televisión en casa? Mario. **¿Quiénes** miran la televisión en casa? Debra, Carlos y Mateo.

To hear more about question words, visit academic. cengage.com/spanish/ interacciones.

a. Questions requesting information contain an interrogative word such as those in the following list.

¿cómo?	*how?*
¿cuál/es?	*which?*
¿cuándo?	*when?*
¿cuánto/a?	*how much?*
¿cuántos/as?	*how many?*
¿dónde?	*where?*
¿qué?	*what?*
¿quién/es?	*who?*
¿por qué?	*why?*

Note that the question word **dónde** has the form **adónde** when used with **ir, viajar,** and other verbs of motion. The form **de dónde** is used with **ser** to express origin.

Jorge, **¿adónde** vas?	*Jorge, where are you going?*
¿De dónde son Uds.?	*Where are you from?*

b. Most information questions are formed by inverting the subject and verb. Note that the interrogative word is generally the first word of the question.

¿Qué se ponen los estudiantes para ir a clase?	*What do the students put on in order to go to class?*

c. Por qué, meaning *why,* is written as two words. The word **porque** means *because* and is often used in answers.

—**¿Por qué** te quitas la chaqueta?	*Why are you taking off your jacket?*
—**Porque** hace calor.	*Because it's hot.*

Práctica y conversación

Antes de hacer los siguientes ejercicios, busque ejemplos de las formas gramaticales de esta sección en el diálogo escrito de **Así se habla.**

1.25 Barcelona. Haga preguntas para las siguientes respuestas.

1. Barcelona es la capital de Cataluña, la región más próspera de España.
2. Esta gran ciudad cosmopolita tiene importancia comercial e industrial.
3. Está situada entre dos montañas: el Tibidabo y Montjuïc.
4. Hay playas a pocos kilómetros de la ciudad.
5. Las Ramblas es un paseo que va desde el centro de la ciudad hasta el mar Mediterráneo.
6. Al final de Las Ramblas está el monumento a Colón, uno de los monumentos más conocidos de la ciudad.

Use the map in the front of the student textbook to locate Pamplona. Ask students: ¿Dónde está Pamplona? (en el norte de España) ¿En qué región está? (Navarra) ¿Qué otras ciudades están cerca? (Zaragoza, Burgos, Bilbao) ¿Qué país está cerca de Pamplona? (Francia)

 1.26 Las fiestas de Pamplona. En parejas, hagan todas las preguntas necesarias para las siguientes respuestas para informarse sobre estas fiestas españolas.

1. Todos los años en el mes de julio se celebran fiestas regionales en Pamplona.
2. Estas fiestas duran varios días.
3. Se celebran en honor a San Fermín.
4. Hay muchas actividades todos los días de las fiestas.
5. La actividad más famosa es el encierro.

¿Qué colores predominan en el sello (*seal*) de Pamplona? ¿Qué animal se ve?

Answers. Los colores que predominan son el blanco, el rojo, el amarillo y el azul. Se ve un león.

 1.27 Entrevista personal. Pregúntele a un/a compañero/a de clase acerca de su rutina diaria. Su compañero/a debe contestar.

Temas de conversación
la hora de levantarse / acostarse
la hora de desayunar / almorzar / cenar
el lugar donde vive / trabaja / estudia
la frecuencia de cambiarse de ropa / lavarse el pelo / peinarse
con quién/es vive / estudia / va al cine
las cosas y las personas de que se queja

¿Qué oyó Ud.?  CD 1, Track 6

Para escuchar bien

Listening for the Gist

La Universidad de Madrid

When you are talking to someone in English or are listening to a narration or description, you can often understand what is being said by paying attention to a person's intonation or gestures, the topic being discussed, and the situation in which it occurs. Even when you don't understand every word being said, you can still get the gist or the general idea of what the speaker is saying.

Antes de escuchar

1.28 La foto. Con un/a compañero/a de clase, mire la foto que se presenta en esta página y haga las siguientes actividades.

1. Describa a las personas en la foto y el lugar donde se encuentran.
2. Según su opinión, ¿de qué están hablando estas personas?
3. Cuando Ud. se reúne con sus amigos de la universidad, ¿de qué hablan Uds. generalmente?

Answers 1.28. 1. *Some possible answers:* Hay varios estudiantes. Son jóvenes y agradables. Están en la universidad. Hay muchos carros. **2.** *Some possible answers:* Están hablando de sus actividades dentro y fuera de la universidad. Hablan de sus profesores. **3.** *Some possible answers:* Hablamos de novios/as; hablamos de los cursos.

Al escuchar

1.29 Los apuntes. Mientras escucha la conversación entre Tania y Ada, tome los apuntes que considere necesarios y luego complete el siguiente cuadro con la información correcta.

	Tania	Ada
Estilo de vida		
Responsabilidades estudiantiles		
Otras responsabilidades		
Distracciones		

Después de escuchar

1.30 Resumen. Con un/a compañero/a de clase, resuma la conversación entre Tania y Ada.

1.31 Análisis. Ahora conteste las siguientes preguntas.

1. ¿Qué tipo de relación tienen estas dos personas? Justifique su respuesta.
2. Dentro de la cultura americana, ¿es aceptable criticar el estilo de vida de un/a compañero/a y decirle cómo debe cambiar? ¿Y dentro de la cultura hispana? Justifique su opinión.

 Interacciones: **Capítulo 1, Segunda situación**

Para saber más: academic.cengage.com/spanish/ interacciones

It will probably be necessary to play the dialogue more than once. During the first playing, students listen for the general idea. During the second playing, students should focus on the details.

Answers 1.29. Los apuntes. *Some possible notes:* Tania, estudiante, echa una siesta, nada, vida más tranquila; Ada, estudiante, trabaja, estudia, no descansa. *Answers to table:* Estilo de vida: Tania: descansado; Ada: estresante. Responsabilidades estudiantiles: Tania va a la universidad por la mañana; Ada va a la universidad por la mañana y a veces por la tarde también. Otras responsabilidades: Tania: ninguna; Ada: trabaja medio tiempo. Distracciones: Tania: echa una siesta, nada tres veces a la semana; Ada va al gimnasio todas las noches.

Answers 1.30. *Some possible answers:* Tania y Ada hablan de su rutina diaria. Tania es estudiante y tiene una vida más relajada. Ada estudia y trabaja. Su vida es muy estresante. Tania le recomienda a Ada que cambie su estilo de vida.

Answers 1.31. *Some possible answers:* 1. Tienen una relación de amistad. Usan «tú», se hacen preguntas personales. Tania critica a su amiga, le da consejos. Ada le cuenta sus preocupaciones. 2. *Some possible answers:* Dentro de la cultura americana, no es aceptable/común criticar el estilo de vida de un/a compañero/a y decirle cómo debe cambiar. El hacerlo puede ser percibido como una intromisión en la vida privada de la otra persona. Dentro de la cultura hispana, por lo general, decirle a una persona cómo debe cambiar es parte de ser su amigo. No se considera una intromisión. El no hacerlo demuestra falta de interés en esa persona.

Imágenes culturales

Un gimnasio al aire libre

For information on the **Imágenes culturales** section and how to use it, see "Using the *Interacciones* Program" located in the *Instructor's Resource Manual*.

Warm-up. Prior to viewing the video, use a map of Spain and have students point out Barcelona, Cataluña, and el Mar Mediterráneo. Discuss the region of Cataluña and its geographical features including the coast and beaches. Review the information in **Bienvenidos a España** to help with the discussion.

Vocabulario del vídeo. The following vocabulary will help you understand this video segment and complete the exercises: **hacer ejercicios =** *to exercise;* **los ejercicios aeróbicos =** *aerobic exercise;* **gratis =** *free (of charge).*

Answers. Las personas hacen ejercicios aeróbicos. Están en la playa. Este lugar puede ser un gimnasio al aire libre.

Answers. Muchas personas van a un gimnasio al aire libre para hacer ejercicios aeróbicos en la playa.

The additional video activities located in the *Cuaderno de actividades* are designed to be completed by students on their own outside of class. However, the additional activities can also be completed in class if time permits.

Antes de mirar

A De vacaciones en España. Trabajando en parejas, hagan una lista de las actividades que les gustaría hacer durante unas vacaciones en España. ¿A qué región quieren ir? ¿Qué quieren ver? ¿Dónde y qué quieren comer? Después, hagan una lista de las diligencias que no necesitan hacer durante las vacaciones.

B El título. Mire el título del vídeo de esta sección: «Un gimnasio al aire libre *(outdoor)*». ¿Qué quiere decir el título? Después, mire la foto de arriba y descríbala. ¿Qué están haciendo las personas? ¿Dónde están? ¿Qué puede ser este lugar?

C La idea principal. Mire el vídeo por primera vez para determinar la idea principal del vídeo. También revise *(check)* y corrija sus respuestas anteriores.

Actividades de vídeo

Después de completar estas actividades de **Antes de mirar,** complete las otras actividades del vídeo para **Capítulo 1** en el *Cuaderno de actividades.*

Lectura cultural

Para leer bien

Predicting and Guessing Content

To make your reading more efficient and pleasurable, it is a good technique to try to predict an author's main idea prior to actually reading. This technique will help you locate and remember key ideas within the reading passage. The title as well as photographs, drawings, and charts accompanying the passage provide many hints that will help you form a hypothesis about the content. As you read, you will confirm or discard this original hypothesis. First, look at the title of the reading and ask yourself: Given this title, what topics might be covered in the reading? Then, look at the drawings or photos and decide what further ideas come to mind.

Antes de leer

A El título. Mire el título de la **Lectura cultural** que sigue: «España está de moda». **La moda** = *style, fashion*. ¿Qué quiere decir el título?

B Las fotos. Mire las fotos en las páginas 43 y 44. ¿Por qué hay flamenco español en los EE.UU. y una corrida de toros en Francia?

C La idea principal. En su opinión, ¿cuál es la idea principal de la lectura que sigue? Invente una hipótesis utilizando el título y las fotos.

Al leer

D Su hipótesis. Al leer «España está de moda», trate de confirmar o rechazar (*to reject*) la hipótesis sobre la idea principal que Ud. hizo en la **C La idea principal**.

España está de moda

España está de moda por primera vez quizás en los últimos cuatro siglos°. Unos meses atrás° la revista francesa *Paris Match* decía: «España arrasa en° Francia y en Europa. Sus diseñadores° de moda, su música, su pintura, su cine, se han puesto° de moda en el Continente y es difícil que alguien los desbanque° de esa posición».

Es que la cultura española viaja y es bienvenida y aplaudida en los lugares más distantes. Una exposición de Salvador Dalí ocupó el Museo Pushkin de Moscú, el Ballet Nacional de España se presentó en el

Flamenco español en Nueva York

centuries

ago

conquers

designers

have become

displace

For information on the **Lectura cultural** sections and how to use them, see "Using the *Interacciones* Program" located in the *Instructor's Resource Manual*.

Answers A. Spain is in style / is popular.

Prior to having students answer the questions in **B Las fotos**, have students describe the two photos on pages 43 and 44, explaining what they see in them.

Answers B. Hay flamenco español en los EE.UU. y una corrida de toros en Francia porque España está de moda.

Point out. Students need to form a hypothesis about the reading based on the title and accompanying photos. At this point the hypothesis may be incorrect. The point of reading is to confirm, modify, or discard the original hypothesis.

For additional information on daily life in Spain, view the film *Cosas que dejé en La Habana* and complete the activities in *Más allá de la pantalla: Capítulo 8*. RESUMEN: Tres hermanas que llegan a Madrid desde Cuba tienen dificultades para adaptarse a su nuevo país. Escenas en los bares cubanos de Madrid.

The reading «**España está de moda**» emphasizes the cultural theme (España) and the main topic (daily activities) of this chapter.

everywhere

Metropolitan de Nueva York y la literatura española se lee por todas partes°. El cine español también es muy popular en todo el mundo y a muchas personas les encantan los actores españoles como Penélope Cruz o Antonio Banderas o el director Pedro Almodóvar.

fever
reached its peak

bullfights / Spanish wine punch /
tons / Spanish omelette / the
same / department stores /
display windows / made

En Francia hay una españomanía en forma de exposiciones de arte y de películas. La fiebre° española alcanzó de lleno° en la ciudad de Nîmes en el sur de Francia, donde un millón de personas vieron

Una corrida de toros en Francia

corridas de toros°, bebieron sangría° y comieron toneladas° de tortillas de patatas° en un festival de lo español. En Londres es igual°. Harrods, el más exclusivo de los grandes almacenes° londinenses, dedicó un mes a España con los escaparates° llenos de todo tipo de productos hechos° en España. También hay mucho entusiasmo por el teatro y la pintura española.

doubled / spread across

A los italianos les encanta España. En los últimos cinco años el número de visitantes de Italia se ha duplicado°; hace un par de años 1.200.000 visitantes italianos se esparcieron por° tierras españolas. En Roma se han abierto dos escuelas de baile flamenco. Pero lo más importante es que la demanda del producto cultural español también se extiende° a los centros urbanos menores. Es cierto que España es un país en movimiento° y la economía española sigue creciendo°.

extends
on the move
growing
Doing it the Spanish way /
attracts

Españolear° está de moda, y España atrae° y seduce en el mundo por su vitalidad, su capacidad creativa y su prosperidad.

Después de leer

E La idea principal. Escoja entre las siguientes posibilidades la idea principal de la lectura.

1. La gente española lleva ropa moderna.
2. La cultura española es popular en todo el mundo.
3. Las tiendas españolas venden artículos muy de moda.

F ¿Ciertas o falsas? Lea las siguientes oraciones y decida si son ciertas o falsas. Si son falsas, corríjalas.

1. España se ha puesto de moda en Europa recientemente.
2. España exporta solamente sus productos agrícolas.
3. En Francia recientemente un millón de personas vieron corridas de toros.
4. En Inglaterra no hay interés por los productos españoles.
5. Los italianos tienen miedo de España y no viajan allá.
6. La demanda de la cultura española se extiende a los pueblos italianos.
7. La economía española sufre bastante ahora.

G La defensa de una opinión. ¿Qué evidencia puede Ud. encontrar en el artículo que confirma la siguiente idea? «España y lo español atraen por su vitalidad, su capacidad creativa y su prosperidad.»

Interacciones

Communicative Modes Incorporated: A: interpersonal, presentational **B:** interpersonal **C:** presentational **D:** interpersonal.

Vocabulary Incorporated: A: leisure-time activities, expressions of frequency **B:** daily routine, leisure-time activities **C:** daily routine, leisure-time activities **D:** errands, daily routine.

Grammar Incorporated: A: present tense verbs, question formation **B:** present tense verbs, reflexive verbs, question formation **C:** present tense verbs, reflexive verbs, question formation **D:** present tense verbs, reflexive verbs, question formation.

A Los pasatiempos. You are a reporter for a Hispanic radio station in Miami, Florida, and are preparing a feature on leisure-time activities in your city. Prepare at least five questions about the frequency of typical leisure-time activities; then interview four of your classmates. Report your general findings to the class.

B ¿Quién soy yo? In groups of three or four, each person will pretend to be a famous person. Do not tell each other your identity. Describe your daily routine, including details about your job and leisure activities, so the group can guess who you are. If necessary, you can include a brief description of your person.

C Así son las otras culturas. You are the host of a Spanish TV talk show that examines the lifestyle of other cultures; the show is entitled *Así son las otras culturas.* Today's topic is daily routine in the U.S. compared with the Hispanic daily routine. Your classmates will play the roles of two guests on the show—Antonio/a Guzmán, a Spanish university student, and Julio/a Rivera, a Spanish-speaking resident of Los Angeles. Ask each guest about his/her daily routine and the advantages and disadvantages of it so that you can compare the two lifestyles.

D Las diligencias. Make a mental list of six errands you must do in the next few days. Your partner must then guess four errands on your list by asking you questions. You must then guess four of the items on your partner's list.

Así se escribe

Para escribir bien

Writing Personal Letters and E-Mail Messages

In Spanish, there is a great deal of difference in the salutations and closings in a personal letter and a business letter. Business letters tend to be formal and respectful, but personal letters are warm and loving. Here are some ways to begin and end a personal letter or an e-mail message.

For information on the **Así se escribe** section and how to use it, see "Using the *Interacciones* Program" located in the *Instructor's Resource Manual*.

Salutations

Querido/a Ricardo / Anita:	*Dear Ricardo / Anita,*
Queridos amigos / padres / tíos:	*Dear friends / parents / aunts and uncles,*
Mi querido/a Luis/a:	*Dear Luis/a,*
Mis queridas primas:	*My dear cousins,*

Pre-closings

¡Hasta pronto / la próxima semana!	*Until soon / next week.*
Bueno, te / los / las dejo. Prometo escribirte/les pronto.	*Well, I've got to go. I promise to write you soon.*
Bueno, es la hora de comer, así que tengo que dejarte / los / las.	*Well, it's time to eat so I have to go.*
Voy a escribirte/les de nuevo mañana / la semana próxima.	*I'm going to write you again tomorrow / next week.*

Remind students that these prewriting exercises are a vital part of the writing process and that careful completion of these exercises will facilitate their actual writing of a composition.

Closings

Un abrazo,	*A hug,*
Abrazos,	*Hugs,*
Un saludo afectuoso de...	*A warm greeting from...*
Cariños,	*Much love,*
Tu amigo/a, Juan / María	*Your friend, Juan / María*

Antes de escribir

Answers A. *Answers should include phrases such as the following: Fecha:* el 15 de julio; *Saludo:* Querido/a Juan/a; *Predespedida:* Bueno, te dejo. Prometo escribirte pronto; *Despedida:* Un saludo afectuoso de...

A El formato de una carta. Ud. piensa escribirle una carta a un/a amigo/a. Prepare el formato o el diseño *(layout)* de la carta. Incluya la fecha, el saludo *(salutation)*, la predespedida *(pre-closing)* y la despedida *(closing)*. Deje el espacio para el texto *(body)* de la carta pero no lo escriba en este momento.

Answers B. *Answers should include typical daily routine activities and use of reflexive verbs.*

B El texto de una carta. Ud. piensa en el contenido o el texto de la carta para su amigo/a. Haga una lista de nueve o diez actividades de su rutina diaria en la universidad que quiere describir en el texto de su carta.

Al escribir

Primero, escoja uno de los dos temas dados a continuación. Después, escriba su composición, utilizando sus respuestas para los ejercicios de **Antes de escribir.** Trate de incorporar el nuevo vocabulario y las nuevas estructuras gramaticales de este capítulo.

C Su rutina diaria. Como es un nuevo semestre, escríbale una carta o un mensaje de correo electrónico a un/a amigo/a hispano/a explicándole su rutina diaria.

D Sus actividades. Su mejor amigo/a asiste a otra universidad. Escríbale una carta o un mensaje de correo electrónico, describiendo sus actividades del fin de semana en su universidad.

> **Grammar:** verbs: reflexives; **Phrases/Functions:** sequencing events, talking about the present, writing a letter (informal); **Vocabulary:** days of the week, leisure, time of day, toilette, university

Después de escribir

Antes de entregarle *(hand in)* su composición a su profesor/a, Ud. debe leerla de nuevo y corregir los errores. Al revisarla *(As you review it)*, preste atención al formato. ¿Tiene su composición el formato de una carta o un mensaje de correo electrónico? También preste atención al contenido. ¿Contiene su composición toda la información que Ud. quiere incluir? Revise el vocabulario de las actividades y las frases para poner en orden cronológico las actividades. Al final, revise las terminaciones *(endings)* de los verbos reflexivos. ¿Están correctas todas las terminaciones?

 Interacciones: Capítulo 1, Tercera situación

Para saber más: academic.cengage.com/spanish/interacciones

For information on the **Al escribir** section and how to use it, see "Using the *Interacciones* Program" located in the *Instructor's Resource Manual.*

The topics for the composition can be assigned for out-of-class preparation or as an in-class activity. The instructor can assign one topic to all students or students can choose their own topic.

Expansion. Un estudiante de intercambio. Luis Argüello vive en Santiago, Chile, pero el semestre que viene va a estudiar en la universidad donde Ud. estudia. Escríbale una carta (o un mensaje de correo electrónico), explicándole la rutina universitaria. Incluya información sobre los estudios y también los pasatiempos.

Answers: All composition topics should include the new vocabulary and grammar structures for the chapter as well as phrases for writing a personal letter or e-mail message.

CAPÍTULO 2

De vacaciones

España: Unas vacaciones en familia en la costa

Cultural Themes

Spain
Leisure time and vacations

Communicative Goals

Making a personal phone call
Talking about past activities
Circumlocuting
Avoiding repetition of nouns

Have students describe the photo. Ask questions such as: ¿Qué personas y cosas se ven en la foto? ¿Quiénes son las personas? ¿Qué llevan? ¿Dónde están? ¿Qué tiempo hace?

Have students provide examples in English of topics, situations, and phrases that would be covered in each of the communicative goals. **Modelo:** *Making a personal phone call:* Students might provide answers such as: *Hello, Who's calling? Sorry, you have the wrong number.*

DVD	Video on DVD		Audio
	Cuaderno de actividades		Atajo
	iLrn Heinle Learning Center		Music
www	academic.cengage.com/spanish/interacciones		iRadio

Presentación

En el complejo turístico

Práctica y conversación

2.1 Definiciones. A Pablo le gusta hacer crucigramas, pero a veces tiene problemas con los nombres de algunas cosas. Ayúdelo con las palabras que faltan.

1. el movimiento del agua en el mar
2. unos zapatos que se llevan cuando hace calor
3. lo que se pone uno para nadar
4. un producto que ayuda a broncearse
5. algo que protege los ojos del sol
6. un barco de lujo
7. algo que cubre y protege la cabeza
8. pasarlo bien

Warm-up. Ask students: **¿Qué ve Ud. en el dibujo?** Students should work in pairs and prepare a mental list (not written) of the people and objects that they see in the drawing. Then, have students report out their findings to the entire class. Finally, have students explain what activities the various people in the drawing are engaging in.

Answers 2.1. **1.** la ola **2.** las sandalias **3.** el traje de baño **4.** la loción **5.** las gafas de sol **6.** el yate **7.** el sombrero **8.** divertirse

2.2 ¡Me divertí! Ud. acaba de regresar de un fin de semana maravilloso en Marbella, una de las playas famosas de la Costa del Sol en el sur de España. Se quedó en el complejo «Costa del Sol» y disfrutó de todas las actividades. Diga lo que hizo para divertirse.

Modelo *Jugué al tenis.*

2.3 Vacaciones en el Hotel Don Miguel de Marbella. En grupos, hagan planes para pasar unas vacaciones en el Hotel Don Miguel de Marbella. ¿Cuánto tiempo pasan Uds. allí? ¿En qué actividades participan Uds.?

2.4 ¿Qué me dices? Aquí hay una serie incompleta de dibujos que explican las actividades que hacen Susana, Mario y Juan. Su compañero/a de clase utiliza otra serie de dibujos que está en el **Apéndice A.** Uds. conversan para descubrir la información que falta.

The alternate drawing that corresponds to this activity can be found in **Apéndice A**.

	Susana	Mario y Juan
el viernes por la noche		
el sábado por la mañana		
el sábado por la noche		
el domingo		

2.5 Creación. Imagínese que el dibujo de esta **Presentación** es una foto que Ud. sacó durante sus últimas vacaciones. Cuente en una narración lo que pasa en el dibujo contestando las siguientes preguntas. ¿Cómo se llaman las chicas que están tomando el sol? ¿De qué hablan? ¿De dónde viene el yate que se ve cerca de la costa?

VOCABULARIO

Las vacaciones is generally plural in Spanish while *vacation* is singular in English.

Vocabulario suplementario.
el aparato de gimnasio (*exercise machine*); **la bicicleta estacionaria** (*stationary bike*); **la elíptica** (*elliptical machine*); **la escaladora** (*stairclimber*); **las pesas libres** (*free weights*).

En la playa	At the beach
la arena	*sand*
el castillo	*castle*
el colchón neumático	*air mattress*
el esquí acuático	*waterskiing*
las gafas de sol	*sunglasses*
la lancha	*motorboat*
el mar	*sea*
la ola	*wave*
las sandalias	*sandals*
el sombrero	*hat*
la sombrilla	*beach umbrella*
la tabla de windsurf	*windsurfing board*
el traje de baño	*bathing suit*
el yate	*yacht*
broncearse	*to tan, get tan*
nadar	*to swim*
navegar en un velero	*to sail in a sailboat*
pescar	*to fish*
ponerse (echarse) bronceador	*to put on sun lotion*
bronceador solar con filtro	*sunscreen*
bloqueador	*sun block*
practicar esquí acuático	*to water-ski*

quemarse	*to burn*
tomar el sol	*to sunbathe*

En el complejo turístico	In the tourist resort
el campo de golf	*golf course*
la cancha de tenis	*tennis court*
las vacaciones	*vacation*
correr	*to run*
estar de vacaciones	*to be on vacation*
montar a caballo	*to ride horseback*
montar en bicicleta	*to ride a bicycle*

En el hotel	In the hotel
el gimnasio	*gymnasium*
la piscina	*swimming pool*
disfrutar de	*to enjoy*
divertirse (ie,i)	*to have a good time*
gozar de	*to enjoy*
hacer pilates	*to exercise using the Pilates Method*
levantar pesas	*to lift weights*
pasarlo bien	*to have a good time*
practicar yoga	*to practice yoga*
usar la caminadora	*to use a treadmill*

Heinle Transparency Bank: G-8, G-9, L-1, L-3, L-4, L-5 En la playa; en el lago; en el extranjero; en el hotel. Use these images to illustrate additional vacation places and activities to your students.

Point out. The colors of the logo are the same as the colors on the Spanish flag.

Answers to Realia. Colores: el rojo, el amarillo, el negro. Lema: *It is always sunny in Spain; Spain has everything that exists on earth (under the sun)*.

¿Cuáles son los colores de este logo del turismo español? ¿Cuáles son los dos sentidos (*meanings*) del lema (*slogan*) ESPAÑA: TODO BAJO EL SOL? En su opinión, ¿representa bien el país de España?

ESPAÑA

TODO BAJO EL SOL EVERY THING UNDER THE SUN

Así se habla  🎧 CD 1, Track 7

Making a Personal Phone Call

Warm-up 1. Before students listen to the dialogue, have them work in pairs and discuss the ways that they answer the telephone in English. Ask students if there are differences in the phrases they use when they talk with a friend or relative / stranger / person in a position of authority.

Warm-up 2. Have students describe the photo. Students should then brainstorm the types of things that the three women might be talking about and what phrases they might be using.

Have students listen to the dialogue once. Then ask them to provide a statement explaining the gist of the conversation.

Comprehension check. After playing the dialogue a second time, have students answer the following questions: ¿Quién llama a Silvana? (Norma) ¿Quién contesta? (Maite) ¿Dónde está Silvana? (Silvana salió hace media hora.)

Have two students read the dialogue aloud as a role play. Then have students locate phrases in the dialogue that illustrate the function *Making a Personal Phone Call*.

Maite is the shortened form or nickname for **María Teresa**.

MAITE: ¿Diga?
NORMA: Hola. Por favor, ¿está Silvana?
MAITE: ¿De parte de quién?
NORMA: De Norma, por favor.
MAITE: Un momentito. Voy a ver si está.
NORMA: Muchas gracias.

Después de un momento.

MAITE: Lo siento, pero Silvana no está. Salió hace media hora.
NORMA: Por favor, dile que me llame.
MAITE: Muy bien. Se lo diré.
NORMA: Muchas gracias.

Phrases to answer the telephone

Diga / Dígame. *(Spain)*	*Hello.*
Bueno. *(Mexico)*	*Hello.*
¿Aló? *(Most other countries)*	*Hello.*

Phrases to initiate a conversation

Por favor, ¿está… ?	*Is . . . home, please?*
¿Hablo con… ?	*Is this . . . ?*
¿De parte de quién, por favor?	*May I ask who is calling, please?*
Lo siento, pero no está.	*I'm sorry but he / she is not home.*
Un momentito, por favor.	*One moment, please.*
Voy a ver si está.	*I'll see if he / she is in.*
Está equivocado.	*You have the wrong number.*

Phrases to leave a message

Quisiera dejar un recado / mensaje.	*I would like to leave a message.*
Por favor, dígale (dile) que me llame / que lo/la volveré a llamar.	*Please, tell him / her to call me / that I'll call him / her back.*
Si fuera/s tan amable de decirle que me llame.	*If you would be kind enough to tell him / her to call me.*

Phrases to explain problems with the connection

La línea / el teléfono está ocupada/a.	*The line / the phone is busy.*
No se oye bien.	*I can't hear very well.*
Hay mucha interferencia.	*There's a lot of interference.*
Tiene que colgar.	*You have to hang up.*

Phrases to close the conversation

Disculpe/a, pero me tengo que ir / tengo que colgar.	*Excuse me, but I have to go / I have to hang up.*

Phrases to say good-bye

Chao.	*Bye.*
Nos hablamos.	*I'll talk to you later.*
Lo / la / te llamo.	*I'll call you.*

After explaining the expressions, have students repeat expressions aloud. Correct pronunciation and intonation when necessary.

To hear more about Spanish pronunciation visit academic.cengage.com/spanish/interacciones.

Práctica y conversación

2.6 ¿Qué dirían Uds.? Trabajando en parejas, dramaticen la siguiente situación. Ud. llama a un/a amigo/a por teléfono. El padre de su amigo/a contesta y le dice que no está. Ud. quiere dejar un recado: Este sábado es su cumpleaños, Ud. va a hacer una fiesta y quiere invitar a su amigo/a. El padre apunta lo que Ud. dice y le hace preguntas. Al final, Ud. se despide.

Warm-up 2.6. Have students explain what they would say in Spanish if they wanted to leave a telephone message for a friend.

Modelo Estudiante 1: *¿Aló?*
Estudiante 2: *¿Aló? ¿Por favor, se encuentra Josefina?*
Estudiante 3: *Un momentito. ¿De parte de quién?*

2.7 ¿Como estás? En grupos, dos personas hablan por teléfono y la tercera toma apuntes de las expresiones utilizadas y el tema de la conversación.

Temas de conversación: actividades diarias / estudios / trabajo / fiestas / nuevos amigos / padres / novios/as / planes para el fin de semana / ¿?

Estructuras

Talking About Past Activities

Preterite of Regular Verbs

To hear more the preterite visit academic. cengage.com/spanish/interacciones.

Spanish, like English, has several past tenses that are used to talk about past activities. The Spanish preterite tense corresponds to the simple past tense in English: *El verano pasado lo pasé muy bien; tomé el sol, nadé y jugué al golf. = Last summer I had a good time; I sunbathed, swam, and played golf.*

The preterite tense will often translate as the simple past in English: **hablé** = *I talked.* In English the simple past tense is generally identified by the *-ed* ending, but there are many irregular forms as well. Regular preterite forms in Spanish will often translate as irregular verbs in English: **tomé** = *I took* (not *I taked*); **corrí** = *I ran* (not *I runned*); **salí** = *I left* (not *I leaved*). Likewise, irregular preterite forms in Spanish will often translate as regular verbs in English: There is no predictable pattern.

Preterite of Regular Verbs					
Verbos en -AR		**Verbos en -ER**		**Verbos en -IR**	
tomé	*I took*	corrí	*I ran*	salí	*I left*
tomaste	*you took*	corriste	*you ran*	saliste	*you left*
tomó	*he took* / *she took* / *you took*	corrió	*he ran* / *she ran* / *you ran*	salió	*he left* / *she left* / *you left*
tomamos	*we took*	corrimos	*we ran*	salimos	*we left*
tomasteis	*you took*	corristeis	*you ran*	salisteis	*you left*
tomaron	*they took* / *you took*	corrieron	*they ran* / *you ran*	salieron	*they left* / *you left*

a. Some verbs like **salir** that are irregular in the present tense follow a regular pattern in the preterite.

b. Most **-ar** and **-er** verbs that stem-change in the present tense follow a regular pattern in the preterite.

Siempre me acuesto a las once, pero anoche bailé mucho y **me acosté** a las 3 de la mañana.

I always go to bed at 11:00, but last night I danced a lot and went to bed at 3:00 A.M.

Point out. In the preterite forms of reflexive verbs, the reflexive pronouns precede the conjugated verb just as in the present tense. Provide an example of the complete paradigm for a reflexive verb in the preterite: **me levanté, te levantaste, se levantó, nos levantamos, se levantaron.**

Point out. The spelling changes in the first-person singular form of verbs whose infinitives end in **-car, -gar, -zar** do not affect pronunciation. These verbs are regular in their spoken forms. Provide an example of the complete paradigm of at least one **-car, -gar, -zar** verb in the preterite: **busqué, buscaste, buscó, buscamos, buscaron; pagué, pagaste, pagó, pagamos, pagaron; comencé, comenzaste, comenzó, comenzamos, comenzaron.**

c. Certain **-ar** verbs have spelling changes in the first-person singular of the preterite. The other forms follow a regular pattern.

1. Verbs whose infinitives end in **-car** change the **c** to **qu** in the first-person singular: **pescar → pesqué.** Some common verbs of this type are **buscar, explicar, pescar, practicar, sacar, tocar.**

2. Verbs whose infinitives end in **-gar** change the **g** to **gu** in the first-person singular: **jugar → jugué.** Some common verbs of this type are **llegar, jugar, navegar, pagar.**

3. Verbs whose infinitives end in **-zar** change the **z** to **c** in the first-person singular: **gozar → gocé.** Some common verbs of this type are **almorzar, comenzar, empezar, gozar.**

d. The following words and expressions are often used with the preterite to indicate past time.

ayer	*yesterday*
anteayer	*day before yesterday*
anoche	*last night*
el mes / año pasado	*last month / year*
la semana / Navidad pasada	*last week / Christmas*
el jueves / verano pasado	*last Thursday / summer*
en 1990 / en el 90	*in 1990 / in '90*
en abril	*in April*
hace un minuto / mes / año	*a minute / month / year ago*
hace una hora / semana	*an hour / a week ago*
hace un rato	*a while ago*

Práctica y conversación

Antes de empezar los siguientes ejercicios, busque ejemplos de las formas gramaticales de esta sección en el diálogo de **Así se habla.**

2.8 El verano pasado. Explique si Ud. hizo o no hizo las siguientes actividades el verano pasado.

Modelo   caminar en la playa
(No) Caminé en la playa.

jugar al tenis / descubrir lugares interesantes / broncearse / tomar un curso / comer muchas frutas / pasarlo bien / pescar / gozar de las vacaciones

2.9 En el complejo turístico. ¿Qué hicieron estas personas ayer en el complejo turístico?

Modelo   los García / nadar
Los García nadaron ayer.

1. los Valero / jugar al golf
2. Elena y yo / navegar
3. yo / almorzar en el café
4. Mariana / aprender a pescar
5. tú / quemarse
6. Uds. / sacar fotos

2.10 ¿Qué hiciste ayer? Un/a estudiante llama a un/a amigo/a y ambos/as hablan de lo que hicieron la noche anterior. Trabajando en parejas, completen el siguiente diálogo.

Estudiante 1

1. ¿Aló?
3. Sí, habla _____. ¿ _____ ?
5. Muy bien, también. ¿Qué cuentas?

7. ¡Ay, sí! Anoche salí con _____ y fuimos a _____.
9. Sí, muchísimo. Regresé a medianoche cansado/a de bailar tanto. Y tú ¿ _____ ?
11. ¡No me digas! ¡Qué suerte! ¿Cuándo vas a _____ otra vez?
13. Por supuesto.
15. Nos vemos.

Estudiante 2

2. ¿Aló? ¿_____?
4. Muy bien, ¿y tú, ¿cómo estás?
6. Te llamé anoche pero no te encontré en tu casa.
8. ¿_____?

10. Yo _____.

12. Mañana. ¿Quieres ir?

14. Muy bien. _____.

Point out. The phrases beginning with **hace** = *ago* can be placed at the beginning or the end of the sentence. Provide examples: **Mario salió hace una hora. Hace un año fuimos a España. Teresa se acostó hace un rato.**

Point out. In the future, you will need to remind students to look for the grammatical structures in the dialogue of the **Así se habla.** This is the last time that these instructions will appear in the student textbook.

Answers 2.8. (No) Jugué al tenis. / (No) Descubrí lugares interesantes. / (No) Me bronceé. / (No) Tomé un curso. / (No) Comí muchas frutas. / (No) Lo pasé bien. / (No) Pesqué. / (No) Gocé de las vacaciones.

The article **los** + **García** *(a last name)* = *Mr. and Mrs. García* or *the Garcías.* Last names in Spanish cannot become plural by adding the letter *–s* as they can in English: *the Smiths* / **los García.**

Answers 2.9. 1. Los Valero jugaron al golf ayer. **2.** Elena y yo navegamos ayer. **3.** (Yo) Almorcé en el café ayer. **4.** Mariana aprendió a pescar ayer. **5.** (Tú) Te quemaste ayer. **6.** Uds. sacaron fotos ayer.

Expansion 2.9. 7. Pedro / correr **8.** Ramón y Pilar / montar a caballo **9.** los niños / jugar en la arena.

Expansion. After students have completed **2.9,** have them practice additional verbs in the preterite by using the drawing **En el complejo turístico** of the **Presentación** and explaining what the people in the drawing did yesterday.

2.11 ¡Un fin de semana estupendo! Ud. llama por teléfono a unos amigos a quienes no ve desde el jueves pasado. Pregúnteles qué hicieron el fin de semana pasado y luego cuénteles lo que Ud. hizo.

Discussing Other Past Activities

To hear more about the preterite visit academic. cengage.com/spanish/ interacciones.

Preterite of Irregular Verbs

Many common verbs used to discuss activities have irregular preterite forms; these irregular forms can be grouped into several categories to help you learn them.

Irregular Verbs in the Preterite Tense			
Verbs with –U– stem			
andar	anduv-		
estar	estuv-	tuve	tuvimos
poder	pud-	tuviste	tuvisteis
poner	pus-	tuvo	tuvieron
saber	sup-		
tener	tuv-		
Verbs with –I– stem			
querer	quis-	vine	vinimos
venir	vin-	viniste	vinisteis
		vino	vinieron
Verbs with –J– stem			
decir	dij-	dije	dijimos
traer	traj-	dijiste	dijisteis
Verbs ending in **-cir** like **traducir**		dijo	dijeron
Verbs with stems ending in a vowel (–Y– stem)			
oír		oí	oímos
Verbs ending in **-eer** like **leer**		oíste	oísteis
Verbs ending in **-uir** like **construir**		oyó	oyeron
Other Irregular Verbs			

dar		ir/ser		hacer	
di	dimos	fui	fuimos	hice	hicimos
diste	disteis	fuiste	fuisteis	hiciste	hicisteis
dio	dieron	fue	fueron	hizo	hicieron

a. In the preterite, these verbs use a special set of endings.

1. **-u-** and **-i-** stem endings: **-e, -iste, -o, -imos, -isteis, -ieron**
2. **-j-** stem endings: **-e, -iste, -o, -imos, -isteis, -eron**
3. **-y-** stem endings: **-í, -íste, -yó, -ímos, -ísteis, -yeron**

b. There is no written accent on these irregular preterite forms except for **-y-** stem verbs.

NOTE: Verbs ending in **-uir** like **construir** have an accent only in the first-person and third-person singular.

c. The irregular preterite of **hay** (**haber**) is **hubo.**

Ayer **hubo** un accidente muy grave en la playa.	*Yesterday there was a very serious accident at the beach.*

d. In the preterite, **saber** = *to find out.*

Esta mañana **supimos** que hay una piscina en este hotel.	*This morning we found out that there's a swimming pool in this hotel.*

e. Since the forms of **ir** and **ser** are the same in the preterite, context will determine the meaning.

IR: Ayer **fue** a la playa.	*Yesterday he went to the beach.*
SER: **Fue** muy interesante.	*It was very interesting.*

Práctica y conversación

2.12 En la playa. ¿Qué hizo Ud. la última vez que pasó un día en la playa?

Modelo *leer una novela*
Leí una novela.

andar por la playa / estar todo el día al sol / ponerse bloqueador / hacer esquí acuático / oír música / construir un castillo de arena / ¿?

2.13 Y tú, ¿qué hiciste? Al regresar de sus vacaciones Ud. se encuentra con un/a amigo/a. Salúdelo/a y pregúntele acerca de sus vacaciones. Cuéntele también acerca de las vacaciones suyas.

Modelo
Usted:	*¡Hola! ¿Cómo estás?*
Amigo/a:	*Muy bien, ¿y tú?*
Usted:	*¡Bien, también! Y dime por fin, ¿adónde fuiste de vacaciones?*
Amigo/a:	*A la playa. Fui a…*
Usted:	*¡Qué maravilla! ¿Y esquiaste mucho?*

Actividades

ir a la playa
andar por la playa
tomar el sol
nadar
esquiar
montar a caballo
jugar al golf
navegar en un velero
correr
¿?

Lugares

la playa
el campo
las montañas
un campamento
en casa
¿?

Provide the complete paradigm of additional verbs with **-u-**, **-i-**, **-j-**, **-y-** stems in the preterite: **poner:** puse, pusiste, puso, pusimos, pusisteis, pusieron; **querer:** quise, quisiste, quiso, quisimos, quisisteis, quisieron; **traer:** traje, trajiste, trajo, trajimos, trajisteis, trajeron; **leer:** leí, leíste, leyó, leímos, leisteis, leyeron

Provide the complete paradigm of **construir:** construí, construiste, construyó, construimos, construyeron.

Warm-up 1. Have students provide the third-person singular of the preterite for the following verbs: **andar / poder / saber / querer / decir / dar / ser / hacer / construir.** *Answers:* **anduvo / pudo / supo / quiso / dijo / dio / fue / hizo / construyó**

Warm-up 2. Have students provide the first-person singular of the preterite for the following verbs: **estar / poner / tener / venir / traer / ir / oír / leer.** *Answers:* **estuve / puse / tuve / vine / traje / fui / oí / leí.**

Answers 2.12. (No) Anduve por la playa. / (No) Estuve todo el día al sol. / (No) Me puse bloqueador. / (No) Hice esquí acuático. / (No) Oí música. / (No) Construí un castillo de arena.

Variation 2.13. Have students complete **Práctica 2.13** by using the ad on p. 50 for the **Hotel San Miguel de Marbella** and pretending that they spent their vacation there.

2.14 Una anécdota. Cuéntele a un/a compañero/a una anécdota de algo especial que le pasó durante sus vacaciones. Su compañero/a va a reaccionar según lo que Ud. diga y narrará algo que le pasó a él/ella.

Modelo *El verano pasado fui de vacaciones a Cancún y ahí conocí a un/a muchacho/a muy guapo/a. Un día…*

Temas de conversación: tener un accidente / perder el pasaporte / quedarse sin dinero / perderse en la ciudad / ¿?

Discussing When Things Happened

Expressing Dates

The formulas for expressing dates in Spanish are fixed and cannot be varied. In general the Spanish formulas are not the equivalent of the English formulas.

In the Spanish formula for expressing dates, the day is the first item mentioned while in English the month is the first item mentioned. As a result, the abbreviation for dates using numbers is different in Spanish than in English: **4 / 6 / 12 = el cuatro de junio de 2012** (not April 6, 2012, as in English).

Point out. The article **el** is the equivalent of *on* for expressing dates. Provide additional examples: *On Monday I have two exams.=* **El lunes tengo dos exámenes.** *We left for the beach on Friday, July 17.=* **Salimos para la playa el viernes 17 de julio.** *This use of the article* **el** *meaning on is very difficult for most students and takes considerable practice before they have full control of the item.*

In order to explain when an action took place or will take place, you will need to be able to express dates in Spanish.

a. To inquire about the date, the following questions are used.

¿Cuál es la fecha?
¿A cuánto estamos? } *What is the date?*

b. The date is expressed using the following formula:

ARTICLE	+	DATE	+	**DE**	+	MONTH	+	**DE**	+	YEAR
el		doce		de		octubre		de		1492

The first day of the month is called **el primero;** the other days use cardinal numbers.

Hoy es **el treinta y uno** de enero; mañana es **el primero** de febrero.   *Today is January 31; tomorrow is February 1.*

c. When the day of the week is mentioned along with the date, the following formula is used:

ARTICLE	+	DAY OF WEEK	+	DATE	+	**DE**	+	MONTH
el		jueves		catorce		de		abril

d. The article **el** + *date = on + date.*

—¿Cuándo llegó tu hermano de Caracas?   *When did your brother arrive from Caracas?*
—Llegó **el viernes 4 de agosto.**   *He arrived on Friday, August 4.*

e. When talking about the year of an event, the expression is **en** + *year.*

Construyeron la catedral **en 1659.**   *The cathedral was built in 1659.*

Práctica y conversación

2.15 El árbol genealógico. ¿En qué fecha nacieron estas personas?

su padre / su madre / su mejor amigo/a / Ud. / su hermano/a

2.16 Un poco de historia. Dígale a un/a compañero/a cuándo ocurrieron los siguientes hechos de la historia contemporánea de España.

1. la Guerra Civil española / empezar / 1936
2. Francisco Franco / hacerse dictador de España / 1939
3. el general Franco / morir / 1975
4. Juan Carlos I / llegar a ser rey de España / 1975
5. el pueblo español / aprobar la nueva Constitución / 1978
6. España / entrar en la Unión Europea / 1986
7. los españoles / comenzar a usar el euro / 2002
8. Felipe, el heredero de la corona español / casarse con Doña Letizia / 2004

2.17 Entrevista personal. Pregúntele a un/a compañero/a de clase algunas fechas de su vida personal.

Pregúntele...

1. cuándo nació.
2. cuándo recibió su permiso de conducir.
3. cuándo se graduó de la escuela secundaria.
4. cuándo empezó sus estudios universitarios.
5. cuándo piensa graduarse de la universidad.
6. ¿?

Answers 2.16. 1. La Guerra Civil española empezó en 1936. **2.** Francisco Franco se hizo dictador de España en 1939. **3.** El general Franco murió en 1975. **4.** Juan Carlos I llegó a ser rey de España en 1975. **5.** El pueblo español aprobó la nueva Constitución en 1978. **6.** España entró en la Unión Europea en 1986. **7.** Los españoles comenzaron a usar el euro en 2002. **8.** Felipe, el heredero de la corona española se casó con Doña Letizia en 2004.

5 Celebrando las fiestas de verano.
Cultural practice: how Spaniards celebrate their summer festivals and holidays.
Cultural comparison: summer festivals and holidays in the two cultures.

Práctica intercultural. *Ask students:* ¿Por qué es el 4 de julio una celebración importante? ¿Cuáles son otras fiestas de verano? ¿Cómo se celebra el 4 de julio en los EE.UU.? ¿Cómo celebra Ud. el 4 de julio?

Vocabulario suplementario. *fireworks* = **los fuegos artificiales**; *freedom* = **la libertad**; *independence* = **la independencia**; *parade* = **el desfile**; *patriotic* = **patriótico/a**; *picnic* = **el picnic**; *to go on a picnic* = **hacer un picnic**.

Perspectivas

Celebrando las fiestas de verano

A mediados de agosto muchos pueblos y ciudades españoles tienen sus fiestas de verano. Algunas de estas fiestas coinciden con el Día de la Asunción (15 de agosto), fecha en que los españoles celebran el ascenso al cielo de la Virgen María. Durante estas fiestas hay diversas actividades para gente de todas las edades. Estas actividades incluyen desfiles y pasacalles *(parades)*, concursos y competiciones *(contests)* de toda categoría, carreras *(races)*, bailes, exposiciones, fuegos artificiales *(fireworks)* y corridas de toros o de vaquillas *(amateur bullfights with young and small cows)*.

El siguiente programa es de las fiestas de verano de Benicasim, un pueblo en la Costa del Azahar cerca de Valencia, en el Mediterráneo.

¡¡Fiestas de Benicasim!!

Lunes, 20 de agosto

A las 16 horas	Campeonato de fútbol en el campo del Pedrol, entre equipos Santa Agueda y Roda.
A las 16,30	Concursos y competiciones infantiles de Hulla-Hoop, castillos en la arena, etc., con premios a los vencedores.
A las 19,30	Maratón popular con salida de la Plaza del Ayuntamiento.
A las 22,30	Gran espectáculo en la Plaza de Toros con la actuación de Victoria Abril y su famosa ballet de programas de Televisión Española.

Martes, 21 de agosto

A las 11 horas	Competición de natación en la Piscina Municipal.
A las 18	Exhibición de vaquillas en la Plaza de Toros.
A las 20,30	Certamen Internacional de Guitarra en el Hotel Orange.
A las 21	Bailes populares gratis en la Plaza de Toros.
A las 24	Gran castillo de fuegos artificiales por la famosa Pirotecnia Caballer.

Práctica y conversación

2.18 Diversiones apropiadas. Escoja del programa de las fiestas de Benicasim una actividad para las siguientes personas. Indique también cuándo tiene lugar la actividad.

1. una niña de cuatro años
2. un joven de catorce años a quien le encanta nadar
3. un muchacho de siete años a quien le gusta la playa
4. una guitarrista profesional
5. una mujer de treinta años a quien le gusta correr
6. unos novios a quienes les gusta bailar
7. un aficionado al fútbol
8. toda la familia

2.19 Sus preferencias. Usted y un/a amigo/a están en Benicasim durante las fiestas de verano. Trabajando en parejas, escojan sus actividades preferidas. Escojan por lo menos una actividad en la que pueden participar y una para observar.

Interacciones: Capítulo 2, Primera situación

Para saber más: academic.cengage.com/spanish/interacciones

Answers 2.18. 1. Concursos y competiciones infantiles de Hulla-Hoop, castillos en la arena, etc., con premios a los vencedores / a las 16.30. 2. Competición de natación en la Piscina Municipal / a las 11. 3. Concursos y competiciones infantiles de castillos en la arena / a las 16.30. 4. Certamen Internacional de Guitarra en el Hotel Orange / a las 20.30. 5. Maratón popular con salida de la Plaza del Ayuntamiento / a las 19.30. 6. Bailes populares gratis en la Plaza de Toros / a las 21. 7. Campeonato de fútbol en el campo del Pedrol, entre los equipos Santa Agueda y Roda / a las 16. 8. Gran castillo de fuegos artificiales de la famosa Pirotecnia Caballer / a las 24.

Presentación

Diversiones nocturnas

For additional information on nightlife in the Hispanic world, view the film *Cosas que dejé en La Habana* and complete the activities in **Más allá de la pantalla: Capítulo 8.** RESUMEN: Tres hermanas que llegan a Madrid desde Cuba tienen dificultades para adaptarse a su nuevo país. Escenas en los bares cubanos de Madrid.

 **Heinle Transparency Bank: G-1, G-5, N-5 Al centro; pasatiempos; la guía del ocio.** Use these images to illustrate additional activities to your students.

Warm-up. Ask students: ¿Qué ve Ud. en el dibujo? Students should work in pairs and prepare a mental list (not written) of the people and objects that they see in the drawing. Then have students report their findings to the entire class. Finally have students explain what activities the various people in the drawing are engaging in.

Práctica y conversación

2.20 Recomendaciones. Sus amigos quieren disfrutar de las diversiones nocturnas. ¿Adónde les recomienda Ud. que vayan para hacer lo siguiente?

escuchar música rock / ver una película policíaca / tomar una copa / bailar / ver un drama / escuchar música clásica / ver un espectáculo / pasarlo bien

2.21 Entrevista personal. Cada estudiante les hace preguntas a seis de sus compañeros de clase sobre lo que hicieron para divertirse el sábado por la noche. Comparen las respuestas para ver qué actividad es la más popular y cuál es la menos popular.

2.22 ¡Diviértanse! Ud. y un/a compañero/a de clase están en Madrid y buscan un club adonde ir para divertirse el fin de semana que viene. Lean los anuncios a continuación y contesten las siguientes preguntas.

¿A qué club, bar, o discoteca se va para…

1. comer comida mexicana?
2. ver a gente guapa?
3. mirar un partido de fútbol?
4. escuchar música soul y funky?
5. ver auténticas obras de arte?

6. jugar a dardos?
7. ver un espectáculo?
8. ver una fiesta flamenca?
9. tomar una copa a las 6 de la mañana?
10. encontrar un ambiente cosmopolita?

Después de contestar las preguntas, Ud. y su compañero/a necesitan escoger uno o dos lugares donde quieren pasar un rato este fin de semana.

Noche

Palacio de Gaviria. Arenal, 9 **6-C1** Todos los días de 23 a mad. Domingos, de 21:30 a 02 mad.: Discoteca, bailes de salón, portero. Desde 25 años. Metro: Sol

Polana. Barbieri, 10 **4-D3** Bar de copas en lo que fuera un antiguo local "tanguero". Divertido. Ambiente plural y mixto. Metro: Chueca.

Quick. Galileo, 7. **4-B2** Discobar. Desde las 23 horas a 05. Gente guapa. Portero. Aparcacoches. Metro: San Bernardo

Satush. Eduardo Dato, 8 **4-D1** Bar club. Copas de nivel. Abierto de martes a sábado hasta la madrugada. Metro: Rubén Darío

Scala Meliá. Rosario Pino, 7 (Hotel Meliá Castilla). **1-C2** Todos los días. Cenas con espectáculo desde las 21 horas. Sábados segundo pase a las 0:30 horas. Desde 30 años. Metro: Cuzco.

Siglo XXI. Marqués de la Ensenada, 16. **4-D2** Antiguo Bocaccio. Discoteca y restaurante mexicano (Mamá Carlota) Música para todos los gustos. Decoración original. Metro: Colón.

Stars Cafe Dance. Marqués de Valdeiglesias, 5. **4-D3** Café restaurante discobar. Ambiente cosmopolita. De 10 de la mañana a madrugada. Metro: Chueca

Sugar Hill. Mesonero Romanos, 13. **4-C3** Sábados de 00:30 a 05:30 de la madrugada. Música Funky, Soul y R&B. Metro: Callao

Tábata. Vergara, 12 **4-B3** Discobar. Ambiente mixto. Divertido. De miércoles a sábado de 22 hs a madrugada. De moda. Música para todos los gustos. Metro: Opera

Torero. Cruz, 26. **6-C1** De 23 h. a 5 mad. Vier. y sáb, hasta las 6 mad. Cerrado domingos y lunes. Discobar con espectáculo. Jueves, música soul, funky, reggae. Desde 25 años. Metro: Sol.

Tosca La Petite boite. Claudio Coello, 145, **3-A3** semiesq. María de Molina, 22. Boite - Sala de fiestas abierto de 20 hs a 04 mad. Dom de 22 a 04 hs. Aparcacoches. Selecto. Mayores de 25 años.

Valmont. General Martínez Campos, 17. **2-D3** Desde las 22 h. a mad. De Mierc. a sáb. Bar de Copas. Fiestas los jueves. Portero. Ambiente selecto. Metro: Iglesia.

Vanitas Vanitatis. Velázquez, 128 **3-A3** Abierto de Lunes a Sábado a partir de las 21:00 hs. Lunes a Jueves hasta las 04:00 hs. Viernes y Sábados hasta las 05:30 hs. Metro: Nuñez de Balboa

Vanity. Miguel Angel, 3 **2-D3** Discoteca. Abierta hasta madrugada. Ambiente elegante. Fiestas flamencas. Metro: Rubén Darío

Velada. Atocha, 107 **6-D2** Bar Club de moda. Estupenda música. Mucha gente guapa y modeleo. Abierto hasta madrugada. Metro: Atocha.

Villa Rosa. Plaza de Santa Ana, 15. **6-C1** Desde las 23 a las 6 mad. Cerrado dom. De moda. Lunes y martes: salsa. Portero. Parking cerca. Desde 23 años. Metro: Sevilla.

Why Not. San Bartolomé, 6 **4-D3** Disco-bar. Abierto todos los días de la semana. Horario de 22 horas a madrugada. Música divertida. Portero. Metro: Chueca

Xpress. Fernando, VI. (esquina Barquillo) **4-D2** Café-bar-restaurante. Ideal para cenar, picar algo o tomar una copa. Metro: Alonso Martínez

Variation 2.23. For more practice with the preterite tense, have students explain what the various people in the drawing did after they left the café.

2.23 Creación. Cuente en una narración lo que pasa en el dibujo de la **Presentación,** contestando las siguientes preguntas. Ud. está sentado/a en una de las mesas en el café. ¿Qué puede decir Ud. de las personas que están en el café? Describa la personalidad, la profesión y el modo de vivir de estas personas. ¿Adónde piensa Ud. que van a ir después?

VOCABULARIO

Vocabulario suplementario.
una película de acción = *action movie,* **una película documental** = *documentary,* **una película de terror** = *horror movie,* **una película de vaqueros** = *Western.*

Vocabulario suplementario.
la música jazz = *jazz,* **la música clásica** = *classical music.*

Ir al cine	*To go to the movies*	Ir a una discoteca	*To go to a discotheque*
ver una película	*to see a funny film*		
cómica		el conjunto	*band, musical group*
trágica	*sad*	escuchar música rock	*to listen to rock music*
romántica	*romantic*	country	*country*
policíaca	*mystery*	hip / hop	*hip / hop*
de aventuras	*adventure*	rap	*rap*
		reaggeton	*reaggeton*
Ir a un club	***To go to a club***	alternativa	*alternativa*
el bar	*bar*		
emborracharse	*to get drunk*	**Otras actividades**	***Other activities***
estar borracho/a	*to be drunk*	una comedia	*a comedy*
tomar una copa	*to have a drink*	un drama	*a drama*
un refresco	*a soft drink*	la música clásica	*classical music*
un vino	*wine*	la orquesta	*orchestra*
un whisky	*whiskey*	ir a la ópera	*to go to the opera*
un ron	*rum*	al teatro	*to the theater*
una gaseosa	*a mineral (soda) water*	a un café al aire libre	*to an outdoor cafe*
ver un espectáculo	*to see a show, floorshow*	a un concierto	*to a concert*
		pasearse	*to take a walk*

Así se habla  CD 1, Track 8

Circumlocuting

En un restaurante de mariscos en Madrid

JOAQUÍN: Hola, Mauricio, ¿qué hubo?

MAURICIO: Ahí, pasándola.

JOAQUÍN: ¿Has visto a Manolo? Necesito hablar con él.

MAURICIO: Lo vi esta mañana en la cancha de tenis. Se veía muy mal. Según me dijo, anoche no durmió nada. Parece que fue a ese restaurante nuevo que abrieron cerca de su casa y comió este… ¿cómo se llama? Es un tipo de marisco… este…

JOAQUÍN: ¿Cangrejos? ¿Langosta? ¿Camarones?

MAURICIO: Eso, camarones, y parece que tuvo una reacción alérgica y lo tuvieron que llevar al hospital.

If you don't know how to express an idea or you don't know the name of an object, place, or activity, you can use the following phrases to make yourself understood.

Es un tipo de bedida / alimento / animal / vehículo.	*It's a kind of beverage / food / animal / vehicle.*
Se usa para jugar al tenis / cortar la carne / servir el café.	*It's used for playing tennis / cutting meat / serving coffee.*
Es un lugar donde se baila / se nada / se estudia.	*It's a place where one dances / one swims / one studies.*
Es como una silla / un lápiz / una mesa.	*It's like a chair / a pencil / a table.*
Se parece a un perro / una bicicleta.	*It's like a dog / a bicycle.*
Es parte de una casa / un carro.	*It's part of a house / a car.*
Es algo redondo / cuadrado / duro / blando / áspero.	*It's something round / square / hard / soft / rough.*
Es un artículo de ropa / de cocina / de oficina / de metal / de madera / de vidrio.	*It's a clothing / kitchen / office / metal / wooden / glass object.*
Es algo así como un/a…	*It's something like a . . .*
Es uno de esos sitios donde…	*It's one of those places where . . .*
Suena / Huele / Sabe como…	*It sounds / smells / tastes like . . .*

Warm-up 1. Before students listen to the dialogue, have them work in pairs and discuss what they do when they can't remember a word or don't know a word in English and how they make themselves understood.

Warm-up 2. Have students describe the photo. Ask: ¿Quiénes son las personas en la foto? ¿Dónde están? ¿Qué hacen? ¿Qué tiempo hace? ¿Qué comen y beben?

Have students listen to the dialogue once. Then ask them to provide a statement explaining the gist of the conversation.

Comprehension check. Play the dialogue a second time, then have students answer the following: ¿Dónde vio Mauricio a Manolo? (en la cancha de tenis) ¿Cómo está Manolo? (muy mal) ¿Qué comió Manolo en el restaurante nuevo? (camarones) ¿Adónde llevaron a Manolo y por qué? (Lo llevaron al hospital porque tuvo una reacción alérgica a los camarones.)

Have 2–3 pairs of students read the dialogue aloud as a role-play. Then have students locate phrases in the dialogue that illustrate the function *Circumlocuting*.

After explaining the expressions, have students repeat expressions aloud. Correct pronunciation and intonation when necessary.

To hear more about Spanish pronunciation visit academic.cengage.com/spanish/interacciones.

Práctica y conversación

 2.24 Circunlocuciones. Mientras su compañero/a tiene el libro cerrado, Ud. lee las siguientes descripciones. Su compañero/a le dirá la palabra que falta.

Answers 2.24. 1. el bronceador **2.** la piscina **3.** el traje de baño **4.** el gimnasio **5.** la pelota **6.** el pavo

1. Necesito un líquido para protegerme del sol. No quiero quemarme cuando vaya a la playa la próxima vez. ¿Sabes lo que necesito?

2. Es un lugar de forma rectangular, generalmente lleno de agua. La gente va allí a nadar. No recuerdo bien la palabra. ¿Cuál es?

3. Es un artículo de ropa que nos ponemos cuando queremos nadar. Es de una pieza para los hombres y a veces de dos para las mujeres. ¿Cómo se dice?

4. Es un lugar adonde la gente va a hacer ejercicio o a levantar pesas. ¿Cómo se llama?

5. Es un objeto redondo y pequeño. Golpeamos este objeto con una raqueta cuando jugamos al tenis. ¿Sabes a qué me refiero?

6. Es un ave que se parece a un pollo pero es más grande y generalmente se come en las Navidades o en la fiesta de Acción de Gracias. ¿Cómo se llama?

 2.25 De compras en España. Ud. está en Madrid y necesita algunas cosas, pero no sabe su nombre en español. Vaya a la tienda y descríbale estos objetos al (a la) vendedor/a, y éste (ésta) tratará de ayudarlo/la. (No es necesario que sepa la palabra exacta.)

Temas de conversación: headband / running shoes / watch band / bedspread / posters / reading lamp / detergent / envelopes / paper clips / ¿?

Modelo   nail polish remover
Estudiante 1: *Señor(ita), por favor, ¿tiene eso que sirve para quitar la pintura de las uñas?*
Estudiante 2: *¡Ah sí! ¡Cómo no! Aquí tiene acetona.*

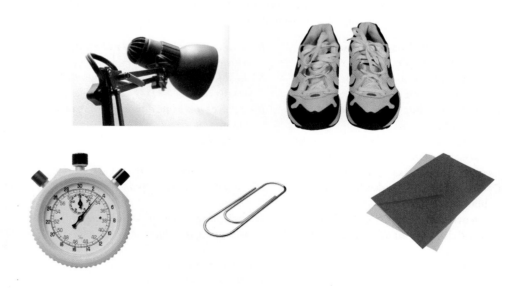

Estructuras

Discussing Past Actions

Preterite of Stem-Changing Verbs

Many verbs that are needed to talk about past actions and activities are stem-changing verbs. You have already learned that -**ar** and -**er** verbs that stem-change in the present tense follow a normal pattern in the preterite. However, -**ir** verbs that stem-change in the present tense also stem-change in the preterite but in a different way.

To hear more about the preterite visit academic. cengage.com/spanish/interacciones.

Preterite of Stem-Changing Verbs			
e → i **pedir**		**o → u** **dormir**	
pedí	pedimos	dormí	dormimos
pediste	pedisteis	dormiste	dormisteis
pidió	pidieron	durmió	durmieron

Repaso. Review stem-changing verbs in the present tense (**Capítulo 1, Primera situación**) so that students compare and contrast the changes in the two tenses.

Provide the complete paradigm of additional stem-changing verbs in the preterite: **divertirse:** me divertí, te divertiste, se divirtió, nos divertimos, se divirtieron; **seguir:** seguí, seguiste, siguió, seguimos, siguieron.

a. In the preterite there are two types of stem changes: **e → i** and **o → u.** These stem changes occur only in the third-person singular and plural forms. These stem changes are often indicated in parentheses next to the infinitive: **pedir (i, i); divertirse (ie, i); dormir (ue, u).** The first set of vowels refers to stem changes in the present tense; the second set of vowels refers to stem changes in the preterite.

b. Only -**ir** verbs that are stem-changing in the present tense are also stem-changing in the preterite. Here are some common verbs of this type:

1. **ie, i** verbs: **divertirse, preferir, sentirse**
2. **i, i** verbs: **despedirse, pedir, repetir, seguir, servir, vestirse**
3. **ue, u** verbs: **dormir, dormirse, morir**

Remind students. Antes de empezar los siguientes ejercicios, busquen ejemplos de las formas gramaticales de esta sección en el diálogo de **Así se habla.**

Práctica y conversación

2.26 En la discoteca. Explique lo que pasó anoche en la discoteca.

1. el conjunto / seguir tocando música rock
2. Julio / pedir un whisky
3. tú / preferir tomar vino
4. el camarero / servir rápidamente
5. Paco y María / despedirse temprano
6. yo / divertirme
7. nosotros / dormirnos muy tarde

Warm-up. Have students provide the preterite forms for the following: Uds.: divertirse, despedirse, seguir / él: preferir, morir, repetir / nosotros: pedir, dormirse / yo: sentirse, servir, seguir / tú: vestirse, dormir. *Answers:* Uds.: se divirtieron, se despidieron, siguieron / él: prefirió, murió, repitió / nosotros: pedimos, nos dormimos / yo: me sentí, serví, seguí / tú: te vestiste, dormiste.

Answers 2.26. 1. El conjunto siguió tocando música rock. **2.** Julio pidió un whisky. **3.** (Tú) Preferiste tomar vino. **4.** El camarero sirvió rápidamente. **5.** Paco y María se despidieron temprano. **6.** (Yo) Me divertí. **7.** (Nosotros) Nos dormimos muy tarde.

2.27 ¡Qué aburrido! Un/a estudiante le pregunta a su compañero/a qué hizo el fin de semana. Él (Ella) le responde.

aburrirse mucho / dormirse temprano / divertirse / sentirse enfermo/a / preferir ver televisión / ¿?

2.28 Y tú, ¿te divertiste? En grupos, dos estudiantes intercambian información acerca de sus actividades durante las últimas vacaciones. El/La tercer/a estudiante toma apuntes y luego informa al resto de la clase sobre lo que dijeron sus dos compañeros/as.

Distinguishing Between People and Things

Personal *a*

In Spanish it is necessary to distinguish between direct objects referring to people and direct objects referring to things.

a. In Spanish the word **a** is placed before a direct object noun that refers to a person or persons. It is not translated into English. Compare the following:

Anoche vi **a Ramón** en el hotel.	*Last night I saw Ramón in the hotel.*
Anoche vi una película en el hotel.	*Last night I saw a movie in the hotel.*

b. The personal **a** is used whenever the direct object noun refers to specific human beings and is generally repeated when they appear in a series.

Vimos **a Luis, a Miguel y a Pepe** en la discoteca.	*We saw Luis, Miguel and Pepe in the discotheque.*

c. The personal **a** is not generally used after the verb **tener.**

Tengo una amiga que vive en Madrid.	*I have a friend who lives in Madrid.*

d. Often the personal **a** is also used before nouns referring to family in general or to pets.

Visito mucho **a mi familia.**	*I visit my family a lot.*
José busca **a su perro.**	*José is looking for his dog.*

Práctica y conversación

2.29 ¿Qué vieron en Madrid? Explique lo que Raúl y Federico vieron en Madrid durante sus vacaciones.

Modelo mucha gente
Raúl y Federico vieron a mucha gente.

el Museo del Prado / turistas italianos / un espectáculo / una bailarina de flamenco / una corrida de toros / un concierto rock / sus abuelos / el Palacio Real

2.30 ¿Adónde fuiste en el verano? Pregúntele a su compañero/a adónde fue en el verano y a qué personas o qué cosas vio.

Avoiding Repetition of Nouns

Direct Object Pronouns

Direct object pronouns are frequently used to replace direct object nouns as in the following exchange:

NOUN:	¿Viste **a Silvia** en la discoteca?	*Did you see Silvia in the discotheque?*
PRONOUN:	Sí, **la** vi.	*Yes, I saw her.*

Direct Object Pronouns Referring to Things

Al llegar a la playa, la madre de Pepe quiere saber si tienen todas las cosas que necesitan.

¿El traje de baño?	Sí, **lo** traje.	*Yes, I brought it.*
¿La loción?	Sí, **la** traje.	*Yes, I brought it.*
¿Los sombreros?	Sí, **los** traje.	*Yes, I brought them.*
¿Las toallas?	Sí, **las** traje.	*Yes, I brought them.*

Direct Objects Referring to People

Jorge vio a muchas personas en el club nocturno anoche.

Jorge **me** vio.	*Jorge saw me.*
Jorge **te** vio.	*Jorge saw you* (fam. sing.).
Jorge **lo** vio.	*Jorge saw him / you* (form. masc. sing.).
Jorge **la** vio.	*Jorge saw her / you* (form. fem. sing.).
Jorge **nos** vio.	*Jorge saw us.*
Jorge **os** vio.	*Jorge saw you* (fam. pl.).
Jorge **los** vio.	*Jorge saw them / you* (form. masc. pl.).
Jorge **las** vio.	*Jorge saw them / you* (form. fem. pl.).

Point out. The third-person direct object pronouns refer to both people and things, while the first- and second-person direct object pronouns refer only to people. Provide examples: **María lo vio.** = *Mary saw it / him*. **María la vio.** = *Mary saw it / her*.

a. Direct object pronouns have the same gender, number, and person as the nouns they replace.

—¿Oíste mis nuevos discos?   *Did you listen to my new CDs?*
—Sí, **los** oí anoche.   *Yes, I heard them last night.*

Point out. In **Example a** the noun is masculine plural; therefore, the direct object pronoun must also be masculine plural.

b. The direct object pronoun is placed directly before a conjugated verb.

—¿Por fin viste la nueva película de Almodóvar?   *Did you finally see the new Almodóvar film?*
—No, no **la** vi.   *No, I didn't see it.*

In English the direct object pronoun generally follows a conjugated verb, while in Spanish the direct object pronoun generally precedes a conjugated verb.

c. When a conjugated verb is followed by an infinitive, the direct object pronoun can precede the conjugated verb or be attached to the end of an infinitive.

—¿Quieres ver el espectáculo esta noche?   *Do you want to see the show tonight?*
—No, **lo** voy a ver mañana.
—No, voy a ver**lo** mañana.   *No, I'm going to see it tomorrow.*

In negative sentences the direct object pronoun is placed immediately before the conjugated verb and the negative word (**no**) is placed before the direct object pronoun: **No la vi.**

d. Direct object pronouns must be attached to the end of affirmative commands. If the affirmative command has more than one syllable, an accent mark is placed over the stressed vowel. Direct object pronouns must be placed directly before negative commands.

—¿Quieres probar la sangría?   *Do you want to taste the sangría?*
—Sí, **tráela** a la fiesta.   *Yes, bring it to the party. And don't*
   ¡Y **no la olvides!**   *forget it.*

Práctica y conversación

2.31 ¿Y trajiste... ? Ud. y su compañero/a de cuarto están en un complejo turístico. Su compañero/a preparó todo pero Ud. no está seguro/a si él/ella trajo algunas cosas que Ud. necesita. Pregúntele a ver qué le dice.

Modelo   Usted: *¿Y trajiste jabón?*
           Compañero/a: *Sí, lo traje.*
                         No, lo olvidé.

sombrero / bronceador solar / gafas de sol / dinero / sandalias / desodorante / pasta de dientes / despertador / sombrilla / trajes de baño / ¿?

2.32 ¿Dónde pusiste mi... ? Ud. le prestó algunas cosas a su compañero/a de cuarto y las necesita. Pregúntele dónde están.

Modelo   Usted: *¿Dónde están mis libros?*
           Compañero/a: *No, sé. No los tengo. Los perdí.*

máquina de afeitar / loción de afeitar / cuadernos / lápices / cintas / secador / ¿?

2.33 ¿Qué película viste? Pregúntele a su compañero/a qué películas, programas de televisión u obras de teatro ha visto últimamente.

Modelo   Usted: *¿Viste las noticias anoche?*
           Compañero/a: *Sí, las vi.*
                         No, no las vi.

2.34 De regreso a casa. Su compañero/a acaba de regresar de su viaje por toda Europa. Ud. quiere saber qué hizo, con quién fue, a quién/es vio, qué lugares visitó, qué comida exótica comió, qué compró, etc. Él/Ella le contesta con todos los detalles posibles.

¿Qué oyó Ud.? CD 1, Track 9

Para escuchar bien

Using Visual Aids

You can use visual aids to help you understand what is being said. These visual aids can be concrete objects you see around you or mental images formed from previous experiences. When you hear someone speak about a particular object, person, or activity, your mind conjures up an image of that object, person, or activity. If your friend, for example, tells you she went swimming, your mind immediately supplies the image of a swimming pool or the ocean and the activity of swimming itself.

Antes de escuchar

2.35 Los dibujos. Con un/a compañero/a de clase, mire los dibujos que se presentan en esta página y haga las siguientes actividades.

1. Describa a las personas en los dibujos, el lugar donde se encuentran y las actividades que hacen.
2. Cuando Ud. se va de vacaciones, ¿adónde va? ¿con quién? ¿qué hace?

Answers 2.35. **1**. *Some possible answers: Primer dibujo:* Hay cuatro personas / dos hombres y dos mujeres. Están en el mar (en un lago); están navegando. *Segundo dibujo:* Hay una mujer joven; está en la playa; toma el sol. *Tercer dibujo:* Hay dos personas jóvenes y atléticas; están en el mar (en un lago); hacen windsurf. *Cuarto dibujo:* Hay una persona en el gimnasio. Levanta pesas. **2**. *Some possible answers:* Voy al campo con mis amigos, me divierto, camino.

It will probably be necessary to play the dialogue more than once. During the first playing, students listen for the general idea. During the second playing, students should focus on the details.

Al escuchar

2.36 Los apuntes. Escuche la conversación entre Luisa y Susana. Tome los apuntes que considere necesarios. Luego, decida quiénes son las personas en cada ilustración: Miguel, Susana, Luisa y Pepe.

Ilustración 1 _____ Miguel, Susana, Luisa y Pepe _____ Ilustración 2 _____ Luisa _____

Ilustración 3 _____ Miguel y Susana _____ Ilustración 4 _____ Pepe _____

Después de escuchar

Answers 2.37. *Some possible answers:* Dos amigas, Luisa y Susana, hablan de sus actividades en la playa. Luisa estuvo sola en la playa y se aburrió. Susana y Miguel almorzaron en la playa y se divirtieron.

2.37 Resumen. Trabajando en parejas, resuman la conversación entre Luisa y Susana.

2.38 Algunos detalles. Escoja la respuesta correcta entre las alternativas que se presentan.

1. La persona que contestó primero el teléfono fue…
   a. Luisa.
   b. la madre de Luisa.
   c. la hermana de Luisa.

2. Según la conversación, parece que Susana estuvo…
   a. divirtiéndose todo el día.
   b. sola y muy aburrida.
   c. tomando el sol y hablando por teléfono.

3. Miguel y Susana…
   a. tomaron el sol y levantaron pesas en la mañana.
   b. no hicieron nada juntos.
   c. almorzaron en la playa y practicaron windsurf.

4. Al día siguiente las amigas van a…
   a. ir de compras.
   b. navegar en velero.
   c. nadar en el mar.

Interacciones: Capítulo 2, Segunda situación

Para saber más: academic.cengage.com/spanish/interacciones.

Tercera situación

Imágenes culturales  DVD

Los «castells»

Antes de mirar

A Los festivales regionales. Trabajando en parejas, hagan una lista de festivals regionales que Uds. conocen en los EE.UU. Incluyan las actividades que se asocian con cada festival. ¿Cómo participan en las actividades las personas que viven en las región? ¿Qué tienen en común estos festivals?

B El título. Mire el título del vídeo de esta sección: *Los «castells»*. La palabra catalana *«castells»* es un cognado. En su opinión, ¿qué quiere decir el título? Después, mire la foto de arriba y descríbala. ¿Qué están haciendo las personas? ¿Por qué lo hacen?

C La idea principal. Mire el vídeo por primera vez para determinar la idea principal del vídeo. También revise *(check)* y corrija sus respuestas anteriores.

Actividades de vídeo

Después de completar estas actividades de **Antes de mirar**, complete las otras actividades del vídeo para **Capítulo 2** en el *Cuaderno de actividades*.

Warm-up. To help students comprehend the video more easily, it would be helpful to review the following: have students point out Cataluña on a map of Spain; review the information about the languages of Spain, and especially Cataluña, in **Bienvenidos a España;** review the cultural information about summer festivals in the **Perspectivas** section of this chapter.

Answers A. Los «castells» = *castles.* Las personas hacen un *castell* humano. Es una actividad de un festival regional.

Answers B. Hacer *castells* durante los festivals regionales es una tradición catalana. Hacer *castells* es un deporte popular aunque es un poco peligroso.

The additional video activities located in the *Cuaderno de actividades* are designed to be completed by students on their own outside of class. However, the additional activities can also be completed in class if time permits.

Lectura cultural

Para leer bien

Using the Subtitles of a Reading to Predict and Understand Content

Often subtitles are used to divide lengthy magazine and newspaper articles into smaller, more manageable sections. These subtitles generally provide a summary of the content of each section in a clear and succinct manner and help the reader predict, understand, and remember content. Together the subtitles form an outline of the article. Before reading such an article, look at the subtitles and try to make predictions about the possible content of the article. As you read, keep these subtitles in mind to help you clarify and simplify the material. You will find that you remember much more content if you use the subtitles to their full advantage.

Antes de leer

A Benidorm. Para comprender el título del siguiente artículo: «24 Horas: De vacaciones en Benidorm» es necesario saber algo de Benidorm. Use un mapa de España y las fotos del artículo para contestar las siguientes preguntas. ¿Dónde está situada la ciudad de Benidorm? Con esta situación, ¿qué tipo de ciudad es? ¿Es un buen lugar para las vacaciones? ¿Cuál es la idea general del artículo?

B El horario español. Para comprender el artículo, también es necesario saber algo del horario español. ¿A qué hora comen la comida principal los españoles? ¿A qué hora abren las tiendas y las oficinas? ¿Qué hacen los españoles por la noche? ¿A qué hora se acuestan?

C Los subtítulos. ¿A qué se refieren los números en los subtítulos? ¿Cómo está organizado el artículo? En su opinión, ¿de qué tratan las secciones del artículo con los siguientes subtítulos?

7.30 Todo en orden / 10.00 Uniforme playero / 11.00 Arriba el telón *(The curtain rises)* / 14.00 Ensalada, paella y sangría / 21.00 ¡A la calle!

Al leer

D Usando los subtítulos. Al leer «24 horas: De vacaciones en Benidorm», haga una pausa al llegar a cada subtítulo. Lea el subtítulo y haga una hipótesis acerca del contenido de la sección antes de continuar. Después de leer la sección, afirme o rechace su hipótesis acerca del subtítulo.

Benidorm, España: La playa

24 Horas: De vacaciones en Benidorm

7.30 Todo en orden

Sale el sol y Benidorm se despierta de una noche que no ha tenido fin. Las playas están tranquilas, ordenadas y con sombrillas de personas que ya han bajado hasta la orilla° del mar para obtener sitio°, que al mediodía será imposible encontrar. Es uno de los centros turísticos más importantes. «Está a dos horas del resto de Europa, es cosmopolita y segura en todos los aspectos», señala° Andrés Guerrero, presidente de la asociación de agencias de viajes. La población de Benidorm, 50.176 personas, se multiplica por seis en estos meses de verano, hasta superar las 370.000 personas. Es una fábrica de ocio° que recibe unos cinco millones de turistas anuales. Es la cuarta ciudad europea en plazas° hoteleras (34.000) tras Madrid, París y Londres.

shore
space

points out

factory of leisure
spaces, rooms

10.00 Uniforme playero°

La mayoría de los veraneantes° se marchan a la playa con su uniforme playero: en bañador°, sin camiseta, con riñonera°, sandalias, colchón acuático, gorrita° y toalla.

beach (adj.)

vacationers / traje de baño
money pouch / cap

11.00 Arriba el telón

Todo está prácticamente listo para comenzar una larga y agotadora° jornada° de playa. La temperatura ronda los 30 grados, luce el sol, la humedad relativa es del 65 por ciento, la temperatura del agua es de 24 grados y una suave y refrescante brisa eriza° las olas que rompen en la playa.

exhausting / día

raises up

12.00 Siempre fieles

Los 5,3 kilómetros de playa están de bote en bote°. Según datos del ayuntamiento°, a esta hora punta° puede haber en la playa de Levante unas 35.000 personas. Lo del espacio no es problema para Gabriel, un madrileño de 55 años que lleva veraneando en la ciudad desde hace 20 años. «Me gusta, me gusta. Es una ciudad con alegría, juerga°, música... Me gustan las orquestinas de los bares, la arquitectura, los edificios.»

packed / municipal
government / peak

festivity

14.00 Ensalada, paella y sangría

Ensalada, paella y sangría, dieta mediterránea a la orilla del mar. Extranjeros y nacionales se desviven por° pedir la paella en sus más variadas formas. En Benidorm hay casi 350 restaurantes. Muchos se encuentran en primera línea de la playa; otros están en el barrio antiguo.

are very eager to

19.00 Como langostas°

Cuando el sol empieza a declinar, la actividad playera decae considerablemente. Es una hora en la que se está a gusto tumbado° en la arena. Eso es lo que hace un grupo de 13 jóvenes holandeses que toman su enésima° cerveza. Están rojos como langostas pero contentos de estar en España.

lobsters

lying down
umpteenth

21.00 ¡A la calle!

to bustle about

Las luces del paseo se encienden lentamente y la calle empieza a bullir°. Las más de 230 cafeterías y 920 bares comienzan a llenarse de una diversidad de gente. Las tiendas continúan abiertas. En la ciudad hay más de mil establecimientos que son visitados por los ávidos° de «comprar algún recuerdo° para la familia».

eager

souvenir

24.00 El karaoke

are amazed by

El reloj da la medianoche. El karaoke causa furor; niños y mayores se emboban con° los aspirantes a Julio Iglesias. También pequeños grupos musicales y shows alegran la noche.

3.00 ¡A trabajar!

moves around

Mientras muchos se divierten, Tomás Antón trajina por° la playa de Levante con su tractor. Su trabajo es importante: dejar la playa limpia. El Ayuntamiento de Benidorm considera sus playas «como la niña de sus ojos». Las cuidan al máximo.

5.00 Sin freno°

restraint

El que llega hasta esta hora va a dormir muy poco; mejor dicho, nada. Es la hora de cerrar para los pubs y disco-bares que hay en la zona de la playa. Algunos regresan al hotel mientras otros van a desayunar en un café en la playa. La actividad terminará sólo cuando el sol vuelva a salir sobre la playa.

Después de leer

E Las actividades. Indique la hora cuando tienen lugar las siguientes actividades.

Después ponga las actividades en orden cronológico.

Hora	Actividad	
21.00	todos salen a la calle para divertirse	6
3.00	limpian las playas	7
19.00	la actividad playera decae	5
10.00	los turistas van a la playa	2
7.30	las playas están tranquilas	1
14.00	los turistas comen la comida principal	4
5.00	cierran los bares	8
12.00	las playas están de bote en bote	3

 F Los veraneantes. Trabajando en parejas, describan a los veraneantes de Benidorm. Incluyan información acerca de su ropa, su comida y sus actividades.

G En defensa de una opinión. ¿Qué evidencia puede Ud. encontrar en el artículo que confirma la siguiente idea? «Benidorm es un lugar muy popular para las vacaciones del verano.»

Interacciones

A Las fiestas de Benicasim. Part of your week-long vacation in Benicasim last August coincided with the summer festival. Using the festival program in **Perspectivas** on p. 63 as well as your imagination, explain to a classmate what you did each day. Include activities you watched and those in which you participated.

B El fin de semana pasado. You and a partner will each think of seven activities you participated in last weekend, but do not tell each other what you did. Then, ask each other questions to find out what the other person did. After learning about each other's activities, tell your instructor what your partner did last weekend.

C Mis vacaciones favoritas. Tell your classmates about a real or imagined vacation trip you once took. Explain where and with whom you went, how you traveled, where you stayed, what you ate, saw, and did.

D Una encuesta *(A survey)*. In groups of five or six students, take a survey about the summer vacations of your families. Find out the following information: how many days the vacation lasted; where they went; how they traveled; who made the arrangements; where they stayed; what they did. Compare your group's results with those of the other groups.

Communicative modes incorporated.
A: interpretive, presentational
B: interpersonal **C:** presentational **D:** interpersonal, interpretive

Vocabulary incorporated.
A: beach activities, vacations, nighttime activities, dates
B: beach activities, vacations, nighttime activities **C:** vacations, nighttime activities
D: vacations, nighttime activities

Grammar incorporated.
A: preterite tense, expressing dates, personal **a B:** preterite tense, personal **a C:** preterite tense, personal **a D:** preterite tense; personal **a**

Así se escribe

Para escribir bien

Sequencing Events

When writing about events that took place in the past, you often need to tell in what order or when the various activities took place. The following expressions can be used to indicate the proper sequence of activities.

primero	*first*
el primer día / mes / año	*the first day / month / year*
la primera semana	*the first week*
la segunda semana	*the second week*
el tercer día / mes / año	*the third day / month / year*
entonces	*then, at that time*
luego / después	*then, later, afterward(s), next*
más tarde	*later*
a la/s…	*at …o'clock*
era/n la/s… cuando	*it was … o'clock when*
por fin / finalmente	*finally*

Antes de escribir

Answers A. Answers should include new vocabulary from this chapter. Students should use the infinitive form after **me gusta.**

Answers B. Answers should include the phrases of **Para escribir bien.** Verbs should be in the preterite tense.

A Unas actividades. Escriba una lista de actividades que le gusta hacer los fines de semana o durante las vacaciones. Incluya por lo menos diez actividades. Empiece su lista con la siguiente frase: *Los fines de semana / Durante las vacaciones me gusta…*

B Unas vacaciones estupendas. Utilizando su lista de **Práctica A**, escriba una lista de lo que Ud. hizo durante unas estupendas vacaciones imaginarias o reales. Ponga las actividades en orden cronológico, usando las frases de **Para escribir bien.** Empiece su lista con la siguiente frase: *El primer día de mis vacaciones… (nadé en el mar / tomé sol en la playa).*

Al escribir

Reminder. The topics for the compositions can be assigned for out-of-class preparation or as an in-class activity.

Primero, escoja una de las composiciones de la lista a continuación. Después, escriba su composición utilizando las listas que Ud. hizo para los ejercicios de **Antes de escribir.** Trate de incorporar el nuevo vocabulario y las nuevas estructuras gramaticales de este capítulo.

C Mis vacaciones. Escriba una composición breve sobre unas vacaciones reales o imaginarias que Ud. tomó.

> ATAJO
>
> **Grammar:** verbs: preterite, verbs: irregular preterite;
> **Phrases/Functions:** talking about past events, sequencing events; **Vocabulary:** beach, camping, leisure, traveling

D Unas tarjetas postales. Ud. acaba de terminar el quinto día de una semana de vacaciones en Benidorm. Sacando información de la lectura «24 horas: De vacaciones en Benidorm», escríbales una tarjeta postal a sus padres explicándoles lo que Ud. hizo durante los primeros días allí. También escríbale una tarjeta a su mejor amigo/a explicándole lo que hizo por la noche.

Grammar: verbs: preterite, verbs: irregular preterite;
Phrases/Functions: talking about past events, sequencing events; **Vocabulary:** beach, camping, leisure, traveling;
D: Phrases/Functions: writing a letter (informal)

E Las vacaciones norteamericanas. Escriba un artículo breve, explicando lo que hicieron unas familias típicas durante sus vacaciones de verano en los EE.UU.

Grammar: verbs: preterite, verbs: irregular preterite;
Phrases/Functions: talking about past events, sequencing events; **Vocabulary:** beach, camping, leisure, traveling

Después de escribir

Antes de entregarle su composición a su profesor/a, Ud. debe leerla de nuevo y corregir los errores. Al revisarla, preste atención al contenido. ¿Contiene su composición toda la información que Ud. quiere incluir? Revise el vocabulario de la playa, las vacaciones y las actividades nocturnas. También revise las frases para poner en orden cronológico las actividades. Por fin, revise las terminaciones de los verbos del pretérito.

Answers. Answers for all composition topics should include the preterite tense, new vocabulary from this chapter, and the phrases of **Para escribir bien.**

 Interacciones: **Capítulo 2, Tercera situación**

 Para saber más: academic.cengage.com/spanish/ interacciones

Herencia cultural: España

For information on the **Herencia cultural** section and how to use it, see "Using the *Interacciones* Program" located in the *Instructor's Resource Manual*.

Heinle Transparency Bank: A–5 Country profile: España. Use this map to locate cities and sites mentioned in Herencia cultural: España.

Personalidades

De ayer

◀ **Rodrigo Díaz de Vivar** (¿1043?–1099), conocido *(known)* como **El Cid Campeador,** es una personalidad histórica y legendaria. Es un gran héroe nacional y representa los valores españoles más importantes: amor a la familia, devoción a Dios y fidelidad al rey *(king)*.

▶ El matrimonio de **Fernando de Aragón** e **Isabel de Castilla** en 1469 produjo la unidad política de España. Fernando e Isabel, conocidos como los Reyes Católicos, hicieron de España la primera nación de la Europa moderna.

De hoy

◀ **Pedro Almodóvar** (1951–) es uno de los directores de cine más reconocidos de este siglo. Como guionista *(scriptwriter)* de todas sus películas, crea una galería de personajes interesantes y excéntricos. Entre sus películas más importantes están *Mujeres al borde de un ataque de nervios, Todo sobre mi madre* por la cual ganó un Óscar en 1999 y *Volver*.

▶ **Penélope Cruz** (1974–), una de las jóvenes actrices más versátiles, ganó el éxito internacional con su participación en *Todo sobre mi madre* de Almodóvar. Hoy en día es una actriz célebre y trabaja tanto en el cine estadounidense como en el cine español. Fue candidata al Óscar por su participación en *Volver* de Almodóvar.

◀ **La familia real española** incluye al rey, **Juan Carlos I,** la reina **Sofía** y sus hijos **Felipe, Elena** y **Cristina**. Elena y Cristina están casadas y también son madres. Felipe es el heredero del trono; se casó en 2004 con Letizia Ortiz y tienen dos hijas.

For each **Personalidades de ayer y de hoy** section, an annotation similar to the one that follows will be provided explaining the cultural practices, products, perspectives, and comparisons that are being taught. **Cultural products and practices:** famous people of Spain and what they have accomplished. **Cultural comparisons:** famous historical personages, famous sports / entertainment / governmental figures of the two cultures.

▶ El popular piloto de autos de Fórmula 1, **Fernando Alonso** (1981–) es el piloto más joven que ha sido nombrado Campeón Mundial de Fórmula 1 a los 24 años. Empezó a manejar karts a los 3 años y ganó su primera carrera *(race)* a los 7 años. Llegó a ser piloto de Fórmula 1 en 2001 y desde entonces ha ganado muchos trofeos en todo el mundo.

Ask students: ¿Cuáles son algunos hechos históricos importantes que tuvieron lugar durante el reino de Fernando e Isabel? *Answers:* Los viajes de Cristóbal Colón a las Américas / la unidad política y religiosa de España / la unidad lingüística de España / la expulsión de los judíos y los árabes.

Ask students: ¿Con qué personalidades españolas se puede comparar las siguientes personalidades de los EE.UU. Stephen Spielberg / George Washington / Angelina Jolie / the current First Family / the founding Fathers / the Andretti family

For information on the **Arte y arquitectura** section of the **Herencia cultural** and how to use it, see "Using the *Interacciones* Program" located in the *Instructor's Resource Manual*.

Arte y arquitectura

Los grandes maestros del Prado: El Greco, Velázquez, Goya

▶ **Doménico Theotocópuli** (1542–1614), llamado **El Greco,** nació en la isla de Creta (Grecia). En 1575 viajó a España y pasó la mayor parte de su vida en Toledo. Muchas de sus obras son religiosas o espirituales; pintó muchos retratos *(portraits)* de santos. Aunque hay muchos cuadros de El Greco en el Prado, su obra más famosa, *El entierro* (burial) *del Conde de Orgaz* (1586–1588), está en la Iglesia de Santo Tomé en Toledo. El Conde de Orgaz fue un hombre muy rico y generoso que durante su vida contribuyó con mucho dinero a la Iglesia de Santo Tomé. Según una leyenda *(legend),* San Agustín y San Esteban asistieron al entierro del Conde debido a su generosidad.

El Greco, *El entierro del Conde de Orgaz.* Toledo: Iglesia de Santo Tomé

◀ **Diego Rodríguez de Silva y Velázquez** (1599–1660) fue el pintor de la corte de Felipe IV y muchas de sus obras son retratos de la familia real o de otras personas de la corte. Su obra maestra *(masterpiece)* es *Las Meninas (Ladies-in-waiting),* que según los críticos es uno de los mejores cuadros del mundo.

Las Meninas (1656) representa una escena en el taller *(workshop)* del palacio real. Velázquez está pintando al rey Felipe IV y a la reina Mariana, quienes se reflejan en el espejo *(mirror).* La hija de los reyes es la infanta Margarita, y ella y sus meninas miran la escena.

Diego Rodríguez de Silva y Velázquez, *Las Meninas.* Madrid: Museo del Prado

For additional information on the history of Spain in the 20th century, view the film *La lengua de las mariposas* and complete the activities in ***Más allá de la pantalla:* Capítulo 1.** RESUMEN: La historia de la relación entre Moncho, un niño de ocho años, y su maestro, Don Gregorio, en un pueblo en España antes de la Guerra Civil.

Francisco de Goya y Lucientes, *El tres de mayo.* Madrid: Museo del Prado

El Prado, uno de los grandes museos de arte del mundo, se encuentra en el centro de Madrid. Allí se puede ver cuadros *(paintings)*, dibujos *(drawings)* y esculturas *(sculptures)* desde la época clásica de los griegos y romanos hasta la época contemporánea. Pero sobre todo se puede ver las obras *(works)* de los grandes artistas españoles: El Greco, Velázquez y Goya.

For each **Arte y arquitectura** section, an annotation similar to the one that follows will be provided explaining the cultural practices, products, perspectives, and comparisons that are being taught.

◄ **Francisco de Goya y Lucientes** (1746–1828) fue pintor de gran originalidad y de muchos estilos. Generalmente sus obras reflejan las costumbres típicas o los hechos *(happenings)* históricos de España. *El tres de mayo* representa una escena de la guerra *(war)* entre España y la Francia de Napoleón. El dos de mayo de 1808 hubo una batalla muy sangrienta *(bloody)* en Madrid. A pesar de que lucharon valientemente, los españoles perdieron la batalla. Al día siguiente, el tres de mayo, las tropas francesas ejecutaron *(executed)* a muchos soldados españoles.

Answers A. *Escena representada: El Greco:* El entierro del Conde de Orgaz / *Velázquez:* El taller del artista (Velázquez) y la Infanta y sus meninas / *Goya:* Los soldados franceses fusilan a los soldados españoles. *Personas representadas: El Greco:* San Agustín, San Diego, muchos familiares y amigos del Conde de Orgaz, Jesucristo, la Virgen María / *Velázquez:* la Infanta Margarita, sus meninas, el rey Felipe IV, la *(continues on next page)*

Comprensión

A Unos detalles *(details)*. Complete el siguiente cuadro con información acerca de las obras de El Greco, Velázquez y Goya.

	El Greco *El entierro del Conde de Orgaz*	Velázquez *Las Meninas*	Goya *El tres de mayo*
Escena representada			
Personas representadas			
Colores predominantes			
Emociones predominantes			
Objetos y artículos			

 B La historia. Trabajando en parejas, cuenten lo que pasa en cada cuadro.

Cultural products: El Prado / works of art by El Greco, Velázquez, and Goya. **Cultural comparisons:** Famous painters, works of art, and artistic styles.

Variation B. Divide the class into three groups; each group should prepare a brief oral narration about what happens in one of three paintings.

Composition B. Have groups prepare a brief written narration about what happens in one of the three paintings.

 Para saber más: academic.cengage.com/spanish/interacciones

Lectura literaria

Para leer bien
Reading Literature

You have learned to predict the content of a reading by using the title and accompanying information and to guess meaning during your reading by using cognates. These same strategies can be applied to the reading of literature. In addition, there are other techniques that can also be used. Authors often do not express their ideas directly, but rather suggest them through the use of vocabulary or symbols that evoke many ideas and feelings. As a result, literature can generally be read on two levels: one level is the presentation of concrete ideas and the other is a higher, more abstract level that uses figurative language and symbols.

A **symbol** is a word or object that can be used to signify or represent something else. For example, a star is a heavenly body appearing in the sky at night. However, a star can be used to represent a variety of things according to its use and location. On an assignment returned to a first-grader, a star means a job well done; on a door inside a theater, it signifies the dressing room of the leading actress; on a holiday card, it symbolizes the birth of Jesus Christ. Many symbols are universal; others are culturally specific. Authors use symbols to suggest multiple meanings or to present a point of view in a more subtle manner.

Práctica

C Algunos símbolos. Trabajando en parejas, expliquen lo que las siguientes palabras pueden simbolizar o representar.

1. las estaciones: la primavera / el otoño / el invierno
2. los animales: un león / un águila *(eagle)* / una serpiente
3. los colores: el blanco / el negro / el rojo / el verde / el amarillo
4. el agua: el mar / un río / un lago

D La poesía de Bécquer. Al leer las siguientes selecciones de Bécquer, utilice las estrategias para leer bien y trate de identificar los símbolos.

Antes de leer: *Rimas*
Gustavo Adolfo Bécquer

▶ Bécquer nació en Sevilla y luego se trasladó a Madrid, donde se murió pobre y solo a los treinta y cuatro años. A pesar de que escribió muy poco, es reconocido como uno de los grandes poetas líricos de la literatura española. Sus *Rimas* (una colección de 76 poemas) reflejan su sensibilidad romántica y su angustia *(anguish)*.

E El autor. Conteste las siguientes preguntas acerca del autor de *Rimas*.

1. ¿Quién es el autor de *Rimas* y dónde nació?
2. ¿Qué escribió?
3. ¿Cómo es reconocido?

Gustavo Adolfo Bécquer
(1836–1870)

1. El autor es Gustavo Adolfo Bécquer y nació en Sevilla.
2. Escribió *Rimas*, una colección de 76 poemas.
3. Es reconocido como uno de los grandes poetas líricos de la literatura española.

Answers A *(continued).*
reina Mariana, Velázquez / *Goya:* Los soldados franceses y los soldados españoles, un padre. *Colores predominantes: El Greco:* En la escena de abajo predominan el negro y el oro (el amarillo); en la escena de arriba predominan el blanco y el azul. / *Velázquez:* Predominan el blanco, el negro y el azul oscuro. / *Goya:* Predominan el blanco, el amarillo, el rojo y el negro. *Emociones predominantes: El Greco:* la tristeza, la espiritualidad / *Velázquez:* la alegría / *Goya:* el miedo. *Objetos y artículos: El Greco:* una Biblia / *Velázquez:* cuadros en la pared, un perro, un espejo / *Goya:* una lámpara, los fusiles.

Expansion A. *Ask additional questions:* ¿Son realistas las obras? ¿Usan símbolos los artistas? ¿Cuáles? Answers: Las obras de Velázquez y Goya son realistas pero la obra de El Greco no lo es. Sí, los tres artistas usan símbolos. El Greco: Todos los santos son símbolos de alguna virtud o característica; la escena de arriba es símbolo del paraíso. Velázquez: La infanta Margarita representa el futuro y la esperanza de España; los reyes en el espejo representan la monarquía como reflejo del poder. Goya: Los colores son simbólicos: el blanco representa la pureza, el rojo representa la sangre, el negro representa la noche y la muerte.

Answers C. 1. las estaciones: *la primavera:* la juventud, la esperanza, el comienzo / *el otoño:* el comienzo de la vejez / *el invierno:* el fin, la muerte, la desesperación. **2.** los animales: *un león:* la fuerza, el poder / *un águila:* la independencia, el poder / *una serpiente:* el diablo, el mal **3.** los colores: *el blanco:* la pureza / *el negro:* la muerte / *el rojo:* la sangre, la ira / *el verde:* la esperanza, la primavera, los celos / *el amarillo:* el miedo **4.** el agua: *el mar:* la muerte / *un río:* la vida / *un lago:* la muerte

F Las etapas *(stages)* del amor. Ponga en orden cronológico las siguientes cinco etapas de una relación amorosa.

_____2_____ el amor correspondido
_____4_____ falta de comprensión mutua
_____5_____ la ruptura
_____1_____ el primer encuentro
_____3_____ el/la amado/a como fuente *(source)* de alegría

G El orden de las palabras. En la lengua hablada, el orden de las palabras de una oración es generalmente el sujeto + el verbo + los objetos. Pero dentro de la poesía, el orden tradicional cambia y el poeta puede empezar con cualquier parte de la oración. Por eso es difícil encontrar el sujeto de la oración poética. Para comprender mejor la poesía de Bécquer, identifique el sujeto de las siguientes frases y póngalo enfrente de las frases.

SUJETOS POSIBLES: yo / tú / él / ella / el sol / mi alma /
el fondo / un diccionario / el amor

1. __yo__ la he visto
2. __él / ella__ me ha mirado
3. __tú__ dices mientras clavas en mí

4. __el sol__ hoy llega al fondo de mi alma el sol
5. __el amor__ (Es) Lástima que el amor un diccionario no tenga

Rimas

Rima XVII

smile   Hoy la tierra y los cielos me sonríen°
bottom / soul hoy llega al fondo° de mi alma° el sol;
saw   hoy la he visto°..., la he visto y me ha mirado
               ¡Hoy creo en Dios!

Rima XXI

«¿Qué es poesía»? dices mientras clavas
gaze at   en° mí tu pupila azul.
«¿Qué es poesía? ¿Y tú me lo preguntas?
Poesía eres tú.»

Rima XXXIII

Es cuestión de palabras y, no obstante,
never   ni tú ni yo jamás°
will agree después de lo pasado, convendremos°
blame   en quién la culpa° está.
¡Lástima que el amor un diccionario
to find   no tenga dónde hallar°
pride   cuándo el orgullo° es simplemente orgullo
          y cuándo es dignidad!

Después de leer

H Los temas. Utilice la lista de las etapas de una relación amorosa en **Práctica F** de **Antes de leer.** Busque las etapas que correspondan a estas *Rimas.*

Rima XVII el primer encuentro / el/la amado/a como fuente de alegría

Rima XXI el amor correspondido / el/la amado/a como fuente de alegría

Rima XXXIII la falta de comprensión mutua / la ruptura

I Las circunstancias. Conteste las siguientes preguntas acerca de las tres *Rimas.*

Rima XVII: ¿Cómo se siente Bécquer en este poema? ¿Por qué dice Bécquer que hoy cree en Dios?

Rima XXI: ¿Qué quiere decir Bécquer cuándo dice: «poesía eres tú»? ¿Qué representa la mujer en este poema?

Rima XXXIII: ¿Cuál es el problema entre Bécquer y su amada? ¿Cómo se siente Bécquer en este poema? ¿Por qué necesita Bécquer un diccionario? ¿Cuál es la diferencia entre el orgullo y la dignidad?

 Para saber más: academic.cengage.com/spanish/interacciones

Answers. *Rima XVII:* Se siente feliz y contento. Cree en Dios porque la vida va bien y está enamorado. *Rima XXI:* Bécquer dice «poesía eres tú» porque su amada es hermosa y encantadora y es la inspiración para su poesía. La mujer representa la poesía. *Rima XXXIII:* El amor no es correspondido y hay una falta de comprensión mutua. Bécquer se siente triste, deprimido. Bécquer necesita un diccionario para encontrar una definición de la dignidad y el orgullo que son el problema en su relación.

Bienvenidos a México

The **Culture Standard** is emphasized in this section. Students will learn about the geography, climate, population, languages, cities, government, and economy of Mexico.

Geografía y clima

Se divide en varias regiones; el altiplano (tierras altas entre las montañas) ocupa el 40% del territorio y tiene la mayor parte de la población. El clima varía según la altitud.

Población

108.000.000 de habitantes; 60% mestizos (personas con una mezcla de sangre europea e indígena), 30% amerindios y 10% europeos y otros.

Lenguas

El español (92%) y varios idiomas indígenas (8%).

Ciudades principales

México, D.F.= el Distrito Federal = la Ciudad de México es la capital; otras ciudades grandes incluyen Guadalajara, Monterrey, Puebla, León, Acapulco, Cancún, Veracruz, Tijuana y Ciudad Juárez.

Gobierno

Los Estados Unidos Mexicanos es una república federal compuesta de 31 estados. Se elige un nuevo presidente cada seis años.

Economía

El peso, cuyo símbolo es N$, es la moneda oficial. La economía se basa en turismo, petróleo, productos agrícolas, fabricación de vehículos, piezas de recambio y maquinaria, materias primas y artesanía.

Heinle Transparency Bank: A-2, A-7 Country profile: México. Use these maps to point out cities and geographical features of Mexico.

To complete the following exercise, have students use the map of Mexico located in the opening pages of the textbook, the transparency maps, or a map located in the classroom.

Additional exercises on the information about Mexico can be found in the *Cuaderno de actividades.*

Introducción geográfica

Conteste las siguientes preguntas, usando un mapa de México.

1. ¿Cuáles son las ciudades principales de México?

2. ¿Cuáles son los rasgos *(characteristics)* geográficos más importantes?

3. ¿Qué ventajas y desventajas ofrece la geografía de México?

Answers 1. Guadalajara, Monterrey, Puebla, León, Acapulco, Cancún, Veracruz, Tijuana y Ciudad Juárez 2. la Sierra Madre Occidental, la Sierra Madre Oriental, la Península Yucatán, el río Bravo, una larga costa en el océano Pacífico, una larga costa en el Golfo de México, las fronteras con EE.UU., Guatemala, y Belice

En la foto ¿Cómo se llama el monumento? (Se llama el Monumento a la Independencia o El Ángel.) ¿Qué cosas se ven alrededor de la plaza? (Alrededor de la plaza hay edificios, hoteles y tiendas.)

México, D.F.: Monumento a la Independencia

To listen to this song, access the **Interacciones,** *Sixth Edition* playlist at academic.cengage.com/spanish/interacciones

Notas musicales 🎵

Se me olvidó otra vez (I forgot again) por Juan Gabriel e interpretado por Maná narra la historia de un amor no correspondido.

Probablemente ya
de mí te has olvidado
y sin embargo yo
te seguiré esperando°   I will keep on waiting for you.

No me he querido ir
para ver si algún día
que tú quieras volver
me encuentres todavía.

Maná, la famosa banda de rock mexicana

Se me olvidó otra vez

Después de escuchar *Se me olvidó otra vez*, conteste las siguientes preguntas.

1. ¿Cómo se llama la banda que interpreta *Se me olvidó otra vez?* ¿De dónde son?

2. ¿Qué hizo la persona querida?

3. ¿A quién espera el narrador? ¿Por qué cree Ud. que espera el narrador?

4. ¿Qué emociones evocan estos versos de la canción?

Answers. 1. La banda Maná es de México. **2.** La persona querida se fue y nunca volverá. **3.** Espera a su ex-novio o ex-novia. **4.** tristeza, esperanza, soledad.

Point out. This famous Mexican song was written by Mexican singer-songwriter, Juan Gabriel. Gabriel has received six Grammy nominations and has sold over 30 million copies of his albums. The Mexican rock group, Maná recorded this song on their 1999 album called *Unplugged*.

 Go to the **Bienvenidos a México** section of your *Cuaderno de actividades* for additional exercises on this song.

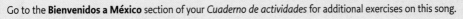 **Para saber más:** academic.cengage.com/spanish/interacciones

CAPÍTULO 3 En familia

Toda la familia se reúne para celebrar un cumpleaños.

Have students describe the photo. If necessary ask: ¿Qué hay en la foto? ¿Cuántas personas hay y quiénes son? ¿En qué cuarto de la casa están? ¿Qué hacen? ¿Qué comen y beben? ¿Qué cosas hay en la mesa?

Have students provide examples in English of topics, situations, and phrases that would be covered in each of the communicative goals. For example: *Greetings and leave-takings:* Students might answer "Saying hello, saying good-bye."

Cultural Themes

Mexico
Family life in the Hispanic world

Communicative Goals

Greetings and leave-takings
Describing what life used to be like
Describing people
Expressing endearment
Extending, accepting, and declining invitations
Discussing conditions, characteristics, and existence
Indicating ownership

Video on DVD Audio
Cuaderno de actividades Atajo
iLrn Heinle Learning Center Music
academic.cengage.com/spanish/interacciones iRadio

Presentación

Los domingos en familia

Práctica y conversación

3.1 El árbol genealógico. ¿Quiénes son estos parientes suyos?

1. El hermano de mi madre es mi _____ tío _____ .
2. Soy el (la) _____ nieto/a _____ de mis abuelos.
3. La esposa del padre de mi padre es mi _____ abuela _____ .
4. El hijo del hermano de mi madre es el _____ sobrino _____ de mi padre.
5. La hija de la hermana de mi padre es mi _____ prima _____ .
6. El hijo de mi padre es mi _____ hermano _____ .

Warm-up. Ask students: **¿Qué ve Ud. en el dibujo?** Students should work in pairs and prepare a mental list (not written) of the people and objects that they see in the drawing. Then, have students report out their findings to the entire class. Finally, have students explain what activities the various people in the drawing are engaging in.

Variation. Have students describe their own family trees by naming their family members.

Warm-up 3.2. Have students brainstorm activities that families do when they get together.

3.2 Una reunión familiar. Cada estudiante les hace preguntas a tres de sus compañeros/as de clase sobre lo que hacen cuando se reúnen con sus parientes. Luego, le dirá a su profesor/a lo que escuchó.

The vocabulary needed to describe blended families is presented in the **Segunda situación** of this **Capítulo**.

 3.3 Xcaret, un parque ecológico. Xcaret es un parque ecológico en la Riviera Maya de México. Trabajando en parejas, lean la información a continuación y contesten las siguientes preguntas. ¿Qué tipo de atracciones hay en Xcaret? ¿Qué atracciones hay para los niños, los padres y los abuelos? ¿Por qué es un buen lugar para familias? ¿Cuáles son las atracciones que les va a interesar a los varios miembros de su familia?

Answers 3.3: *Answers may vary.* Hay actividades acuáticas (una playa, laguna, acuario, ríos), espectáculos y presentaciones, un jardín zoológico, jardines botánicos. Para niños hay actividades acuáticas; para los padres hay espectáculos y presentaciones; para los abuelos hay jardines. Sí, es un buen lugar para familias porque hay muchas actividades para todas las generaciones.

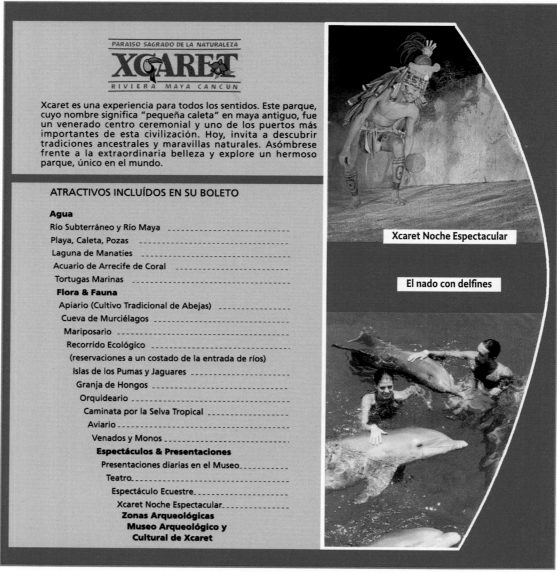

PARAISO SAGRADO DE LA NATURALEZA

XCARET

RIVIERA MAYA CANCUN

Xcaret es una experiencia para todos los sentidos. Este parque, cuyo nombre significa "pequeña caleta" en maya antiguo, fue un venerado centro ceremonial y uno de los puertos más importantes de esta civilización. Hoy, invita a descubrir tradiciones ancestrales y maravillas naturales. Asómbrese frente a la extraordinaria belleza y explore un hermoso parque, único en el mundo.

ATRACTIVOS INCLUÍDOS EN SU BOLETO

Agua
Río Subterráneo y Río Maya
Playa, Caleta, Pozas
Laguna de Manaties
Acuario de Arrecife de Coral
Tortugas Marinas

Flora & Fauna
Apiario (Cultivo Tradicional de Abejas)
Cueva de Murciélagos
Mariposario
Recorrido Ecológico
(reservaciones a un costado de la entrada de ríos)
Islas de los Pumas y Jaguares
Granja de Hongos
Orquideario
Caminata por la Selva Tropical
Aviario
Venados y Monos

Espectáculos & Presentaciones
Presentaciones diarias en el Museo
Teatro
Espectáculo Ecuestre
Xcaret Noche Espectacular
Zonas Arqueológicas
Museo Arqueológico y
Cultural de Xcaret

Xcaret Noche Espectacular

El nado con delfines

3.4 Creación. En una narración cuente lo que pasa en el dibujo de la **Presentación** en la página 91. ¿Qué consejos le da la abuela a su nieta? ¿Por qué riñen los dos chicos? ¿De qué hablan las personas que están sentadas en la mesa? ¿?

VOCABULARIO

La familia	The family
el abuelo	grandfather
la abuela	grandmother
los abuelos	grandparents
el bisabuelo	great-grandfather
la bisabuela	great-grandmother
los bisabuelos	great-grandparents
los/las gemelos/as	twins
el hermano	brother
la hermana	sister
el hijo	son
la hija	daughter
los hijos	children
la madre	mother
la madrina	godmother
el muchacho	boy
la muchacha	girl
el nieto	grandson
la nieta	granddaughter
el padre	father
los padres	parents
el padrino	godfather
los padrinos	godparents
los parientes	relatives
el/la primo/a	cousin
el sobrino	nephew
la sobrina	niece
el tío	uncle
la tía	aunt
los tíos	uncle(s) and aunt(s)

Las costumbres del domingo	Sunday customs
aconsejar	to advise, to give advice
almorzar (ue)	to eat lunch
cenar	to eat dinner
dar consejos	to give advice
hacer la sobremesa	to hold after-dinner conversation

ir de excursión al campo	to go on an outing to the country
al museo	to the museum
a la playa	to the beach
jugar (ue) con juguetes	to play with toys
una muñeca	a doll
visitar a los parientes	to visit relatives

El trato familiar	Family relations
amar	to love
comportarse bien (mal)	to behave well (poorly)
confiar en	to trust, to confide in
estar bien (mal) educado	to be well (poorly) brought up
llevar una vida feliz	to lead a happy life
llorar	to cry
querer	to love
regañar	to scold
reír (i)	to laugh
reñir (i)	to quarrel
respetar	to respect
sonreír (i)	to smile
tener cariño a	to be fond of

Las descripciones	Descriptions
alegre / feliz	happy, cheerful
cariñoso/a	affectionate
enojado/a	angry
infeliz	unhappy
íntimo/a	close
joven	young
mimado/a	spoiled
molesto/a	annoyed
mono/a	cute
travieso/a	naughty, mischievous
triste	sad
unido/a	close-knit, united
viejo/a	old

Vocabulario suplementario. el/la adolescente (teenager), el/la ahijado/a (godchild), el/la bebé (infant), el/la chico/a (boy, girl), el/la joven (kid, youngster), dar a luz (to give birth), estar embarazada (to be pregnant), hacer de niñero/a (to baby-sit), el/la niñero/a (baby-sitter), el/la pequeñito/a (toddler), el/la primo/a hermano/a (first cousin), el/la primo/a segundo/a (second cousin), el/la tataranieto/a (great-great-grandchild), los tatarabuelos (great-greatgrandparents), la tía abuela (great aunt), el tío abuelo (great uncle).

Vocabulario regional. In Spain the word for kid, youngster is **el/la chaval/a;** in México kid, youngster is **el/la chamaco/a.**

Vocabulario suplementario. Some popular children's games are: **jugar al escondite** (to play hide and seek), **jugar a ladrones y policías** (to play cops and robbers), **jugar a la casita / a la mamá** (to play house), **jugar a las visitas** (to have a tea party).

Vocabulario. In Spanish the prepositional phrase **de juguete** is equivalent to using toy as an adjective in English: **el camión de juguete** = toy truck, **la pistola de juguete** = toy gun, **el soldadito de juguete** = toy soldier.

Heinle Transparency Bank: E-1, E-2, E-3 La familia. Use these images to illustrate additional family vocabulary to your students.

Así se habla

CD 1, Track 10

Greetings and Leave-Takings

Warm-up 1. Before listening to the dialogue, have students work in pairs and describe the people in the photo. Then have students brainstorm the phrases that the two women in the photo might be saying to each other.

Warm-up 2. Ask students to think about the English expressions they use to greet each other. Have them explain how they think this differs or is similar to the way it is done in the Hispanic world.

Have students listen to the dialogue once. Then ask them to provide a statement explaining the gist of the conversation.

Comprehension check. After playing the dialogue a second time, have students answer the following: ¿Por qué no se han visto Teresita y Sonia en mucho tiempo? (Porque Teresita no tiene tiempo.) ¿Cómo es la vida de Teresita? (Está muy ocupada con sus hijos.) ¿Qué hacían Teresita y Sonia antes? (Antes se visitaban y salían juntas.) ¿Qué hacían Sonia y su esposo antes de que nacieran sus hijos? (Salían con amigos, se reunían en la noche, jugaban a las cartas e iban a bailar.) ¿Siguen haciendo eso? ¿Por qué? (No siguen haciendo estas cosas porque están muy ocupados con sus hijos.) ¿Qué van a hacer Teresita y Sonia pronto? (Van a salir un fin de semana.) ¿Cree Ud. que la amistad entre Teresita y Sonia se va a restablecer? ¿Por qué? (Sí, la amistad se va a restablecer porque han sido muy buenas amigas.)

Have two students read the dialogue aloud as a role play. Then have students locate phrases in the dialogue that illustrate the function *Greetings and Leave-takings.*

México: Dos mujeres se saludan

SONIA: Hola, Teresita, ¿dónde has estado? ¡Tanto tiempo sin verte!

TERESITA: Sí, tienes razón. Sabes que con los niños tan pequeños no tengo tiempo para nada.

SONIA: Comprendo, todo cambia. Antes, cuando tú y yo vivíamos cerca, nos veíamos siempre, pero ahora sólo nos vemos muy de vez en cuando.

TERESITA: Así es. Me acuerdo que nos visitábamos y salíamos juntas, pero ahora mi vida se ha complicado, tú sabes.

SONIA: Y la mía también. Antes de que nacieran mis hijos, mi esposo y yo salíamos con amigos, nos visitábamos, nos reuníamos en la noche, jugábamos a las cartas, íbamos a bailar. En fin, esos tiempos se han acabado.

TERESITA: Bueno, pero tenemos que hacer algo y reunirnos otra vez. No podemos dejar de vernos tanto tiempo. ¿Qué te parece si salimos uno de estos fines de semana?

SONIA: ¡Eso! Llámame para concretar los planes. Llámame a mi celular. Apunta.

TERESITA: A ver, dámelo.

If you want to greet someone, the following expressions can be used after «¡Hola!» with persons you call by their first name, such as family members, friends, and classmates.

¿Qué hay / tal / hubo?	How are things?
¿Cómo andan las cosas?	
¿Qué hay de nuevo?	What's new?
¿Qué me cuentas?	
¿Cómo estás?	How are you?
¿Cómo te va?	How's it going?
¿Cómo están por tu casa?	How are things at home?
¡Encantado/a!	Glad to meet you.
¡Cuánto gusto (en) verte!	How nice to see you!

After explaining the expressions, have students repeat expressions aloud. Correct pronunciation and intonation when necessary.

If you want to greet a person you would address with the pronoun **Ud.,** you can use the following expressions.

Buenos días.	Good morning.
Buenas tardes / noches.	Good afternoon / evening.
¿Cómo está Ud.?	How are you?
¡Qué / Cuánto gusto (en) verlo/la!	How nice (What a pleasure) to see you!
¡Tanto tiempo sin verlo/la!	It's been so long since I saw you!

To hear more about Spanish pronunciation visit academic.cengage.com/ spanish/interacciones.

If you want to say good-bye to someone, you can use the following expressions.

¡Chao!	Bye!
Hasta luego / pronto.	See you later / soon.
Nos vemos.	See you.
Nos hablamos / llamamos.	We'll talk / call each other.
Que le (te) vaya bien.	(I) Hope all goes well.
Saludos a todos por su (tu) casa.	Say hello to your family.

Práctica y conversación

3.5 ¿Cómo los saluda? Ud. se encuentra con las siguientes personas en la calle. ¿Qué les dice?

1. una tía a quien no ha visto hace mucho tiempo
2. un/a compañero/a de clase a quien ve todos los días
3. su profesor de economía
4. la madre de uno/a de sus compañeros/as
5. su abuelo
6. la secretaria del departamento de español

3.6 ¡Nos vemos pronto! En grupos, tres estudiantes hacen el papel de diversos familiares y otro/a hace el papel de la persona que se despide.

Situación: Ud. pasó todo el día en la casa de sus abuelos pero ahora tiene que irse porque tiene que estudiar. Despídase de todos.

Warm-up. Ask students what type of relationship they have with their different relatives (aunts, uncles, cousins, grandparents), the university faculty and staff (secretaries, professors, cleaning crew), and what type of pronoun they would use when talking to them.

Answers 3.5. *Possible answers:* 1. ¡Tanto tiempo sin verte! 2. ¿Qué tal? / ¿Qué hubo? 3. Buenos días. / Buenas tardes. / Buenas noches. 4. ¿Cómo está Ud.? 5. ¿Cómo estás? / ¡Qué gusto de verte! 6. Buenos días. / Buenas tardes.

Variation. Divide students into groups of three and assign roles such as the following: a grumpy grandmother, a friendly aunt, a serious cousin, a funny uncle, a crazy in-law. Then have students role-play the situation where one of them is saying good-bye.

Answers 3.6. *Answers will vary.*

🎧 To hear more about the imperfect visit academic. cengage.com/spanish/interacciones.

Estructuras

Describing What Life Used to Be Like

Imperfect Tense

The preterite and the imperfect are the two simple past tenses in Spanish. The imperfect is used to talk about repetitive past action and to describe how life used to be. The imperfect tense has two forms; there is one set of endings for regular -**ar** verbs and another set for regular -**er** and -**ir** verbs.

Point out. There is no real equivalent to the Spanish imperfect tense in English. The imperfect is expressed in a variety of ways in English: **asistía** (I attended, I used to attend, I was attending, I would attend). The context determines the verb form used in English.

Point out. There is an accent mark on the first-person plural ending of regular -**ar** verbs: **visitábamos.** Students often have difficulty pronouncing this form. Have students repeat after you the following examples: **visitábamos / organizábamos / estudiábamos / trabajábamos.**

Verbos en –AR	Verbos en –ER	Verbos en –IR
visitar	**comer**	**asistir**
visitaba	comía	asistía
visitabas	comías	asistías
visitaba	comía	asistía
visitábamos	comíamos	asistíamos
visitabais	comíais	asistíais
visitaban	comían	asistían

a. To form the imperfect tense of a regular -**ar** verb, obtain the stem by dropping the infinitive ending: **visitar → visit-.** To this stem add the endings that correspond to the subject: -**aba, -abas, -aba, -ábamos, -abais, -aban.**

b. To form the imperfect tense of a regular -**er** or -**ir** verb, obtain the stem by dropping the infinitive ending: **asistir → asist-.** To this stem add the endings that correspond to the subject: -**ía, -ías, -ía, -íamos, -íais, -ían.** Note the use of a written accent mark on these endings.

c. The first- and third-person singular forms use the same endings: -**aba / -ía.** It will frequently be necessary to include a noun or pronoun to clarify the subject of the verb.

Los domingos mamá siempre **preparaba** la comida mientras yo **leía** el periódico.	*On Sundays Mom always prepared dinner while I read the paper.*

d. There are no stem-changing verbs in the imperfect. Verbs that stem-change in the present or preterite tenses are regular in the imperfect.

De niña **jugaba** en el parque. Allí **me divertía** mucho.	*As a little girl, I used to play in the park. I always had a good time there.*

e. There are only three verbs that are irregular in the imperfect tense: **ir, ser,** and **ver.**

IR: iba, ibas, iba, íbamos, ibais, iban

SER: era, eras, era, éramos, erais, eran

VER: veía, veías, veía, veíamos, veíais, veían

Point out. Students will soon need to learn to distinguish the uses of the preterite and imperfect. Explain the importance of learning the uses of the imperfect now.

f. There are several possible English equivalents for the imperfect. Context will determine the best translation.

Luis trabajaba. $\begin{cases} \textit{Luis was working.} \\ \textit{Luis used to work.} \\ \textit{Luis worked.} \end{cases}$

g. The preterite is used to express an action or state of being that took place in a definite, limited time period in the past. In contrast, the imperfect is used to express an ongoing or repetitive past action or state of being that has no specific beginning and/or ending.

h. The imperfect tense is used:

1. as an equivalent of the English *used to, was / were* + present participle (*-ing* form), as well as simple English past (*-ed* form).
2. to describe how life used to be in the past.
3. to express interrupted action in the past.

   Cenábamos cuando llegó   *We were eating dinner when my*
       mi prima.   *cousin arrived.*

4. to express habitual or repeated past action. The words and phrases of the following list are often associated with the imperfect because they indicate habitual or repeated past actions.

cada día / semana / mes /año	*every day / week / month / year*
todos los días / meses / años	*every day / month / year*
todas las horas / semanas	*every hour / week*
todos los (domingos)	*every* + day of week (*every Sunday*)
los (domingos)	*on* + day of week (*on Sundays*)
generalmente / por lo general	*generally*
frecuentemente	*frequently*
siempre	*always*
a veces / algunas veces	*sometimes*
a menudo / muchas veces	*often*

Práctica y conversación

3.7 Durante el verano pasado. Explique lo que hacían las siguientes personas cada día, cada semana y cada mes del verano pasado: yo / mi mejor amigo/a / mi hermano/a / mis padres.

   Modelo   *yo*
   Cada día yo nadaba en nuestra piscina. / Cada semana iba al cine.
   Cada mes visitaba a mis primos.

3.8 ¿Cómo era Ud.? Explique cómo era Ud. cuando estaba en su primer año de la escuela secundaria. ¿Qué estudiaba? ¿En qué actividades o deportes participaba? ¿Qué hacía después de las clases? ¿Qué hacía los fines de semana? ¿Cómo eran sus amigos/as? ¿?

Point out. The imperfect can also translate as *would*. *When I was little, I would play with my toys every afternoon.* Explain that this *would* is not the same as the *would* in conditional statements such as *If I had the time, I would go to Argentina this summer.*

Warm-up. Have students brainstorm summer activities.

Remind them of the activities introduced in the **Vocabulario** of the **Primera situación** and the **Segunda situación** of **Capítulo 2.**

Answers 3.7. *Answers vary but verbs should be in the imperfect tense.*

Warm-up 3.8. Have students brainstorm typical high school activities.

Point out 3.9. Provide meanings of new vocabulary items in the realia such as **hoy en día** (*nowadays*), **criar** (*to look after, care for*), **gozosa** (*enjoyable*), **exigente** (*demanding*).

Warm-up 3.9. Have students identify verbs in the imperfect in the following realia.

Answers 3.9. Los abuelos y parientes ayudaban a criar a los

3.9 Antes y hoy en día. Trabajando en parejas, lean la siguiente información acerca del papel *(role)* de los abuelos y los padres en la crianza *(raising)* de los niños. Después, contesten las siguientes preguntas. En el pasado, ¿quiénes ayudaban a los padres a criar a los niños? ¿Dónde vivían los abuelos? ¿Cuál era el papel de los abuelos? Hoy en día, ¿cómo aprenden los padres a criar a los niños? ¿Qué requiere ser madre o padre?

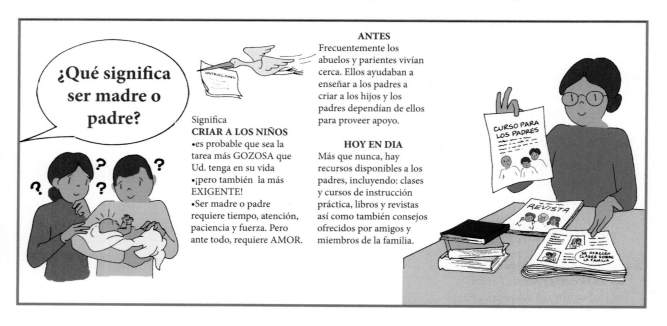

hijos. Los abuelos vivían cerca. El papel de los abuelos era de enseñar a los padres a criar a los hijos. Hoy en día hay libros, revistas y cursos de instrucción práctica para los padres. Ser madre o padre requiere tiempo, atención, paciencia, fuerza y sobre todo amor.

Variation 3.10. Have students list all the activities they used to do when they were children. Then, have them share this information with their partner. Students should ask and answer questions about their childhood activities. After completing the dialogue with a partner, each student should report to the class about the similarities / differences they found in their lives.

To hear more about adjectives, visit academic. cengage.com/spanish/ interacciones.

3.10 De niño/a. Explíquele a un/a compañero/a de clase lo que Ud. y su familia hacían los fines de semana cuando Ud. era niño/a. Después compare su lista con la lista de un/a compañero/a de clase. ¿Qué actividades tienen Uds. en común?

Describing People

Formation and Agreement of Adjectives

In order to describe family members and friends as well as their belongings, you need to use a wide variety of adjectives.

In Spanish, adjectives change form in order to agree in gender and number with the person or thing being described. There are four basic categories of descriptive adjectives.

a. Adjectives ending in **-o** have four forms: **viejo, vieja, viejos, viejas.**

b. Adjectives ending in a vowel other than **-o** have two forms and add **-s** to become plural: **alegre, alegres.**

c. Adjectives ending in a consonant have two forms and add **-es** to become plural: **azul, azules.**

d. Adjectives of nationality have four forms and have special endings:

1. Adjectives of nationality ending in a consonant such as **español: español, española, españoles, españolas.**
2. Adjectives of nationality ending in **-és** such as **francés: francés, francesa, franceses, francesas.** Note that the accent mark is used on the masculine singular form only.
3. Adjectives of nationality ending in **-án** such as **alemán: alemán, alemana, alemanes, alemanas.** Note that the accent mark is used on the masculine singular form only.

e. Descriptive adjectives may follow a form of **ser** or **estar.** In general, adjectives denoting a characteristic are used with **ser** while adjectives of condition are used with **estar.**

Generalmente mi prima Antonia **es** muy alegre y divertida, pero hoy **está** muy cansada y deprimida.

Generally my cousin Antonia is cheerful and fun-loving, but today she's very tired and depressed.

f. Descriptive adjectives usually follow the nouns they modify.

Mi familia vive en una casa **grande y vieja.**

My family lives in a big, old house.

Práctica y conversación

 3.11 La familia Aguilar. Los Aguilar acaban de comer y ahora están en la sala haciendo diferentes actividades. En parejas, describan a los miembros de la familia con diversos adjetivos.

3.12 ¿Qué me dices? En el dibujo de **Práctica 3.11**, Ud. ve algunas de las actividades de la familia Aguilar. Su compañero/a va a mirar otro dibujo de la misma familia que muestra otras actividades y está en el **Apéndice A.** Conversen sobre las actividades de la familia Aguilar para descubrir la información que falta.

Point out. Other adjectives of nationality that end in **-és** include: **escocés, holandés, inglés, irlandés, japonés, portugués.**

Supplemental grammar. Adjectives of nationality that end in **-ense** such as **estadounidense** or **canadiense** have two forms and add **-s** to become plural: **estadounidense → estadounidenses.**

Point out. The differences between **ser** and **estar** are covered more fully in **Capítulo 3, Segunda situación.**

Warm-up 3.11. Ask students what they usually do after they eat dinner and what each member of their family or people they live with do.

Point out. Tell students to include the following in their descriptions of the Aguilar family: what they are wearing, what they look like. Also ask students to think what the occasion for the celebration might be, what the people in the picture feel like.

The alternate drawing that corresponds to activity **3.12** can be found in **Apéndice A.**

3.13 Lo ideal. Utilizando por lo menos tres adjetivos, exprese cuál es para Ud. la versión ideal de las siguientes cosas y personas. Después, compare sus respuestas con las de su compañero/a de clase. ¿Están Uds. de acuerdo? ¿Por qué sí or por qué no?

las vacaciones / el coche / el/la novio/a / el empleo / el/la profesor/a

 3.14 ¿Quién es? Trabajen en grupos de tres. Piense en alguien que está en la clase, pero no les diga a sus compañeros/as quién es. Para adivinar quién es, ellos/as deben hacerle a Ud. siete preguntas sobre su descripción física.

Expressing Endearment

Diminutives

To express endearment, smallness, or cuteness in English you frequently add the suffix *-y* or *-ie* to the ends of proper names and nouns: *Billy, Jackie, sonny, birdie.* Spanish uses a similar suffix to express endearment.

To make a nickname of endearment or to indicate smallness or cuteness, the suffix **-ito/a** can be attached to many words, but especially to nouns and adjectives. The gender of the noun generally remains the same.

a. Feminine nouns ending in -a drop the -a ending and add **-ita: Ana → Anita; casa → casita.** Masculine nouns ending in -o drop the -o ending and add **-ito: Pedro → Pedrito; libro → librito.**

b. Most nouns ending in a consonant add the suffix onto the end of the noun:

Juan → Juanito; papel → papelito.

c. Some words will undergo minor spelling changes before the suffix **-ito/a** is added.

1. Words ending in **-co / -ca** change the c to **qu: Paco → Paquito; chica → chiquita.**
2. Words ending in **-go / -ga** change the g to **gu: amiga → amiguita; lago → laguito.**
3. Stem of words ending in -z change the z to **c: lápiz → lapicito; taza → tacita.**

d. Alternate forms of this suffix are **-cito** and **-ecito: café → cafecito; mujer → mujercita; nuevo → nuevecito.**

e. Certain regions of the Spanish-speaking world prefer their own diminutive suffixes such as the suffix **-ico/a** used in Costa Rica.

Práctica y conversación

3.15 Unos nombres populares. Dé el diminutivo de estos nombres.

Juan / Juana / Ana / Pepe / Paco / Luis / Marta / Manolo / Teresa

3.16 ¿Qué es esto? Dé una definición o una descripción de cada palabra.

un regalito / una casita / un librito / una jovencita / un perrito / un papelito / una abuelita / un chiquito / una cosita / un gatito

Perspectivas

Los apellidos en el mundo hispano

Los hispanos acostumbran llevar tanto el apellido paterno, como el apellido materno, en ese orden. Por ejemplo, en el nombre Luis Felipe Loyola Chávez, Loyola es el apellido paterno y Chávez, el materno. Sin embargo, es necesario destacar que normalmente la persona será identificada por el apellido paterno.

Algunos apellidos (paternos o maternos) son compuestos y se utiliza un guión (*hyphen*) para unirlos; por ejemplo, Ruiz-Fernández. Las personas que llevan un apellido compuesto también llevan el otro apellido; por ejemplo,

Mariano Ruiz-Fernández Salas. En este caso, Ruiz-Fernández es el apellido paterno y Salas el apellido materno. En el caso de María Cecilia Chocano Pérez-Sosa, Chocano es el apellido paterno y Pérez-Sosa, el apellido materno.

Al casarse, la mujer añade el apellido paterno de su esposo a su apellido de soltera, utilizando la partícula **de**. Por ejemplo, si Carmela Vásquez Mendoza se casa con Francisco Ortega Reyes, su nombre de casada será Carmela Vásquez de Ortega y sus hijos se apellidarán Ortega Vásquez.

Point out. For additional information on the concept of family in the Hispanic world, view the film *La historia oficial* and complete the activities in **Más allá de la pantalla: Capítulo 3.** RESUMEN: Una mujer quiere saber el origen de su hija adoptiva y descubre lo que ocurrió en Argentina durante la dictadura.

Cultural practice: formation of Hispanic surnames; method of alphabetizing Hispanic surnames **Cultural comparison:** surnames in the two cultures, surnames of the woman after marriage, surnames of newborn children

Warm-up. Prior to reading the cultural information, have students place the following names in alphabetical order: *Betsy Ellen Johnson / Kevin Robert O'Dell / Paul Robert Montgomery, Jr. / Howard Brian Kim / Kim Bryan-Howard / Elizabeth Ann Hunter.* **Answers:** *Kim Bryan-Howard / Elizabeth Ann Hunter / Betsy Ellen Johnson / Howard Brian Kim / Paul Robert Montgomery, Jr. / Kevin Robert O'Dell.* Have students explain the system we use to alphabetize. Then explain that the same system cannot be used with Hispanic names.

Expansion. Ask additional questions about the wedding invitation such as the following: **¿Qué día de la semana es la boda?** (el miércoles) **¿Cuál es la fecha de la boda?** (el 2 de marzo) **¿A qué hora es?** (a las 7 de la noche) **¿En qué iglesia es la boda?** (en la Iglesia San José de Miraflores) **¿Dónde está la iglesia?** (Avenida Dos de Mayo, 259) **¿Dónde y cuándo es la recepción?** (en los salones de la iglesia, después de la ceremonia)

Interacciones: **Capítulo 3, Primera situación**

Para saber más: academic.cengage.com/spanish/interacciones

Eduardo García Olmos   Javier Figueroa Meléndez
Ana Estrada de García   Irma Lado de Figueroa

tienen el agrado de participar a usted
al proximo matrimonio de sus hijos

Luisa María   y   José Alberto

e invitarlo a la ceremonia religiosa que se realizará
el miercoles 2 de marzo, a las siete horas de la noche
en la Iglesia San José de Miraflores
(Avenida Dos de Mayo, 259)

Después de la ceremonia sírvase pasar a
los salones de la iglesia

Práctica

Una invitación de boda. Busque en la invitación presentada aquí los siguientes datos.

1. el nombre de los padres de la novia — Eduardo García Olmos y Ana Estrada de García
2. el nombre de los padres del novio — Javier Figueroa Meléndez e Irma Lado de Figueroa
3. el nombre del novio — José Alberto Figueroa Lado
4. el nombre de la novia antes de casarse — Luisa María García Estrada
5. el nombre de la novia después de casarse — Luisa María García de Figueroa
6. los apellidos que tendrá su futuro hijo, Carlos — Figueroa García

Presentación

La boda de Luisa María

Warm-up 1. Ask students to describe a typical wedding in the U.S. or their native country. They should explain who participates, what people wear, what the church / temple looks like, what receptions are like, what food and drink is served. Then ask them if they have ever been to a wedding in Spain or Latin America. If they have, students should describe the differences; if they have not, the instructor should describe the differences. Weddings in Spain / Latin America: Generally there are no ushers, no best man, no maids of honor; there is a godmother and a godfather (usually the bride's father and the groom's mother); there is a ring bearer (a young boy or girl); there are lots of flowers and a red carpet. Guests are mostly family and friends and they wear very elegant clothes. Then use the drawing of **La boda de Luisa María** at the beginning of this **Situación** and ask students if this is a typical U.S. wedding or a wedding in Spain / Latin America. They should justify their conclusions.

Warm-up 2. Ask students **¿Qué ve Ud. en el dibujo?** Students should work in pairs and prepare a mental list (not written) of the people and objects that they see in the drawing. Then, have students report their findings to the entire class. Finally, have students explain what activities the various people in the drawing are engaging in.

Práctica y conversación

3.18 Más parientes. ¿Quiénes son los siguientes parientes políticos?

1. Susana se casó con Marcos; por eso, ella es la ____esposa____ de Marcos.
2. El padre de Marcos es el ____suegro____ de Susana.
3. La hermana de Susana es la ____cuñada____ de Marcos.
4. Susana es la ____nuera____ de los padres de Marcos.
5. La madre de Susana es la ____suegra____ de Marcos.
6. El hijo de un matrimonio anterior de Marcos es el ____hijastro____ de Susana.
7. Marcos es el ____yerno____ de los padres de Susana.
8. Susana es la ____madrastra____ del hijo del matrimonio anterior de Marcos.

3.19 El hombre (La mujer) de mis sueños. Haga una lista de siete cualidades que debe tener su hombre (mujer) ideal. Sin mirar esta lista, su compañero/a de clase le va a hacer preguntas hasta que adivine cinco de las cualidades que Ud. puso en su lista. Luego le toca a Ud. adivinar cinco cualidades que tiene el hombre (la mujer) ideal de su compañero/a.

3.20 Un día especial. Trabajando en parejas, contesten las siguientes preguntas. ¿Para qué día especial es este anuncio? ¿A quiénes está dirigido el anuncio? ¿Qué comidas y bebidas hay en el anuncio? ¿Qué servicios ofrece Publix para este día?

Warm-up 3.19. Have students brainstorm positive personal qualities. Remind them of the descriptions introduced in the **Vocabulario** of the **Primera situación** of this **Capítulo**.

Answers 3.20. Este anuncio es para el día de la boda. Está dirigido a los novios que están planeando su boda. De comida se ven arroz, camarones, flan, fruta, huevos, jamón, pan, pasteles, postres, quesos, rosbif y la torta de bodas. De bebida se ve champán. Publix ofrece platos preparados, arreglos florales, champañas y vinos de cosecha, cakes y fotografía.

...Y PARA TODA LA VIDA.

Hoy te unes a tu ser más querido para toda la vida. Es el día de tu boda. Y para que esta ocasión tan especial quede como la has soñado, Publix te complace con deliciosos platos preparados. Bellos arreglos florales. Finas champañas y vinos de cosecha. Hermosos cakes confeccionados a tu gusto. Y fotografías que captan para siempre la emoción de este gran momento. En un día como hoy, confía en el buen gusto y la esmerada atención de Publix. Tu boda será un sueño.

Publix

Donde comprar es un placer.

3.21 Creación. En una narración cuente lo que pasa en el dibujo de la **Presentación** en la página 102.

VOCABULARIO

Vocabulario regional. In México the word for *fiancé(e)* is **el/la prometido/a**.

Vocabulario suplementario. la boda, el casamiento, la ceremonia de enlace matrimonial *(wedding ceremony)*; echarles flores y arroz *(to throw flowers and rice)*; lucir traje de novia y velo *(to wear a wedding gown and veil)*

Los novios	*Engaged couple*
el anillo de boda	*wedding ring*
de compromiso	*engagement ring*
el cariño	*affection*
los esponsales	*engagement*
el/la novio/a	*fiancé(e)*
el noviazgo	*engagement period*
la pareja	*couple*
la petición de mano	*marriage proposal*
comprometerse con	*to become engaged to*
enamorarse de	*to fall in love with*
salir con	*to date*
tener celos	*to be jealous*

La boda	*Wedding*
la ceremonia de enlace	*wedding ceremony*
la cena	*wedding reception*
el cura	*priest*
el padre	
la dama de honor	*bridesmaid*
el día de la boda	*wedding day*
el esposo	*husband*
la esposa	*wife*
la iglesia	*church*
el/la invitado/a	*guest*

la luna de miel	*honeymoon*
la madrina	*godmother / maid of honor*
el marido	*husband*
el novio	*groom*
la novia	*bride*
el padrino	*godfather / best man*
el regalo de bodas	*wedding gift*
los recién casados	*newlyweds*
la torta de bodas	*wedding cake*
el traje de novia	*wedding gown*
casarse con	*to marry*

Los parientes políticos	*In-laws*
el cuñado	*brother-in-law*
la cuñada	*sister-in-law*
el hermanastro	*stepbrother*
la hermanastra	*stepsister*
el hijastro	*stepson*
la hijastra	*stepdaughter*
el padrastro	*stepfather*
la madrastra	*stepmother*
el suegro	*father-in-law*
la suegra	*mother-in-law*
el yerno	*son-in-law*
la nuera	*daughter-in-law*

 Heinle Transparency Bank: E-4, La boda. Use these images to illustrate additional wedding vocabulary to your students.

104   Capítulo 3   ■   En familia

Así se habla  CD 1, Track 11

Extending, Accepting, and Declining an Invitation

Warm-up. Before listening to the dialogue, have students work in pairs and describe the people in the photo. Then have students brainstorm the phrases that the people in the photo might be saying to each other.

Point out. Explain the meaning of the following expressions: **Aprovecho que te veo...** *(Now that I see you);* **Hemos pasado unas semanas..., pero bueno... ahora ya está bien.** *(We went through some hard times, but everything is going well now.)*

Have students listen to the dialogue once. Then ask them to provide a statement explaining the gist of the conversation.

Comprehension check. After playing the dialogue a second time, have students answer the following: ¿Qué va a pasar el próximo sábado y a qué hora? (Va a haber una reunión en la casa de Cristina a las siete u ocho.) ¿Cuál es el motivo de la reunión? (Es una reunión para pasar un rato agradable con los amigos.) ¿Qué frase se usa para hacer la invitación? (Quiero que vayas con Ramiro.) ¿Quiénes han sido invitados? (los amigos) ¿Qué frase se usó para aceptar la invitación? (Perfecto. Ahí estaremos.)

Variation. Have two students read the dialogue aloud as a role-play. Then have students locate phrases in the dialogue that illustrate the function *Extending, Accepting, and Declining an Invitation.*

La celebración de un aniversario

CRISTINA:	Hola, Ana María, ¡qué gusto de verte!
ANA MARÍA:	¡Hola! ¡Qué milagro es éste!
CRISTINA:	Así es. Mira, aprovecho que te veo para decirte que la próxima semana, el sábado, vamos a tener una reunión en la casa y quiero que vayas con Ramiro. Tú sabes que Juancho estuvo muy enfermo.
ANA MARÍA:	¡No me digas! ¡Cuánto lo siento! ¡Yo no sabía nada!
CRISTINA:	Sí, fue muy feo. Tuvo un virus y no sabían qué era. Hemos pasado unas semanas..., pero bueno... ahora ya está bien. Por eso queremos reunirnos con los amigos. No es nada formal, ni mucho menos, sino sólo para estar juntos y pasar un rato agradable, nada más.
ANA MARÍA:	Oye, con mucho gusto. ¿A qué hora quieres que vayamos?
CRISTINA:	Como a las siete u ocho, ¿te parece?
ANA MARÍA:	Perfecto. Ahí estaremos. Muchas gracias y me alegro mucho que Juancho esté bien ya. Dale un saludo de mi parte.
CRISTINA:	Ay sí, francamente... Gracias. ¡Estoy feliz!

If you want to invite someone to do something, you might use the following expressions.

¿Cree/s que podría/s venir a... este...?	*Do you think you could come to ... this ... ?*
Estoy preparando un/a..., y me gustaría que Ud. (tú) viniera/s.	*I am preparing a (an) ..., and I'd like you to come.*
El próximo viernes / sábado vamos a tener una reunión en casa.	*Next Friday / Saturday we are going to have a party at home.*

If you want to accept an invitation, you might say:

Con mucho gusto. ¿A qué hora?	*I'd be glad to. At what time?*
Ahí estaré / estaremos.	*I / We will be there.*
Muchísimas gracias. Ud. es / Tú eres muy amable.	*Thank you very much. You are very kind.*
Será un placer.	*It'll be a pleasure.*

To hear more about Spanish pronunciation visit academic.cengage.com/spanish/interacciones.

If you want to decline an invitation, you can use the following phrases.

Me encantaría, pero...	*I'd love to, but ...*
Qué lástima, pero...	*What a shame (pity), but ...*
Cuánto lo lamento / lo siento, pero...	*I'm sorry but ...*
En otra ocasión será.	*Some other time.*
Quizás la próxima vez.	*Maybe next time.*

If you are having a party and one of the persons you invited declines your invitation, you may want to reply with one of the following expressions.

¡Qué pena que no pueda/s venir!	*What a shame that you can't come!*
Lo/La / Te voy a echar de menos.	*I am going to miss you.*

Answers 3.22. *Answers will vary but may include the following:* **1.** El sábado va a haber una reunión en casa de mi abuela y me gustaría que vinieras; Me encantaría, pero no puedo ir. **2.** Tío, ¿crees que tú y mi tía podrían venir a la casa la próxima semana? Vamos a hacer una fiesta para el aniversario de mis padres; Ahí estaremos. **3.** Abuelo, estoy preparando mi fiesta de graduación y quiero que vengas; Muchísimas gracias, mi amor. Ahí estaré. **4.** Profesor, ¿cree que podría ir a una fiesta en mi casa? Van a ir todos mis compañeros; Cuánto lo lamento, pero no voy a poder ir.

Práctica y conversación

3.22 ¿Quieres venir? Trabajando en parejas, dramaticen estas situaciones.

1. Este sábado hay un almuerzo familiar en casa de su abuela y Ud. quiere llevar a su novio/a. Invítelo/la. Él/Ella no puede ir.
2. La próxima semana es el aniversario de sus padres y Ud. está preparando una fiesta para ellos. Llame a su tío/a e invítelo/la con toda su familia. Él/Ella acepta.
3. Ud. está haciendo los preparativos para su fiesta de graduación. Llame a su abuelo/a e invítelo/la. Él/Ella acepta.
4. Ud. está preparando una fiesta en su casa e invita a su profesor/a de español. Él/Ella no acepta.

3.23 Lo siento, pero... Con un/a compañero/a de clase, sostenga la siguiente conversación.

Estudiante 1

1. Invite your friend to your birthday party.
3. Say you are disappointed.
5. Agree

7. Thank your friend and say good-bye.

Estudiante 2

2. Say you would like to go, but you have a family gathering that same day.
4. Make arrangements for a future date.
6. Congratulate your friend on his / her birthday.
8. Respond.

Estructuras

Discussing Conditions, Characteristics, and Existence

Uses of *ser*, *estar*, and *haber*

In English the verb *to be* is used for a variety of functions and situations. In Spanish there are several words that are used as the equivalent of *to be*. You will need to learn to distinguish and use **ser, estar,** and **haber** in order to discuss and describe characteristics and conditions.

Compare the uses of **ser** and **estar** in the following chart.

🎧 To hear more about **ser** and **estar** visit academic. cengage.com/spanish/ interacciones.

Point out. The only use that both **ser** and **estar** share is when they are followed by adjectives. Emphasize **estar** + adjectives that express a state or condition and **ser** + adjectives that express an inherent characteristic.

Point out. Estar is used with **vivo / muerto** because alive and dead are viewed as states or conditions and not as an inherent characteristics of human beings.

Uses of ESTAR

1. With adjectives to express conditions or health:
   ¿Cómo **está...** ?
   Anita **está** enojada.
   Estoy muy bien pero mi esposo **está** enfermo.
2. To express location:
   ¿Dónde **está...** ?
   Taxco **está** en México.
   Mis suegros **están** en una fiesta hoy.
3. With **de** in certain idiomatic expressions denoting a condition or state of being.
   estar de acuerdo
   estar de buen / mal humor
   estar de huelga
   estar de pie
   estar de vacaciones
   estar de + *profession*
   Manolo **está** de vacaciones.
   Está de camarero en un café en la playa.
4. With the present participle in progressive tenses:
   ¿Qué **estás** haciendo?
   Estoy hablando con mi nuera.

Uses of SER

1. With adjectives to express traits or characteristics:
   ¿Cómo **es...** ?
   Anita **es** linda y muy coqueta.
   Soy baja pero mi esposo **es** alto.
2. To express time and location of an event:
   ¿Dónde y cuándo **será** la boda?
   Será en la Iglesia San Vicente a las dos.
3. With **de** to express origin:
   ¿De dónde **es...** ?
   Felipe **es** de Guadalajara.
4. With **de** to show possession:
   ¿De quién **es** esa casa?
   Es de mi madrastra.
5. With nouns to express who or what someone is:
   ¿Quién **es...** ?
   Es mi prima Carolina. **Es** abogada.
6. To express time and season:
   ¿Qué hora **es**?
   Son las cuatro en punto.
   Era verano.
7. To express nationality:
   Manuel **es** mexicano.

Gramática suplemental. Sometimes there is a complete change in the meaning of a sentence depending on whether **ser** or **estar** is used with the adjective or adverb: **Carlos es aburrido.** (*Carlos is boring.*) versus **Carlos está aburrido.** (*Carlos is bored.*); **María es mala.** (*María is bad [evil].*) versus **María está mala.** (*María is sick [in poor health].*); **José es listo.** (*José is clever [smart].*) versus **José está listo.** (*José is ready.*); **La manzana es verde.** (*The apple is green [its natural color].*) versus **La manzana está verde.** = (*The apple is green [unripe].*); **Ana es viva.** (*Ana is lively [alert].*) versus **Ana está viva.** (*Ana is alive.*).

a. Normal speech patterns favor the use of certain adjectives with **ser** or with **estar.**

estar casado/a	*to be married*	ser alegre	*to be happy*
estar contento/a	*to be happy*	ser feliz	*to be happy*
estar muerto/a	*to be dead*	ser soltero/a	*to be single, unmarried*

b. Hay and its equivalent in other tenses, such as **había, hubo,** or **habrá,** are used to indicate existence. **Hay** means both *there is* and *there are.*

Este año **hay** muchos novios en nuestra familia y por eso **habrá** dos bodas este verano.

This year there are many engaged people in our family and for that reason there will be two weddings this summer.

Hay stresses the existence of people and things; it will be followed by a singular or plural noun or an indefinite article, number, or adjective indicating quantity such as **muchos, varios, otros** + *noun.*

¿**Hay** un restaurante mexicano por aquí?

Is there a Mexican restaurant around here?

¿**Hay** (muchos) restaurantes mexicanos por aquí?

Are there (many) Mexican restaurants around here?

Estar stresses location and will be followed by a *definite article + noun.*

¿Dónde **está** el restaurante mexicano?

Where is the Mexican restaurant?

Práctica y conversación

Warm-up. Before beginning the exercises of this section, review the present tense forms of **ser** and **estar.**

3.24 La boda de Luisa María. Haga oraciones con la forma adecuada de **ser** o **estar** para describir la boda de Luisa María.

Answers 3.24. 1. Los padres están contentos. **2.** Las madres están un poco tristes. **3.** La ceremonia es en la iglesia nueva. **4.** El novio es abogado. **5.** Luisa María es linda y coqueta. **6.** La madrina es cubana. **7.** El padrino está de vacaciones. **8.** Los novios están nerviosos.

Modelo   *la boda / a las siete*
La boda es a las siete.

1. los padres / contentos
2. las madres / un poco tristes
3. la ceremonia / en la iglesia nueva
4. el novio / abogado
5. Luisa María / linda y coqueta
6. la madrina / cubana
7. el padrino / de vacaciones
8. los novios / nerviosos

Answers 3.25. (No) Soy joven. / (No) Estoy casado/a. / (No) Soy estudiante. / (No) Estoy pre-ocupado/a. / (No) Estoy en casa. / (No) Soy inteligente. / (No) Estoy en Acapulco. / (No) Soy cubano/a.

3.25 Un autorretrato. Descríbase a sí mismo/a, usando las siguientes palabras.

Modelo   *triste / de Nueva York*
(No) Estoy triste.
(No) Soy de Nueva York.

joven / casado/a / estudiante / preocupado/a / en casa / inteligente / en Acapulco / cubano/a / ¿?

3.26 Así era. Complete las oraciones de una manera lógica para describir su juventud.

1. Mis amigos/as eran / estaban _____ .
2. Mi novio/a era / estaba _____ .
3. Mi familia era / estaba _____ .
4. Mis profesores/as eran / estaban _____ .
5. Yo era / estaba _____ .
6. Mi casa / apartamento era / estaba _____ .

3.27 Su boda. En parejas, describan el día de su boda. Expliquen qué y cuántas cosas hay en la iglesia y en la recepción. Después expliquen dónde están y cómo son estas cosas.

la torta de bodas / el cura / las sillas / los invitados / los regalos / las flores / los parientes políticos / la música

 3.28 Entrevista. Pregúntele a un/a compañero/a de clase qué cosas tiene en los siguientes lugares, dónde están estas cosas y cómo son. Su compañero/a debe contestar en una manera lógica.

en su coche / en su dormitorio / en su mochila / en su casa o apartamento / en su clase de español

Indicating Ownership

Possessive Adjectives and Pronouns

Possessive adjectives and pronouns are used in order to avoid repeating the name of the person who owns the item in question.

Is that Ricardo's fiancée?
No, *his* fiancée couldn't come to the party.

Spanish has two sets of possessive adjectives: the simple, unstressed forms and the longer, stressed forms.

Possessive Adjectives		
Unstressed Forms		**Stressed Forms**
my	mi(-s)	mío(-a, -os, -as)
your	tu(-s)	tuyo(-a, -os, -as)
his, her, you	su(-s)	suyo(-a, -os, -as)
our	nuestro(-a, -os, -as)	nuestro(-a, -os, -as)
your	vuestro(-a, -os, -as)	vuestro(-a, -os, -as)
their, your	su(-s)	suyo(-a, -os, -as)

a. The possessive adjective refers to the owner / possessor while the ending agrees with the person or thing possessed: *his brothers* = **sus hermanos / los hermanos suyos;** *our wedding* = **nuestra boda / la boda nuestra.**

b. Unstressed possessive adjectives precede the noun they modify.

Mañana es **mi** cumpleaños.   *Tomorrow is **my** birthday.*

c. Stressed possessive adjectives are used less frequently than the unstressed forms. They follow the noun they modify, and the noun is usually preceded by the definite article, indefinite article, or a demonstrative adjective.

un
el   } primo nuestro
este

a
the   } cousin of ours
this

Variation 3.27. Each student should describe their wedding to the other person. Then each student should report back to the class describing the wedding of their partner.

Variation 3.27. Have students complete the exercise in written form as a composition. An alternative would be to have the students first do the exercise orally and then in written form.

Variation 3.28. Have students work in pairs and list the objects they have in the various locations asked for. Then, have students work with a partner and ask questions to determine what items the other person has in those same locations. Students should then report to the class only those items that they consider unusual.

Point out. Emphasize the fact that the possessive adjective refers to the owner but the ending agrees with the item possessed: *his books* = **sus libros** while *his brother* = **su hermano;** *their house* = **su casa** while *their cousins* = **sus primos.**

Students often think that since **su** is singular it means *his / hers* and that since **sus** is plural it means *theirs.* To help eliminate this perception, emphasize the various meanings of **su regalo:** *his gift, her gift, your gift, their gift.* Also point out the various meanings of **sus regalos:** *his gifts, her gifts, your gifts, their gifts.*

Point out. The stressed forms are often used in exclamations or after the verb **ser. ¡Dios mío! ¿Qué te pasó, hija mía? ¿Son tuyos estos trajes?**

Warm-up. First review the forms of the present tense of **ir**. Then, have students explain with whom the following people are going to a wedding. The possessive pronoun should agree with the subject of each sentence. **Modelo:** Anita, un amigo. Anita va con un amigo suyo. Julio y yo, un primo / María, unas compañeras / yo, una amiga / Ud., un hermano / tú, unos amigos / Javier y María, una prima.

Answers 3.29. ¿Tienes mis libros? ¿Los tuyos? No, no los tengo. ¿Tienes mis cartas? ¿Las tuyas? No, no las tengo. ¿Tienes mi cuaderno? ¿El tuyo? No, no lo tengo. ¿Tienes mi invitación? ¿La tuya? No, no la tengo. ¿Tienes mis apuntes? ¿Los tuyos? No, no los tengo. ¿Tienes mi revista? ¿La tuya? No, no la tengo.

Answers 3.30. ¿De quién es esta chaqueta? ¿De Federico? No, no es suya. La suya es azul. 2. ¿De quién es este sombrero? ¿De Héctor? No, no es suyo. El suyo es gris. 3. ¿De quién son estos discos? ¿De Gloria? No, no son suyos. Los suyos son mexicanos. 4. ¿De quién es este vídeo? ¿De Elena? No, no es suyo. El suyo es de Francia. 5. ¿De quién son estos zapatos? ¿De Ernesto? No, no son suyos. Los suyos son más viejos. 6. ¿De quién es este abrigo? ¿De Rita? No, no es suyo. El suyo es negro.

Warm-up. Brainstorm with students the differences between their generation and their parents' generation in terms of likes, dislikes, customs, fashion, traditions, etc. Ask them also what customs and traditions they have kept and how they would be reflected in their wedding.

d. Since **su / sus** and **suyo / suyos** have a variety of meanings, the phrase *article + noun + de + pronoun* is often used to avoid ambiguity. While **su regalo** could have several meanings, **el regalo de Ud.** can only mean *your gift*. Likewise, **el regalo de ellos** can only mean *their gift*.

e. Possessive pronouns preceded by the definite article are used in place of the *stressed possessive adjective + noun*: **la hija mía → la mía** = *my daughter → mine*. Both the article and the possessive pronoun ending agree in number and gender with the item possessed.

¿Cuándo es la boda de Tomás?	*When is Tomas' wedding?*
No sé, pero **la mía** es el 27.	*I don't know, but mine is the 27th.*

f. The possessive pronoun is always preceded by the definite article. The stressed possessive without the article is used after forms of **ser**.

¿De quién es este coche?	*Whose car is this?*
No es **mío. El mío** es rojo.	*It isn't mine. Mine is red.*

Práctica y conversación

3.29 ¿Dónde está...? Ud. no puede encontrar varias cosas suyas. Pregúntele a su compañero/a si él (ella) las tiene.

Modelo   lapiz
   Usted: *¿Tienes mi lápiz?*
   Compañero/a: *¿El tuyo? No, no lo tengo.*

libros / cartas / cuaderno / invitación / apuntes / revista / ¿?

3.30 Después de la recepción. Después de la recepción varias personas han olvidado algunas cosas. Pregúntele a un/a compañero/a de clase de quién son las cosas olvidadas.

Modelo   suéter / Martín / nuevo
   Usted: *¿De quién es este suéter? ¿De Martín?*
   Compañero/a: *No, no es suyo. El suyo es nuevo.*

1. chaqueta / Federico / azul
2. sombrero / Héctor / gris
3. discos / Gloria / mexicanos
4. vídeo / Elena / de Francia
5. zapatos / Ernesto / más viejos
6. abrigo / Rita / negro

3.31 Una boda ideal. Ud. y su compañero/a de clase hablan de cómo quieren que sean sus bodas y comparan sus planes con las bodas de sus padres. Comparen los anillos de compromiso y de matrimonio, la ceremonia de enlace, la cena, la torta, los padrinos, los invitados, la luna de miel y otras cosas. Luego, informen a la clase sus planes.

¿Qué oyó Ud.? CD 1, Track 12

Para escuchar bien

Focusing on Specific Information

When you listen to a passage, conversation, or announcement, you do not always need to understand every single word that is being said. Sometimes you just focus on certain details or specific information. For example, if you are at the airport and you want to know what gate your flight leaves from, you do not listen attentively to everything the announcer has to say. Instead, you just focus on your flight number and gate number.

Antes de escuchar

3.32 Los dibujos. Con un/a compañero/a de clase, mire la ilustración que se presenta en esta página y haga las siguientes actividades.

1. Describan a las personas en el dibujo, el lugar donde se encuentran y lo que hacen.
2. ¿Qué ceremonia piensan Uds. que se está llevando a cabo? Justifique su respuesta.

Al escuchar

3.33 Los apuntes. Escuche la conversación entre Leonor y Teresa. Tome los apuntes que considere necesarios en el siguiente cuadro.

Motivo de la reunión	Se reúnen para anunciar el compromiso matrimonial
Tipo de reunión	una ceremonia familiar
Día de la reunión	el sábado
Nombres de los invitados	los padres de Pepe, sus hermanos con sus parejas, las hermanas de Teresa y sus esposos; las amigas íntimas de Teresa
Hora de la reunión	las ocho de la noche

Después de escuchar

Answers 3.34. *Some possible answers:* Leonor invita a su amiga Teresa a su fiesta de compromiso.

3.34 Resumen. Con un/a compañero/a de clase, resuma la conversación entre Leonor y Teresa.

3.35 Algunos detalles. Escoja la respuesta correcta entre las alternativas que se presentan.

1. La ceremonia de compromiso se va a llevar a cabo en una reunión...
   a. grande y con una gran fiesta.
   b. íntima con sólo las amigas de Teresa.
   c. de familia y unos cuantos amigos.

2. Según la conversación, parece que Leonor...
   a. no tiene novio.
   b. quiere casarse pronto también.
   c. tiene envidia de su amiga.

3. Teresa y Pepe...
   a. han estado saliendo juntos varios años.
   b. no están de acuerdo en formalizar la relación.
   c. se van a casar muy pronto.

4. Leonor va a ir a la ceremonia de compromiso con...
   a. sus padres y con su novio.
   b. sus amigas María Elena, Irma y Diana.
   c. su novio, Miguel.

Interacciones: **Capítulo 3, Segunda situación**

Para saber más: academic.cengage.com/spanish/interacciones

Tercera situación

Imágenes culturales (DVD)

El Día de los Muertos

Warm-up. To help students comprehend the video more easily, review the important dates and celebrations in **Bienvenidos a México.**

Vocabulario del vídeo. The following vocabulary will help you understand this video segment and complete the exercises: **el muerto** (*deceased person*); **el cementerio** (*cemetery*); **la tumba** (*tomb*).

Antes de mirar

A Los queridos (*Loved ones*). Con un/a compañero/a de clase, hagan una lista de los festivales que dedicamos a los parientes queridos incluyendo los padres y abuelos. Expliquen lo que hacen para honrar a los parientes queridos. También expliquen lo que hacen para recordarlos cuando se han muerto.

B El título. Mire el título del vídeo de esta sección: *El Día de los Muertos*. ¿Qué significa el título? En su opinión, ¿cuál es el propósito (*purpose*) de este día? Después, mire la foto de arriba y descríbala. ¿Dónde están las personas y qué están haciendo? ¿Por qué lo hacen?

C La idea principal. Mire el vídeo por primera vez para determinar la idea principal del vídeo. También revise (*check*) y corrija sus respuestas anteriores.

Actividades de vídeo

Después de completar estas actividades de **Antes de mirar,** complete las otras actividades del vídeo para **Capítulo 3** en el *Cuaderno de actividades*.

Answers A. El Día de los Muertos *(Day of the Dead)* es un festival para recordar a los parientes muertos. Las personas están en un cementerio. Decoran la tumba de un pariente muerto para recordarlo y honrarlo.

Answers B. En México el Día de los Muertos es muy importante. Las familias decoran las tumbas de parientes muertos para recordarlos y honrarlos.

The additional video activities located in the *Cuaderno de actividades* are designed to be completed by students on their own outside of class. However, the additional activities can also be completed in class if time permits.

Lectura cultural

Para leer bien

Scanning and Skimming

Scanning and skimming are techniques that good readers use automatically and frequently in their native language. These techniques can be even more valuable in a foreign language.

Scanning is the process used to discover the general content of a reading selection. People frequently scan books, magazines, and newspapers to choose the selections they wish to read. When scanning you run your eyes quickly over the written material. You look at its layout, that is, the design of the material on the page, the title and subtitles, any accompanying photos, drawings, or charts, and even the typeface used. Together these elements combine to provide general clues as to the content and purpose of the written material.

Skimming is the technique used to locate specific or detailed information within a reading passage. Skimming is similar to scanning in that your eyes move quickly over the material. However, skimming differs from scanning in that the purpose is to notice a particular word, phrase, or piece of information. You often apply this technique to the reading of schedules or menus. Skimming can also follow a close reading when you wish to recall particular details or review the information quickly.

When approaching a reading selection for the first time, you frequently scan the material to determine what type of information it contains. You then skim the reading to locate items or details of particular interest.

Antes de leer

A Los elementos generales. Dé un vistazo a *(Scan)* los siguientes elementos de la lectura que sigue: la composición *(layout)* general, el título y las fotos. ¿De qué trata la lectura? ¿Cuál es el tema general? Después, lea el gráfico del metro de D.F. ¿Qué significa el lema?

B El metro de D.F. Examine superficialmente *(Skim)* la siguiente información sobre el metro de México, D.F. y conteste las siguientes preguntas.

1. ¿Cuáles son las horas de servicio los días laborales?
2. ¿Cuáles son las horas de servicio los sábados?
3. ¿Cuáles son las horas de servicio los domingos y días festivos?
4. ¿Cuántas líneas hay en el metro de México, D.F.? ¿Qué número de línea no existe?

	HORARIO DE SERVICIO	
DÍAS	**LÍNEAS 1-2-3**	**LÍNEAS 4-5-6-7-9**
Días laborales	5:00–0:30 Hrs.	6:00–0:30 Hrs.
Sábados	6:00–1:30 Hrs.	6:00–1:30 Hrs.
Domingos	7:00–0:30 Hrs.	7:00–0:30 Hrs.
Días Festivos	7:00–0:30 Hrs.	7:00–0:30 Hrs.

Al leer

C Un examen superficial. Después de leer cada párrafo de la siguiente lectura, haga una pausa para examinar superficialmente los detalles del párrafo. Marque los detalles más importantes para encontrarlos fácilmente más tarde.

The reading «El estupendo metro de México» emphasizes the cultural theme (Mexico) of this chapter.

El estupendo metro de México

*L*os grandes sistemas de trenes metropolitanos son tan particulares como las ciudades donde se encuentran. El metro de la Ciudad de México también tiene sus características singulares. Es uno de los más modernos y avanzados del mundo desde el punto de vista° tecnológico. El fuerte terremoto° de 1985 apenas° lo afectó. Por la tarde del día del desastre, la mayoría de las líneas funcionaban normalmente. Lo

point of view

earthquake / scarcely

México, D.F.: Una estación del metro

Warm up: Have students describe the photo.

que parecía un milagro° era, según los ingenieros, el resultado de un diseño° que tuvo muy en cuenta° la posibilidad de terremotos. Los trenes que estaban transitando durante el sismo° continuaron funcionando con energía suministrada° por baterías de emergencia hasta llegar a estaciones donde pudieron descargar a los pasajeros.

miracle / design
took into account
terremoto / furnished

Unas estadísticas

La finalidad° de este metro, como la de todos los demás del mundo, es ofrecer transporte rápido y económico a los residentes. Y es indiscutible° que lo logra° admirablemente. El metro hacía mucha falta° en una ciudad que, según se calcula, tiene unos 20.000.000 de habitantes. Entre semana° unos 4.000.000 de personas montan° en él al día, casi el 20% de la población. Los trenes del metro se mueven a una velocidad promedio° de 35 kilómetros por hora, contando las paradas° en las estaciones, y pueden llegar a 88 kilómetros por hora.

purpose
unquestionable / succeeds
was sorely lacking
On weekdays / ride
average
stops

Un mundo de vida y color

El metro es un mundo subterráneo, una ciudad debajo de otra. Los planificadores° han construido un metro con más de 100 estaciones brillantes, alegres, y, en muchos casos, impresionantes. En ningún momento hay sensación de oscuridad ni de estar bajo tierra. Todo es vida y color. En las estaciones más concurridas° a veces hay zonas comerciales. Entre la estación del Zócalo y la de Pino Suárez hay un túnel largo, muy iluminado donde uno puede comprar comida, ropa, libros y chucherías°. Por allí también se ven individuos que entretienen° a los pasajeros con suertes de prestidigitación° y malabarismos°.

Todas las estaciones están decoradas con mucho gusto°. La estacion de Bellas Artes está adornada con reproducciones de murales mayas y tiene el piso de mármol°, mientras la

planners

crowded

trinkets / entertain
magic tricks / juggling
taste
marble

display windows

estación del Zócalo tiene vitrinas° donde se reproduce la gran plaza en tiempos aztecas y coloniales.

pleasant

to move

Hasta la persona más cansada debe sentirse contenta al viajar por este mundo subterráneo tan ameno°. Para el que visita la ciudad, el metro no es sólo un medio rápido y conveniente de trasladarse° a cualquier parte de la capital, sino que también le brinda la oportunidad de conocer a los que viven en ella. Y como la tercera parte de las líneas no son subterráneas, el metro es una buena manera de ver la ciudad.

Después de leer

D Información básica. Examine superficialmente el artículo para obtener la siguiente información.

1. el número de personas que el metro del D.F. transporta diariamente y el porcentaje de la población que transporta diariamente
2. la velocidad promedio del tren y la velocidad máxima
3. el número de estaciones
4. lo que hay en el túnel entre la estación del Zócalo y la de Pino Suárez
5. la decoración de algunas estaciones

E Unas explicaciones. Conteste las siguientes preguntas para explicar cómo funciona el sistema.

1. ¿Por qué se dice que el metro es un mundo subterráneo?
2. ¿Cómo continuó funcionando el metro durante el terremoto de 1985?
3. ¿Por qué debe sentirse contenta una persona que está agotada al viajar en el metro mexicano?

F La defensa de una opinión. ¿Qué evidencia hay en el artículo que confirma la siguiente idea? «Los planificadores del metro de la Ciudad de México tuvieron en cuenta lo estético y lo funcional al crear su sistema de trenes metropolitanos.»

Interacciones

A Una fiesta. Call a classmate to invite him / her to a party you are giving this weekend. Chat for a few minutes and then extend your invitation. Your classmate should inquire about the details of the party—who will be there, when it will start, where your house is located, if he/she can bring something to eat or drink. After your friend accepts your invitation, repeat the time, date, place, and address.

B Celebraciones familiares. As a grandparent you often remember your youth with great nostalgia. Tell your grandchildren (played by your classmates) what a typical family celebration was like in your family. Explain what family members were present and what you used to do. Describe what various family members used to be like as well.

C La quinceañera (*special fifteenth birthday party*). You are the mother / father of a fifteen-year-old daughter and you are planning her **quinceañera.** You hold a family meeting with your spouse, daughter and two other children to make decisions about the celebration. Decide on the date, the location, the food, her attendants, the number of guests, and other details. Decide if the following cruise is a good option for your family.

D La boda del año. You are a reporter for a local radio station and have been assigned to cover the wedding of the only daughter of a wealthy and prominent local citizen. As the guests and wedding party approach the church, describe them for your radio audience. Tell what the bride, groom, parents, and other relatives are like and how they look or are feeling today. Explain how many people are present, who they are, etc. As the bride and groom approach, ask them how they feel on this important day.

5 Communicative modes incorporated. **A:** interpersonal **B:** presentational **C:** interpersonal **D:** presentational

Vocabulary incorporated. **A:** expressions for extending, accepting, and declining invitations **B:** family members, family activities **C:** family members, family activities **D:** wedding vocabulary, family members

Grammar incorporated. **A:** Asking and answering questions, **ser** vs. **estar** **B:** imperfect tense; formation and agreement of adjectives **C:** formation and agreement of adjectives; possessive adjectives and pronouns; **ser** vs. **estar D:** formation and agreement of adjectives; possessive adjectives and pronouns; **ser** vs. **estar.**

Así se escribe

Para escribir bien

Extending and Replying to a Written Invitation

You have already learned to extend, accept, and decline an oral invitation. The major difference in performing these functions in written form is that the person/s involved is / are not present to ask questions or to offer an immediate reply to your invitation. When extending a written invitation, you will need to include all the details such as date, time, location, and purpose of the invitation. When replying, you will need to thank the person for the invitation and then graciously accept or decline. While in conversation a simple **"Con mucho gusto"** might be an appropriate acceptance, it sounds abrupt in written form. It is usually better to add more information in written invitations and replies. You can use phrases similar to those below or adapt the phrases of the previous **Así se habla** section.

To Extend a Written Invitation

Mi familia / novio/a / amigo/a y yo vamos a tener una fiesta para el cumpleaños de...
Te (Lo/La) invitamos (a Ud.) a celebrar con nosotros el sábado 21 de julio a las ocho de la noche en nuestra casa.

To Accept a Written Invitation

Muchas gracias por su invitación a la fiesta / cena / comida. Me (Nos) encantaría ir y acepto (aceptamos) con mucho gusto.

To Decline a Written Invitation

Muchas gracias por su invitación para cenar con Uds. Desgraciadamente no me es posible ir el viernes 16 porque tengo que trabajar. Lo siento mucho. Posiblemente podamos reunirnos otro día.

Antes de escribir

Answers A. Answers should include new vocabulary from this chapter as well as phrases for extending an invitation.

A Una fiesta. Ud. piensa dar una fiesta para unos amigos. Escriba una lista de los detalles acerca de la fiesta incluyendo el motivo de la fiesta, el tipo de fiesta, el día, la hora, el lugar y los invitados. Después, escriba una oración *(sentence)* para invitar a alguien a su fiesta.

Answers B. Answers should include the phrases in **Para escribir bien**.

B Las invitaciones. Haga el formato de una carta, incluyendo el saludo, la predespedida y la despedida. Después, escriba unas oraciones para aceptar y no aceptar una invitación a una fiesta estudiantil.

Al escribir

Reminder. The topics for the compositions can be assigned for out-of-class preparation or as an in-class activity. The instructor can assign one of the topics for all students or each student can pick a topic. This is the last time that this reminder will appear in the AIE.

Escoja **una** de las composiciones de la lista a continuación. Después, escriba su composición, utilizando sus respuestas para las **Prácticas A** y **B.** Trate de incluir el nuevo vocabulario y las nuevas estructuras gramaticales de este capítulo.

C Un/a antiguo/a profesor/a. Un/a antiguo/a profesor/a suyo/a le escribió a Ud. para invitarlo/la a comer con él/ella el jueves a las siete. Desgraciadamente Ud. tiene una clase a las siete de la noche. Escríbale una carta explicándole que le gustaría ir pero no puede. También mencione algo sobre su vida y sus estudios actuales.

> **Grammar:** verbs **ser** y **estar,** possessive adjectives: **mi(s), tu(s); Phrases/ Functions:** inviting, accepting & declining, writing a letter (informal); **Vocabulary:** leisure, studies; university

D Su tío/a favorito/a. Su tío/a favorito/a vive muy lejos del resto de la familia. Escríbale una carta diciéndole que su hermano mayor va a casarse en junio. Como su tío/a no conoce ni a la novia de su hermano ni a la familia de ella, descríbaselas a su tío/a. Cuéntele cómo está la familia y añada algunos detalles de la boda. Invítelo/la a alojarse con Uds. el fin de semana de la boda.

> **Grammar:** verbs **ser** y **estar,** possessive adjectives: **mi(s), tu(s),** adjective agreement, adjective position; **Phrases/ Functions:** inviting, accepting & declining, writing a letter (informal), describing people; **Vocabulary:** family members, personality

E Una reunión escolar. Ud. era el/la presidente de su clase de la escuela secundaria. Su clase va a celebrar el décimo aniversario de su graduación. Escríbales una carta a los miembros de su clase invitándolos a la fiesta; déles todos los detalles. Para que ellos recuerden su vida de entonces y para que tengan ganas de asistir a la fiesta, describa cómo era un día típico en su escuela. También describa cómo eran algunos estudiantes y lo que hacían los fines de semana.

> **Grammar:** verbs **ser** y **estar,** possessive adjectives: **mi(s), tu(s),** adjective agreement, adjective position; **Phrases/ Functions:** inviting, accepting & declining, writing a letter (informal); **Vocabulary:** family members, personality, studies, university

Answers. Answers for all composition topics should include forms of **ser** and **estar,** new vocabulary from this chapter, and the phrases of **Para escribir bien.**

Después de escribir

Antes de entregarle su composición a su profesor/a, Ud. debe leerla de nuevo y corregir los errores. Al revisarla, preste atención al contenido. ¿Contiene su composición todos los detalles que Ud. necesita incluir? Revise el vocabulario de la universidad y clases o de la familia y una boda. También revise las expresiones para ofrecer, aceptar o no aceptar una invitación. Por fin, revise el uso de los verbos *ser* y *estar.*

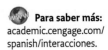 **Para saber más:** academic.cengage.com/ spanish/interacciones.

En el restaurante

Cultural Themes

México
Eating in Hispanic cafés and
    restaurants

Communicative Goals

Reading a menu and ordering
    in a restaurant
Indicating to whom and for
    whom actions are done
Expressing likes and dislikes
Refusing, finding out, and
    meeting
Making introductions
Narrating in the past
Talking about people and
    events in a series

Un lindo restaurante mexicano

Have students provide examples in English of
topics, situations, and phrases that would be
covered in each of the communicative goals.
For example: *Making introductions.* Students
might answer: *I'd like you to meet my friend
Susan. Nice to meet you, Susan.*

Have students describe the photo. If necessary ask specific questions such as the
following: ¿Qué hay en la foto? ¿Qué tipo de restaurante es? ¿Qué comen y
beben los clientes?

Video on DVD		Audio	
Cuaderno de actividades		Atajo	
iLrn Heinle Learning Center		Music	
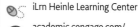 academic.cengage.com/ spanish/interacciones		iRadio	

Presentación

Me encantan las enchiladas

Casa Lupita

Menú Turístico

Aperitivos
Botana

Ceviche
Cóctel de camarones
Cóctel de mariscos
Chile con queso
Ensalada de jícama
Ensalada mixta
Guacamole
Nachos

Appetizers
Tortilla chips with tomatoes,
  chilies, avocados, and salsa
Marinated fish and seafood
Shrimp cocktail
Seafood cocktail
Chili cheese dip
Jicama salad
Tossed salad
Avocado dip
Cheese and tortilla chips

Sopas
Caldo de pollo con fideos
Gazpacho
Menudo
Sopa de aguacate
Sopa de albóndigas

Soups
Chicken noodle soup
Chilled vegetable soup
Tripe soup
Avocado soup
Meatball soup

Platos principales
Arroz con pollo
Chiles rellenos
Enchiladas de pollo
Enchiladas suizas
Tacos de res o de pollo
Huachinango
Mole poblano
Tamales

Entrées
Chicken with rice
Stuffed peppers
Chicken enchiladas
Enchiladas with a sour cream sauce
Beef or chicken tacos
Red snapper
Chicken in sauce
Tamales

Postres
Almendrado
Buñuelo
Empanadas de dulce
Flan
Fruta del tiempo
Helados

Desserts
Almond pudding with custard sauce
Deep fried sugar tortillas
Turnovers with sweet fillings
Caramel custard
Seasonal fruit
Ice cream

Bebidas
Agua mineral
Café
Cerveza
Chocolate
Margarita
Té
Vino blanco
Vino tinto

Beverages
Mineral water
Coffee
Beer
Hot chocolate
Tequila with lime juice
Tea
White wine
Red wine

Servicio 15%

Gratuity 15%

Las enchiladas suizas are enchiladas prepared with a sour cream and swiss cheese sauce with many typical Mexican spices.

El mole is a sauce prepared with chili peppers and various spices. Bitter chocolate is generally one of the ingredients.

El tamal is made from corn dough, which is spread in cornhusks. It is usually filled with meat and sauce and then steamed.

El almendrado is a molded almond pudding that is served with a custard sauce.

Práctica y conversación

4.1 ¿Qué pide Ud.? En el restaurante Casa Lupita, ¿qué va a pedir Ud....

de aperitivo / de sopa / de plato principal / de postre / de bebida?

4.2 ¡Tengo mucha hambre! Diga a qué categoría pertenecen los platos a continuación: bebida / carne / postre / plato principal / aperitivo / ¿? ¿Cuáles son los ingredientes principales de estos platos? ¿Qué plato/s preferiría pedir? ¿Por qué?

Ceviche

Enchiladas

Gazpacho

Flan

4.3 Creación. Trabajen en grupos de tres. Un/a compañero/a de clase va a hacer el papel de mesero/a *(waiter, waitress)* del restaurante Casa Lupita y los otros dos son los clientes. Antes de pedir, los clientes deben hacerle preguntas al/a la mesero/a sobre los platos. Luego, pidan lo que quieren comer y beber.

Modelo   Estudiante 1:   *Buenos días, bienvenidos a Casa Lupita. ¿Qué prefieren beber?*
           Estudiante 2:   *Yo quiero un agua mineral.*
           Estudiante 3:   *Y yo un té.*

4.4 ¿Qué me dices? Aquí hay una serie incompleta de dibujos que explican qué platos piden unos amigos en un restaurante. Su compañero/a de clase va a utilizar una serie diferente de dibujos que está en el **Apéndice A**. Conversen para descubrir la información que falta de los platos pedidos.

The alternate drawing that corresponds to this activity can be found in **Apéndice A**.

Paco	María	Fernando

Teresa	José	Isabel

VOCABULARIO

Los platos	Courses
el aperitivo	appetizer
la bebida	beverage
la carne	meat
los mariscos	seafood
el plato principal	entrée, main course
el pescado	fish
el postre	dessert
la sopa	soup

La comida	Food
el aguacate	avocado
la albóndiga	meatball
la almeja	clam
el arroz	rice
el atún	tuna
el caldo	soup, broth
el camarón	shrimp
la carne de cerdo	pork
el ceviche	marinated fish and seafood
el chile	red or green pepper
el cóctel	cocktail
la empanada	turnover
la enchilada	cheese- or meat-filled tortilla

la ensalada	salad
el fideo	noodle
el flan	caramel custard
la fruta	fruit
el gazpacho	chilled vegetable soup
el guacamole	avocado dip
el helado	ice cream
el huachinango	red snapper
la jícama	jicama
el lenguado	sole
el lomo de res	beef tenderloin
el mejillón	mussel
el menudo	tripe soup
el pollo	chicken
el taco	crisp tortilla filled with meat, lettuce, tomatoes, cheese

Las bebidas	Beverages
el café	coffee
la cerveza	beer
el chocolate	hot chocolate
el té	tea

Point out. Menu terms vary widely within the Spanish-speaking world. For example, in Spain **los entremeses / las tapas** = *appetizers*, while **la entrada** = *entrée* or *main course*. However, in other countries **los aperitivos** = *appetizers* and **la entrada** = *first course*. In all countries **el plato principal** will be understood to mean *entrée* or *main course*. Tell students to use the menu of the restaurant in which they are eating as a guide for the vocabulary to use.

Point out. The word *food* has many equivalents in Spanish. **La comida** = *food* (eaten during a meal, prepared food); **los comestibles** = *food* (foodstuffs, unprepared food as in **una tienda de comestibles** = *grocery store*); **los alimentos** = *food, nourishment*.

Vocabulario regional. In several countries of South America **la palta** = *avocado*. In Spain **la gamba** = *shrimp*.

La jícama is a root vegetable, which is usually peeled and eaten raw. It is sometimes called the Mexican potato.

Heinle Transparency Bank: B-2, B-3, B-4, B-5, I-6 La comida; la fruta. Use these images to illustrate additional foods to your students.

Así se habla

Ordering in a Restaurant  CD 1, Track 13

Warm-up 1. Have students describe the restaurant in the photo.

Warm-up 2. Ask students to think about the English expressions they use to order in a restaurant. Have them explain what they think about before they order, how the waiter / waitress addresses them, how they address the waiter / waitress. Have them explain how they think this differs or is similar to the way it is done in the Hispanic world.

Have students listen to the dialogue once. Then ask them to provide a statement explaining the gist of the conversation.

Comprehension check. After playing the dialogue a second time, have students answer the following: ¿Qué va a comer y beber María Luisa? (Va a comer ceviche y una porción pequeña de arroz con pollo; va a beber agua mineral.) ¿Y Manuel? (Va a comer un cóctel de mariscos y lomo de res; va a beber una cerveza bien fría.) ¿Han comido ellos en ese restaurante antes? Justifique su respuesta. (Sí, han comido antes en ese restaurante. Manuel dice que espera que la comida esté tan deliciosa como la semana pasada.)

Un restaurante en el patio de un hotel

MESERO: Buenas tardes, ¿les puedo ofrecer algo para beber?

MANUEL: ¿Qué quisieras tomar, María Luisa?

MARÍA LUISA: Un agua mineral sin hielo, por favor.

MANUEL: *(Dirigiéndose al mesero)*: Y yo una cerveza helada.

MESERO: Muy bien. Ahora mismo se las traigo.

[*Al poco rato*]

MESERO: ¿Están listos para pedir?

MANUEL: ¿Qué dices, María Luisa?

MARÍA LUISA: Yo quisiera un ceviche y un arroz con pollo, pero una porción pequeña, por favor.

MESERO: Muy bien.

MANUEL: Y yo un cóctel de mariscos y un lomo de res. Espero que la comida esté tan buena hoy como lo estuvo la semana pasada.

MESERO: No se preocupe, señor. Le aseguro que le gustará mucho. Nuestros cocineros son de primera.

If you are in a restaurant your waiter or waitress may use the following expressions:

¿Cuántas personas son?	*How many are in your party?*
¿Qué desearía/n comer /	*What would you like to eat /*
tomar hoy?	*drink today?*
¿Le/s apetecería un/a...?	*Would you like a...?*
¿Desearía/n probar...?	*Would you like to try...?*
Le/s recomiendo...	*I recommend...*
¿Qué le/s parecería...?	*How would you like...?*

If you are in a restaurant or cafeteria and you want to place your order, you can use the following phrases:

Tráigame/nos el menú, por favor.	*Bring me / us the menu, please.*
De aperitivo / plato principal /	*For an appetizer / entrée / dessert, I*
postre, quisiera / me gustaría...	*would like...*
No sé qué pedir / comer/tomar.	*I don't know what to order / eat / drink.*
¿Qué me / nos recomienda?	*What do you recommend (to me / us)?*
¿Podría regresar dentro de un	*Could you come back in a minute, please?*
momento, por favor?	
¿Cuál es la especialidad de la casa?	*What's the restaurant's speciality?*
¿Es picante / muy condimentado/a/	*Is it hot / very spicy / heavy?*
pesado/a?	

Have three students read the dialogue aloud as a role play. Then have students locate phrases in the dialogue that illustrate the function *Ordering in a Restaurant*.

After explaining the expressions, have students repeat expressions aloud. Correct pronunciation and intonation when necessary.

To hear more about Spanish pronunciation visit academic.cengage.com/ spanish/interacciones.

Práctica y conversación

4.5 ¡Hoy no estoy a dieta! Trabajando en parejas, dramaticen la siguiente situación. Una persona hará el papel de cliente y la otra el de mesero/a.

Cliente

2. Pide algo para beber.
4. No sabe qué pedir y pide ayuda al/ a la mesero/a.
6. Quiere saber cómo es uno de los platos del día.
8. Ordena lo que quiere.

Mesero/a

1. Se acerca y ofrece su ayuda.
3. Responde.
5. Da información acerca de los platos del día, la especialidad de la casa, etc.
7. Explica.

9. Responde.

4.6 En Casa Lupita. Ud. y dos compañeros/as de clase se reúnen después de mucho tiempo y van a comer a un restaurante hispano muy elegante. Uno/a de sus compañeros/as está a dieta y de mal humor; Ud. tiene mucha hambre y quiere comer muchas cosas diferentes. El/la mesero/a está muy ocupado/a y no les presta mucha atención. Dramaticen la situación y pidan su cena.

Modelo Estudiante 1: *Buenos días, ¿Qué les parecería un aperitivo?*
Estudiante 2: *¡No sé qué pedir! ¿Qué nos recomienda?*
Estudiante 3: *Tráiganos el menú, por favor.*

Warm-up 4.5. Have students explain what they eat and drink when they are on a diet. Have them explain what they eat and drink when they are not watching their weight.

Answers 4.5. *Possible answers:* **1.** Buenas tardes / noches, ¿les puedo ofrecer algo para beber? **2.** Quisiera... **3.** Muy bien, ¿y para comer? / ¿Qué desearía comer hoy? **4.** No sé qué pedir. ¿Qué me recomienda? **5–7** *Answers vary.* **8.** Quisiera... **9.** Le sirvo enseguida.

Warm-up 4.6. Ask students to brainstorm expressions they could use to converse with friends that they have not seen for a long time. Have them include expressions for greeting each other, for deciding where to go to eat, and ordering.

Estructuras

Indicating To Whom and For Whom Actions Are Done

Indirect Object Pronouns

Indirect object nouns and pronouns indicate to whom or for whom actions are done: *Elena sent **us** a wedding invitation so we sent **her** a gift.*

Supplemental grammar.
Sometimes indirect objects in English are preceded by the preposition *to* and sometimes the word *to* is omitted: *We sent her a gift = We sent a gift to her.* Even though the phrase "to her" is a prepositional phrase, phrases like "to her" are referred to as indirect objects since that is how they function in Spanish.

Point out. Indirect object pronouns and direct object pronouns are alike except for third-person forms.

Provide students with a list of common verbs that will use indirect objects: **dar, decir, escribir, explicar, hablar, mandar, ofrecer, preguntar, prestar, recomendar, traer.**

Provide an example of an indirect object pronoun in a negative sentence to illustrate its position: **No les traigo el postre ahora mismo.**

—¿A quiénes **les** vas a dar esos regalos?
—**Le** doy este suéter **a mi novio** y **les** doy el juego **a mis hermanitas.**

Indirect Object Pronouns	
Luis **me** dio un regalo.	*Luis gave a gift to me.*
Luis **te** dio un regalo.	*Luis gave a gift to you.* (fam. s.)
Luis **le** dio un regalo.	*Luis gave a gift to him, her, you.* (form. s.)
Luis **nos** dio un regalo.	*Luis gave a gift to us.*
Luis **os** dio un regalo.	*Luis gave a gift to you.* (fam. pl.)
Luis **les** dio un regalo.	*Luis gave a gift to them, you.* (form. pl.)

a. Indirect object pronouns are placed before a conjugated verb.
   Les traigo las ensaladas ahora mismo.   *I'll bring you the salads right away.*

b. When a conjugated verb and an infinitive or present participle are used together, the object pronoun may attach to the end of an infinitive or present participle or precede the conjugated verb.

   Luis va a explicar**me** el menú.
   Luis **me** va a explicar el menú.   *Luis is going to explain the menu to me.*

c. The indirect object pronoun must be attached to the end of an affirmative command and must precede a negative command.

Cómpra**le** un lindo regalo a Laura   *Buy a nice gift for Laura but don't give*
pero no **le** des el regalo todavía.   *the gift to her yet.*

d. Indirect object pronouns can be clarified or emphasized by using **a** + *prepositonal pronouns.*

Le doy el café **a él** y **a ti** te   *I'm giving the coffee to him and I'm giving*
doy el vino.   *the wine to you.*

e. In Spanish, sentences that contain an indirect object noun must also contain the corresponding indirect object pronoun.

Le regalé un suéter **a mi hermano.**   *I gave a sweater to my brother.*

Once the identity of the indirect object noun has been made clear, the indirect object pronoun can be used alone.

Le preparé un sándwich **a Miguel**   *I prepared a sandwich for Miguel and then*
y después **le** di una cerveza.   *I gave him a beer.*

Práctica y conversación

4.7 Comida para llevar. Ud. va a llevarles comida del restaurante Casa Lupita a sus amigos que no quieren salir a comer. Explique lo que Ud. escoge para cada persona. Use pronombres de complemento indirecto en sus respuestas.

Modelo   una botana / a Susana
Le llevo una botana a Susana.

a Juan / a los gemelos Sánchez / a ti / a Juana y a Lupe / a Isabel

4.8 Entrevista. Pídale favores a su compañero/a de clase. Su compañero/a va a contestar.

Modelo   mandar una tarjeta postal
Usted: *Mándame una tarjeta postal, por favor.*
Compañero/a: *Sí, te mando una tarjeta postal esta tarde.*

prestar el coche / mostrar las fotos / dar los apuntes de la clase de historia /
decir el número de teléfono / prestar cincuenta dólares / explicar los verbos / ¿?

4.9 ¡Qué trabajo! Ud. hace el papel de asistente ejecutivo/a en una oficina y un/a compañero/a hace el papel de jefe/a. Explíquele a su jefe/a lo que Ud. hizo esta mañana para ayudarlo/la con el trabajo. Incluya actividades como las siguientes: hablar con el cliente; resolver el problema con los contratos; poner al día a los miembros del equipo de desarrollo; contestar a los e-mails.

Modelo   Estudiante 1: *Señor, esta mañana le reservé el salón de conferencias para la reunión de esta tarde.*
Estudiante 2: *Muchas gracias, señorita.*

Expressing Likes and Dislikes

To hear more about **gustar**, visit academic. cengage.com/spanish/ interacciones.

Verbs like *gustar*

To express likes, dislikes, and interests, Spanish uses a group of verbs that function very differently from their English equivalents. The verb **gustar,** meaning *to like* or *to be pleasing*, is one of a number of common English verbs that use an indirect object where English uses a subject.

Me gustan estas empanadas.		*I like these empanadas.*	
↓	↓	↓	↓
Indirect Object	Subject	Subject	Direct Object

Point out the literal translations of the examples: *These empanadas are pleasing to me.*

a. With verbs like **gustar** the subject generally follows the verb; it is this subject that determines a singular or plural verb.

Me **gusta** esta ensalada pero
   no me **gustan** estas albóndigas.

*I like this salad, but I don't
   like these meatballs.*

Point out. With verbs like **gustar,** the subject normally follows the verb and determines the verb ending. While the indirect object pronoun is the equivalent of the subject in the English sentence, it does not determine the verb ending in Spanish.

b. The use of **a** + *prepositional pronoun* is often necessary to clarify or emphasize the indirect object.

A mí no me gusta este restaurante
   pero **a ellos** les gusta muchísimo.

*I don't like this restaurant but
   they like it a lot.*

Point out. The word order in questions is normally the same as in statements: **¿Te gustan estos tacos? ¿Te gusta cocinar?**

c. The phrase **a** + *noun* can also be used with the indirect object pronouns **le/les.**

A Rita le gustan los postres.
A muchos niños no **les** gusta
   el pescado.

Rita likes desserts.
Many children don't like fish.

Point out. The word **no** precedes the indirect object pronoun.

d. The following verbs function like **gustar.**

caer bien / mal	*to suit / to not suit*
disgustar	*to annoy, upset, displease*
encantar	*to adore, love, delight*
faltar	*to be missing, lacking; to need*
fascinar	*to fascinate*
importar	*to be important, to matter*
interesar	*to be interesting; to interest*
molestar	*to bother*
parecer	*to seem*
quedar	*to remain, have left*

Provide a complete paradigm of one of the verbs in the list, such as **encantar.** A mí me encantan las enchiladas. A ti te / A él le / A ella le / A Ud. le / A nosotros/as nos / A vosotros/as os / A ellos les / A ellas les / A Uds. les encantan las enchiladas.

Point out. Encantar is often used as the equivalent of the English construction *to love inanimate things:* **Me encanta la comida mexicana. Encantar** is used mainly in the affirmative. Remind students that **querer** is most commonly used for loving people: **Quiero a mi hermano.**

In the Americas, **fascinar** is often used as the equivalent of **encantar.**

Práctica y conversación

4.10 Los gustos. Ponga las siguientes cosas en la categoría apropiada de la tabla a continuación para indicar sus preferencias. ¿Puede explicar por qué Ud. pone cada cosa en esa categoría?

la comida mexicana / el arte moderno / las fiestas / la política / la música pop /
los exámenes / las vacaciones

Me gusta/n	**Me fascina/n**	**Me molesta/n**

4.11 Entrevista. Pregúnteles a tres compañeros/as de la clase sobre sus gustos y preferencias con respecto a la lista de la **Práctica 4.10.** ¿Tienen Uds. los mismos gustos y preferencias?

Modelo		*las fiestas*
	Usted:	*¿Te gustan las fiestas?*
	Compañero/a:	*Me gustan muchísimo.*

4.12 ¿Te gusta? Ud. quiere saber si su compañero/a tiene los mismos gustos que Ud. tiene con respecto a la comida y otras cosas. Pregúntele y vea cuál es su reacción a lo siguiente. Después dígale a la clase si Ud. y su compañero/a son compatibles o no y explique por qué.

Modelo		*los frijoles / el arroz con pollo*
	Usted:	*¿Te gustan los frijoles?*
	Compañero/a:	*No, no me gustan. ¿Y a ti?*
	Usted:	*A mí me encantan. ¿Te gusta el arroz con pollo?*
	Compañero/a:	*¡Me encanta el arroz con pollo!*

los pasteles / el flan / los chiles / las sopas / los postres / las ensaladas / la cerveza / el café / el chocolate / el vino blanco / la comida mexicana / ¿?

4.13 Me acuerdo que… Con un/a compañero/a de clase, discutan lo que a Uds. les gustaba o no les gustaba cuando eran niños/as.

Modelo		
	Usted:	*Cuando era niño/a a mí me gustaba ir al parque con mis amigos todos los fines de semana. ¿Y a ti?*
	Compañero/a:	*A mí me gustaba montar en bicicleta por mi barrio. Yo salía todos los días…*

jugar con mis amigos / practicar deportes / tocar el piano / sacar a pasear a mi perro / conversar con los amigos de mis padres / comer muchos vegetales / comer helados

Refusing, Finding Out, and Meeting

Verbs That Change English Meaning in the Preterite

Several common Spanish verbs have an English meaning in the preterite that is different from the meaning of the infinitive or the imperfect. These changes in English meaning reflect the fact that the Spanish preterite focuses on the completion of the action while the imperfect stresses continuing or habitual action.

a. conocer = *to know, be acquainted with*
Imperfect = *knew, was acquainted with*
Preterite = *met*

Conocemos bien al señor Ochoa. Lo **conocimos** en un restaurante el año pasado.	*We know Sr. Ochoa well. We met him in a restaurant last year.*

b. poder = *to be able*
Imperfect = *was able*
Preterite Affirmative = *managed*
Preterite Negative = *failed*

Aunque **no pudimos** obtener reservaciones en Casa Lupita para el sábado, **pudimos** conseguir reservaciones para el viernes. Así **podemos** comer allí este fin de semana.	*Although we failed to get reservations at Casa Lupita for Saturday, we managed to get reservations for Friday. So we are able to eat there this weekend.*

Warm-up 4.10. Have students explain what the following people like: **Modelo:** yo, gazpacho; A mí me gusta el gazpacho. Julio, ceviche / María y Tomás, tamales / tú, sopa de aguacate / Ud., mole / Susana, flan / yo, chiles rellenos / nosotros, enchiladas suizas / Uds., cerveza.
Answers: A Julio le gusta el ceviche. A María y a Tomás les gustan los tamales. (A ti) Te gusta la sopa de aguacate. A Ud. le gusta el mole. A Susana le gusta el flan. (A mí) Me gustan los chiles rellenos. (A nosotros) Nos gustan las enchiladas suizas. A Uds. les gusta la cerveza.

Instructions 4.12. Ask students to look at the list of Hispanic foods given in the exercise (**los pasteles, el flan**) and list them in their order of their preference. Then, they have to ask a classmate if he/she likes the items in the list. This person, in turn, asks him/her the same thing. They both write down what they themselves like and what their classmate likes. If they share at least 50% of the same things, then they might consider themselves compatible.

Instructions 4.13. Have students look at the list of activities of **Práctica 4.13** and select those activities they liked when they were younger. Then, they have to ask a classmate the questions following the model. They, in turn, have to respond to their classmate's questions.

To hear more about the preterite and the imperfect, visit academic. cengage.com/spanish/ interacciones.

Remind students that the imperfect meaning of these verbs is the normal meaning of the infinitive: **conocía** = *he knew / was acquainted with*; **podía** = *he was able to*; **quería** = *he wanted*; **sabía** = *he knew*; **tenía** = *he had.*

c. **querer** = *to want, wish*
   Imperfect = *wanted, wished*

Preterite Affirmative = *tried*
Preterite Negative = *refused*

¡Pobre Ángela! **Quería** hacerse cocinera. **Quiso** trabajar en un restaurante famoso pero el gerente **no quiso** darle un puesto.

Poor Angela! She wanted to become a chef. She tried to work in a famous restaurant but the manager refused to give her a job.

d. **saber** = *to know information; to know how to*
   Imperfect = *knew*

Preterite = *found out*

Anoche **supimos** que Carlos es cocinero. Finalmente **sabemos** lo que hace.

Last night we found out that Carlos is a chef. We finally know what he does.

e. **tener** = *to have*
   Imperfect = *had*

Preterite = *received, got*

Ayer Silvia me dijo que **tuvo** un buen puesto como gerente de un restaurante de lujo.

Yesterday Silvia told me that she got a good job as a manager of a luxury restaurant.

Práctica y conversación

4.14 ¿Qué pasó ayer? Explique lo que les pasó a las siguientes personas en el restaurante ayer. Use el imperfecto o el pretérito de los verbos según el caso.

1. Paco / conocer a María
2. yo / saber que unos amigos iban a ir a Acapulco durante las vacaciones
3. nosotros / tener una buena noticia de nuestra compañera de cuarto
4. el mesero / no querer servirnos a causa de problemas con su jefe
5. tú / querer pedir las enchiladas suizas pero el restaurante no las tenía
6. Uds. / no poder comer todo el plato principal porque les sirvieron demasiado

4.15 ¿Qué sucede? Describa el siguiente dibujo utilizando los verbos **conocer, poder, querer, saber** y **tener** en el pretérito o el imperfecto, según el caso.

1. En la escuela secundaria Elena siempre __sabía las respuestas__.
2. Ayer Marianela __no supo la respuesta__.
3. La semana pasada Roberto __tuvo una A__.
4. Antes de la clase Eduardo __conoció al profesor__.
5. Teresa __quería ir a la playa__.

Perspectivas

Los menús en el mundo hispano

Existen muchas diferencias en las comidas típicas de los países hispanos y no es raro que un peruano o un chileno no entienda el menú de un restaurante mexicano, por ejemplo, y viceversa. En el menú de un restaurante peruano, Ud. puede encontrar los siguientes platos.

5. Cultural products: food and drink in the Hispanic world; restaurant menus. **Cultural practice:** eating habits in the Hispanic world. **Cultural comparisons:** comparisons of food and drink among the various Hispanic countries; comparison of food and drink between Hispanic countries and the U.S.

For additional information on the foods and drinks of the Hispanic world, view the film *Cosas que dejé en La Habana* and complete the activities in *Más allá de la pantalla:* **Capítulo 8.** RESUMEN: Tres hermanas que llegan a Madrid desde Cuba tienen dificultades para adaptarse a su nuevo país. Escenas en los bares cubanos de Madrid.

RESTAURANTE EL RAYMONDI

Menú Turístico

Ceviche
(Marinated fish or seafood)

Escabeche
(Fried fish with onions)

Papas a la huancaína
(Potatoes with cheese and hot pepper sauce)

Ají de gallina
(Shredded chicken with hot sauce)

Arroz con pato
(Duck with rice)

Lomo a la chorillana
(Tenderloin with onions and hot peppers)

Miraflores, Perú

En el menú de un restaurante venezolano no encontrará ninguno de los platos peruanos. En su lugar, Ud. podrá encontrar los siguientes platos: parrillada mixta *(grilled meats)*, pabellón criollo *(shredded beef served with black beans, baked plantain, and rice)* o arroz con coco *(rice with coconut sauce)* todos servidos con arepas *(cornmeal bread or cake)*.

A continuación se presenta el menú de un restaurante español donde no verá ninguno de los platos anteriores.

El Rincón Viejo

Toledo, España
Menú Turístico

Entremeses

Jamón serrano

Tortilla a la española

Calamares en su tinta

Appetizers

Cured mountain ham

Egg and potato omelette

Squid in its own liquid

Entradas

Cocido a la madrileña

Cordero lechal asado

Paella a la valenciana

Entrées

Stewed chicken, meat, potatoes, and beans

Roast lamb

Rice, seafood, chicken, and vegetable casserole

Warm-up 4.16. Have students list the main ingredients (in Spanish) for the items listed on each menu.

Expansion 4.16. Have all students complete the same exercise for a Venezuelan and a Peruvian restaurant.

Variation 4.16. Divide students into groups of three and assign each group to either Peru, Spain, or Venezuela. Then have them complete **Práctica 4.16** using the menu for their country.

Reminder 4.17. The menu for a Mexican restaurant appears in the **Presentación** of the **Primera situación** for this chapter.

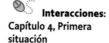

Interacciones:
Capítulo 4, Primera situación

Para saber más:
academic.cengage.com/spanish/interacciones

Los postres varían mucho también de país a país, pero generalmente Ud. podrá pedir helado o flan en cualquier restaurante del mundo hispano. Con respecto a las bebidas, también hay mayor uniformidad y Ud. podrá pedir agua mineral, jugo de frutas, vino, cerveza, café o té.

Práctica y conversación

4.16 ¿Qué voy a comer? Ud. y un/a compañero/a de clase están en un restaurante español. Otro/a compañero/a hace el papel de camarero/a. Pidan una comida completa incluyendo un entremés, un plato principal, un postre y una bebida.

4.17 Comparaciones. Trabajando en parejas, comparen los platos principales en un menú típico de España, México, Perú y Venezuela. ¿Qué ingredientes son más comunes en cada país? ¿Cuáles son las semejanzas y las diferencias?

Segunda situación

Presentación

Fuimos a un buen restaurante

Práctica y conversación

4.18 Tengo hambre. ¿A qué restaurante va Ud. si quiere... ?

el almuerzo / la cena / la comida completa / la comida ligera / el desayuno / la merienda / la comida mexicana

4.19 Consejos. ¿Qué debe comer o beber una persona que... ?

quiere engordar / está a dieta / quiere una comida sabrosa / está muriéndose de hambre / tiene mucha sed / no tiene mucha hambre

4.20 Vamos a McDonald's. Hágale preguntas a un/a compañero/a de clase sobre lo que va a pedir en McDonald's. Utilice el menú en la página 134.

Pregúntele...

1. qué va a tomar para el desayuno.
2. qué quiere para el almuerzo.
3. qué pide si no tiene mucha hambre.
4. qué va a beber.
5. qué quiere de postre.

Warm-up. Ask students: **¿Qué ve Ud. en el dibujo?** Students should work in pairs and prepare a mental list (not written) of the people and objects that they see in the drawing. Then, have students report their findings to the entire class. Finally, have students explain what activities the various people in the drawing are engaging in.

McDonald's

Big Mac

McPollo

Hamburguesa con o sin Queso   **Filete de Pescado**   **Patatas Fritas**

Hamburguesa Doble con Queso   **Coca-Cola** *y otros* **refrescos**   **Café, Té y Chocolate**

Egg McMuffin   **Pastel de Manzana**   **Crema de Helado Sundaes**   **Batidos**

¿Qué semejanzas *(similarities)* y diferencias hay entre el menú de McDonald's en español y el menú de McDonald's donde Ud. vive?

4.21 Creación. En una narración cuente lo que pasa en el dibujo de la **Presentación**.

Modelo   Estudiante: *Hay una familia en un restaurante. Los niños están jugando y los padres están molestos.*

VOCABULARIO

Las preferencias — *Preferences*
estar loco por — *to be crazy about*
soportar — *to tolerate*

Las comidas — *Meals*
el almuerzo — *lunch*
la cena — *dinner*
la comida chatarra — *junk food*
la comida completa — *complete meal*
  rápida — *fast food*
  para llevar — *carry out (food)*
  criolla — *native or regional food*
  ligera — *light meal*
  típica — *typical meal*
el desayuno — *breakfast*
la merienda — *snack*

El apetito — *Appetite*
rico / sabroso — *delicious*
engordar — *to gain weight*
estar a dieta — *to be on a diet*
morirse (ue, u) de hambre — *to be starving*
perder peso — *to lose weight*
tener hambre — *to be hungry*

La nutrición — *Nutrition*
la caloría — *calorie*
el carbohidrato — *carbohydrate*
el colesterol — *cholesterol*
la grasa — *dietary fat*
la proteína — *protein*

En el restaurante — *In the restaurant*
el/la camarero/a
  el/la mesero/a — *waiter (waitress)*
una mesa afuera — *a table outside*
  cerca de la ventana — *near the window*

en el patio — *on the patio*
en el rincón — *in the corner*
un restaurante caro — *an expensive restaurant*
económico — *an inexpensive restaurant*
de lujo — *a first-class restaurant*
tener una reservación — *to have a reservation*
a nombre de _____ — *in the name of _____*

El menú — *Menu*
la lista de vinos — *wine list*
el menú del día — *special menu of the day*
  turístico — *tourist menu*
el plato principal — *main course, entrée*
pedir (i, i) — *to order*
recomendar (ie) — *to recommend*
sugerir (ie, i) — *to suggest*

El cubierto — *Place setting*
el bol — *bowl*
la copa — *goblet, glass with a stem*
la cuchara — *soup spoon*
la cucharita — *teaspoon*
el cuchillo — *knife*
el pimentero — *pepper shaker*
el platillo — *saucer*
el plato — *plate*
el salero — *salt shaker*
la servilleta — *napkin*
la taza — *cup*
el tenedor — *fork*
el vaso — *glass*

The word **la comida** can mean *meal* or *food*; context will determine the meaning: **la comida mexicana** is *Mexican food*; **una comida ligera** is *a light meal*. In some contexts, **la comida** means *main meal*.

La comida basura is also used for junk food.

Vocabulario regional: In Spain the word for *waiter, waitress* is **el/la camarero/a**; in Mexico and many Latin American countries *waiter, waitress* is **el/la mesero/a, el/la mozo/a**.

In Spain, **la reserva** is *reservation*.

Vocabulario suplementario. La grasa saturada (*saturated fat*), **la grasa no saturada** (*unsaturated fat*), **la grasa poliinsaturada** (*polyunsaturated fat*), **los ácidos grasos tran** (*trans fatty acids*), **una dieta baja en calorías, en grasa, en sal, en carbohidratos** (*a low calorie / fat / salt / carb diet*) **una dieta alta en proteínas** (*a high protein diet*)

Vocabulario suplementario. El tazón (*bowl*), **el frutero** (*fruit bowl*), **la ensaladera** (*salad bowl*), **la azucarera** (*sugar bowl*)

Heinle Transparency Bank: N–2, N–4 Los cubiertos; un picnic. Use these images to illustrate additional foods to your students.

Así se habla  CD 1, Track 14

Making Introductions

Warm-up 1. Before listening to the dialogue, have students work in pairs and describe the drawing; the descriptions should include what people are wearing. Then have students describe the weather based on what people are wearing. Finally, have students brainstorm the phrases that the three people might be saying to each other, or, have students listen to the dialogue once. Then ask them to provide a statement explaining the gist of the conversation.

Comprehension check. After playing the dialogue a second time, have students answer the following: ¿Quiénes hablan en el diálogo? (El Sr. Robles y el Dr. y la Dra. Cabrera.) ¿Quiénes son estas personas? (El Sr. Robles trabaja en el gobierno local. El Dr. y la Dra. Cabrera son profesionales.) ¿En qué tipo de restaurante están? (Están en un restaurante de comida criolla.) ¿Les gusta el restaurante? ¿Por qué? (Sí, les gusta porque la comida es deliciosa.) ¿Qué tipo de relación existe entre los Cabrera y el Sr. Robles? ¿Cómo sabe Ud. eso? (La relación es formal y cortés porque usan el pronombre «Ud.», expresan alegría de verse, dicen: «¡Qué gusto verla! / ¡Que disfruten!»)

Have various students read the dialogue aloud, role-playing the three speakers. Then have students locate phrases in the dialogue that illustrate the function *Making Introductions*.

SR. ROBLES: ¿Cómo está Ud., doctora Cabrera? ¡Qué gusto verla después de tanto tiempo!

DRA. CABRERA: Sí, hacía tiempo que no lo veía. No me diga que también le gusta la comida criolla.

SR. ROBLES: ¡Por supuesto! ¡Siempre!

DRA. CABRERA: *(Dirigiéndose a su esposo.)* Esteban, mi amor, te presento al señor Robles. Él trabajó en la Oficina de Personal el año pasado pero ahora trabaja en el gobierno local, ¿verdad?

SR. ROBLES: Sí, así es.

DR. CABRERA: ¡Ah, qué bien! Es un placer conocerlo.

SR. ROBLES: El gusto es mío.

DR. CABRERA: ¿Viene Ud. aquí seguido?

SR. ROBLES: La verdad es que es la segunda vez que vengo. Vine hace un año más o menos cuando trabajaba con su esposa.

DR. CABRERA: Nosotros veníamos antes muy seguido, pero la última vez que vinimos fue hace como cuatro meses. La verdad es que la comida es deliciosa aunque algo cara.

SR. ROBLES: Sí, lo es. Bueno, los dejo. ¡Que disfruten!

DR. Y DRA. CABRERA: De igual manera.

If you want to introduce someone, you can use the following phrases:

Sr. Llosa, le presento al Sr. Paniagua.	*Mr. Llosa, this is Mr. Paniagua.*
Valentín, te presento / quiero que conozcas a Alberto.	*Valentín, this is / I want you to meet Alberto.*
Ramón, ésta es Mariela, de quien tanto te he hablado.	*Ramón, this is Mariela, whom I've told you so much about.*

If you want to introduce yourself, you can use the following phrases:

Permítame / Permíteme que me presente. Yo soy Mónica Belaúnde.	*Let me introduce myself. I'm Mónica Belaúnde.*

If you are responding to an introduction, you can use the following phrases:

Mucho / Cuánto gusto.	*Nice to meet you.*
Es un placer.	*It's a pleasure.*
Encantado/a de conocerlo/a.	*Delighted to meet you.*
El gusto es mío.	*My pleasure.*

Práctica y conversación

 4.22 Quiero presentarte a... En grupos de tres, un/a estudiante presenta a los/as otros/as dos. Éstos/as se saludan e intercambian información personal (ciudad / país de origen, ocupación / lugar de estudios, pasatiempo favorito, etc.).

 4.23 En una fiesta familiar. En grupos, dramaticen la siguiente situación. Ud. ha invitado a su novio/a a una fiesta familiar. Preséntelo/a a sus padres, a su hermano/a mayor, a su abuelo/a, a sus padrinos.

Modelo Estudiante 1: *Papá, mamá, quiero presentarles a mi novio.*
Estudiante 2: *Mucho gusto, José.*
Estudiante 3: *Es un placer, señor Mendoza.*

BCC

Alberto Robles Podestá
Director de Personal
Banco del Centro Consolidado

Av. Independencia 167   Tel. (3) 658-1648
Guadalajara, Jalisco   Fax (3) 825-1368
México

¿De quién es esta tarjeta? ¿En qué lugar trabaja él? ¿Qué puesto (*position*) ocupa?

After introducing the phrases, have students repeat them aloud. Correct pronunciation and intonation as needed.

To hear more about Spanish pronunciation, visit academic.cengage.com/spanish/interacciones.

Instructions 4.22. Have students form groups of four. Three of them are talking as if they were at a party and one of them approaches the group. One person in the group then introduces this new person to the rest. They all then ask each other questions about their place of origin, occupation, etc.

Instructions 4.22. Divide the class in groups of eight and assign a role (such as the mother, father, grandmother) to each student. Ask students to dramatize the situation using the phrases they have learned.

Variation 4.23. Vary the personalities of the roles assigned: friendly parents; nosy grandparents; shy or talkative boyfriend/girlfriend; rude in-laws, etc.

Answers for business card. Es de Alberto Robles Podestá. Trabaja en el Banco del Centro Consolidado. Es Director de Personal.

Business card activity. Ask students to look at the business card presented in the book and use it as a model. Tell them to work in groups and design a business card, providing the necessary information. Then, have 2–3 students present their card to the class by drawing it on the board or on an overhead transparency.

Estructuras

Narrating in the Past

Imperfect versus Preterite

You have studied the formation and general uses of the imperfect and preterite, but you need to learn to distinguish between the two tenses so you can discuss, relate, and narrate past events.

To hear more about the preterite and the imperfect visit academic.cengage.com/ spanish/interacciones.

In past narration the preterite is generally used to relate what happened; it tells the story or provides the plot. The imperfect gives background information and describes conditions or continuing events.

The following sentences form a brief narration. Note the use of the imperfect for describing conditions or continuing events and the preterite for relating what happened.

IMPERFECT	**Estaba** nerviosa porque **tenía** que organizar una fiesta para unos clientes y mi jefe. **Era** una comida para celebrar un contrato importante.
PRETERITE	La semana pasada **llamé** al restaurante Brisamar para hacer las reservaciones. También le **hablé** al cocinero para decirle el menú. Anoche todos **fueron** al restaurante para comer. **Me alegré** mucho porque todos **comieron** muy bien y **se divirtieron** mucho.

The following is a list of the uses of the preterite and imperfect.

The Preterite . . .

Remind students. Preterite forms and uses were taught in **Capítulo 2, Primera situación** and **Segunda situación.**

1. expresses an action or state of being that took place in a definite limited time period.

   La semana pasada **fuimos** a un famoso restaurante mexicano. *Last week we went to a famous Mexican restaurant.*

Remind students. Phrases that indicate a limited time period in the past are normally associated with the preterite; these phrases are listed on p. 57.

2. is used when the beginning and/or end of the action is stated or implied.

   Llegamos a las ocho y **pedimos** unos aperitivos inmediatamente. *We arrived at 8:00 and ordered some appetizers immediately.*

3. expresses a series of successive actions or events in the past.

   Nos **sirvieron** un arroz con pollo excelente. **Comimos** bien y **nos divertimos** mucho. *They served us an excellent chicken with rice. We ate well and had a very good time.*

4. expresses a past fact.

   Tenochtitlán **fue** la capital del imperio azteca. *Tenochtitlán was the capital of the Aztec empire.*

5. is generally translated as the simple past in English: **llamó** = *he called, he did call.*

The Imperfect . . .

Remind students. Imperfect forms and uses were taught in **Capítulo 3, Primera situación.**

1. expresses an ongoing past action or state of being with an indefinite beginning and/or ending.

   Rosa **era** la segunda hija en una familia grande. *Rosa was the second daughter in a large family.*

2. describes how life used to be.

Cuando Rosa **era** pequeña, **vivía** en Guadalajara.

When Rosa was little, she lived in Guadalajara.

3. expresses habitual or repetitive past actions.

Su madre **preparaba** tacos y enchiladas a menudo.

Her mother frequently prepared tacos and enchiladas.

4. describes emotional or mental activity.

Creía que su madre era la mejor cocinera del mundo.

She thought that her mother was the best cook in the whole world.

5. expresses conditions or states of being.

Cuando supo que la familia iba a vivir en los EE.UU., **estaba** nerviosa y **se sentía** triste.

When she found out that the family was going to move to the U.S., she was nervous and felt sad.

6. expresses time in the past

Eran las cinco de la mañana cuando Rosa salió de Guadalajara.

It was 5:00 AM when Rosa left Guadalajara.

7. has several English equivalents: **llamaba** = *he was calling, he used to call, he called.*

a. Sometimes the preterite and the imperfect will occur together within the same sentence.

Cuando Enrique y yo **entramos** en el restaurante, nuestros amigos **comían**.

When Enrique and I entered the restaurant, our friends were eating.

Here the imperfect is used to express the ongoing action: **comían.** The preterite is used to express the action that interrupts the other one: **entramos.**

b. The imperfect is also used to express two simultaneous past actions.

Mientras la cocinera **preparaba** el postre, los meseros **servían** la entrada.

While the chef was preparing dessert, the waiters were serving the main course.

c. You may have learned that certain words and phrases are generally associated with a particular tense; however, these phrases do not automatically determine which tense is used. The use of the imperfect or preterite is determined by the entire sentence, not by one word or phrase. Study the following examples.

Ayer **almorcé** en mi restaurante favorito.

Yesterday I had lunch in my favorite restaurant.

Ayer **almorzaba** en mi restaurante favorito, cuando me llamó mi mamá.

Yesterday I was having lunch in my favorite restaurant when my mother called.

In these sentences the use of the imperfect with **ayer** stresses an action in progress while the use of the preterite with **ayer** emphasizes a completed event.

Remind students. Phrases that indicate habitual or repetitive actions are often associated with the imperfect; these phrases are listed on p. 97.

d. It is the speaker's intended meaning that determines the tense. When the speaker wants to emphasize a time-limited action or call attention to the beginning or end of an action, the preterite is used. When the speaker wants to emphasize an ongoing or habitual condition or an action in progress, the imperfect is used.

Anoche Marcos **estuvo** enfermo.	*Marcos was sick last night.* (But he is no longer sick.)
Anoche Marcos **estaba** enfermo.	*Marcos was sick last night.* (He may or may not still be sick.)

The preterite emphasizes a change in thoughts, emotions or conditions; the imperfect describes thoughts, emotions, or conditions without emphasizing their beginning or ending.

Práctica y conversación

4.24 Esta mañana. Cuente lo que le pasó a Ud. esta mañana y cómo se sentía. Use las siguientes frases en una forma afirmativa o negativa.

levantarme temprano / querer dormir más / hacer mal tiempo / estar muy cansado/a / desayunar en un restaurante / llegar tarde a clase / tener buenas noticias / salir muy bien en el examen de ayer / sentirme muy contento/a / ¿?

4.25 Siempre a dieta. Complete las siguientes oraciones usando el pretérito o el imperfecto.

—Cuando yo era más joven nunca (estar a dieta) ____estaba a dieta____ .Yo (comer) ____comía____ muchísmo más de lo que como ahora y no (engordar) ____engordaba____ . Sin embargo, ahora todo es diferente. Ayer, por ejemplo, (ir) ____fui____ a cenar con una amiga en un restaurante muy lindo pero caro. Como yo (tener) ____tenía____ hambre pero no (querer) ____quería____ engordar, (pedir) ____pedí____ una ensalada pequeña y agua mineral aunque (estar) ____estaba____ loca por pedir un gazpacho, arroz con pollo y una copa de vino. Mi amiga, que es más joven que yo, (pedir) ____pidió____ una enchilada de queso, menudo, arroz con pollo, y de postre, un flan.

—Sí, te comprendo. Sé exactamente lo que dices. Yo hago ejercicio todos los días y no como mucho. Antes no (ir) ____iba____ al gimnasio, pero ahora sí. Ayer en la noche, por ejemplo, (morirse) ____me moría____ de hambre y (comer) ____comí____ muy poco, solamente una empanada de queso, un huachinango a la parrilla con arroz, una cerveza y una ensalada de fruta con helado.

—¡Qué! ¿Tú (comer) ____comiste____ todo eso en la noche?

—¡Sí! La comida (estar) ____estuvo____ muy sabrosa. ¿Quieres ir a cenar conmigo esta noche?

4.26 Un restaurante excelente. Ud. y un/a compañero/a comieron en El Miztón el fin de semana pasado. Lea el anuncio *(ad)* en la página 141 y describa su experiencia en este típico restaurante mexicano. Explique lo que Uds. comieron y bebieron, qué les gustó y cómo era el restaurante.

Modelo   Estudiante 1: *El fin de semana pasado fuimos a El Miztón. Había mucha gente y comimos una comida mexicana deliciosa.*
Estudiante 2: *Sí, vimos a muchos de nuestros amigos también.*

EL MIZTÓN

Restaurante-Bar
Café Literario Musical

Diferente, original y auténtico.
Lo mejor de la comida zacatecana y mexicana.

Pida las tradicionales Enjococadas, el asado de Boda Estilo Jerez o las Enchiladas Miztón.

**Disfrútelas
con su bebida predilecta
en medio de un agradable
ambiente musical.**

*Un lugar para ti, para dos
y para toda la familia.*

**Música en
Vivo**
Viernes y Sábado por la
noche
**GRUPO
OLLINKA**

**Te esperamos en Av. Hidalgo número 632-A y 634.
En el Centro Histórico de la ciudad.**

(56)

Variation 4.27. After students have prepared the activity, call on various groups to role-play it in front of the class. Have the entire class decide which situation was most believable and realistic.

Warm-up 4.28. Narrate an anecdote of something interesting or dangerous that happened to you. Then have students do the same.

Point out. The chapter divisions of this textbook provide good examples of ordinal numbers and their agreement: **Primera situación / Segunda situación / Tercera situación.**

Warm-up 1 for Ordinal Numbers. Have students provide the next highest ordinal number: **tercero / sexto / noveno / quinto / primero. Answers:** cuarto / séptimo / décimo / sexto / segundo.

Warm-up 2 for Ordinal Numbers. Have students provide the next lowest ordinal number + noun: el noveno piso / la séptima mesa / el segundo plato / la décima situación / el quinto día. **Answers:** el octavo piso / la sexta mesa / el primer plato / la novena situación / el cuarto día.

Warm-up 3 for Ordinal Numbers. Have students answer the following questions: ¿Cuál es el primer mes del año? cuarto / sexto / noveno / décimo / segundo.

4.27 ¡Qué comida tan deliciosa! Ud. fue a cenar anoche con sus amigos a un restaurante de lujo y comió mucho. Ahora Ud. se siente muy mal. Su compañero/a de cuarto no sabe qué le pasa y está preocupado/a. Dígale dónde y con quién fue, cómo era el lugar (descríbalo en detalle), qué comieron y bebieron, cómo estaba la comida, si le gustó o no. Su compañero/a le escucha con interés y le cuenta una experiencia similar. Luego, le da algo para que Ud. se sienta mejor.

4.28 Recuerdo que... Cuente una anécdota de algo desagradable que le haya pasado al cenar en un restaurante o en casa de un/a amigo/a o familiar.

Sugerencias: la comida estaba mala / Ud. pidió algo y no le gustó / Ud. no tenía dinero para pagar / Ud. estaba enfermo/a y no tenía hambre

Modelo
Estudiante 1: *La semana pasada estaba con mis amigos en un restaurante y me sentí muy mal.*
Estudiante 2: *¿Sí? ¿Qué te pasó?*

Instructions 4.29. If you wish to teach the system for numbering floors in some countries of the Spanish-speaking world, explain that what we call the first floor is referred to as the ground floor in Spanish. Therefore, in some countries the equivalent of the second floor is called the first floor. Point out the following vocabulary items: first floor = **la planta baja**; second floor = **el primer piso**; third floor = **el segundo piso**; fourth floor = **el tercer piso,** etc.

Variation 4.29. Students should state what firm or business is on each floor of the building. They should also describe what the firm is like. They can also imagine what the people who work on each floor look like, what type of personality they have, etc.

Answers 4.29. En el primer piso hay un restaurante elegante. En el segundo piso hay una oficina de abogados. En el tercer piso hay una agencia de viajes. En el cuarto piso hay un consultorio de dentista. El quinto piso está desocupado. En el sexto piso hay una oficina de arquitectos.

Talking About People and Events in a Series

Ordinal Numbers

Ordinal numbers such as *first, second, third* are used to discuss people, things, or events in a series.

Ordinal Numbers			
primer/o	*first*	**sexto**	*sixth*
segundo	*second*	**séptimo**	*seventh*
tercer/o	*third*	**octavo**	*eighth*
cuarto	*fourth*	**noveno**	*ninth*
quinto	*fifth*	**décimo**	*tenth*

a. Ordinal numbers generally precede the noun they modify or replace and agree with that noun in number and gender. They may also be used as nouns.

Carolina es **la quinta** mesera que contrataron; Rita es **la sexta.**

Carolina is the fifth waitress they hired; Rita is the sixth.

El primer plato fue excelente; también **el segundo**. Pero **el tercero** fue absolutamente estupendo.

The first dish was excellent; so was the second. But the third dish was absolutely stupendous.

Note that **primero** and **tercero** drop the **-o** before a masculine, singular noun.

b. When ordinal numbers refer to sovereigns, the ordinal number follows the noun.

Carlos V (Quinto)   *Charles the Fifth*
Isabel II (Segunda)   *Isabel the Second*

c. Cardinal numbers are generally used to express numbers higher than ten: **el siglo XVIII (dieciocho)** = *the eighteenth century*; **Luis XIV (Catorce)** = *Louis the Fourteenth*.

Práctica y conversación

4.29 ¿Qué hay? Describa lo que hay en cada piso del edificio.

 4.30 Una comida estupenda. Trabajando en parejas, describan una comida estupenda que Uds. comieron en un restaurante lujoso recientemente. Digan lo que les sirvieron de primer plato, de segundo plato, etc.

Modelo   Estudiante 1: *Quisiera regresar al restaurante donde fuimos el otro día, ¿te acuerdas? Era muy lujoso y la comida era deliciosa.*

              Estudiante 2: *Sí, me acuerdo. De primer plato, yo pedí un gazpacho delicioso y tú un cóctel de mariscos.*

¿Qué oyó Ud.? CD 1, Track 15

Para escuchar bien

Remembering Key Details and Paraphrasing

When you listen to a conversation, lecture, announcement, or any other type of speech, you don't always need to remember the exact words that were spoken. Instead you can paraphrase, that is, use different words or phrases to report what you heard. Other times, however, you do need to remember factual information, so you filter out what you don't need, and select only the important points the speaker is making. If you take notes, written or mental, you will be able to recall the valuable information you need.

Antes de escuchar

4.31 La foto. Con un/a compañero/a de clase, mire la fotografía que se presenta en esta página y haga las siguientes actividades.

1. Describa a las personas en la foto, el lugar donde se encuentran y lo que hacen.
2. ¿Ha estado Ud. en un lugar similar en su vida? ¿Con quién fue y qué hizo? ¿Era un lugar agradable y con mucho ambiente?

Answers 4.31. 1. Hay varios clientes y un mesero / camarero. Están en un restaurante; están conversando. **2.** *Possible answers:* Sí, fui con mis padres / con mi novio/a / No, no he estado en un lugar similar en mi vida; Sí era un lugar agradable y con mucho ambiente / No, no era un lugar agradable ni con mucho ambiente.

Al escuchar

4.32 Los apuntes. Escuche la conversación entre Mariela, Javier y Fernando. Tome los apuntes que considere necesarios en el siguiente cuadro.

Nombre del restaurante	Brisas del Mar
Menú del día	De entrada: ensalada de aguacate, cóctel de camarones y ceviche de mariscos; Sopas: gazpacho, menudo y caldo de res; Plato principal: huachinango a la parrilla y arroz con carne de cerdo
Lo que van a beber	Mariela una limonada Fernando una cerveza helada Javier una cerveza bien fría
Lo que van a comer	Mariela ceviche de mariscos Fernando ceviche de camarones, menudo, arroz con carne de res y una empanada con helado de chocolate Javier gazpacho, lenguado a la parrilla con arroz y una ensalada mixta

Después de escuchar

4.33 Resumen. Con un/a compañero/a de clase, resuma la conversación entre Mariela, Fernando y Javier.

4.34 Algunos detalles. Marque SÍ si las oraciones a continuación resumen apropiadamente lo que Ud. oyó, o NO si no lo hacen.

SÍ (NO) 1. El camarero es muy amable pero no sabe cuál es el menú del día.

SÍ (NO) 2. El camarero les sugirió a todos lo que debían comer.

(SÍ) NO 3. Javier y Fernando tienen mucho apetito.

SÍ (NO) 4. Mariela prefiere comer arroz con pollo.

(SÍ) NO 5. Fernando comió mucho el día anterior y se enfermó.

Tercera situación

Imágenes culturales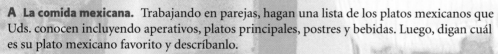

El festival de la enchilada

Vocabulario del vídeo. The following vocabulary will help you understand this video segment and complete the exercises: **en nogada** *(served with a nut/walnut sauce);* **la pasta** *(a thick sauce or paste used in cooking);* **rescatar** *(rescue, recapture).*

Antes de mirar

A La comida mexicana. Trabajando en parejas, hagan una lista de los platos mexicanos que Uds. conocen incluyendo aperativos, platos principales, postres y bebidas. Luego, digan cuál es su plato mexicano favorito y descríbanlo.

B El título. Mire el título del vídeo de esta sección: *El festival de la enchilada.* ¿Qué significa el título? En su opinión, ¿cuál es el propósito *(purpose)* de este festival? Después, mire la foto de arriba y descríbala. ¿Quién es el hombre de la foto? ¿Dónde está y qué está haciendo?

C La idea principal. Mire el vídeo por primera vez para determinar la idea principal del vídeo. También revise *(check)* y corrija sus respuestas anteriores.

Actividades de vídeo

Después de completar estas actividades de **Antes de mirar,** complete las otras actividades del vídeo para **Capítulo 4** en el *Cuaderno de actividades.*

Answers A. El festival de la enchilada = *The Enchilada Festival.* Es un festival para celebrar la comida mexicana especialmente las enchiladas. El cocinero en la foto prepara unas enchiladas para el festival.

Answers B. Durante el Festival de la Enchilada en México los cocineros preparan una variedad de enchiladas y los participantes las prueban.

The additional video activities located in the *Cuaderno de actividades* are designed to be completed by students on their own outside of class. However, the additional activities can also be completed in class if time permits.

Lectura cultural

Para leer bien

Recognizing Cognates

Cognates are words that have the same or similar spellings and meanings in two different languages. Recognizing cognates will facilitate your reading and will allow you to guess and predict the meaning of words without resorting to a dictionary. Knowledge of word formation will greatly improve your ability to recognize cognates.

1. The easiest kind of *cognates* to recognize are those that are exactly alike in Spanish and English, such as the nouns **el animal / la crisis** or the adjectives **popular / general.**
2. Words that are very similar in both English and Spanish are also easy to recognize; often the only difference is the addition of an accent mark in Spanish: **la región / el área.**
3. Many cognates are based on an English word + **-a, -e,** or **-o: económica / importante / contento.**
4. The prefix **esp-** = *sp-:* **espléndido** = *splendid;* the prefix **est-** = *st-:* **el estilo** = *style.*
5. The suffix **-ción** = *-tion:* **la composición** = *composition.* Nouns ending in **-ción** are always feminine: **la investigación.**
6. The suffix **-dad** = *-ty:* **la sociedad** = *society.* Nouns ending in **-dad** are always feminine: **la universidad.**
7. The suffix **-ia** = *-e* or *-y:* **la provincia** = *province;* **la familia** = *family.*

   It is important to learn to recognize cognates even when endings are embedded within a word, such as **-ción** embedded within **generaciones** or **-dad** embedded in **sociedades.**

Antes de leer

Answers A. 1. cultural / colonial / central / aroma / capital **2.** typical / delicious / excellent / region / fusion **3.** Aztec / map / ingredient / part / rest / experts **4.** spices / state **5.** preparation **6.** infinity / variety / festivities **7.** culinary / history / extraordinary

Answers B. The title means "Mexico and Its Culinary Richness." Answers vary but should include the following idea: The food of Mexico is varied and uses many different ingredients; the food of Mexico is delicious. The article is organized by the regions or states of Mexico.

The reading «México y su riqueza culinaria» emphasizes both the cultural theme (Mexico) and the main topic (food) of this chapter.

A Unos cognados. ¿Qué quieren decir las siguientes palabras en inglés? Todas las palabras aparecen en la lectura «México y su riqueza culinaria».

1. Cognates exactly like the English word: **cultural / colonial / central / el aroma / la capital**
2. Cognates similar to the English word: **típico / deliciosos / excelentes / la región / una fusión**
3. Cognates composed of an English word + **-a, -e,** or **-o: azteca / el mapa / el ingrediente / la parte / el resto / los expertos**
4. Cognates with the prefix **esp-: las especias**
   Cognates with the prefix **est-: el estado**
5. Cognates with the suffix **-ción: la preparación**
6. Cognates with the suffix **-dad: una infinidad / una variedad / las festivadades**
7. Cognates with the suffix **-ia: culinaria / la historia / extraordinaria**

B El título y los subtítulos. Considere el título «México y su riqueza culinaria». ¿Qué quiere decir? En su opinión, ¿de qué trata el artículo? Después considere los subtítulos. En este artículo, ¿cómo se organiza el tema de la comida mexicana?

Al leer

C Los cognados. Mientras Ud. lee, busque los cognados y trate de adivinar lo que quieren decir sin consultar un diccionario.

México y su riqueza culinaria

*L*os Estados Unidos de México es dueño de una de las culturas más extraordinarias de las Américas. Parte de esa riqueza cultural radica° en su gastronomía, que refleja la historia del país y combina los elementos aztecas y mayas con los elementos españoles de la época colonial. La gastronomía mexicana se caracteriza por una infinidad de platos e ingredientes típicos de cada región, que poco tienen que ver con° lo que en los Estados Unidos se conoce como «comida mexicana».

is situated

has little to do with

La cocina del país azteca se nutre de° fragantes y frescos ingredientes que se pueden admirar en cualquier mercado de una ciudad mexicana: tomates muy rojos, chiles frescos de color verde oscuro—o tan rojos como un ladrillo—°, manojos° de hierbas frescas, pescados y mariscos frescos, una gran variedad de deliciosos vegetales y frutas, pollos, cerdo, cabrito° y carne de vaca y el aroma inconfundible de alimentos asados sobre una parrilla°, uno de los métodos de preparación favoritos en ese país.

is strengthened by

brick / handfuls
kid, young goat
grill

Los estados del norte y del centro

La mayoría de los expertos divide la culinaria mexicana en seis regiones, diferentes unas de otras en geografía, clima e historia colonial. El norte mexicano es la capital de la parrilla; los norteños cocinan mucho, usando este método y para ahí van el pescado, langosta°, camarones, cabrito, pollo y filetes de res. A diferencia del resto del país, donde el cerdo es más popular, en el norte la carne de res tiene muchísimos adeptos°.

lobster

followers

La región central, donde se sitúa la capital, es el núcleo de la comida más refinada y complicada, ya que fue allí, al igual que en otras capitales, adonde llegaban los mejores ingredientes y cocineros, para adaptar las recetas e incorporarlas a la gastronomía de la clase gobernante°. Una comida en algunos de los múltiples excelentes restaurantes de la capital mexicana es un regalo para la vista y el olfato°, con excepcionales platos que de este lado del mapa ni siquiera se conocen.

ruling class

smell

El famoso plato para las festividades, pollo o pavo° en mole poblano (el mole es una salsa hecha con chocolate, ajíes° y especias), es una fusión de las cocinas azteca y española y un excelente ejemplo de la gastronomía del área. Los aztecas pusieron los chiles, el pavo y el chocolate; el Viejo Mundo aportó° especias como el clavo de olor°, la canela°, el ajo y los granos de pimienta. Otros platos de la región se preparan de manera más sencilla, asándolos a la parrilla.

turkey
chili peppers

contributed / clove / cinnamon

Los estados de Jalisco y Michoacán, en la región centro-occidental, han hecho grandes aportes a la culinaria nacional. Su comida es sencilla y con sabor hogareño°—carnitas de cerdo, salsas de chile rojo, pozole de maíz (un guisado° con cerdo, ají y mucho caldo). A los habitantes de la región les gusta también asar pollos con cítricos, ajo e hierbas.

home-cooked
stew

Los estados del sur

En el sur están Oaxaca, Chiapas y Guerrero, un paraíso° culinario. Oaxaca, uno de los sitios más autóctonos° de México, es famoso por sus siete moles y por sus fajitas de carne al estilo oaxaqueño, con tiras° de cerdo marinadas en un adobo° de chile rojo y servidas con pimientos asados y salsa de tomatillo.

paradise
authentic

strips
sauce

El mole poblano: un famoso plato mexicano

olives / capers
raisins / tied to
similarity
coconuts

barbecued pig
leaves / seasoning base
made from the ground
seeds of the annato tree /
seasoning paste / cumin

Uno de los platos más famosos de la cocina mexicana es el pescado entero cocinado lentamente al estilo de Veracruz, con tomates, aceitunas°, alcaparras°, especias dulces y hasta pasas de uva°. La cocina del Golfo de México no sólo está muy ligada a° la herencia colonial española sino que también tiene gran similitud° con las cocinas del Caribe: mariscos, plátanos y cocos° se ven mucho en los platos de la zona.

La más original de las cocinas mexicanas es la de Yucatán, con fuertes raíces en la comida de sus ancestros mayas. El cerdo pibil°, donde la carne y sus condimentos se envuelven en hojas° de banana y se cocinan lentamente, es de allí. La pasta° de achiote (hecha con semillas de achiote molido°, especias, ajo y vinagre) y el recado° (hecho de ajo, pimienta inglesa, comino° y clavo de olor) son ambos muy usados.

Y las tortillas ¿qué? La mayor parte de los mexicanos prefiere las de maíz, pero en el norte se quedan con las de harina.

Después de leer

D Los estados mexicanos. Utilizando un mapa de México, busque los siguientes estados mexicanos mencionados en el artículo. Después, dígale a la clase en que parte del país se encuentran: el norte / el este / el oeste / el sur / el centro.

1. Yucatán el sur
2. Jalisco y Michoacán el oeste
3. México, D.F. el centro
4. Oaxaca, Chiapas y Guerrero el sur / suroeste
5. Veracruz el sur / sureste
6. Chihuahua y Sonora el norte

E La comida regional. Explique con qué estado mencionado en la **Práctica D** se asocia la siguiente comida.

1. el pozole de maíz Jalisco y Michoacán
2. la comida más refinada y complicada México, D.F. / la región central
3. el cerdo pibil Yucatán
4. la carne de res a la parrilla Chihuahua y Sonora / el norte
5. los siete moles Oaxaca, Chiapas y Guerrero
6. el pescado entero cocinado lentamente Veracruz
7. la comida sencilla con sabor hogareño Jalisco y Michoacán

Answers F. 1. Falso: Se usan muchas especias de toda clase. **2.** Falso: El cerdo es la carne que se come con más frecuencia en México. **3.** Falso: Es un plato con pollo o pavo en una salsa con chocolate, ajíes y especias. **4.** Cierto **5.** Cierto **6.** Cierto

F ¿Ciertas o falsas? Lea las siguientes oraciones y decida si son ciertas o falsas. Corrija las oraciones falsas.

1. Se usan pocas especias en la preparación de la comida mexicana.
2. La carne de res es la carne que se come con más frecuencia en México.
3. El mole poblano es un postre semejante al flan.
4. El pescado al estilo de Veracruz es un plato con tomates, aceitunas, alcaparras y especias dulces.
5. En la cocina de Yucatán se nota una influencia de sus ancestros mayas.
6. Cocinan el cerdo pibil en hojas de banana.

G La defensa de una opinión. ¿Qué evidencia hay en el artículo que confirma la siguiente idea? «La gastronomía de México tiene poco que ver con lo que en los EE.UU. se conoce como comida mexicana.»

Interacciones

A Un restaurante estupendo. Tell your classmates about the best restaurant meal you ever ate. Provide the name of the restaurant, its location, and a description of it. Explain who you went with and what you ate and drank. Explain why this restaurant meal was so special.

B Preferencias. You must work in a group of three or four people to plan the menu for a party for the International Club. Introduce the members of the group to one another. Then interview each member of your group to find out what food or drink they adore, like, or dislike in each category. Then, with the aid of your survey, prepare a menu with two or three items in each category.

	Me encanta/n	Me gusta/n	Me disgusta/n
Entremeses / Ensaladas			
Platos principales			
Postres			
Bebidas			

C El Restaurante Pacífico. You are the waiter/waitress in El Restaurante Pacífico. Two American tourists (played by your classmates) come to your restaurant for dinner. They are not familiar with the food and they ask you many questions about the food items. You answer their questions and make recommendations. Finally, you take their order for a complete meal with beverages.

D Un experimento. The psychology department is conducting a series of experiments on dormitory living conditions. You and a classmate have been assigned to spend a week together in quarters resembling a college dormitory room. You will be constantly observed by the experiment team. You will be allowed to bring with you food, books, music, DVDs, your computer, games, and clothing for the week-long experiment. Prior to packing, get together with your classmate. Ask and answer questions about what kinds of games, movies, music, and books interest you; what foods you love and hate, and what items are important to you. Establish a list of at least two items per category to bring with you for the week.

Los menús en el mundo hispano.
Cultural products: food and drink in the Hispanic world; restaurant menus.
Cultural practice: eating habits in the Hispanic world.
Cultural comparisons: comparisons of food and drink among the various Hispanic countries; comparison of food and drink between Hispanic countries and the U.S.

Communicative modes incorporated. A: presentational B: interpersonal C: interpersonal D: interpersonal.

Vocabulary incorporated.
A: foods and drinks B: foods and drinks C: foods and drinks, expressions for ordering in a restaurant D: verbs like **gustar,** foods and drinks.

Grammar incorporated.
A: preterite tense
B: indirect object pronouns, verbs like **gustar**
C: indirect object pronouns, asking and answering questions D: indirect object pronouns, verbs like **gustar.**

Así se escribe

Para escribir bien

Improving Accuracy

Writing is different from speaking in that the writer has more time to think about word choice, sentence and paragraph construction, and the general message than does a speaker. As a result, the writer is expected to produce material that is more error-free than normal speech. In addition, as an intermediate language student you will need to improve your accuracy so that your language becomes more and more comprehensible and acceptable to native speakers. The following techniques should help you.

A. Plan your written compositions.
   1. Choose a topic consistent with your ability level. A topic that is too difficult will produce frustrations and errors. A topic that is too easy will not allow you to be judged in the most favorable manner since you will use overly simplified constructions and vocabulary.
   2. Prior to writing make a mental or written outline of what you plan to say.

B. As you write the first draft, try to avoid errors.
   1. Check spelling and meaning of vocabulary items you are unsure of.
   2. Check the agreement of each subject and verb.
   3. Check the tense and form of each verb.
   4. Check for agreement of all nouns and their articles or adjectives.
   5. Be extra cautious with items such as **ser/estar; por/para; saber/conocer.**

C. Re-read your composition for accuracy.
   1. Upon completing your first draft, put it aside for some time.
   2. Later, re-read your first draft for content. Ask yourself if it says what you want it to.
   3. Re-read it again for accuracy using the "checks" of item **B.**

D. Revise your composition.
   1. Pay attention to capitalization, punctuation, and overall layout.
   2. Proofread your composition, correcting any errors.

Antes de escribir

A Composiciones. Lea las descripciones de las composiciones dadas en la sección **Al escribir.** ¿Cuál es más compatible con sus intereses y habilidades?

B Ideas generales. Después de escoger una de las composiciones, haga una lista de las ideas generales que Ud. quiere incluir. Si Ud. ha escogido una composición en forma de una carta o mensaje por correo electrónico, cree el formato.

Al escribir

Escriba su composición utilizando la lista de ideas y el formato que Ud. hizo en **Práctica B Ideas generales.** Preste atención particular a las recomendaciones dadas en **B** de **Para escribir bien.**

C La semana pasada. Escríbale un mensaje por correo electrónico o una carta a un/a amigo/a de otra universidad para describirle cómo fue su semana pasada. Incluya información sobre el tiempo, sus sentimientos y emociones, sus actividades y sus clases.

Answers. All compositions should include new vocabulary from this chapter and show a concern for accuracy.

> **Grammar:** verbs: preterite & imperfect, **Phrases/Functions:** talking about past events, describing people, describing weather; **Vocabulary:** leisure, studies, university

D El/La crítico/a culinario/a. Ud. es el/la crítico/a culinario/a de un periódico local. Escriba un artículo sobre una cena que tuvo recientemente en un restaurante. Describa el restaurante, la comida y el servicio. Explique lo que le gustó y no le gustó.

> **Grammar:** verbs: preterite & imperfect, personal pronouns indirect; **Phrases/Functions:** appreciating food, expressing an opinion, stating a preference; **Vocabulary:** food, food: restaurant

E La comida universitaria. Escríbale un mensaje por correo electrónico o una carta a Julio/a Montoya, un/a estudiante de intercambio que va a venir a estudiar en su universidad. Dígale dónde, cuándo y qué se come en la universidad; también dígale cómo es la comida. Compare la comida norteamericana con la comida de un país hispano, para prepararlo/la para su visita aquí.

> **Grammar:** comparisons: equality, inequality, irregular; **Phrases/Functions:** appreciating food, expressing an opinion; comparing and contrasting; **Vocabulary:** food, food: restaurant

Después de escribir

Antes de entregarle su composición a su profesor/a, Ud. debe leerla de nuevo y corregir los errores. Preste atención a las recomendaciones de **C** y **D** de *Para escribir bien*.

Interacciones: **Capítulo 4, Tercera situación**

Para saber más: academic.cengage.com/spanish/interacciones

Herencia cultural: México

 Cultural products and practices: Famous people of Mexico and what they have accomplished. **Cultural comparisons:** famous historical personages and famous entertainment / literary / governmental figures of Mexico and the U.S.

Personalidades

De ayer

◄ **Cuauhtémoc** fue el último emperador de los aztecas. Aunque luchó valientemente contra los españoles para defender Tenochtitlán, la capital azteca, los españoles lo capturaron en abril de 1521 y más tarde lo ahorcaron *(hanged)*, en 1525. Cuauhtémoc es el símbolo de la resistencia de los indígenas contra los españoles.

Point out. Los aztecas eran los indígenas que vivían en el centro de México. La capital azteca era Tenochtitlán, que llegó a ser la actual capital de México: México, D.F.

▶ **Sor Juana Inés de la Cruz** (1648–1695) es una de las personalidades literarias más famosas de México. A la edad de 16 años, esta joven hermosa e inteligente decidió entrar en un convento para dedicarse a estudiar y escribir. Entre sus obras hay dramas, ensayos y poesía.

De hoy

◄ Después de unos años como estrella de telenovelas mexicanas, **Salma Hayek** (1966–) se trasladó a Hollywood, aprendió inglés y ganó la atención en la película *Desperado* con Antonio Banderas. Es la primera actriz de Latinoamérica nombrada candidata para un premio Óscar por el papel *(role)* principal en la película *Frida*. Además de ser una actriz muy popular, también es productora de programas de televisión y de películas.

▶ A los nueve años de edad **Gael García Bernal** (1978–) debutó en la televisión mexicana en la telenovela *Teresa* al lado de Salma Hayek. En 2000 ganó su primer papel estelar en *Amores perros,* que fue nominada para el Óscar como mejor película extranjera. Actualmente es un actor de fama mundial por su interpretación de Che Guevara en *Motorcycle Diaries* y su participación en películas como *La mala educación* de Almodóvar y *Babel* de Iñárritu.

 Heinle Transparency Bank: A–7 Country profile: México. Use this map to locate cities and sites mentioned in Herencia cultural II: México.

▶ **Carlos Fuentes** (1928–), novelista, ensayista y guionista de cine *(scriptwriter)*, es uno de los más conocidos autores contemporáneos de México. La historia de México es un tema central en sus obras, que han sido traducidas a casi todos los idiomas. Fuentes ha ganado muchos premios literarios y ha sido profesor en las universidades de Cambridge, Columbia, Harvard, Pennsylvania y Princeton.

▼ La popular cantante **Thalía** (1971–) entró en el mundo de la actuación y la música de niña. Empezó su carrera como actriz a los quince años, trabajando en telenovelas mexicanas, pero ganó la fama en 1990 cuando salió su primer álbum, *Thalía*. Desde entonces ha grabado muchos otros discos populares, lanzó su propia línea de ropa para mujeres y ha dado conciertos en todo el mundo. Es una leyenda de la música pop latina.

For additional information on Mexico, view the film *Amores perros* and complete the activities in ***Más allá de la pantalla:* Capítulo 14.** RESUMEN: *Amores perros* tiene lugar en México, D.F. durante la crisis económica de los años 90. Narra tres historias diferentes y describe la vida y el sufrimiento de las personas que quedan fuera de la nueva economía global. Escenas de México, D.F.

Comprensión cultural 1. Have students work in pairs or groups of three. Assign one of the **personalidades** to each group and have them prepare a description of each person as well as a brief biography. Have each group report back to the class.

Comprensión cultural 2. Ask students: ¿Quién fue el líder de los aztecas en la batalla por Tenochtitlán? ¿Quién fue el líder de los españoles en la misma batalla? ¿Quién fue Sor Juana Inés de la Cruz y por qué es importante? ¿Quién es Salma Hayek? ¿Quién es Thalía? ¿Por qué son famosas? ¿Quién es Gael García Bernal? ¿Cuáles son algunas de sus películas? ¿Quién es Carlos Fuentes? ¿Por qué es importante?

Arte y arquitectura

Algunos artistas mexicanos del siglo XX: Rivera, Orozco, Siqueiros y Kahlo

Cultural products: Works of art by Diego Rivera, José Clemente Orozco, David Alfaro Siqueiros, and Frida Kahlo; the importance of the Mexican muralists. **Cultural comparisons:** Famous painters, works of art, and artistic styles.

Point out. A menudo los muralistas usaban **la pintura al fresco,** una técnica que consiste en pintar sobre el yeso mojado (*wet plaster*) para que la pintura forme parte de la construcción del edificio.

Entre los artistas mexicanos más famosos del siglo XX están los muralistas Diego Rivera, José Clemente Orozco y David Alfaro Siqueiros. Los tres crearon pinturas y murales enormes que representan temas universales como la dignidad de las razas minoritarias o la justicia social y temas nacionales como la historia de México. Se puede encontrar este arte del pueblo (como lo llaman muchos) en los edificios públicos de varias ciudades mexicanas. De esa manera aun la gente más humilde y pobre puede verlo y apreciarlo.

▼ **Diego Rivera** (1886–1957) Fue activista político y en muchas de sus obras trata de mostrar la importancia de los indígenas (*native peoples*) en el desarrollo (*development*) de México. En el Palacio Nacional de la capital pintó una serie de murales representando la historia de México, entre ellos una representación de Tenochtitlán, la antigua capital de los aztecas. También hay obras suyas en los EE.UU., en San Francisco y Detroit.

Diego Rivera, detalle de *Tenochtitlán*. México, D.F.: Palacio Nacional

▶ José Clemente Orozco

(1883–1949) Aunque no fue muy activo políticamente, sus obras reflejan las mismas ideas y actitudes de los otros muralistas. Sus obras están en edificios públicos en Guadalajara y en otras ciudades de México. También viajó por los EE.UU. y pintó murales en varias universidades, entre ellas Dartmouth. El mural *Hidalgo* está en el Palacio del Gobernador en Guadalajara. El padre Hidalgo fue el líder de la Guerra de la Independencia de 1810.

José Clemente Orozco, detalle de *Hidalgo*. Guadalajara: Palacio del Gobernador

David Alfaro Siqueiros, mural. México, D.F.: Universidad Autónoma de México

◀ David Alfaro Siqueiros

(1898–1974) Del grupo de muralistas famosos, fue el más activo políticamente. Siempre trató de crear un arte del pueblo y para el pueblo. Sus murales más importantes son los del Instituto Nacional de Bellas Artes y los del Polyforum Cultural Siqueiros, en México, D.F. También tiene frescos en la Universidad Nacional Autónoma de México, como éste que representa a los estudiantes devolviendo su sabiduría *(knowledge)* a la patria.

▶ Frida Kahlo

(1907–1954) Esta artista de fama internacional tuvo una vida llena de enfermedades y dolores. En 1925 sufrió un accidente de autobús que la dejó semi-inválida; pasó mucho tiempo en el hospital y allí empezó su interés en la pintura. En 1929 se casó con Diego Rivera y juntos participaron en la vida política de su país. Es conocida por sus autorretratos *(self-portraits)* que muestran su sufrimiento físico y su gran amor por su esposo.

Frida Kahlo, Autorretrato *Pensando en Diego*

Comprensión

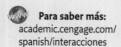
Para saber más:
academic.cengage.com/
spanish/interacciones

A Las obras. Complete la siguiente tabla con información acerca de las obras de Rivera, Orozco, Siqueiros y Kahlo.

	Rivera	Orozco	Siqueiros	Kahlo
Escena representada				
Colores predominantes				
¿Abstracta o realista?				
El tema o la idea central				

B Los artistas. Llene el espacio en blanco con la letra que representa el nombre del artista.

A = Diego Rivera   **C = David Alfaro Siqueiros**
B = José Clemente Orozco   **D = Frida Kahlo**

1. __B__ Viajó por los EE.UU. y pintó murales en varias universidades.
2. __C__ Fue el más activo políticamente.
3. __D__ Sus obras reflejan su sufrimiento físico.
4. __A__ Pintó una serie de murales en el Palacio Nacional de México.
5. __B__ Pintó un mural del padre Hidalgo.
6. __A__ Pintó un mural de la capital de los aztecas.
7. __D__ Pintó muchos autorretratos.
8. __A__ Siempre trató de mostrar la importancia de los indígenas en el desarrollo de México.
9. __B__ Muchas de sus obras están en edificios públicos de Guadalajara.
10. __C__ Muchas de sus obras están en el Instituto Nacional de Bellas Artes.

Lectura literaria
Para leer bien

Elements of a Short Story

Prior to reading a literary selection, it is necessary to determine its genre, that is, the literary category to which it belongs. The major genres include **la novela, el drama, la poesía** *(poetry)*, **el cuento** *(short story)*, and **el ensayo** *(essay)*. A quick glance at the following selection will show that it is a prose narration of relatively short length. It could be an essay or a short story. However, by skimming the first paragraph it can be quickly determined that the author is not attempting to analyze or interpret a particular topic as in an essay. Rather, the author takes care to introduce characters and describe a setting, elements typically found in short stories.

As you read the following short story, you should attempt to analyze the following elements of the story.

Los personajes = *characters*. The characters can include human beings, animals, and even things and objects. Sometimes the characters play an important role throughout the entire story; sometimes the characters are not even present but are simply talked about or alluded to.

El escenario = *setting*. The setting includes the geography, weather, environment, and living conditions, as well as the year and time in which the story takes place. The setting can be real or virtual; often the setting exists only in the mind of a character.

La estructura = *structure*. A traditional short story or novel is generally structured chronologically, that is, the author begins with the earliest incident in the plot and proceeds to tell the story as the events happened. However, in more modern fiction the structure often breaks with tradition. Chronological order may not be important and at times there is no tale or plot. Many short stories simply paint a moment in time, describe an emotion or feeling, or portray a scene. **La estructura** can also refer to the form of a short story. The forms for a short story can include a narration, a dialogue, a letter, a diary entry, or journal, or a combination of several forms.

El punto de vista = *point of view*. Each literary selection has a particular point of view. We, the readers, see the characters and the action of the story through the eyes of someone else, generally a character in the story or possibly the author. Thus, we read and react to the story based on the mentality and personality of that other person. Sometimes the point of view is very biased and we must try to find the truth in the situation.

El tema = *theme*. The theme of a literary work is its main idea. The theme frequently represents an author's philosophy or view of life.

El tono = *tone*. The tone is the emotional state of the literary work. The tone is generally expressed using adjectives such as *happy, sad, melancholy, angry, mysterious* or *satirical*.

Práctica

You will find additional literary selections in the **Heinle Voices** Database at www.textchoice.com/voices. With this unit you may want to consider using «Las lavanderas» or «Esperanza número equivocado» by Elena Poniatowska or «Chac mool» by Carlos Fuentes.

Expansión F. Ask students: ¿Qué persona/s del verbo suele/n predominar en un mensaje? (la primera persona / yo) ¿Qué punto de vista suele predominar? (el punto de vista del escritor)

C Los elementos de un cuento. Llene el espacio en blanco con la letra del elemento de un cuento que pertenece a las siguientes frases.

1. __a__ un hombre de 50 años
2. __b__ la biblioteca de la universidad
3. __e__ triste y misterioso
4. __b__ Hace frío y nieva.
5. __d__ La vida es breve y difícil.
6. __c__ una carta
7. __a__ una chica alta y rubia
8. __b__ un parque

a. el personaje
b. el escenario
c. la estructura
d. el tema
e. el tono

D «El recado» de Poniatowska. Al leer la siguiente selección de Poniatowska, utilice las estrategias para leer bien y trate de identificar los elementos del cuento.

Antes de leer: El recado

▶ **Elena Poniatowska** (1933–) está considerada entre los mejores escritores mexicanos. Se inició como periodista y fue la primera mujer en recibir el Premio Nacional de Periodismo (1978). Sus obras incluyen ensayos, crónicas, cuentos y novelas. Sus temas principales son los problemas de México y la nueva mujer mexicana que examina y a veces desconfía de los valores del pasado, como el machismo y el papel tradicional de la mujer.

E La autora. Conteste las siguientes preguntas acerca de la autora de «El recado».

1. ¿Quién es la autora de «El recado»?   Elena Poniatowska es la autora.
2. ¿Cómo empezó su carrera?   Empezó su carrera como periodista.
3. ¿Qué premio recibió?   Recibió el Premio Nacional de Periodismo en 1978.
4. ¿Qué tipo de obras escribe?   Escribe ensayos, crónicas, cuentos y novelas.
5. ¿Cuáles son sus temas principales?   Sus temas principales son los problemas de México y la nueva mujer mexicana.

F El título. Dé un vistazo al título de la siguiente lectura: **El recado = el mensaje.** ¿En qué situaciones escribe Ud. recados? ¿A quién/es le/s escribe Ud. recados a menudo? ¿Escribe Ud. recados por correo electrónico?

G El escenario. Utilizando el dibujo del escenario del cuento, describa a la joven y el ambiente. En su opinión, ¿qué está escribiendo la joven? ¿Por qué?

H La estructura. Este cuento no tiene una estructura tradicional. Es una narración acerca de una joven enamorada que espera a su novio afuera de la casa de él, en México, D.F. Mientras espera, le escribe un recado a su novio. En el recado describe el jardín de la casa y lo que está pasando en la calle enfrente de la casa. También revela sus pensamientos *(thoughts)* y sentimientos hacia el novio. Así, el recado de la joven es el cuento que leemos. En su opinión, ¿qué le va a escribir a su novio?

I Los personajes. Lea las dos primeras oraciones del cuento.

> Vine Martín, y no estás. Me he sentado en el peldaño (*step of a stairway*) de tu casa, recargada en (*leaning against*) tu puerta y pienso que en algún lugar de la ciudad, por una onda (*wave*) que cruza el aire, debes intuir (*guess*) que aquí estoy.

Según estas dos oraciones, ¿quiénes son los dos personajes principales del cuento? ¿Están presentes los dos? ¿Dónde están los dos? ¿Quién narra el cuento?

El recado

Vine Martín, y no estás. Me he sentado en el peldaño de tu casa, recargada en tu puerta y pienso que en algún lugar de la ciudad, por una onda que cruza el aire, debes intuir que aquí estoy. Es éste tu pedacito° de jardín; tu mimosa° se inclina hacia afuera y los niños al pasar le arrancan° las ramas más accesibles... En la tierra, sembradas° alrededor del muro°, muy muy rectilíneas y serias veo unas flores que tienen hojas° como espadas°.

small piece / un tipo de árbol / quitan / *sown* / *wall* — leaves / swords

Son azul marino, parecen soldados. Son muy graves, muy honestas. Tú también eres un soldado. Marchas por la vida, uno, dos, uno, dos... Todo tu jardín es sólido, es como tú, tiene una reciedumbre° que inspira confianza.

strength

La joven describe el atardecer° y lo que hace una vecina

late afternoon

Aquí estoy contra el muro de tu casa, así como estoy a veces contra el muro de tu espalda. El sol da también contra el vidrio° de tus ventanas y poco a poco se debilita porque ya es tarde. El cielo enrojecido ha calentado tu madreselva° y su olor se vuelve aún más penetrante. Es el atardecer.

glass
honeysuckle

Answers I. Son Martín y la persona que escribe (la joven). No, los dos no están presentes. La joven está recargada en la puerta de la casa de Martín y Martín está en la ciudad. La joven narra el cuento.

Expansion I. Ask students: ¿Sabe Martín dónde está la chica? (No) ¿Sabe la chica dónde está Martín? (Ella sabe que está en la ciudad, pero no sabe en qué parte de la ciudad está.) ¿Puede intuir Martín que ella está en la puerta de su casa? (No, pero la chica cree que sí.)

El día va a decaer. Tu vecina pasa. No sé si me habrá visto. Va a regar° su pedazo de jardín. Recuerdo que ella te trae una sopa de pasta cuando estás enfermo y que su hija te pone inyecciones. . .

Pienso en ti muy despacito, como si te dibujara° dentro de mí y quedaras allí grabado. Quisiera tener la certeza de que te voy a ver mañana y pasado mañana y siempre en una cadena ininterrumpida de días; que podré mirarte lentamente aunque ya me sé cada rinconcito° de tu rostro°; que nada entre nosotros ha sido provisional o un accidente.

to water

were drawing

little corner

cara

La joven imagina lo que hace Martín y describe la calle enfrente de la casa

Estoy inclinada ante una hoja de papel° y te escribo todo esto y pienso que ahora, en alguna cuadra° donde camines apresurado, decidido como sueles hacerlo, en alguna de esas calles por donde te imagino siempre: Donceles y Cinco de Febrero o Venustiano Carranza°, en alguna de esas banquetas° grises y monocordes rotas sólo por el remolino de gente° que va a tomar el camión°, has de saber dentro de ti que te espero. Vine nada más a decirte que te quiero° y como no estás, te lo escribo. Ya casi no puedo escribir porque ya se fue el sol y no sé bien a bien lo que te pongo. Afuera pasan más niños, corriendo. Y una señora con una olla° advierte irritada: «No me sacudas la mano° porque voy a tirar la leche. . . » Y dejo este lápiz, Martín, y dejo la hoja rayada° y dejo que mis brazos cuelguen inútilmente a lo largo de mi cuerpo y te espero. Pienso que te hubiera querido abrazar. A veces quisiera ser más vieja porque la juventud lleva en sí, la imperiosa, la implacable necesidad de relacionarlo todo al amor.

sheet of paper / blocks

names of streets in D.F. / sidewalks / crowd / autobús

I love you

pan, kettle / don't bump my hand / lined piece of paper

La joven describe las esperanzas de las mujeres

Ladra° un perro; ladra agresivamente. Creo que es hora de irme. Dentro de poco vendrá la vecina a prender la luz° de tu casa; ella tiene llave y encenderá la lámpara del dormitorio que da afuera porque en esta colonia° asaltan mucho, roban mucho. A los pobres les roban mucho; los pobres se roban entre sí. . . Sabes, desde mi infancia me he sentado así a esperar, siempre fui dócil, porque te esperaba. Te esperaba a ti. Sé que todas las mujeres aguardan°. Aguardan la vida futura, todas esas imágenes forjadas° en la soledad, toda esa inmensa promesa que es el hombre. Más tarde esas horas vividas en la imaginación, hechas horas reales, tendrán que cobrar peso y tamaño y crudeza. Todos estamos —oh mi amor—tan llenos de retratos interiores, tan llenos de paisajes no vividos.

barks

turn on the lights

barrio

wait

forged

La joven trata de decidir lo que va a hacer con el recado

Ha caído la noche y ya casi no veo lo que estoy escribiendo en la hoja rayada. Ya no percibo las letras. Allí donde no le entiendas en los espacios blancos, en los huecos, pon: «Te quiero»... No sé si voy a echar esta hoja debajo de la puerta, no sé. Me has dado un tal respeto de ti mismo... uizás ahora que me vaya, sólo pase a pedirle a la vecina que te dé el recado; que te diga que vine.

160

Después de leer

J Martín. Con un/a compañero/a de clase haga una lista de las palabras y frases que la joven usa para describir a Martín. ¿Con qué compara la joven a Martín? ¿Cómo es él?

K Un tema. Uno de los temas del cuento es el papel de la mujer. Lea las siguientes oraciones del cuento que hablan del papel de la mujer.

> Sé que todas las mujeres aguardan. Aguardan la vida futura, todas esas imágenes forjadas en la soledad. . .

¿Qué esperan las mujeres tradicionales? ¿Y las mujeres más feministas? En su opinión, ¿cuáles son algunas de «esas imágenes forjadas en la soledad»? ¿Qué espera la joven del cuento? ¿Es tradicional o feminista ella?

L El final. El final del cuento es un poco ambiguo; no sabemos lo que va a hacer la joven. ¿Cuáles son las posibilidades mencionadas por la joven? En su opinión, ¿qué va a hacer ella al final?

M Otro punto de vista. El cuento «El recado» está escrito desde el punto de vista de la joven. Con un/a compañero/a de clase, escriba un párrafo acerca de la relación entre la joven y Martín. Pero, escriba su párrafo desde el punto de vista del novio Martín.

Más análisis del cuento. Ask students: **1.** Además de la joven y Martín, ¿qué otros personajes hay en el cuento? (la vecina, la hija de la vecina, una señora con una olla / unos niños) ¿Por qué los menciona la joven? (Porque puede ver lo que pasa en la calle y está un poco aburrida. Le cuenta a Martín todo lo que está pasando cerca de su casa.)
2. ¿Qué hora es al principio del cuento? (Es el atardecer.) ¿Y al final? (Es de noche.) ¿Qué representa esta hora del día y el paso del tiempo? (Representan el fin de algo.) **3.** ¿Qué hace la narradora al principio del cuento? (Está sentada y escribe su recado.) ¿Y al final? (Termina el recado y se va de la casa de Martín.) ¿Hay un cambio en la actitud de la narradora al final? Explique. (Sí, hay un cambio. Ella esta muy indecisa y no sabe qué hacer con el recado ni con el amor que tiene.) **4.** ¿Hay acción en el cuento? (Hay muy poca acción.) Explique por qué. (No hay mucha acción porque lo que importa es la actitud y los pensamientos de la chica.) **5.** ¿Qué representa el jardín de la casa? (Representa a Martín.)
6. ¿Cómo es el tono del cuento? (Es melancólico.) ¿Qué palabra (adjetivo o sustantivo) mejor expresa la emoción central del cuento? *(Answers will vary.)*

Answers J. Tú también eres un soldado. / Todo tu jardín es sólido, es como tú, tiene una reciedumbre que inspira confianza. Compara a Martín con un soldado, con su jardín y también con unas flores con hojas como espadas. Martín es honesto, serio y sólido.

Answers K. Las mujeres tradicionales esperan tener una familia, ser esposas y madres. Las mujeres más feministas esperan tener una profesión y muchas también esperan tener una familia. «Esas imágenes forjadas en la soledad» son sus deseos para la vida futura; las imágenes del esposo y de los niños futuros, de la casa ideal, etc. La joven del cuento espera a su amado Martín; quiere casarse con él. Es más tradicional.

Answers L. Ella puede echar el recado debajo de la puerta. Ella puede irse con el recado sin dejárselo a Martín. Ella puede pasar a la casa de la vecina para pedirle que ella le dé el recado a Martín y que le diga que vino.

Bienvenidos a Centroamérica, Colombia y Venezuela

Geografía y clima

Centroamérica es el puente entre la América del Norte y la América del Sur. *Colombia* y *Venezuela* son dos países de la América del Sur. Tienen una geografía muy similar: la costa tropical y la región templada de las montañas. *Venezuela* también tiene llanos *(plains)* cerca del río Orinoco. La temperatura varía según la altitud.

Población

Centroamérica: 39.500.000 habitantes; *Colombia:* 43.600.000 habitantes; *Venezuela:* 25.800.000 habitantes

Lenguas

El español y varios idiomas indígenas

Gobierno

Centroamérica es como una América Latina en miniatura; hay gran diversidad en los gobiernos y la política. *Colombia y Venezuela:* Democracia

Economía

Centroamérica: Productos agrícolas: frutas tropicales, verduras, café; turismo; *Colombia:* café, flores, petróleo; *Venezuela:* petróleo

En la foto. ¿Cómo se llama el lago en la foto? (Atitlán) ¿En qué país está? (Guatemala) ¿Qué hay alrededor del lago? (Hay montañas / árboles / un paisaje hermoso.) ¿Qué tiempo hace en la foto? (Hace sol / buen tiempo / calor.)

To complete the following exercise, have students use the maps of Central America, Colombia, and Venezuela located in the opening pages of the textbook, on the transparencies, or a map located in the classroom.

Introducción geográfica

Conteste las siguientes preguntas, usando mapas de Centroamérica, Colombia, y Venezuela.

1. ¿Cuáles son los países de Centroamérica donde el español es la lengua oficial? ¿Cuáles son las capitales de estos países?

2. ¿Cuáles son las capitales y otras ciudades importantes de Colombia y Venezuela?

3. ¿Qué rasgos geográficos tienen en común Colombia, Venezuela y los países de Centroamérica?

4. ¿Qué ventajas y desventajas ofrece la geografía de estos países?

Guatemala, como muchos de los países de Centroamérica, tiene una naturaleza abundante y hermosa. A causa de su clima templado, Guatemala es conocido como «El país de la eterna primavera». Además de su naturaleza, Guatemala es conocida por su antigua civilización maya.

Guatemala: Lago Atitlán

Answers. 1. Costa Rica: San José; El Salvador: San Salvador; Guatemala: Ciudad de Guatemala; Honduras: Tegucigalpa; Nicaragua: Managua; Panamá: Ciudad de Panamá **2.** Colombia: Barranquilla, Bogotá (la capital), Cali, Cartagena y Medellín; Venezuela: Barquisimeto, Caracas (la capital), Maracaibo, Mérida y Valencia **3.** Con la excepción de El Salvador, todos tienen costa en el mar Caribe. / Tienen una costa tropical con montañas en el interior. **4.** *Answers will vary.*

To listen to this song, access the *Interacciones, 6th Edition* playlist at academic.cengage.com/spanish/interacciones

Notas musicales 🎵

El cantante Juanes, en su canción *A Dios le pido*, hace una petición (*plea*) a Dios por su alma, su corazón, el pueblo colombiano y más. Es una canción introspectiva y emocional que evoca sentimientos profundos.

Juanes, el cantante colombiano de música rock

Que mis ojos se despierten
con la luz de tu mirada°, yo   *gaze*
   a Dios le pido
que mi madre no se muera
y que mi padre me recuerde
   a Dios le pido
que te quedes a mi lado
y que más nunca te me vayas, mi vida
   a Dios le pido

Point out. The Colombian pop artist Juanes is known worldwide for his rock music; he has earned numerous awards including several Latin Grammies.

A Dios le pido

Después de escuchar *A Dios le pido*, conteste las siguientes preguntas.

1. ¿Cómo se llama el artista que canta *A Dios le pido*? ¿De dónde es?

2. ¿Cuál es el tema de la canción?

3. ¿Quiénes son las personas que menciona Juanes en la canción?

4. ¿Según la canción de *A Dios le pido*, qué esperanzas y deseos tiene el cantautor?

Answers. 1. El artista se llama Juanes y es de Colombia. **2.** El tema de la canción es el amor (también puede ser el deseo, la esperanza, etc.). **3.** Son su madre, su padre y su pareja. **4.** Las esperanzas y los deseos del cantautor son: que sus ojos se despierten con la luz de la mirada de su pareja, que su madre no se muera, que su padre lo recuerde, que su pareja se quede a su lado y que nunca se le vaya.

 Go to the **Bienvenidos a Centroamérica, Colombia y Venezuela** section of your *Cuaderno de actividades* for additional exercises on this song.

 Para saber más: academic.cengage.com/spanish/interacciones

En la universidad

Algunos estudiantes en la Universidad de Costa Rica

Cultural Themes

Central America
Universities in the Hispanic world

Communicative Goals

Functioning in the classroom
Indicating location, purpose, and time
Indicating the recipient of something
Talking about the weather
Expressing hopes, desires, and requests
Making comparisons

Have students describe the photo. If necessary, ask specific questions such as: ¿Qué hay en la foto? ¿Cuántas personas hay y quiénes son? ¿Qué hacen? ¿Dónde están?

Have students provide examples in English of the topics, situations, and phrases that would be covered in each of the communicative goals. **Modelo:** *Classroom expressions:* Students might provide answers such as: *Open your books; take out paper and pen.*

Video on DVD	Audio
Cuaderno de actividades	Atajo
iLrn Heinle Learning Center	Music
academic.cengage.com/spanish/interacciones	iRadio

Presentación

¿Dónde está la Facultad de Ingeniería?

Práctica y conversación

5.1 Situaciones. ¿Adónde va Ud. en las siguientes ocasiones?

1. Necesita comprar libros para su clase de historia. la librería
2. Quiere pagar la matrícula. las oficinas administrativas
3. Tiene un examen oral de español y necesita practicar. el laboratorio de lenguas
4. Va a encontrarse con su compañero/a de cuarto para jugar al tenis. el campo deportivo
5. Acaba de tomar un examen de matemáticas y tiene sueño. la residencia estudiantil
6. La librería no tiene la novela que Ud. tiene que leer para su clase de literatura. la biblioteca
7. Tiene hambre. el centro estudiantil

Warm-up. *Ask students:* **¿Qué ve Ud. en el dibujo?** Students should work in pairs and prepare a mental list (not written) of the people and objects that they see in the drawing. Then, have students report their findings to the entire class. Finally, have students explain what activities the various people in the drawing are engaging in.

5.2 Maestría en comunicación. Hágale a un/a compañero/a de clase preguntas sobre este programa de Maestría en Comunicación.

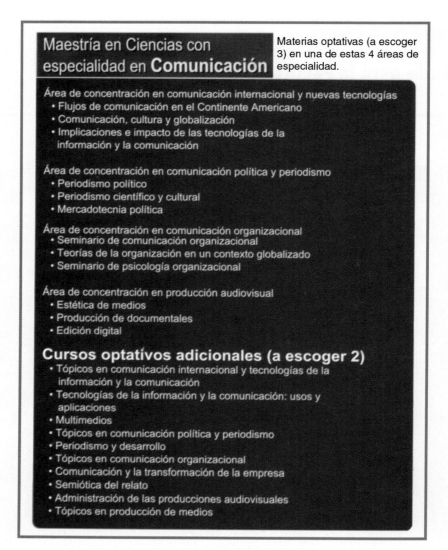

Maestría en Ciencias con especialidad en **Comunicación**

Materias optativas (a escoger 3) en una de estas 4 áreas de especialidad.

Área de concentración en comunicación internacional y nuevas tecnologías
• Flujos de comunicación en el Continente Americano
• Comunicación, cultura y globalización
• Implicaciones e impacto de las tecnologías de la información y la comunicación

Área de concentración en comunicación política y periodismo
• Periodismo político
• Periodismo científico y cultural
• Mercadotecnia política

Área de concentración en comunicación organizacional
• Seminario de comunicación organizacional
• Teorías de la organización en un contexto globalizado
• Seminario de psicología organizacional

Área de concentración en producción audiovisual
• Estética de medios
• Producción de documentales
• Edición digital

Cursos optativos adicionales (a escoger 2)
• Tópicos en comunicación internacional y tecnologías de la información y la comunicación
• Tecnologías de la información y la comunicación: usos y aplicaciones
• Multimedios
• Tópicos en comunicación política y periodismo
• Periodismo y desarrollo
• Tópicos en comunicación organizacional
• Comunicación y la transformación de la empresa
• Semiótica del relato
• Administración de las producciones audiovisuales
• Tópicos en producción de medios

Answers 5.2. 1. Los graduados van a recibir una maestría (en comunicicación). **2.** Son la comunicación internacional y nuevas tecnologías, la comunicación política y periodismo, la comunicación organizacional, la producción audiovisual. **3.** No se puede especializarse en las ciencias políticas pero sí se puede especializarse en la producción audiovisual. **4.** Pueden trabajar en una gran variedad de compañías y organizaciones como reporteros, productores de medios, especialistas de multimedia. **5.** Sí, el programa ofrece la preparación necesaria para trabajar en una compañía multinacional. **6.** *Answers will vary.*

Pregúntele...

1. qué título van a recibir los graduados del programa.
2. cuáles son las cuatro áreas de especialización en la Maestría de Comunicación.
3. si se puede especializarse en las ciencias políticas. ¿En la producción audiovisual?
4. qué tipo de empleo pueden obtener los graduados.
5. si el programa ofrece la preparación necesaria para trabajar en una compañía multinacional.
6. si hay un programa semejante en su universidad.

5.3 Creación. Cuente en una narración lo que pasa en el dibujo de la **Presentación.**

VOCABULARIO

El ingreso	Admission
la beca	scholarship
el examen de ingreso	entrance exam
la matrícula	tuition
el requisito	requirement
estar en el primer año	to be a freshman
estar en la universidad	to be at the university
inscribirse	to enroll in a class
matricularse	to register

La ciudad universitaria / el campus	Campus
la biblioteca	library
el campo deportivo	sports field
el centro estudiantil	student center
el estadio	stadium
el gimnasio	gymnasium
el laboratorio de lenguas	language lab
la librería	bookstore
las oficinas administrativas	administrative offices
la residencia estudiantil	dormitory
el teatro	theater

Los cursos	Courses
la apertura de clases	beginning of the term
el campo de estudio	field of study
el/la catedrático/a	university professor
el curso electivo	elective class
obligatorio	required class

La Facultad de	School of
Administración de empresas	Business and Management
Arquitectura	Architecture
Bellas artes	Fine Arts
Ciencias de la educación	Education
Ciencias económicas	Economics
Ciencias políticas	Political Science
Derecho	Law
Farmacia	Pharmacy
Filosofía y letras	Liberal Arts (Philosophy and Literature)
Ingeniería	Engineering
Medicina	Medicine
Periodismo	Journalism
la materia	subject matter
la pasantía	internship
el profesorado	faculty
especializarse en	to major in
estudiar en el extranjero	to study abroad
seguir (i, i) un curso	to take a course
tomar un curso	
ser oyente	to audit a course

Los títulos	Degrees
el bachillerato	high school diploma
el doctorado	doctorate
la licenciatura	bachelor's degree
la maestría	master's degree
graduarse	to graduate
licenciarse en	to receive a bachelor's degree in

 Heinle Spanish Transparency Bank: L-2 La rutina universitaria. Use these images to illustrate additional university vocabulary to your students.

Así se habla  CD 1, Track 16

Classroom Expressions

Warm-up. Before listening to the dialogue, have students work in pairs and describe the people in the drawing. Then have students brainstorm the phrases that the people in the drawing might be saying to each other.

Have students listen to the dialogue once. Then ask them to provide a statement explaining the gist of the conversation.

PROFESORA:	Muy bien, Miguel. Tu presentación acerca de las universidades en el mundo hispano estuvo muy interesante. Por favor, toma asiento. Ahora, por favor, todos Uds. saquen lápiz y papel y empiecen a escribir un resumen de la presentación oral de Miguel.
MARIO:	¿De cuántas páginas tiene que ser el resumen?
PROFESORA:	Una página como mínimo.
MARIO:	¿Y para cuándo es?
PROFESORA:	Para mañana por la mañana.
MARIO:	(*Murmurando*): ¡Y yo que no presté atención! ¡Ahora sí que estoy metido en un lío! ¡Eso me pasa por distraído! Oye, José, ¿puedo trabajar contigo?
JOSÉ:	¿Qué? ¡Ni hablar!

Comprehension check. After playing the dialogue a second time, have students answer the following: ¿Cuál fue el tema de la presentación oral de Miguel? (El tema fue las universidades en el mundo hispano.) ¿Qué tienen que hacer los estudiantes después de la presentación? (Tienen que sacar un papel y empezar a escribir un resumen de la presentación oral.) ¿Qué problema tiene Mario? (No prestó atención y no puede hacer el resumen.) ¿Ha tenido Ud. alguna vez un problema similar al de Mario?

Have three students read the dialogue aloud as a role play. Then have students locate phrases in the dialogue that illustrate the function *Classroom Expressions*.

If you are in a classroom, these are some of the expressions that your instructor will use. (Remember it is more polite to use **por favor** when giving a command.)

Escuchen.	*Listen.*
Abran / Cierren sus libros.	*Open / Close your books.*
Lean en voz alta / en silencio.	*Read out loud / silently.*
Hablen más alto.	*Speak louder.*
Saquen un lápiz y una hoja de papel.	*Take out a pencil and a sheet of paper.*
Guarden todas sus cosas.	*Put all your things away.*
Contesten, por favor.	*Please answer.*
Escriban una composición de (500) palabras / (tres) páginas.	*Write a composition of (500) words / (three) pages.*
Trabajen con su compañero/a.	*Work with your partner.*

As the student, these are some of the expressions you can use.

No comprendo.	*I don't understand.*
No sé.	*I don't know.*
¿Puede repetir, por favor?	*Could you repeat (it), please?*
Tengo una pregunta.	*I have a question.*
¿Cómo se dice... ?	*How do you say . . . ?*
¿Podría hablar más despacio?	*Could you speak more slowly?*
¿Podría explicar... otra vez?	*Could you explain . . . again?*
¿Para cuándo es?	*When is it due?*
¿De cuántas páginas?	*How many pages long?*

After explaining the expressions, have students repeat expressions aloud. Correct pronunciation and intonation when necessary.

To hear more about Spanish pronunciation visit academic.cengage.com/ spanish/interacciones.

5.4 Situaciones. ¿Qué dice un profesor cuando...

1. le hace una pregunta a un estudiante?

2. un estudiante responde y nadie lo oye?

3. los estudiantes van a tomar un examen?

4. los estudiantes tienen que leer en clase?

   ¿Qué dicen los estudiantes cuando...

5. no entienden lo que el profesor dice?

6. no saben una palabra?

7. no saben una respuesta?

8. el profesor habla muy rápido?

Warm-up 5.4. Ask students to think about the type of activities the instructor usually asks them to do. Then, ask them what information they need from the instructor in order to complete the assignment.

Answers 5.4. *Possible answers:* **1.** Conteste, por favor. **2.** Hable más alto. **3.** Saquen un lápiz y una hoja de papel. **4.** Lean en silencio. **5.** No comprendo. **6.** ¿Cómo se dice... ? **7.** No sé. **8.** ¿Podría hablar más despacio?

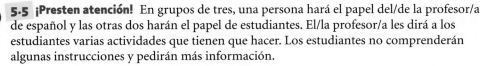

5.5 ¡Presten atención! En grupos de tres, una persona hará el papel del/de la profesor/a de español y las otras dos harán el papel de estudiantes. El/la profesor/a les dirá a los estudiantes varias actividades que tienen que hacer. Los estudiantes no comprenderán algunas instrucciones y pedirán más información.

Instructions 5.5. Divide the students in groups of three and ask them to role-play the situation. Ask students to prepare first and to be ready to present their situation in front of the class without looking at their notes. Reward creativity!

Answers 5.5. *Possible answers:* **Profesor:** Guarden sus cosas. / Saquen lápiz y papel, por favor. / Pregúntele a su compañero/a qué hizo el fin de semana pasado. / Hable más alto, por favor. / Ahora, escriba una composición acerca de lo que su compañero/a le acaba de decir. **Estudiantes:** No entiendo. ¿Puede repetir? ¿De cuántas páginas? ¿Para cuándo es?

Estructuras

Indicating Location, Purpose, and Time

🎧 To hear more about **por** and **para** visit academic. cengage.com/spanish/interacciones.

Some Prepositions; *por* versus *para*

In order to indicate purpose, destination, location, direction, and time, you will need to learn to use prepositions and to distinguish the prepositions **por** and **para.**

Most students should already be familiar with the prepositions in the chart **Some Common Prepositions.**

Warm-up. To practice the meaning of the prepositions, use a classroom object such as a book or a pen. Place the object over / under / beside / on top of / in front of / inside of / between another object. Have students explain where the object is in relation to the other object: **Modelo:** *El libro está sobre / debajo de / al lado de la mesa.*

Some Common Prepositions			
a	*to, at*	**hasta**	*until, as far as*
con	*with*	**menos**	*except*
de	*of, from, about*	**para**	*for, in order to*
desde	*from, since*	**por**	*for, by, in, through*
durante	*during*	**según**	*according to*
en	*in, on, at*	**sin**	*without*

Some Prepositions of Location			
al lado de	*beside, next to*	**detrás de**	*behind, in back of*
alrededor de	*around*	**encima de**	*on top of, over*
cerca de	*near*	**enfrente de**	*in front of*
contra	*against*	**entre**	*between, among*
debajo de	*under, underneath*	**lejos de**	*far (from)*
delante de	*in front of*	**sobre**	*on top of, over*
dentro de	*in, inside of*		

Supplemental Grammar. The Spanish contraction **al** must be used whenever **a** is followed by the masculine singular article **el.** A + **él** (meaning *he*) does not contract. **¿Le das este libro al profesor García? Sí, le doy el libro a él.**

The Spanish contraction **del** must be used whenever **de** is followed by the masculine singular article **el.** De + **él** (meaning *he*) does not contract. **¿De quién es este libro? ¿Es del señor Lado? Sí, es de él.**

a. When the masculine singular article **el** follows the preposition **a,** the contraction **al** is used.

Joaquín va **al** laboratorio de química; no va a la oficina.

Joaquín is going to the chemistry lab; he's not going to the office.

b. When the masculine singular article **el** follows the preposition **de** or a compound preposition containing **de,** the contraction **del** is used.

La Facultad de Farmacia está al lado **del** edificio de química.

The School of Pharmacy is next to the chemistry building.

c. The prepositions containing **de** can be used as adverbs when **de** is eliminated. Note that prepositions are followed by an object but adverbs are not. Compare the following examples.

La Facultad de Derecho está **lejos de** la biblioteca, ¿verdad?
Sí, está muy **lejos.**

The Law School is far from the library, isn't it?
Yes, it's very far.

d. Even though both **por** and **para** can mean *for,* these two prepositions have separate uses. Study the following explanation.

PARA is used to indicate:

1. destination

Salgo **para mis clases** a las ocho.	*I leave for my classes at 8:00.*
Esta carta **es para mi compañero de cuarto.**	*This letter is for my roommate.*

2. purpose

Ricardo estudia **para ser abogado.**	*Ricardo is studying to be a lawyer.*
Tomo seis cursos este semestre **para graduarme pronto.**	*I am taking six courses this semester in order to graduate soon.*

3. deadline

Tengo que escribir un informe **para el jueves.**	*I have to write a paper by Thursday.*

4. comparison

Para un estudiante nuevo, Raúl sabe mucho de medicina.	*For a new student, Raúl knows a lot about medicine.*

POR is used to express:

1. length of time

Ayer practiqué en el laboratorio **por dos horas.**	*Yesterday I practiced in the laboratory for two hours.*

2. *for, in exchange for* to express sales or gratitude

Pagué $100.00 **por este libro de física.**	*I paid $100.00 for this physics book.*
Muchas gracias **por toda tu ayuda.**	*Thank you very much for all your help.*

3. means of transportation or communication

Francisca me llamó **por teléfono** anoche para decirme que vamos a Managua **por avión.**	*Francisca called me on the phone last night to tell me that we're going to Managua by plane.*

4. cause or reason

No podemos ir al partido de fútbol **por el mal tiempo.**	*We can't go to the soccer game because of the bad weather.*

5. *through, along, by*

Anoche caminamos **por el parque.**	*Last night we walked through the park.*

6. **Por** is also used in many common expressions such as the following:

por aquí / allí	*around here / there*	**por favor**	*please*
por desgracia	*unfortunately*	**por fin**	*finally*
por ejemplo	*for example*	**¿por qué?**	*why?*
por eso	*therefore, for that reason*	**por supuesto**	*of course*

Reminder. ¿**Por qué** = *why* is used in questions; **porque** = *because* is used in answers.

Práctica y conversación

5.6 ¡Por favor, ayúdame! Ud. es un/a nuevo/a estudiante en su universidad y está totalmente perdido/a. Complete las oraciones con **por** o **para** para pedirle ayuda a un/a compañero/a.

Warm-up 5.6. Students brainstorm some of the things they had to find out when they first came to the university. Ask them: ¿A quién/es le/s pidieron ayuda? ¿Qué respuestas les dieron? ¿Fue la gente amable o no?

Expansion 5.6. After students complete **5.6,** have them personalize the dialogue to their own campus and needs.

Usted

1. Disculpa, pero me podrías decir, _____ por _____ favor, ¿adónde tengo que ir _____ para _____ matricularme en un curso de ruso?

3. ¿Y cómo llego? ¿Están _____ por _____ aquí?

5. No, en realidad, no. ¿Queda _____ por _____ el Centro Estudiantil?

7. Mi especialidad es ruso. ¿_____ Por _____ qué me preguntas?

9. Tienes razón. Muchas gracias _____ por _____ todo y disculpa la molestia.

Compañero/a

2. _____ Por _____ desgracia, también soy nuevo/a, pero creo que tienes que ir _____ para _____ las oficinas administrativas.

4. No, están _____ por _____ el otro lado de la universidad. Tienes que pasar _____ por _____ el edificio de Educación. ¿Sabes dónde queda?

6. No, no está _____ por _____ ahí. Pero, ¿_____ por _____ qué tienes que matricularte en ese curso?

8. Es una lengua muy difícil. _____ Para _____ ser un/a estudiante nuevo/a sabes lo que estás haciendo, ¿no? Pienso que debes hablar con tu consejero _____ para _____ que te ayude.

10. No, ¡qué ocurrencia!

Warm-up 5.7. Students work in groups of three and ask each other about their plans for the next school year. Go around the class and check students' dialogues providing the help they might need.

Instructions 5.7. Working in pairs, students prepare **Práctica 5.7**. After they finish preparing, they dramatize the situation without using their book. It is not necessary to follow the order of questions in the book.

Expansion 5.8. Students work in groups of three; two play the role of the parents and the third one plays the role of the student. After preparing the exercise, each group dramatizes the situation in front of the class. The class then decides which dialogue is the most realistic.

5.7 ¿Qué clases vas a tomar? Hable con un/a compañero/a sobre las clases que Uds. piensan tomar y los deportes que piensan practicar el próximo semestre o trimestre.

1. ¿En qué edificios van a tener clases? ¿Dónde van a practicar deportes?
2. ¿Dónde quedan esos sitios? ¿Quedan cerca o lejos de su residencia estudiantil? Expliquen.
3. ¿Cuándo van a tener clases? ¿Cuándo van a practicar deportes?
4. ¿A qué hora van a salir de su residencia para llegar a clase?
5. ¿Por qué prefieren esas clases? ¿Esos deportes?
6. ¿?

5.8 ¿Dónde está... ? Un/a compañero/a de clase hace el papel de su madre / padre y lo/la llama a Ud. por teléfono para preguntarle acerca de su universidad. Dígale dónde queda su residencia estudiantil, el centro estudiantil, la librería, el laboratorio de lenguas, la biblioteca, el hospital universitario, ¿?

Indicating the Recipient of Something

Prepositional Pronouns

To indicate the recipient of an action, the donor of a gift, or to express with whom you are doing certain activities, you use a preposition followed by a noun or a prepositional pronoun. These prepositional pronouns replace nouns and agree with the nouns in gender and number.

ALICIA:	¡Qué bonitas flores! ¿Para quién son?
JUANA:	Son para **ti.**
ALICIA:	¡Qué bien! ¿Son de Eduardo?
JUANA:	Por supuesto que son de **él.**

Point out. Mí has a written accent; **ti** does not.

Prepositional Pronouns

¿Para quién son las flores?

Son para **mí.**	*They're for me.*	Son para **nosotros/as.**	*They're for us.*
Son para **ti.**	*They're for you.*	Son para **vosotros/as.**	*They're for you.*
Son para **él.**	*They're for him.*	Son para **ellos.**	*They're for them.*
Son para **ella.**	*They're for her.*	Son para **ellas.**	*They're for them.*
Son para **Ud.**	*They're for you.*	Son para **Uds.**	*They're for you.*

a. Prepositional pronouns have the same form as subject pronouns except for the first- and second-person singular forms: **mí / ti.**

b. The first- and second-person singular pronouns combine with the preposition **con** to form **conmigo** (*with me*) and **contigo** (*with you*). The forms **conmigo** and **contigo** are both masculine and feminine.

Answers 5.9. 1. ¿De quién son estos chocolates? ¿De tus amigos? Sí, son de ellos. 2. ¿De quién es este regalo? ¿De Ángela y Elena? Sí, es de ellas. 3. ¿De quién son estos discos compactos? ¿De los hermanos Gómez? Sí, son de ellos. 4. ¿De quién son estas fotos? ¿De Jacinto? Sí, son de él. 5. ¿De quién son estos libros? ¿De tu novio/a? Sí, son de él/ella. 6. ¿De quién es este radio? ¿De Eduardo? Sí, es de él.

Práctica y conversación

5.9 ¿Qué es esto? Ud. tuvo una pequeña fiesta en su cuarto de la residencia estudiantil y ahora hay mucho desorden. Su compañero/a de cuarto entra y le hace algunas preguntas.

Modelo

	cuaderno / José
Compañero/a:	*¿De quién es este cuaderno? ¿De José?*
Usted:	*Sí, es de él.*

1. chocolates / tus amigos
2. regalo / Ángela y Elena
3. discos compactos / los hermanos Gómez
4. fotos / Jacinto
5. libros / tu novio/a
6. radio / Eduardo

5.10 ¡Llegó el correo! En grupos, un/a estudiante está encargado/a de repartirles el correo a los otros estudiantes de su residencia. Después, uno/a de los estudiantes le informará a la clase quién recibió cartas de quién/es.

Modelo

Cartero/a:	¡Dos cartas para Elena!
Estudiante 1:	*¡Ay! Una carta para mí de José y otra de mis padres.*
Estudiante 2:	*¿De José?*
Estudiante 1:	*¡Sí, de él!*

5.11 Adivina a quién vi hoy. Usando el dibujo, explíquele a un/a compañero/a a quiénes vio en la biblioteca hoy y qué estaban haciendo. Él /Ella querrá saber todos los detalles.

Warm-up 5.10. Students work in groups and discuss the type of mail they receive: ¿Quién les escribe? ¿Con qué frecuencia? ¿Sobre qué les escribe? ¿Cómo se sienten al recibir estas cartas?

Warm-up 5.11. Students work in small groups and talk about the following: qué hacen cuando van a la biblioteca, con quién hablan / estudian, qué reglas hay, qué pasa si rompen las reglas.

Instructions 5.11. Ask the class to describe the picture in detail: clothes, behavior, what type of personality the people in the picture have, what the consequences of what they are doing are. Students complete the exercise working individually. Then, they check their answers with a partner.

Perspectivas

La vida estudiantil

Es difícil describir el sistema de enseñanza en el mundo hispano porque hay mucha diversidad de un país a otro. Pero dentro de esta diversidad hay características básicas que todos los países tienen en común. Al igual que en los EE.UU., hay tres niveles de enseñanza: el primario, el secundario y el universitario.

El nivel primario

La primera etapa obligatoria es el nivel primario, donde los estudiantes de seis a doce años aprenden materias básicas como aritmética, lenguaje, estudios sociales y ciencias naturales. Al salir de la escuela primaria, reciben un certificado de sexto grado.

El nivel secundario

Los estudiantes que pueden continuar pasan al nivel secundario y asisten al colegio, al instituto o al liceo, según el país. Por lo general, esta etapa consiste en cinco o seis años de estudios divididos en dos partes. El primer ciclo termina en el bachillerato elemental y el segundo en el bachillerato clásico. Solamente los estudiantes que quieren asistir a la universidad completan los dos ciclos. En el colegio o liceo los estudiantes no pueden escoger ni sus clases ni su horario. El Ministerio de Educación de cada país determina qué materias deben estudiar en cada año. Así, todos los estudiantes de primer año de secundaria estudian exactamente las mismas materias.

Las universidades

Las universidades están divididas en facultades, como la Facultad de Administración de Empresas, la Facultad de Filosofía y Letras o la Facultad de Farmacia. Los estudiantes empiezan a especializarse en cuanto entran en la universidad. Por ejemplo, una estudiante que quiere hacerse médica entra directamente en la Facultad de Medicina en su primer año de universidad. Generalmente, la licenciatura lleva cinco o seis años de estudio. Al graduarse los estudiantes reciben la licenciatura y los llaman licenciados. Los que se gradúan de las facultades profesionales reciben un título profesional cuyo nombre varía según la facultad; por ejemplo, los que se gradúan de la Facultad de Medicina son médicos, mientras que los de la Facultad de Farmacia son farmacéuticos.

Algunos estudiantes universitarios en un salón de clase

Las relaciones entre los estudiantes y los profesores

Las relaciones entre los estudiantes y los profesores son mucho más formales en la cultura hispana que en los EE.UU. Los profesores son corteses y amables con los estudiantes pero mantienen cierta distancia emocional. Los estudiantes tratan a los profesores con respeto; generalmente emplean Ud. y un título seguido por el apellido. En clase los profesores son una autoridad que no se cuestiona mucho. Los profesores dictan una conferencia y los estudiantes toman apuntes; no hay mucha interacción o discusión de la materia. Tampoco hay mucha oportunidad o tiempo para la atención individual porque las clases son grandes. Después de clase no es normal pasar tiempo con un/a profesor/a en su oficina o en una situación social.

Cultural products: school systems and degrees in the Hispanic world. **Cultural practices:** classroom conduct in the Hispanic world; student-faculty relationships. **Cultural comparisons:** comparisons of educational levels, degree types, student-faculty activities in the Hispanic world and the U.S.

For additional information on the education system in the Hispanic world, view the film *La lengua de las mariposas* and complete the activities in **Más allá de la pantalla: Capítulo 1.** RESUMEN: La historia de la relación entre Moncho, un niño de ocho años, y su maestro, Don Gregorio, en un pueblo en España antes de la Guerra Civil; escenas escolares.

Prior to discussing this **Perspectivas** section, you may want to teach or review the following vocabulary: **la etapa** = *stage, step;* **el nivel** = *level.*

Point out. Within the Hispanic world the words **el instituto / el liceo / el colegio** can be used to refer to a college preparatory high school. However, in some countries the word **el colegio** can mean elementary school rather than high school. The phrase **la escuela secundaria** is normally used to refer to the type of high school typically found in the U.S.

Práctica

5.12 Los títulos. Ponga al lado de cada título la letra correspondiente al nivel de enseñanza o la facultad.

_____f_____ una licenciatura
_____a_____ un ingeniero
_____b_____ un certificado
_____e_____ un médico
_____g_____ un abogado
_____d_____ un bachillerato
_____c_____ un farmacéutico

a. la Facultad de Ingeniería
b. la escuela primaria
c. la Facultad de Farmacia
d. el liceo
e. la Facultad de Medicina
f. la universidad
g. la Facultad de Derecho

5.13 Comparaciones. Trabajando en parejas, preparen una lista de las semejanzas y diferencias entre el sistema de enseñanza en los EE.UU. y el mundo hispano. También preparen una lista de las ventajas y desventajas de cada sistema.

Interacciones:
Capítulo 5, Primera situación

Para saber más:
academic.cengage.com/spanish/interacciones

Presentación

Mis clases del semestre pasado

5.14 Las asignaturas. ¿Qué cursos debe escoger un/a estudiante si se prepara para ser... ?

periodista / arquitecto/a / científico/a / farmacéutico/a / sicólogo/a / maestro/a / hombre/mujer de negocios

5.15 Entrevista personal. Hágale preguntas a un/a compañero/a de clase sobre sus estudios; su compañero/a debe contestar.

Pregúntele...

1. lo que hace cuando falta a clase.
2. cómo se puede sacar prestado un libro.
3. lo que debe hacer si sale mal en un examen.
4. cómo se puede dejar una clase.
5. lo que tiene que hacer para sacar buenas notas.
6. cuándo es necesario aprender de memoria.
7. lo que hace para aprobar un examen.

Warm-up. Ask students: **¿Qué ve Ud. en el dibujo?** Students should work in pairs and prepare a mental list (not written) of the people and objects that they see in the drawing. Then, have students report their findings to the entire class. Finally, have students explain what activities the various people in the drawing are engaging in.

5.14 Answers. *Answers should include new active vocabulary for this presentation.*

5.16 ¡Sobresaliente! Mire la hoja de evaluación que recibió Richard Lotero y conteste las siguientes preguntas.

Fundación
José Ortega y Gasset

ESTUDIOS INTERNACIONALES
«SAN JUAN DE LA PENITENCIA»
TOLEDO (España)

HOJA DE EVALUACION

NOMBRE _Lotero, Richard_

UNIVERSIDAD _____

DIRECCION POSTAL _____

ASIGNATURA _HIST. 3526_

SEMESTRE CURSADO _VERANO_   CALIFICACION   _A_

OBSERVACION DEL PROFESOR:

Richard Lotero ha mostrado un alto grado de madurez intelectual para enfrentarse a los retos académicos de la asignatura. Su labor merece ser destacada

FECHA: _26 de julio_

EL PROFESOR,   EL DIRECTOR
                               ACADEMICO,

Answers 5.16. 1. Estudió en la Fundación José Ortega y Gasset. **2.** Estudió historia durante el verano. **3.** Salió muy bien. Recibió una A. **4.** El profesor dijo que el trabajo de Ricardo fue excelente. **5.** Está en Toledo, España. **6.** Ofrece estudios internacionales. **7.** *Answers will vary.*

1. ¿Dónde estudió Richard?

2. ¿Qué estudió? ¿Cuándo?

3. ¿Cómo salió en el curso?

4. ¿Qué opinión tiene el profesor del trabajo de Richard?

5. ¿Dónde está la Fundación José Ortega y Gasset?

6. ¿Qué tipo de estudios ofrece la Fundación José Ortega y Gasset?

7. ¿Cuáles son las semejanzas y diferencias entre una hoja de evaluación de su universidad y la de Richard?

5.17 ¿Qué me dices? Ud. y su compañero/a quieren estudiar con Juan para el próximo examen y tratan de encontrar una hora conveniente. Aquí hay una página de algunas actividades de Juan. Su compañero/a va a utilizar otra página que está en el **Apéndice A.** Conversen para descubrir la información que falta. Después, tienen que decidir cuándo pueden estudiar con Juan.

The alternate drawing that corresponds to this activity can be found in **Apéndice A.**

8:00	Ir al gimnasio
9:00	
9:30	Tomar café con Susana
10:00	
11:00	clase de matemáticas
12:30	
2:00	
3:00	
4:00	
5:00	
8:00	cenar con María

5.18 Creación. En una narración cuente lo que pasa en el dibujo de la **Presentación.** Después, complete la siguiente página de la agenda de uno/a de los estudiantes de la clase de la **Presentación.**

8:00	
9:00	
10:00	
11:00	

Segunda situación**179**

VOCABULARIO

Las asignaturas	Subjects	dar una conferencia	to give a lecture
el arte	art	dejar una clase	to drop a class
la biología	biology	dejarse la piel en	to put a lot of effort in something
las ciencias exactas	natural science		
sociales	social sciences	elegir (i, i)	to elect
la contabilidad	accounting	entregar la tarea	to hand in the homework
la física	physics		
la historia	history	esforzarse (ue)	to make an effort
el idioma extranjero	foreign language	estar flojo/a en	to be weak in
		fuerte en	good at
la informática	computer science	faltar a clase	to miss class
las matemáticas	mathematics	pasar lista	to take attendance
la música	music		
la química	chemistry	prestar atención	to pay attention
la sicología	psychology	quemarse las pestañas	to burn the midnight oil
la sociología	sociology	requerir (ie, i)	to require
En la clase	**In class**	sacar prestado un libro	to check out a book
la enseñanza	teaching		
el horario	schedule	trasnochar	to stay up all night
la investigación	research		
el libro de texto	textbook	**La temporada de exámenes**	**Examination period**
el semestre	semester	aprender de memoria	to memorize
aplicado/a	studious	aprobar (ue) un examen	to pass an exam
flojo/a	lax, weak		
perezoso/a	lazy	repasar	to review
sobresaliente	outstanding	sacar buenas/ malas notas	to get good/bad grades
trabajador/a	hardworking	salir mal en un examen	to fail an exam
asistir a clase	to attend class		
una conferencia	a lecture	sobresalir	to excel
cumplir con los requisitos	to fulfill requirements	tomar un examen	to take an exam

Heinle Spanish Transparencies D-3 **Las profesiones.** Use these images to illustrate various professions to your students.

Así se habla

CD 1, Track 17

Talking about the weather

RENATA: ¿Cómo estás, Hilda?

HILDA: ¡Ay! hija, aquí un poco resfriada. Tú sabes que ayer tuve que salir muy temprano de la casa porque tenía que hacer una serie de diligencias y como estaba apurada, me olvidé de llevar el paraguas.

RENATA: ¡Ay, dios mío! ¡Y con el aguacero que cayó ayer!

HILDA: Sí, ¡imagínate! Y además hizo más frío que nunca. Ahora me siento un poco mal.

RENATA: Cuídate mucho, Hilda, espero que no te enfermes más y te pongas peor.

HILDA: Ni me digas que ya me están doliendo todos los huesos.

RENATA: Es necesario que te quedes en casa y no te enfríes. La temporada de lluvias recién está empezando y parece que este año va a llover más que de costumbre.

HILDA: Eso oí. Pero bueno, ¡qué se va a hacer!

If you want to talk about the weather, you can use the following expressions.

¿Qué tiempo hace? **¿Cómo está el día?**	*What's the weather like?*
¿Hace sol / viento / frío / calor?	*Is it sunny / windy / cold / hot?*
¿Está lloviendo / nevando?	*Is it raining / snowing?*
Está nublado / húmedo.	*It's cloudy / humid.*
Hay neblina.	*It's foggy.*
¡Qué día tan bonito / feo! **¡Qué bonito / feo está el día!**	*What a pretty / an ugly day!*

Parece que va a llover / nevar.	It seems it's going to rain / snow.
¡Va a caer un aguacero!	It's going to rain cats and dogs!
Espera a que despeje.	Wait till it clears up.
¡Me muero de frío / calor!	I'm freezing / burning up!

Práctica y conversación

Warm-up 5.19. Ask students to describe the weather in the town/city they live in. Ask them to discuss the advantages and/or disadvantages of having such weather.

Instructions 5.19. Each student should complete the exercise individually and then check his/her answers with a partner.

Answers 5.19. *Possible answers:* **1.** Hace frío, está muy húmedo. **2.** Qué bonito está el día. **3.** Está lloviendo. **4.** Hace mucho calor. **5.** Me muero de calor. **6.** Está muy nublado.

5.19 ¿Qué le parece este clima? Mire el termómetro. ¿Qué dice Ud. cuando...

1. hace una temperatura de 10 grados (centígrados) y hay 100% de humedad?

2. la temperatura está a 20 grados (centígrados) y hay 70% de humedad?

3. llueve mucho?

4. hace una temperatura de 41 grados (centígrados)?

5. el sol brilla mucho y la temperatura está a 34 grados (centígrados)?

6. hay mucha neblina?

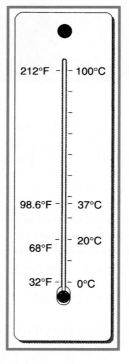

Warm-up 5.20. Prior to having students work in pairs, brainstorm with the class the type of trips they like to take: the place, the type of weather they like and the appropriate activities for the weather, what they like to do in the evening, the items they need to take with them, how long the vacation trip should last, etc.

5.20 Nos vamos de viaje. Trabajen en parejas. Ud. y un/a compañero/a de clase están planificando un viaje para las próximas vacaciones. El lugar adonde irán dependerá del clima. A Ud. le gusta el clima cálido pero él/ella prefiere el clima frío. Escojan un sitio que les guste a los / las dos.

Estructuras

Expressing Hopes, Desires, and Requests

Present Subjunctive After Verbs of Wishing, Hoping, Commanding, and Requesting

Verbs in the indicative mood express statements or questions that are objective or factual.

> Carolina **estudia** química.   *Carolina studies chemistry.*

Verbs in the subjunctive mood are used for subjective or doubtful statements or questions.

> Espero que Carolina **estudie** química.   *I hope that Carolina studies chemistry.*

My hope that Carolina studies chemistry does not mean that she will do it; this action is not an observable fact and therefore the subjunctive is used.

Formation of the Present Subjunctive

a. To form the present subjunctive:
1. Obtain the stem by dropping the **-o** from the first-person singular of the present tense.
2. To the stem, add **-er** endings to **-ar** verbs and **-ar** endings to **-er** and **-ir** verbs.

Verbos en –AR	Verbos en –ER	Verbos en –IR
repasar	**aprender**	**escribir**
repase	aprenda	escriba
repases	aprendas	escribas
repase	aprenda	escriba
repasemos	aprendamos	escribamos
repaséis	aprendáis	escribáis
repasen	aprendan	escriban

b. Verbs that are irregular in the first-person singular of the present indicative will show the same irregularity in all forms of the present subjunctive.

HACER   haga, hagas, haga, hagamos, hagáis, hagan
CONOCER   conozca, conozcas, conozca, conozcamos, conozcáis, conozcan

c. Certain verbs will show spelling changes in the present subjunctive:
Verbs ending in ...
1. **-car** change the **c → qu**:   buscar   **busque**
2. **-gar** change the **g → gu**:   pagar   **pague**
3. **-zar** change the **z → c**:   organizar   **organice**
4. **-ger** change the **g → j**:   escoger   **escoja**

To hear more about the subjunctive, visit academic.cengage.com/spanish/interacciones.

Point out. The subjunctive is rarely used in modern English except in a few cases after such verbs as *demand, recommend, urge, insist, request, suggest, move. I move that the report be approved. / The counselor suggested that **he study** for the exam. / I insist that **she complete** the homework.* The subjunctive is also used in fixed expressions such as *far be it from me / be that as it may / as it were / (may) God bless you.*

Point out. Both indicative and subjunctive statements may be affirmative or negative. **Juan no falta a clase. Espero que Juan no falte a clase.**

Supplemental grammar. Common verbs ending in **-car** include **buscar, dedicar, explicar, practicar, sacar, tocar;** common verbs ending in **-gar** include **jugar (ue), llegar, pagar;** common verbs ending in **-zar** include **comenzar (ie), cruzar, empezar (ie);** common verbs ending in **-ger** include **coger, escoger.**

d. Stem-changing **-ar** and **-er** verbs follow the pattern of change of the present indicative: all forms stem-change except **nosotros** and **vosotros**.

Supplemental grammar. Some common **-ar** and **-er** verbs that stem-change **e → ie** include **cerrar, empezar, pensar, querer, recomendar; o → ue** include **almorzar, aprobar, contar, esforzarse, poder, probar, volver.** Some common **-ir** verbs that stem-change **e → ie** include **divertirse, sentirse, preferir, requerir; o → ie** include **dormir(se), morir(se); e → i** include **conseguir, despedirse, elegir, pedir, repetir, servir, vestirse.**

e → ie	o → ue	e → ie	o → ue
recomendar	**mostrar**	**perder**	**devolver**
recomiende	muestre	pierda	devuelva
recomiendes	muestres	pierdas	devuelvas
recomiende	muestre	pierda	devuelva
recomendemos	mostremos	perdamos	devolvamos
recomendéis	mostréis	perdáis	devolváis
recomienden	muestren	pierdan	devuelvan

e. Stem-changing **-ir** verbs follow the pattern of change of the present indicative and show an additional stem change in the **nosotros** and **vosotros** forms.

e → ie, i	e → i, i	o → ue, u
divertirse	**pedir**	**dormir**
me divierta	pida	duerma
te diviertas	pidas	duermas
se divierta	pida	duerma
nos divirtamos	pidamos	durmamos
os divirtáis	pidáis	durmáis
se diviertan	pidan	duerman

Have students indicate how the verbs in this list are irregular.

f. Verbs whose present indicative **yo** form does not end in **-o** have irregular subjunctive stems. The endings of such verbs are regular.

DAR	dé, des, dé, demos, deis, den
ESTAR	esté, estés, esté, estemos, estéis, estén
IR	vaya, vayas, vaya, vayamos, vayáis, vayan
SABER	sepa, sepas, sepa, sepamos, sepáis, sepan
SER	sea, seas, sea, seamos, seáis, sean

The present subjunctive of **hay** = **haya**.

Uses of the Subjunctive

Point out. Desear / querer + subjunctive are generally translated as an infinitive in English. **Esperar** + subjunctive is translated as a present or future tense in English.

a. The subjunctive in Spanish is used to express subjectivity or that which is unknown. Expressions of desire, hope, command, or request are among many Spanish verbs and phrases that create a doubtful or unknown situation and require the use of the subjunctive.

DESIRE	desear, querer
HOPE	esperar, ojalá (que)
COMMAND	decir, dejar, es necesario, es preciso, exigir, insistir en, mandar, ordenar, permitir, prohibir
ADVICE / REQUEST	aconsejar, pedir, proponer, recomendar, rogar, sugerir

Point out. Ojalá (que) is a set expression; it is not a verb and does not change form.

b. **Decir** is followed by the subjunctive when someone is told or ordered to do something. **Decir** is followed by the indicative when information is given.

La profesora les **dice** a los estudiantes que **entreguen** la tarea.	*The professor tells her students to hand in the homework.*
La profesora **dice** que los estudiantes **entregan** la tarea.	*The professor says that the students are handing in the homework.*

c. Many of the expressions of command or advice/request will use indirect objects. In such cases the indirect object pronoun and the subjunctive verb ending refer to the same person.

Te aconsejo que **asistas** a todas las clases.	*I advise you to attend every class.*

d. Generally the subjunctive occurs in sentences with two clauses. The main or independent clause contains an expression that will require the use of the subjunctive in the second or subordinate clause when the subject is different from that of the main clause. If there is no change of subject, the infinitive is used.

Point out. Two conditions must be met in order for a subjunctive to be used: (1) the presence of a word or phrase that may require the use of the subjunctive; (2) a change of subject.

Point out. The word *that* in the English constructions may be omitted.

Change of Subject: Subjunctive

Bárbara quiere que **salgamos** para la universidad a las ocho.	*Bárbara wants us to leave for the university at 8:00.*

Same Subject: Infinitive

Bárbara quiere salir para la universidad a las ocho.	*Bárbara wants to leave for the university at 8:00.*

e. There is little direct correspondence between the use of the subjunctive in Spanish and English. As a result, the Spanish subjunctive may translate into English with a subjunctive but will more likely translate with the present or future indicative or an infinitive. Compare the following translations of similar Spanish sentences.

Espero que estudien para el examen.	*I hope (that) they study for the exam.*
Ojalá que estudien para el examen.	*Hopefully they will study for the exam.*
Quiero que estudien para el examen.	*I want them to study for the exam.*
Insisto en que estudien para el examen.	*I insist (that) they study for the exam.*

Práctica y conversación

5.21 Para sobresalir. Explique lo que es preciso hacer para sobresalir en sus estudios. Ponga sus actividades en la categoría apropiada.

Es preciso que...   No recomiendo que...

Warm-up 5.21. Have students brainstorm effective and ineffective study habits.

5.22 La temporada de los exámenes. Es la temporada de los exámenes. Exprese su opinión sobre lo que los estudiantes necesitan hacer para sobresalir. Empiece cada oración con una de las siguientes expresiones.

No quiero que... / Espero que... / Ojalá... / Insisto en que... / Es necesario que... / Recomiendo que...

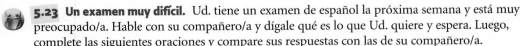 **5.23 Un examen muy difícil.** Ud. tiene un examen de español la próxima semana y está muy preocupado/a. Hable con su compañero/a y dígale qué es lo que Ud. quiere y espera. Luego, complete las siguientes oraciones y compare sus respuestas con las de su compañero/a.

Warm-up 5.23. *Ask students:* ¿Qué hacen antes de un examen? ¿Qué quieren que sus compañeros/as de cuarto hagan cuando tienen que estudiar?

1. Ojalá que _____.
2. Es necesario que _____.
3. Mis padres insisten en que yo _____.
4. Mi amigo/a recomienda que _____.
5. Quiero que _____.
6. Yo les aconsejo a mis amigos/as que _____.

5.24 ¿Adónde vamos a estudiar? Ud. y un/a compañero/a tratan de decidir adónde van a ir a estudiar esta noche porque hay mucho ruido en la residencia estudiantil. Discutan varias opciones, sus ventajas/desventajas y qué esperan encontrar en cada lugar.

Making Comparisons

Comparisons of Inequality

In conversation, we frequently compare persons or things that are not equal in certain qualities or characteristics such as age, size, or appearance.

a. When comparing the qualities of two or more unequal persons or things the following structure is used:

más / **menos** + ADJECTIVE / ADVERB / NOUN + **que**

Adjective

| Las clases de sicología son **más grandes que** las clases de matemáticas. | *Psychology classes are larger than math classes.* |

Adverb

| Antonio hace la tarea **más rápidamente que** Juan. | *Antonio does his homework more rapidly than Juan.* |

Noun

| La residencia nueva tiene **más cuartos que** la residencia vieja. | *The new dorm has more rooms than the old dorm.* |

b. When comparing the unequal manner in which persons or things act or function, the following structure is used:

VERB + **más / menos que** + PERSON or THING
Manolo siempre **estudia más que** tú.   *Manolo always studies more than you.*

c. A few adjectives do not follow the regular pattern of **más** + *adjective* + **que** but use a special comparative form + **que**.

Adjectives		Comparative Forms	
bueno	*good*	mejor/es	*better*
malo	*bad*	peor/es	*worse*
joven	*young*	menor/es	*younger*
viejo	*old*	mayor/es	*older*
mucho	*many, much*	más	*more*
poco	*few, little*	menos	*less*

Esta composición es buena pero la tuya es **mejor**.	*This composition is good but yours is better.*	
¡Pobre Julio! Sus notas este semestre son **peores que** las del semestre pasado.	*Poor Julio! His grades this semester are worse than last semester.*	

d. The age of persons is compared with **mayor / menor**.

Todos mis primos son **menores que** yo.	*All of my cousins are younger than I.*

The age of things is compared with **más / menos nuevo** and **más / menos viejo**.

La biblioteca es **más vieja que** el centro estudiantil.	*The library is older than the student center.*

e. Some adverbs also have irregular comparative forms.

Adverbs		Comparative Forms	
bien	*well*	mejor	*better*
mal	*bad, sick*	peor	*worse*
mucho	*a lot*	más	*more*
poco	*a little*	menos	*less*

Antonio estuvo mal ayer pero hoy está mucho **mejor**.	*Antonio was sick yesterday but today he's much better.*

g. When comparisons are followed by numbers, the form is **más de** + *number*.

Hay **más de cien** estudiantes en la clase.	*There are more than one hundred students in the class.*

Práctica y conversación

5.25 ¿Qué es mejor? Trabaje con un/a compañero/a de clase. Cada persona debe indicar sus preferencias según el modelo.

Modelo salir mal en un examen / aprobar un examen
¿Qué es mejor, salir mal en un examen o aprobar un examen?
En mi opinión, es mejor aprobar un examen.

1. asistir a clase / faltar a clase
2. comprar un libro / sacar prestado un libro
3. ser aplicado / ser perezoso
4. aprender de memoria / repasar sin aprender de memoria
5. dejar una clase / esforzarse

Point out. When **grande / pequeño** refer to size, their comparatives are formed with **más / menos**. When **grande / pequeño** refer to age, their comparatives are the irregular forms **mayor / menor**. **Examples: Susana es grande.** *Susana is big.*/ **Es más grande que Teresa.** *She's bigger than Teresa.*/ **Es mayor que Nilda.** *She's older than Nilda.*

You may wish to point out that in Spain **mayor / menor** can also be the comparative forms of **grande / pequeño**.

Provide examples of irregular adverbs: **Escribo / bailo / canto mejor (peor) que mi hermano. Estudio / bebo / trabajo más (menos) que mis amigos.**

Instructions 5.26. Students, working in pairs, compare the different people in the chart. Then, they report their conclusions to the rest of the class.

Answers 5.26. *Possible answers:* Ángela es más baja que Violeta. Violeta es menor que Ángela. Violeta es más rica que Ángela. Violeta gana más que Ángela; Gustavo gana más que todos / es más rico que todos. Jesús es más alto que Víctor. Jesús pesa más que Víctor. Federico es mayor que Gustavo pero gana menos que él.

Warm-up 5.27. *Ask students:* ¿Qué artículos de este aviso son más importantes para que Ud. pueda estudiar?

Working in pairs, students prepare **Práctica 5.27** deciding what they would buy from the list of items provided, given that their resources are scarce. Then, students must provide a rationale for their choices based on price comparisons.

Reminder: The abbreviation c/u = **cada uno/a.**

Answers 5.27. *Possible answers include:* Los lápices Mongol son más baratos que los lápices Faber. Los bolígrafos Faber son más caros que los Castell. Los cuadernos sencillos son menos caros que los cuadernos con espiral. Las agendas de plástico son más baratas que las agendas de cuero. El papel para impresora láser es más caro que el papel económico. La lámpara de pie es más cara que la lámpara de mesa.

5.26 ¿Qué piensas de...? Trabajando en parejas, decidan cuál de las siguientes personas parece estar en mejor situación económica. Comparen también sus características físicas.

Datos personales					
	Edad	**Estatura**	**Peso**	**Sueldo mensual**	**Propiedades**
Víctor	37	1,78 m	78 kg	$2850	1 apartamento
Jesús	34	1,90 m	93 kg	$4200	2 apartamentos
Violeta	36	1,67 m	54 kg	$5800	1 casa y 2 apartamentos
Gustavo	28	1,82 m	82 kg	$6800	2 casas y 1 apartamento
Federico	43	1,76 m	87 kg	$3600	1 casa
Ángela	55	1,56 m	50 kg	$1815	_____

5.27 ¡Tengo menos dinero que nunca! Ud. y su compañero/a tienen sólo 100 pesos cada uno/a y van a la librería de la universidad a comprar algunas cosas que necesitan para sus clases. Miren y comparen los precios de los distintos artículos y luego elijan lo que van a comprar.

Librería Cervantes	
Lápices Faber	0.50 centavos c/u
Lápices Mongol	5.00 pesos la docena
Bolígrafos Castell	6.00 pesos c/u
Bolígrafos Faber	7.50 pesos c/u
Cuadernos sencillos	4.50 pesos c/u
Cuadernos con espiral	5.25 pesos c/u
Agenda de plástico	8.80 pesos c/u
Agenda de cuero	20.00 pesos c/u
Papel económico para impresora	10.00 pesos el ciento
Papel para impresora láser	18.00 pesos el ciento
Lámpara de mesa	25.00 pesos
Lámpara de pie	38.00 pesos

¿Qué oyó Ud.? CD 1, Track 18

Para escuchar bien

The Setting of a Conversation

The setting of a conversation includes not only the physical place, but also the time of day. Knowing where and when a given conversation or announcement takes place will help you understand the speaker. For example, in a history class you would expect to hear a professor lecturing on famous historical personalities or events. In the registrar's office of a university, you would expect to hear people talking about schedules and the classes they want to take. In other words, the setting helps you to anticipate what the speaker will say.

Antes de escuchar

5.28 El dibujo. Con un/a compañero/a de clase, mire el dibujo que se presenta en esta página y haga las siguientes actividades.

1. Describa a las personas en los dibujos, el lugar donde se encuentran, el clima y la ropa que llevan.
2. ¿Sobre qué cree Ud. que hablan estas dos personas? Justifique su respuesta.

Answers 5.28. 1. Hay dos hombres jóvenes. Están frente a un edificio. / Están en el campo universitario. Hay nubes en el cielo. Un estudiante tiene un paraguas, el otro tiene frío. **2.** *Some possible answers:* Hablan sobre sus clases / el clima.

It will probably be necessary to play the dialogue more than once. During the first playing, students listen for the general idea. During the second playing, students should focus on the details.

Point out. In the conversation, one of the students uses the saying «**Al mal tiempo, buena cara.**» Ask students: *What does the saying mean?* (Keep up your spirits even when the weather or situation is bad.) *Is there a similar saying in English?* (Let a smile be your umbrella.)

Al escuchar

Answers 5.29. 1. nublado, triste 2. dejó el paraguas en su casa y parece que va a llover 3. por dónde pasa el autobús, si llueve va a tener que tomarlo para regresar a casa.

5.29 Los apuntes. Escuche la conversación entre Guillermo y Gerardo. Tome los apuntes que considere necesarios y complete las siguientes oraciones.

1. El día está _____ y se ve _____.
2. Guillermo está preocupado porque _____.
3. Guillermo quiere saber _____ porque _____.

Después de escuchar

Answers 5.30. *Some possible answers:* Guillermo y Gerardo se encuentran en camino a la universidad. Hablan acerca del clima. Uno de ellos está preocupado porque no tiene paraguas y piensa que va a llover. Quiere saber por dónde pasa el autobús para regresar a su casa más tarde.

5.30 Resumen. Trabajando en parejas, resuman la conversación entre Guillermo y Gerardo.

5.31 Algunos detalles. Complete las siguientes oraciones con la mejor respuesta.

1. Guillermo y Gerardo conversan...
   a. por teléfono desde sus casas.
   b. en la calle camino a la universidad.
   c. en el autobús cuando van a la biblioteca.

2. Sabemos que Guillermo...
   a. conoce el clima de esta ciudad.
   b. no está acostumbrado al clima de Caracas.
   c. prefiere el frío y la lluvia.

3. Según la conversación, se sabe que Guillermo y Gerardo...
   a. no se ven todos los días.
   b. no son muy amigables.
   c. son personas muy pesimistas.

4. El dicho «Al mal tiempo, buena cara» quiere decir que hay que...
   a. arreglarse cuando el clima está malo.
   b. tener paciencia con el clima.
   c. ser optimista aun cuando las cosas no van bien.

Interacciones:
Capítulo 5, Segunda situación

Para saber más:
academic.cengage.com/spanish/
interacciones

Tercera situación

Imágenes culturales  DVD

La informática en Costa Rica

Warm-up. To help students comprehend the video more easily, review the information about Central America and Costa Rica in **Bienvenidos a Centroamérica, Colombia y Venezuela.**

Vocabulario del vídeo. The following vocabulary will help you understand this video segment and complete the exercises: **la informática** *(computer science)*; **la selva** *(rain forest, tropical jungle).*

Antes de mirar

A La informática. Trabajando en parejas, hablen de la enseñanza de la informática en las escuelas y universidades en los EE.UU. Describan el uso de computadoras en clase y la necesidad de utilizar la computadora para hacer la tarea. Incluyan información sobre el uso de computadoras en su universidad.

B El título. Mire el título del vídeo de esta sección: *La informática en Costa Rica.* ¿Qué significa el título? En su opinión, ¿de qué va a tratar el vídeo? Después, mire la foto de arriba y descríbala. ¿Quiénes son las personas, dónde están y qué hacen? ¿Qué aprenden?

C La idea principal. Mire el vídeo por primera vez para determinar la idea principal del vídeo. También revise *(check)* y corrija sus respuestas anteriores.

Actividades de vídeo

Después de completar estas actividades de **Antes de mirar,** complete las otras actividades del vídeo para **Capítulo 5** en el *Cuaderno de actividades.*

Answers A. La informática en Costa Rica = *Computer Science in Costa Rica.* Son estudiantes en una escuela secundaria en Costa Rica. Están en un laboratorio de computadoras y hacen la tarea. Aprenden la informática.

Answers B. Costa Rica tiene un excelente sistema educativo. El estudio de la informática es obligatorio.

The additional video activities located in the *Cuaderno de actividades* are designed to be completed by students on their own outside of class. However, the additional activities can also be completed in class if time permits.

Lectura cultural

Para leer bien

Locating main ideas and supporting elements

Every reading selection is composed of a main idea and the details or supporting elements that help develop this main idea. In order to understand a reading passage, it is important to locate the main idea quickly and to separate it from the supporting details. In articles such as those found in newspapers and magazines, the main idea is often expressed in the title and again in the first paragraph. The paragraphs that follow develop the main idea by providing details and examples. A similar structure exists within each paragraph. The topic sentence or main idea of the paragraph is frequently the first sentence of the paragraph and the succeeding sentences further develop and support the topic sentence.

Antes de leer: Honduras, paraíso histórico y natural

A El título. Dé un vistazo *(Scan)* al título de la siguiente lectura «Honduras, paraíso *(paradise)* histórico y natural». En su opinión, ¿cuál es la idea central del artículo?

B El primer párrafo. Lea el primer párrafo del siguiente artículo. ¿Qué otra información hay en este párrafo que contribuye a su primera idea? ¿Cómo es Honduras? ¿Qué hay dentro del país? Además de su herencia natural, ¿qué otra herencia tiene Honduras? Revise la información geográfica sobre Honduras en un mapa de la región y en *Bienvenidos a Centroamérica, Colombia y Venezuela* para encontrar más información.

C Unos sitios. Lea el primer párrafo del siguiente artículo para encontrar información sobre dos sitios hondureños. ¿Qué son Copán y Tegucigalpa?

Al leer

D La idea principal y los detalles. Ud. ya ha encontrado la idea principal del artículo «Honduras, paraíso histórico y natural». Mientras Ud. lee el resto del artículo, haga una pausa después de leer cada párrafo para encontrar su idea principal y los detalles que apoyan la idea principal.

Honduras: un país de gran riqueza ecológica e histórica

Viajar a Honduras, un país situado en pleno Centroamérica, rodeado por Nicaragua, Guatemala y El Salvador, es disfrutar de un viaje de gran calidad. A pesar que su territorio es pequeño, sólo un poco más grande que el estado de Tennessee, en Honduras hay 15 parques nacionales que albergan una rica y variada flora y fauna. Además de esta riqueza ecológica, se añade° su riqueza histórica que se puede apreciar tanto en las ruinas mayas de Copán, como en las ciudades coloniales de Tegucigalpa, la capital, y Trujillo en la costa norte.

Answers A. *Answers should include the following idea:* Honduras es un país con un pasado interesante y con una naturaleza hermosa y abundante.

Answers B. *Answers should include the following idea:* Los turistas van a disfrutar de una visita variada y de calidad. Honduras es un país pequeño, un poco más grande que Tennessee. Hay 15 parques nacionales dentro del país. Honduras tiene su herencia histórica con las ruinas mayas y las ciudades coloniales.

Answers C. *Answers should include the following information:* Copán es un sitio con ruinas mayas. Tegucigalpa es la capital de Honduras; es una ciudad colonial que se ha adaptado a los tiempos modernos.

The reading «Honduras, paraíso histórico y natural» emphasizes the cultural theme (Centroamérica / Honduras) of this chapter.

add

Copán: Centro cultural del mundo maya

La cultura maya es una de las más poderosas y extraordinarias civilizaciones que se desarrolló en la América Central, extendiéndose geográficamente por México, Guatemala, Belice y Honduras y cronológicamente desde el año 2,000 AC hasta 1,500 DC, justo antes de la llegada de los españoles. Entre sus más grandes logros, además de una monumental arquitectura, destacan el desarrollo de la escritura, del calendario, de las ciencias, como la medicina, por ejemplo, y del arte. En Honduras, uno de los lugares donde se puede apreciar mejor la cultura maya es el Valle de Copán.

El Valle de Copán, situado en la parte occidental de Honduras, es uno de los lugares más visitados por los arqueólogos de todo el mundo. En él se encuentran algunas de las más famosas e impresionantes ruinas mayas, declaradas Patrimonio de la Humanidad° en 1980 por la UNESCO.° El mejor lugar para admirar la riqueza de la cultura maya es el parque arqueológico de Copán donde se puede admirar maravillosos túneles subterráneos y templos construidos por los mayas, como, por ejemplo, la famosa Escalinata Jeroglífica°, construida en honor a la realeza° de Copán. Esta escalera contiene el texto más largo que se conserva de la cultura maya. Pero la mejor manera de saber cómo vivieron los habitantes del valle hace más de 3,000 años es visitando las Sepulturas, zona residencial de la élite de Copán. Se llama Sepulturas porque los mayas acostumbraban a enterrar a sus muertos en la misma casa donde vivían.

Copán: La Escalinata Jeroglífica

World Heritage Site
United Nations Educational,
* Scientific and Cultural*
* Organization*
Hieroglyphic Staircase
royalty

Ciudades coloniales, riqueza histórica

Además de la influencia de la cultura maya, en Honduras también se puede apreciar la influencia de la cultura española. Los españoles llegaron a Honduras hace más de 300 años y las numerosas iglesias repartidas por todo el territorio hondureño recuerdan esa época. Las ciudades Gracias, La Esperanza y Comayagua son algunas de las paradas° más interesantes para los visitantes. Pero hay una parada fundamental: Trujillo, construida como la mayoría de las ciudades coloniales, con una plaza central alrededor de la cual se enlazan las calles en forma cuadriculada°. Trujillo fue uno de las primeros lugares en América donde llegó Colón° quien no tardó en convertirla en un importante centro del continente. Como Trujillo era lugar de paso del oro y la plata del país, pronto captó la atención de los piratas.

stops

square / Columbus

Naturaleza abundante

Si el visitante quiere explorar la selva tropical lluviosa menos explorada del hemisferio norte de América, se puede acercar a «La Moskitia», en la frontera° con Nicaragua. Debido a su riquísima flora y fauna «La Moskitia» es uno de los destinos naturales preferidos dentro de Honduras.

border

Parque Nacional Pico Bonito

forests

waterfalls

Otra ciudad de gran importancia es La Ceiba, la tercera ciudad más grande de Honduras y considerada como la capital del ecoturismo en Centroamérica. Aquí se puede visitar el Refugio de Vida Silvestre de Cuero y Salado y el Parque Nacional Pico Bonito, con diferentes tipos de bosques°. En los ríos Zacate y Cangrejal el visitante puede disfrutar del espectáculo natural de las cascadas° y practicar *rafting*.

Guanaja, maravillosa isla caribeña

deceive

stay, lodge
coral reefs / deep-sea diving

strength

Para disfrutar del mar Caribe que baña la costa norte de Honduras, lo mejor es ir a alguna de las islas del país. De entre todas las que integran la Bahía, la de Guanaja no le defraudará°. A pesar de que los precios son más altos aquí que en el resto de las islas, sus aguas transparentes, de intenso azul turquesa, y su arena finísima valen la pena la inversión.

Guanaja es un territorio casi virgen en el que están empezando a alojarse° personas famosas que llegan para pasar sus vacaciones. La belleza de sus arrecifes° atrae a los amantes del buceo°. Pero éste no es el único deporte que se puede practicar en Guanaja: el windsurf, el snorkel y el esquí acuático son otras buenas opciones para entrar en contacto con un mar lleno de vida.

Por supuesto, no se puede ir de Honduras sin visitar la capital, Tegucigalpa, en el sur del país y donde iglesias como la de San Miguel Arcángel y la de Los Dolores recuerdan al visitante su pasado colonial. Además, debido a su más de millón y medio de habitantes y a su pujanza° económica, Tegucigalpa es el mejor exponente de la modernidad de este país centroamericano.

Después de leer

E Los temas principales. Con un/a compañero/a de clase, hagan una lista de por lo menos cinco temas tratados en el artículo.

F Unos detalles. Complete el siguiente cuadro con el nombre de sitios y otras cosas relacionadas con el mundo maya y con la naturaleza que se mencionan en el artículo.

el mundo maya
la naturaleza

G Honduras. Con un/a compañero/a de clase, preparen una presentación oral sobre Honduras. Incluyan una descripción del mundo maya, las ciudades coloniales, la naturaleza, los parques naturales y la isla Guanaja. Después presenten su descripción a la clase.

H En defensa de una opinión. ¿Qué evidencia hay en el artículo que confirma la siguiente idea? «Honduras es un paraíso histórico y natural.»

Answers E. *Answers should include five of the following:* una descripción del mundo maya y Copán; la importancia de la Escalinata Jeroglífica; una descripción de las ciudades coloniales; una descripción de la naturaleza abundante de Honduras; las descripciones de los parques nacionales; la isla Guanaja; los deportes acuáticos de las islas del Caribe; el contraste entre lo histórico y lo moderno de Tegucigalpa.

Answers F. *Answers should include most of the following: el mundo maya:* ruinas arqueológicas, Copán, túneles subterráneos, templos, la Escalinata Jeroglífica, las Sepulturas; *la naturaleza:* la selva tropical lluviosa, la flora y la fauna, el Refugio de Vida Silvestre de Cuero y Salado, el Parque Nacional Pico Bonito, la isla Guanaja, los bosques, los ríos Zacate y Cangrejal, las cascadas, las islas, las aguas transparentes de intenso azul turquesa, la arena finísima, los arrecifes, el mar.

Interacciones

A El Programa de Orientación. You are a student guide for Orientation Week at your university. Prepare a brief introductory speech about your school including its history, number and type of students, outstanding features and programs, a description of the campus, where important buildings are located, and other information you think would interest new Hispanic students.

B El/La meteorólogo/a. You are the weather announcer for the morning news show on a Hispanic network. Each fall one of your most popular features is to provide the weather forecast for football weekends at universities around the U.S. In addition to the weather forecast, provide your audience with comparisons of the football teams and other features of the universities.

C «Temas de actualidad». You are the moderator of **«Temas de actualidad»,** a popular Los Angeles radio show that examines contemporary and often controversial issues. The topic for this week's show is **«Las universidades: ¿buenas o malas?»** The guests (played by classmates) are three typical university students. As moderator you must ask each university student about his/her university experience including information on classes, assignments, exams, instructors, and social life. The student guests should explain what they hope and want the university to be like and offer advice and recommendations for improving the campus.

D El primer año de universidad. You are the parent of an eighteen-year-old son/daughter who is leaving home for his/her first year in the university. Explain what you want and hope that your son/daughter will do during the freshman year. Offer advice and recommendations so that he/she will be successful. Specify any activities that you insist that they should or should not engage in.

Communicative modes incorporated.
A: presentational **B:** presentational **C:** interpersonal; **D:** presentational

Vocabulary incorporated.
A: courses, buildings, departments and programs of the university **B** weather expressions, university vocabulary **C** courses, buildings, departments and programs of the university **D** courses, buildings, departments and programs of the university

Grammar incorporated.
A: prepositions, **por** vs. **para B:** comparisons of inequality **C:** present subjunctive, subjunctive after expressions of wishing, hoping, commanding, and requesting, comparisons of inequality **D:** present subjunctive, subjunctive after expressions of wishing, hoping, commanding, and requesting

Así se escribe

Para escribir bien

Summarizing

In the academic as well as the business world, summarizing is an important skill. People frequently need to summarize what they have read or listened to in order to use the information in the future. A summary is a brief version of a reading selection or oral presentation. A good summary is basically a re-statement of the main idea of the reading or oral passage followed and supported by the topic sentences of major paragraphs.

The first step in preparing a summary is to identify the main idea and supporting elements. The second step is to arrange the main idea and supporting elements into a cohesive unit. During this step you may need to re-arrange supporting elements so they follow each other more logically. The final step is to write the summary. During the actual writing you will probably need to add words and phrases that will join the ideas together in a cohesive manner.

You may need to re-read the **Para leer bien** section of this chapter to review this step.

Antes de escribir

A Los temas principales. Utilizando sus respuestas para la práctica **E Los temas principales** de la lectura «Honduras, paraíso histórico y natural», escriba una lista de los temas en un orden lógico. Después escriba un detalle para cada tema.

B Las universidades de los EE.UU. Escriba una lista de los principales conceptos e ideas acerca de las universidades de los EE.UU. Incluya información sobre las clases, las facultades, los edificios, los profesores, el clima y la vida estudiantil. Después, añada unos detalles para cada concepto.

Al escribir

Escoja una de las composiciones de la lista a continuación. Después, escriba su composición, utilizando sus respuestas para los ejercicios de **Antes de escribir.** Trate de incorporar el nuevo vocabulario y las nuevas estructuras gramaticales de este capítulo.

C Un resumen. Escriba un resumen de «Honduras, paraíso histórico y natural».

> **Grammar:** verbs: preterite & imperfect; **Phrases/Functions:** describing objects, writing a news item; **Vocabulary:** animals: birds, animals: wild, plants: trees, traveling

D Mi universidad. Describa su universidad para un folleto dirigido a futuros estudiantes. Describa las facultades y los programas, los edificios, las actividades y el clima que hay normalmente. Compare su universidad con otras que Ud. conoce. Su descripción debe ser agradable para atraer a un gran número de estudiantes.

> **Grammar:** comparisons: equality, comparisons: inequality, comparisons: irregular; **Phrases/Functions:** comparing and contrasting, describing objects, describing weather, persuading; **Vocabulary:** classroom, university

E Unos consejos. El director de una escuela secundaria en Costa Rica le pide a Ud. que escriba un artículo en español para los estudiantes que asistirán a su universidad el próximo año. Como ellos no conocen bien el sistema educativo de los EE.UU., Ud. tiene que describir la vida universitaria. Déles consejos y recomendaciones a los estudiantes para que tengan éxito en la universidad.

> **Grammar:** prepositions **a**, prepositions **para**, prepositions **por**, verbs: subjunctive with a relative, subjunctive with **ojalá; Phrases/Functions:** comparing and contrasting, comparing and distinguishing, describing objects, persuading, requesting or ordering; **Vocabulary:** classroom, leisure, university.

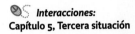

Interacciones:
Capítulo 5, Tercera situación

Para saber más: academic.cengage.com/spanish interacciones

Después de escribir

Antes de entregarle su composición a su profesor/a, Ud. debe leerla de nuevo y corregir los errores. Preste atención a las ideas principales y los detalles. ¿Hay una idea principal en cada párrafo? ¿Hay suficientes detalles para apoyar las ideas principales? Revise el vocabulario, los verbos en el subjuntivo y las frases para comparar.

Answers. All composition topics should include new vocabulary related to this chapter as well as a concern for topic sentences and supporting details.

CAPÍTULO **6** *En casa*

Los padres comparten los quehaceres domésticos.

Have students describe the photo. *Ask specific questions:* ¿Qué hay en la foto? ¿Cuántas personas hay y quiénes son? ¿Qué hacen? ¿Dónde están?

Have students provide examples in English of the topics, situations, and phrases that would be covered in each of the communicative goals. **Modelo:** *Expressions for enlisting help:* Students might provide answers such as: *Could you do me a favor?; Would you please . . .?*

Cultural Themes

Colombia and Venezuela
Hispanic home life

Communicative Goals

Enlisting help
Telling others what to do
Comparing people and things
with equal qualities
Pointing out people and things
Expressing polite dismissal
Expressing judgments, doubt,
and uncertainty
Talking about things and people

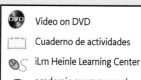

DVD Video on DVD		Audio
Cuaderno de actividades		Atajo
iLrn Heinle Learning Center		Music
academic.cengage.com/spanish/interacciones		iRadio

Presentación

Lava los platos y saca la basura

Warm-up. *Ask students:* **¿Qué ve Ud. en el dibujo?** Students should work in pairs and prepare a mental list of the people and objects that they see in the drawing. Then, have students report their findings to the entire class. Finally, have students explain what activities the various people in the drawing are engaging in.

Práctica y conversación

6.1 ¡Manos a la obra! ¿Con qué frecuencia necesita Ud. hacer estos quehaceres domésticos?

1. sacudir los muebles
2. lavar los platos
3. barrer el piso

4. planchar la ropa
5. cortar el césped
6. lavar la ropa

6.2 Le toca a Ud. Explíquele a su compañero/a de clase lo que él/ella debe hacer para ayudar a arreglar la casa. Dígale por lo menos tres quehaceres para cada lugar.

en la sala / en la cocina / en la lavandería / en el comedor / en el dormitorio / en el jardín

6.3 Tareas que los hombres no realizan. Según un sondeo *(survey)* hecho en España, hay ciertos quehaceres domésticos que los hombres españoles no hacen nunca. Utilizando el gráfico, conteste las preguntas a continuación. **Vocabulario:** fregar = lavar / limpiar; hacer chapuzas = *to do odd jobs around the house;* tender la ropa = *to hang clothes out to dry.*

POR AHI NO PASO
Tareas que los hombres no realizan

Tarea	%
Hacer las camas	40
Limpiar el polvo	56
Cocinar	40
Lavar la ropa	77
Tender la ropa	47
Fregar el suelo	57
Recoger la casa	45
Hacer chapuzas	14
Fregar los platos	45
Planchar	87
Ir de compras	34
Cuidar a los niños	40
Fregar el cuarto de baño	66
Regar las plantas	44
Sacar la basura	16
Limpiar ventanas	72

Teoría y práctica del macho. Arriba, la opinión «progre» de los hombres españoles, según una encuesta del CIS. A la izquierda, las actividades domésticas que los varones no realizan «nunca», según un sondeo del Instituto de la Mujer.

ARTURO JUEZ

1. ¿Cuáles son los dos quehaceres domésticos que los hombres españoles hacen con más frecuencia?

2. ¿Cuáles son los cuatro quehaceres domésticos que los hombres españoles hacen con menos frecuencia?

3. ¿Qué tareas hacen los hombres españoles en la cocina?

4. ¿Qué porcentaje de los hombres españoles hace las siguientes tareas?
   hacer las camas / recoger la casa / lavar los platos / cuidar a los niños / regar las plantas

 6.4 Un sondeo. Haga un sondeo en su clase de español para determinar qué porcentaje de sus compañeros/as de clase nunca hace las tareas en la lista del gráfico de la **Práctica 6.3.**

6.5 Creación. En una narración cuente lo que pasa en el dibujo de la **Presentación.**

VOCABULARIO

Los quehaceres domésticos	Housework
En la cocina	*In the kitchen*
fregar (ie)	*to clean, scrub, wash*
limpiar la cocina	*to clean the stove*
el fregadero	*sink*
el horno	*oven*
el microondas	*microwave*
el refrigerador	*refrigerator*
poner los platos en el lavaplatos	*to put dishes in the dishwasher*
sacar la basura	*to take out the trash*
En el comedor	*In the dining room*
poner la mesa	*to set the table*
recoger la mesa	*to clear the table*
En el cuarto de baño	*In the bathroom*
limpiar la bañera	*to clean the bathtub*
el lavabo	*sink*
el inodoro	*toilet*
En el dormitorio	*In the bedroom*
arreglar	*to straighten up*
barrer el piso	*to sweep the floor*
colgar (ue) la ropa	*to hang up clothes*
hacer la cama	*to make the bed*

En el jardín	*In the yard*
el cortacésped	*lawn mower*
la manguera	*hose*
cortar el césped	*to cut the grass*
sacar la mala hierba	*to weed*
plantar los árboles	*to plant trees*
regar (ie) las flores	*to water flowers*
En la lavandería	*In the laundry room*
la lavadora	*washing machine*
la plancha	*iron*
la secadora	*clothes dryer*
la tabla de planchar	*ironing board*
planchar la ropa	*to iron clothes*
En la sala	*In the living room*
pasar la aspiradora por la alfombra	*to vacuum the carpet*
sacudir los muebles	*to dust the furniture*
recoger	*to pick up, put away*
vaciar la papelera	*to empty the wastebasket*

Vocabulario suplementario. el cubo *(bucket, pail)*, el desinfectante *(disinfectant)*, el detergente *(detergent)*, la escoba *(broom)*, la esponja *(sponge)*, el producto de limpieza *(cleanser, cleaning product)*, el trapeador, la fregona *(mop)*, trapear el suelo, pasarle la fregona al suelo *(to mop)*, el trapo *(rag)*

Vocabulario suplementario. el carro cortacésped *(riding lawn mower)*, el cortacésped de motor *(power lawn motor)*, el rastrillo *(lawn rake)*, la regadera *(watering can)*, el regador giratorio *(sprinkler)*

Heinle Transparency Bank: C-1, C-2, C-4, C-5, C-6 La casa; en los cuartos; los artículos personales; los quehaceres domésticos. Use these images to illustrate additional domestic and personal items to your students.

¿Qué electrodomésticos ve Ud. en estas fotos? ¿Para qué se usa cada uno?

Warm-up 1. Before listening to the dialogue, have students work in pairs and describe the people in the drawing. Then have students brainstorm the phrases that the people in the drawing might be saying to each other.

Have students listen to the dialogue once. Then ask them to provide a statement explaining the gist of the conversation.

Comprehension check. After playing the dialogue a second time, have students answer the following questions about the content. ¿Por qué está preocupada Rocío? (Tiene invitados y no ha terminado de preparar la cena.) ¿Qué quiere que haga Joaquín? (Quiere que guarde la escoba, ponga las botellas de vino en el refrigerador, que les diga a los niños que se acuesten y que les cuente un cuento. También quiere que los niños se vayan a dormir.) ¿Cuál es la actitud de Joaquín? (Joaquín no está preocupado.) ¿Va a hacer Joaquín lo que Rocío le pide? (Seguramente que sí.) ¿Ha estado Ud. alguna vez en una situación similar a la descrita en el diálogo? ¿Quién lo/a ha ayudado?)

Have two students read the dialogue aloud as a role play. Then have students locate phrases in the dialogue that illustrate the function *Enlisting Help*.

Rocío is a female name even though it ends in **-o.**

After explaining the expressions, have students repeat expressions aloud. Correct pronunciation and intonation when necessary.

Así se habla
CD 1, Track 19

Enlisting Help

ROCÍO: Joaquín, por favor, no seas malito, saca la basura. Los Núñez están por venir y yo todavía no he terminado de preparar la cena.

JOAQUÍN: Mira, no te preocupes tanto. Ellos son tan sencillos como nosotros. Estoy seguro que su casa está siempre tan sucia o tan limpia como la nuestra, ni más ni menos.

ROCÍO: Lo sé, pero tú sabes cómo soy yo. Guarda esa escoba y pon esas botellas de vino en el refrigerador, por favor. ¡Ah! Y si pudieras, diles a los niños que se acuesten, cuéntales un cuento y que se vayan a dormir.

JOAQUÍN: Muy bien, pero sube tú también para que te despidas de ellos.

ROCÍO: Sí, sí, por supuesto.

When you want to request a favor or enlist someone's help, you can use the following expressions:

Si fuera/s tan amable...	*Could you be so kind as to . . . ?*
Si me pudiera/s hacer el favor...	*If you could do me the favor of . . .*
Disculpe/a, ¿pero sería/s tan amable de...?	*Excuse me, but would you be so kind as to . . . ?*
Disculpe/a la molestia, pero ¿podría/s...?	*Excuse me for disturbing you, but could you . . . ?*
Quiero pedirle/te un favor.	*I want to ask you a favor.*
¿Cree/s que sería posible...?	*Do you think it would be possible to . . . ?*

Accepting a request

¡Cómo no!	
¡Por supuesto! }	*Of course!*
¡No faltaba más!	
¡Con mucho gusto!	*My pleasure!*
¡Qué ocurrencia!	*No problem!*
Está bien.	*Fine.*

Refusing a request

¡Ay, qué pena! Pero...	*Oh, what a shame! But . . .*
Creo que me va a ser difícil porque...	*I think it's going to be difficult because . . .*
Cuánto lo lamento, pero creo que no voy a poder... porque...	*I'm very sorry, but I think I won't be able to . . . because . . .*
A ver si puedo.	*I'll see if I can.*

Práctica y conversación

 6.6 En la residencia estudiantil. ¿Qué dicen Uds. en las siguientes situaciones?

Estudiante 1

1. Ud. quiere que su compañero/a de cuarto limpie la habitación.
3. Ud. quiere que su compañero/a de cuarto baje el volumen de la música.
5. Ud. no acepta.

Estudiante 2

2. Ud. no quiere limpiar la habitación.
4. Ud. acepta, pero le pide a su compañero/a de cuarto que no fume.
6. Ud. se queja.

 6.7 ¡Vamos a tener una fiesta! Con algunos compañeros/as, dramaticen la siguiente situación. Ud. está organizando una fiesta sorpresa para el aniversario de sus padres y necesita la cooperación de muchas personas: de su hermano/a mayor para que mueva los muebles y pase la aspiradora, de sus dos hermanos/as menores para que limpien los baños y la cocina, de sus primos/as para que compren los adornos para la fiesta, de su tío/a para que compre la comida y cocine. Algunas personas no quieren cooperar.

🎧 To hear more about Spanish pronunciation visit academic.cengage.com/spanish/interacciones.

Warm-up 6.6. Ask students to brainstorm the chores that need to be done in their rooms / apartments. Then have students brainstorm the phrases they would use in Spanish when requesting that a roommate do these tasks.

Answers 6.6. 1. ¿Crees que sería posible que limpiaras la habitación? **2.** Creo que me va a ser difícil porque (tengo que estudiar). **3.** ¿Serías tan amable de bajar el volumen? **4.** Está bien, pero no fumes, si fueras tan amable. **5.** No creo que voy a poder. **6.** No es justo.

Warm-up 6.7. Brainstorm with students what they have to do when preparing a surprise party, whose help they enlist, and what they request these people to do. Make a list of their answers.

Instructions 6.7. Divide students in groups of at least four persons and ask them to role-play the situation. Ask students to prepare first and to be ready to present their situation in front of the class without looking at their notes. Reward creativity!

Exterior e interior de una casa hispana

Estructuras

Telling Others What to Do

Familiar Commands

When telling others what to do, the familiar commands are used with relatives, friends, small children, pets, or persons with whom you use a first name or the **tú** form.

Point out. Familiar or **tú** commands are second-person singular commands.

Point out. Accent marks are placed on familiar commands only when the addition of pronouns makes the command a three-syllable word: **da → dame → dámelo; pon → ponlo → póntelo.**

Regular Familiar Commands			
	Verbos en –AR	**Verbos en –ER**	**Verbos en –IR**
Affirmative	limpia	barre	sacude
Negative	no limpies	no barras	no sacudas

a. The affirmative familiar command of regular and stem-changing verbs has the same form as the third-person singular of the present indicative tense.

b. The negative familiar command has the same form as the second-person singular (**tú**) form of the present subjunctive.

>**Arregla** tu cuarto pero **no arregles** el de Ramón; él debe hacerlo.
>
>*Straighten up your room but don't straighten up Ramón's; he ought to do it.*

c. The affirmative familiar command of several common Spanish verbs is irregular. However, the corresponding negative **tú** command is regular. Compare the following:

Irregular Familiar Commands		
Infinitive	**Affirmative Command**	**Negative Command**
decir	**di**	**no digas**
hacer	**haz**	**no hagas**
ir	**ve**	**no vayas**
poner	**pon**	**no pongas**
salir	**sal**	**no salgas**
ser	**sé**	**no seas**
tener	**ten**	**no tengas**
venir	**ven**	**no vengas**

Dictate the following commands to students so that they practice writing the commands and the placement of accent marks: Escúchame, por favor. Bárrelo ahora mismo. Límpialos mañana. Tráela más tarde. Arréglala hoy. Sacúdelos bien.

d. As is the case with all commands, reflexive and object pronouns are attached to the end of affirmative familiar commands and precede the negative forms.

>—Mamá, ¿tengo que lavar el vestido de Teresa?
>—Claro. Láva**lo** y séca**lo** ahora mismo pero **no lo planches.** Yo **lo** plancharé mañana.
>
>*Mom, do I have to wash Teresa's dress?*
>
>*Of course. Wash it and dry it right now but don't iron it. I'll iron it tomorrow.*

Práctica y conversación

6.8 Los quehaceres. Su compañero/a le pregunta qué puede hacer para ayudarlo/la a Ud. a arreglar el apartamento. Dígale lo que debe hacer.

Warm-up 6.8. Have students create a list of chores that they would do to prepare their home or apartment for a party.

Modelo ¿Debo pasar la aspiradora?
Sí, pásala.

1. ¿Debo recoger la mesa?   Sí, recógela.
2. ¿Debo fregar los platos?   Sí, friégalos.
3. ¿Debo hacer la cama?   Sí, hazla.
4. ¿Debo limpiar el cuarto de baño? Sí, límpialo.
5. ¿Debo colgar la ropa?   Sí, cuélgala.
6. ¿Debo sacudir los muebles?   Sí, sacúdelos.
7. ¿Debo sacar la basura?   Sí, sácala.

6.9 Consejos. Déle consejos a su hermano/a menor.

Modelo llegar a clase a tiempo / llegar tarde
Llega a clase a tiempo. No llegues tarde.

1. decir la verdad / decir mentiras
2. ser amable / ser antipático/a
3. venir a casa temprano / venir a casa tarde
4. salir con amigos / salir con personas desconocidas
5. tener cuidado / ser distraído/a
6. ir al parque / ir al centro solo/a
7. hacer la tarea / hacer otras cosas
8. ponerse los zapatos / ponerse las sandalias

Answers 6.9.1 Di la verdad. No digas mentiras. **2.** Sé amable. No seas antipático/a. **3.** Ven a casa temprano. No vengas a casa tarde. **4.** Sal con amigos. No salgas con personas desconocidas. **5.** Ten cuidado. No seas distraído/a. **6.** Ve al parque. No vayas al centro solo/a. **7.** Haz la tarea. No hagas otras cosas. **8.** Ponte los zapatos. No te pongas las sandalias.

6.10 Ayúdame, por favor. Esta noche Ud. y su compañero/a de cuarto van a dar una fiesta y los/las dos están muy nerviosos/as y preocupados/as. Ud. le dice a su compañero/a por lo menos tres cosas que él/ella debe hacer y dos cosas que no necesita hacer. Él/Ella hace lo mismo con Ud.

6.11 ¿Qué me dices? Ud., su compañero/a de clase y Paco tienen que hacer los siguientes quehaceres: limpiar el horno / sacar los platos del lavaplatos / pasar la aspiradora por la alfombra de la sala / limpiar la bañera y el lavabo / hacer las camas / colgar la ropa / cortar el césped / sacudir los muebles de la sala / planchar la ropa / regar las flores / sacar la basura.

Es la hora de empezar pero a Paco se le perdió la lista. A continuación está su lista, y la de su compañero/a de clase está en el **Apéndice A**. Conversen de los quehaceres que Uds. dos tienen que hacer para escribir de nuevo la lista perdida de Paco.

Answers 6.11. Paco debe sacar los platos del lavaplatos, cortar el césped, regar las flores y sacar la basura.

The alternate drawing that corresponds to this activity can be found in **Apéndice A.**

> fregar el horno
> sacudir los muebles
> hacer las camas
> colgar la ropa

Comparing People and Things with Equal Qualities

Comparisons of Equality

Spanish uses a slightly different construction from that of English to compare people or things with equal qualities.

a. For making comparisons of equality with adjectives or adverbs, the following formula is used.

tan	+	ADJECTIVE ADVERB	+	**como**	=	*as*	+	ADJECTIVE ADVERB	+	*as*

—Este cuarto no está **tan limpio como** el tuyo.

This room isn't as clean as yours.

—Sí, porque Eduardo no lo barre **tan regularmente como** yo.

Yes, because Eduardo doesn't sweep it as regularly as I.

Note that the subject pronouns are used after **como**.

b. For making comparisons of equality with nouns, the following formula is used. Note that **tanto** agrees with the noun in number and gender.

(no) + **tanto/a/os/as** + NOUN + **como** = *(not)* + *as much / many . . . as*

Mamá, no es justo. Roberto no tiene que lavar **tantos platos como** yo.

Mom, it's not fair. Roberto doesn't have to wash as many dishes as I.

c. For making comparisons with verbs, the phrase **tanto como** is used.

En mi opinión, nadie limpia **tanto como** tu mamá.

In my opinion, no one cleans as much as your mother.

d. In addition to their use in expressions of equality, **tan** and **tanto** can also be used to express quantity: **tan** = *so;* **tanto** = *so much / so many.*

No limpies **tan** despacio.
Don't clean so slowly.
Elena tiene **tanta** ropa.
Elena has so many clothes.
¡No bebas **tanto**!
Don't drink so much!

Point out. tanto + singular noun = *so much*; tanto + plural noun = *so many*. Provide other examples of tanto + singular noun: **Roberto tiene tanto dinero como yo / tanta ropa como yo.** Provide other examples of tanto + plural noun: **Roberto tiene tantos zapatos como yo / tantas camisas como yo.**

Práctica y conversación

6.12 Una casa nueva. Su amigo/a acaba de comprar su primera casa. Describa la casa nueva comparando las habitaciones.

Modelo   los dormitorios / la sala / bonito
Los dormitorios son tan bonitos como la sala.

1. la lavandería / la cocina / moderno
2. el comedor / la sala / elegante
3. los cuartos de baño / la cocina / pequeño
4. la sala / los dormitorios / cómodo
5. el jardín / la casa / grande

6.13 Más quehaceres. Haga oraciones, indicando que Ud. trabaja tanto como su compañero/a de cuarto.

Modelo   lavar platos
Yo lavo tantos platos como él/ella.

plantar flores / lavar ropa / secar platos / planchar camisas / recoger periódicos / sacar basura / cortar el césped

Answers 6.12. 1. La lavandería es tan moderna como la cocina. 2. El comedor es tan elegante como la sala. 3. Los cuartos de baño son tan pequeños como la cocina. 4. La sala es tan cómoda como los dormitorios. 5. El jardín es tan grande como la casa.

Answers 6.13. 1. (Yo) Planto tantas flores como él/ella. 2. (Yo) Lavo tanta ropa como él/ella. 3. (Yo) Seco tantos platos como él/ella. 4. (Yo) Plancho tantas camisas como él/ella. 5. (Yo) Recojo tantos periódicos como él/ella. 6. (Yo) Saco tanta basura como él/ella. 7. (Yo) Corto el césped tanto como él/ella.

6.14 Comparaciones. Complete de una manera lógica.

1. Espero tener tanto/a _____ como mi mejor amigo/a.
2. En esta clase yo _____ tanto como mis compañeros/as.
3. No debo _____ tanto.
4. Quiero ser tan _____ como mis compañeros/as.
5. Yo _____ tanto como los otros.

 6.15 ¡Tú no trabajas tanto como yo! En grupos, un/a estudiante hace el papel de padre/madre y dos hacen el papel de hijos/as.

Situación: Sus hijos/as no hacen nada en la casa; sólo ven televisión, escuchan música, comen y duermen. Ud. los/las llama y les dice que tienen que hacer algunas labores en la casa. Cada uno/a de ellos/as cree que trabaja mucho o por lo menos tanto como los/las otros/as.

Pointing Out People and Things

Demonstrative Adjectives and Pronouns

Demonstrative adjectives and pronouns are used to point out or indicate people, places, and objects that you are discussing: *this house; that apartment.*

Demonstrative Adjectives		
este cuarto	**ese** cuarto	**aquel** cuarto
esta casa	**esa** casa	**aquella** casa
estos cuartos	**esos** cuartos	**aquellos** cuartos
estas casas	**esas** casas	**aquellas** casas

a. Demonstrative adjectives are placed before the noun they modify and agree with that noun in person and number.

1. **este, esta / estos, estas** = *this / these*
   The forms of **este** are used to point out persons or objects near the speaker and are often associated with the adverb **aquí** = *here.*

   Tu libro está **aquí** en **esta** mesa.   *Your book is here on this table.*

2. **ese, esa / esos, esas** = *that / those*
   The forms of **ese** are used to point out persons or objects near the person spoken to and are often associated with the adverb **ahí** = *there.*

   Tu sándwich está **ahí** en **ese** plato.   *Your sandwich is there on that plate.*

3. **aquel, aquella / aquellos, aquellas** = *that / those (over there, in the distance)*
   The forms of **aquel** are used to point out persons or objects away from both the speaker and person spoken to and are often associated with the adverb **allí** = *there, over there.*

   Prefiero **aquella** casa **allí** en   *I prefer that house over there on the*
   la esquina.   *corner.*

Warm-up 6.15. Students first brainstorm some of the things they should do around the house.

Variation 6.15. Ask students to role-play this situation and assign different personalities: a very studious son/daughter who prefers to study rather than to do chores, a lazy son/daughter who prefers to listen to music, the athlete son/daughter who needs to go to practice, the weak/sickly one who is not feeling well, the indifferent one who does not care about how the house looks, etc.

Point out. Emphasize that masculine singular forms do not follow regular adjective formation: **este, ese, aquel.**

In some classes it may be necessary to explain the difference between **que** = *that*, a relative pronoun, and **ese** = *that*, a demonstrative adjective.

With forms of **este**, emphasize the relationship between the speaker and the items pointed to or indicated.

With forms of **ese**, emphasize the relationship between the person spoken to and the items pointed to or indicated.

With forms of **aquel**, emphasize the relationship between the speakers and the items pointed to or indicated.

Demonstrative Pronouns					
éste ésta	this (one)	ése ésa	that (one)	aquél aquélla	that (one)
éstos éstas	these	ésos ésas	those	aquéllos aquéllas	those
esto	this	eso	that	aquello	that

b. Demonstrative pronouns are used to replace the indicated person/s or object/s. They occur alone and agree in gender and number with the nouns they replace. Note the use of written accent marks on all but the neuter forms of demonstrative pronouns.

Ana prefiere **esta** mesa pero yo prefiero **aquélla.**

Ana prefers this table but I prefer that one.

c. The neuter demonstrative pronouns are **esto** = *this*, **eso** = *that*, and **aquello** = *that.* They exist only in the singular. The neuter forms point out an item whose identity is unknown or they replace an entire idea, situation, or previous statement.

¿Qué es **esto / eso**? *What is this / that?*

Eso no es verdad. *That isn't true.*

d. The forms of **éste** can be used to express *the latter.* The forms of **aquél** can be used to express *the former.*

Colombia y Venezuela son dos países de Sudamérica; **éste** (Venezuela) produce mucho petróleo y **aquél** (Colombia) produce mucho café.

Colombia and Venezuela are two South American countries; the former (Colombia) produces a lot of coffee and the latter (Venezuela) produces a lot of oil.

Note that in Spanish *the latter* (**éste**) is expressed first, followed by *the former* (**aquél**).

Práctica y conversación

6.16 Los quehaceres. Un/a amigo/a está ayudándolo/la a Ud. a hacer los quehaceres domésticos. Indique lo que Ud. necesita.

Modelo la aspiradora que está aquí
Necesito ésta.

1. la escoba que está aquí
2. los trapos que están ahí
3. las esponjas que están allí
4. el detergente que está ahí
5. la plancha que está aquí
6. la manguera que está allí

6.17 En el supermercado. Un/a compañero/a está ayudándolo/la a Ud. a comprar comida para la cena. Conteste sus preguntas sobre lo que Ud. quiere comprar.

Modelo los tomates
Compañero/a: *¿Quieres comprar estos tomates?*
Usted: *Sí, quiero comprar ésos.*

1. las almejas
2. los mariscos
3. el queso francés
4. la torta
5. la cerveza
6. el vino alemán
7. los vegetales
8. las cebollas

Answers 6.16. 1. Necesito ésta. 2. Necesito ésos. 3. Necesito aquéllas. 4. Necesito ése. 5. Necesito ésta. 6. Necesito aquélla.

Answers 6.17. 1. ¿Quieres comprar estas almejas? Sí, quiero comprar ésas. 2. ¿Quieres comprar estos mariscos? Sí, quiero comprar ésos. 3. ¿Quieres comprar este queso francés? Sí, quiero comprar ése. 4. ¿Quieres comprar esta torta? Sí, quiero comprar ésa. 5. ¿Quieres comprar esta cerveza? Sí, quiero comprar ésa. 6. ¿Quieres comprar este vino alemán? Sí, quiero comprar ése. 7. ¿Quieres comprar estos vegetales? Sí, quiero comprar ésos. 8. ¿Quieres comprar estas cebollas? Sí, quiero comprar ésas.

6.18 ¿Qué dicen? Mire los siguientes dibujos y diga qué dicen las personas. Luego diga cómo son las personas y qué cree Ud. que va a pasar.

Modelo   Niño: *Mami, quiero ir a esta tienda.*
Madre: *¿A ésa? ¡No!*

6.19 ¿Qué es esto? Ud. es el/la vendedor/a en una tienda de electrodomésticos *(appliances)* muy modernos y sofisticados. Un/a cliente entra, ve los objetos y le hace una serie de preguntas. Conteste sus preguntas explicándole qué son.

Modelo   Cliente: *¿Qué es esto?*
Empleado/a: *Ésta es una aspiradora muy moderna. Sirve para aspirar el polvo y también para lavar las alfombras.*

Instructions 6.18. Divide the class into groups of three. Each group is assigned one section of the drawing and recreates the dialogue they think is going on between the persons in their drawing. The teacher then calls them to role-play their imagined dialogue.

Warm-up 6.19. Brainstorm with students the name of different appliances. ¿Cómo se llama el aparato que sirve para aspirar el polvo? (la aspiradora) ¿Cómo se llama lo que usamos para preparar jugo de frutas? (la licuadora) ¿Qué usamos para preparar pan tostado? (la tostadora) ¿Qué usamos para abrir latas? (el abrelatas)

¿Qué hacen las personas en esta foto? ¿Qué equipo usan?

Perspectivas

La vivienda° en el mundo hispano

housing

5 **Cultural products:** housing (houses, apartments, condominiums) in the Hispanic world. **Cultural practice:** location of housing, purchase of second homes/ apartments. **Cultural comparisons:** location of various economic categories of housing in the Hispanic world compared to the U.S.

For additional information on housing in the Hispanic world, view the film *La comunidad* and complete the activities in *Más allá de la pantalla:* **Capítulo 16.** RESUMEN: Una mujer que trabaja en una agencia inmobiliaria descubre una suma de dinero en uno de los apartamentos que está en venta. La película describe las complicaciones de su vida cuando decide quedarse con el dinero. Escenas de la vida en un «bloc» de apartamentos en Madrid.

Los hispanos que viven en una ciudad generalmente prefieren tener su vivienda cerca del centro, puesto que el trabajo, las tiendas, las escuelas y las diversiones se concentran allí. Como no hay mucho espacio en el centro, la vivienda urbana más típica es el apartamento.

Hay mucha variedad en el estilo, el tamaño y el precio de los apartamentos, pero casi todos tienen los servicios y facilidades modernos, incluso los apartamentos en edificios antiguos. En la planta baja de los edificios de apartamentos muchas veces hay boutiques, farmacias o tiendas donde venden pan, leche, café y otros alimentos básicos. Aunque muchos hispanos tienen apartamento propio, otros lo alquilan.

En algunos barrios de la ciudad hay casas privadas con jardín. A causa del problema de espacio, los terrenos *(lots)* no suelen ser tan grandes como en los EE.UU. Algunas familias tienen más de una vivienda; compran un apartamento en la playa, o una casa en el campo o en las montañas adonde van para pasar los fines de semana y las vacaciones.

Al contrario de los EE.UU., la mayoría de la gente pobre del mundo hispano vive en las afueras de las ciudades. Algunos viven allí en edificios de apartamentos nuevos construidos por el gobierno; desgraciadamente otros viven en viviendas pequeñas con pocas comodidades.

Práctica y conversación

6.20 Comparaciones. Trabajando en parejas, comparen las características de la vivienda en el mundo hispano con las de los EE.UU. Incluyan información sobre la situación *(location)*, el tamaño, las comodidades y los servicios.

Prior to discussing this **Perspectivas** section, you may want to teach or review the following vocabulary: **las afueras** *(suburbs, outskirts of a city);* **el barrio** *(neighborhood, section of a city or town);* **el gobierno** *(government);* **la planta baja** *(ground floor, main floor);* **el tamaño** *(size).*

Práctica intercultural. *Ask students the following questions about U.S. culture.* ¿Qué tipos de vivienda *(housing)* hay en los EE.UU.? ¿Hay una vivienda típica en los EE.UU.? ¿Cómo es? ¿Hay diferencias entre la vivienda urbana y la vivienda rural? Explique. ¿Varía la vivienda según la región y el clima? Explique. En relación con el centro de una ciudad, ¿dónde se encuentra la vivienda más costosa generalmente?

6.21 Busco apartamento. Trabajando en parejas, dramaticen la siguiente situación. Ud. vive en Caracas pero tiene que viajar mucho a la Florida por su trabajo. Por eso Ud. piensa comprar un condominio en Miami para su familia: Ud., su esposo/a y sus dos hijos. Utilizando el anuncio para *Club Solimar* en la página 211, discuta con su esposo/a las ventajas y desventajas de comprar un condominio en esta urbanización. Después, explíquenle a la clase su decisión. **Consideraciones:** ¿Son bastante grandes los apartamentos? ¿Son demasiado costosos? ¿Hay diversiones para los niños y para los mayores?

Interacciones: Capítulo 6, Primera situación

Para saber más: academic.cengage.com/spanish/interacciones

Miami ha estado esperando
más de 10 años a que surja una nueva y hermosa
urbanización junto al mar

Le Presentamos A
CLUB SOLIMAR
Miami

En 25 hectáreas junto al mar, se alza la más nueva urbanización residencial y recreativa de Miami. Se llama Club Solimar.

Las actividades sociales y recreativas de Club Solimar se reservarán exclusivamente para el disfrute de los residentes y sus visitantes:

- Mil pies de playa en el Atlántico, con cabañas privadas.
- Club de Playa, de 1,800 metros cuadrados, sólo para residentes, con un magnífico gimnasio y un acogedor restaurante al aire libre.
- Nueve piscinas
- Centro de Tenis, con 6 canchas
- Estacionamiento bajo techo
- Áreas de juegos y actividades para niños y adolescentes. Las residencias varían en tamaño, desde 200 metros cuadrados hasta penthouses más de 500 metros cuadrados.

Únase a nosotros. Descubra el hogar y el estilo de vida con que siempre ha soñado.

CLUB SOLIMAR
Residencias en condominios de lujo,
frente al mar, empezando en $1,300,000.
Los corredores de bienes raíces son bienvenidos.

Horas de oficina: Lunes a viernes - 9 a 6, Sábados - 10 a 5, Domingos - 11 a 5.

Presentación

Los programas de la tele

Práctica y conversación

6.22 Definiciones. Dé las palabras que corresponden a las siguientes definiciones.

1. la persona que mata a alguien
2. una máquina que sirve para poner DVDs
3. la persona que da las noticias
4. lo que uno lee para informarse de los programas que dan en la televisión
5. la persona que lee los anuncios en la televisión
6. la persona que ve un crimen

6.23 Más definiciones. Explíquele las siguientes palabras a su compañero/a de clase.

la víctima / el/la diputado/a / la guerra / el juez / la cárcel / la ley / el terremoto

6.24 ¿Qué van a ver? Usando la guía de televisión a continuación, escoja programas para las siguientes personas.

1. una pareja que quiere aprender a cocinar
2. una estudiante que se especializa en cine
3. un profesor a quien le encantan las noticias
4. un joven loco por los deportes
5. una mujer a quien le gustan las telenovelas
6. unos jóvenes a quienes les encantan los programas de los EE.UU.
7. Ud. y sus amigos

Sábado 15

13.00 Gran Premio de Fórmula 1 Francia
Retransmitido desde el circuito Nevers, en Magny-Cours, por Antonio Lobato, Gonzalo Serrano y Víctor Seara. Fernando Alonso luchará para conseguir un primer puesto.

Sábado 15

19.50 Duelo de «chefs»
Dos grandes estrellas del teatro y el cine se retan en la cocina. Se trata de Concha Velasco y Paco Valladares, que tendrán que cocinar un plato. Su maestro de ceremonia será Juan Pozuelo.

Sábado 15

21.30 Dímelo al oído
Nuevo programa, presentado por Eva María González e Iván Sánchez. Este programa de parejas contará como protagonista con un chico o una chica, que tendrá que escoger, entre tres pretendientes, a uno, y, después de superar varias pruebas conseguirá una serie de premios.

TVE-1	TVE-2	Tele-5
Martes 18	**Martes 18**	**Martes 18**
07.00 Telediario matinal	07.30 Los lunnis	07.15 Juicio de parejas
10.00 Saber vivir	09.30 Aquí hay trabajo	08.10 El analista catódico
11.30 Por la mañana	10.00 TV educativa	08.35 No sabe, no contesta
14.00 Informativo territorial	11.00 Cine	09.30 Un país de chiste
14.30 Corazón de verano	12.45 Padres en apuros	10.00 Traffic TV
15.00 Telediario 1	13.00 Los lunnis	10.25 El analista catódico
16.00 La tormenta	14.30 Programación territorial	11.20 El show de Flo
17.00 Corazón partido	15.15 Saber y ganar	12.15 Juicio de parejas
18.00 España directo	15.40 Grandes documentales	13.10 Hoy cocinas tú
20.00 Gente	17.30 Los lunnis	14.05 Un país de chiste
21.00 Telediario 2	19.00 Meridianos	14.35 Surf girls
22.00 Mujeres desesperadas	20.00 Informativo territorial	15.00 Padre de familia
00.00 Urgencias	20.30 Deporte 2	15.25 SMS
01.00 Telediario 3	21.00 iPop	15.55 No sabe, no contesta
01.30 Ley y orden: Acción criminal	21.30 Miradas 2	16.50 Profesores en Boston
03.00 Canal 24 horas	21.45 Sorteo Bonoloto	17.35 El anillo E
	21.50 La 2 noticias	18.25 Todo el mundo quiere a Raymond
	22.30 Enfoque	18.50 El mundo según Jim
	23.30 Documentos TV	19.15 Terapia en familia
	00.30 La mandrágora	19.35 El rey de Queens
	01.00 Redes	20.00 Traffic TV
	02.00 Europa	20.30 El analista catódico
	02.30 Conciertos de Radio-3	21.00 SMS
	03.00 Obsesión	21.30 A pelo
	05.30 Euronews	22.30 Navy
		00.10 Traffic TV
		00.40 Turno de guardia
		02.30 Juego TV
		04.30 Traffic TV
		05.25 Hoy cocinas tú

 6.25 Creación. Trabajando en parejas, preparen un noticiero breve, usando los siguientes titulares. Luego, presenten su noticiero a la clase.

1. Terremoto en Bogotá
2. Huelga de maestros en las escuelas primarias de Barranquilla
3. Robo en el Banco Nacional de Medellín
4. Manifestación estudiantil en Caracas
5. Tres días de inundaciones en Cali

VOCABULARIO

Vocabulario suplementario. la cadena (network), el control remoto (remote control), emitir (to broadcast), el mando a distancia (remote control in Spain), el/la presentador/a (show host), la telepromoción (infomercial), el/la televidente (television viewer)

Vocabulario suplementario. El avance rápido (fast forward on a CD/DVD player), la pista anterior (back), la pista siguiente (forward), detener (to stop), expulsar (to eject), reproducir (to play), pausar (to pause), rebobinar (to rewind)

Heinle Transparency Bank G-10 Programas de televisión. Use these images to illustrate additional vocabulary for your students.

La tele — TV

el anuncio comercial	commercial
el canal	channel
la guía de televisión	TV guide
el/la locutor/a	announcer
el programa de concursos	game show
el reproductor de DVD/CD	DVD/CD player
el televisor	television set
la videocinta	videotape
grabar un DVD/CD	to burn a DVD/CD
poner un DVD/CD	to play a DVD/CD

El noticiero — News program

las noticias locales	local news
nacionales	national news
internacionales	international news
el/la reportero/a	reporter
los titulares	headlines
anunciar	to announce
entrevistar	to interview
informar	to inform

El crimen — Crime

el/la acusado/a	accused person
el asesinato	murder
el/la asesino/a	murderer
el atentado terrorista	terrorist attack
la banda terrorista	terrorist organization
la cárcel	jail
el delito	crime, offense
el/la juez/a	judge
el/la ladrón/ona	thief
la ley	law
el robo	robbery
el/la sospechoso/a	suspect
el terrorismo	terrorism
el/la testigo	witness
arrestar	to arrest
rendirse (i, i)	to give oneself up
rescatar	to rescue
robar	to rob
culpable	guilty

El desastre — Disaster

el incendio	fire
la inundación	flood
el terremoto	earthquake
ahogarse	to drown
quemar	to burn

La política — Politics

la campaña electoral	electoral campaign
el/la diputado/a	representative
el discurso	speech
las elecciones	elections
la huelga	strike
la manifestación	demonstration
el/la político/a	politician
elegir (i, i)	to elect
evitar la guerra	to avoid war
mantener la paz	to maintain peace
protestar contra	to protest against
ser indulgente con	to be soft on

Así se habla

 CD 1, Track 20

Expressing Polite Dismissal

ROSAURA: ¡Chica! Cuánto me alegro que estés aquí de regreso. Te hemos extrañado mucho todos estos meses.

AURELIA: Sí, yo también los he extrañado muchísimo. Mira, aquí les traje algunas cosas. Estos cosméticos te los traje a ti. Espero que te gusten. Dicen que son muy buenos.

ROSAURA: Ay, Aurelia, gracias, pero no te hubieras molestado.

AURELIA: No, si no fue ninguna molestia, al contrario. Mira, estos juguetes son para los hijos de Ani.

ROSAURA: Van a estar felices, aunque no has debido comprar tantos regalos. Debes haber gastado una fortuna, chica.

AURELIA: ¡No, que va! ¡Ah! … me olvidaba. Esta caña de pescar es para Rafael, por supuesto.

ROSAURA: ¡Con lo que le gusta pescar a ese hombre! No me sorprendería que se fuera este mismo sábado. Y ¡yo no puedo protestar contra eso!

AURELIA: ¡Claro que no, chica! ¡No faltaba más!

Warm-up 1. Before listening to the dialogue, have students work in pairs and describe the people, the room, and the objects in the drawing. Then have students brainstorm the phrases that the people in the drawing might be saying to each other.

Warm-up 2. Have students listen to the dialogue once. Then ask them to provide a statement explaining the gist of the conversation.

Comprehension check. After playing the dialogue a second time, have students answer the following: ¿Dónde había estado Aurelia? (Había estado de viaje.) ¿Qué tenía Aurelia para Rosaura? (Unos cosméticos.) ¿Y para los hijos de Ani? (Unos juguetes.) ¿Y para Rafael? (Una caña de pescar.) ¿Por qué? (Porque le gusta pescar.) ¿Cómo se siente Rosaura con los regalos? (Está muy contenta.) ¿Compra Ud. regalos para sus familiares cuando se va de viaje? ¿Qué compra Ud. y para quién? (*Answers vary.*)

Have students read the dialogue aloud as a role play. Then have students locate phrases in the dialogue that illustrate the function *Expressing Polite Dismissal*. **NOTE:** This is the last time that these instructions will occur in the marginal annotations. However, in the future, you should continue to have students read the dialogue aloud and correct pronunciation as needed.

When you want to dismiss something in order to be polite or to reassure someone you can use the following expressions:

No se hubiera / te hubieras molestado.	*You shouldn't have (bothered).*
Gracias. No se / te moleste/s.	*Thank you. Don't trouble yourself (Don't bother).*
No es necesario, gracias.	*It's not necessary, thank you.*
No se / te preocupe/s (por eso).	*Don't worry (about that).*
No ha/s debido hacer eso.	*You shouldn't have done that.*

After explaining the expressions, have students repeat expressions aloud. Correct pronunciation and intonation when necessary.

To hear more about Spanish pronunciation visit academic.cengage.com/ spanish/interacciones.

Práctica y conversación

6.26 **Eres muy amable.** ¿Qué dice Ud. en las siguientes situaciones?

Answers 6.26. *Possible answers:* **1.** No te hubieras molestado. **2.** No es necesario, gracias. **3.** No se preocupen. **4.** No se hubieran molestado. **5.** No es necesario, gracias. **6.** Gracias, no has debido hacer eso.

1. Un/a amigo/a le trae un ramo de rosas el día de su cumpleaños.

2. Un/a amigo/a quiere llevarlo/la a su trabajo porque su carro no funciona, pero Ud. no quiere causarle ninguna molestia *(impose on him/her)*.

3. Unos amigos insisten en ayudarlo/la con su tarea de español, pero Ud. no quiere que lo hagan.

4. Sus padres le traen los libros y discos compactos que Ud. olvidó en casa.

5. Su madre insiste en comprarle una computadora mejor, pero Ud. no quiere que gaste.

6. Su novio/a le compró sus revistas favoritas.

Instructions 6.27. Students should work in pairs. They will be asked to dramatize the dialogue in front of the class without their books. While they are preparing, the instructor should monitor the students by correcting their errors, answering questions, and making suggestions for improvement. NOTE: This is the last time that these instructions will occur in the marginal annotations. However, in the future, you should continue to monitor students and have students present their conversation to the entire class.

6.27 **¡Qué buen/a amigo/a eres!** Ud. visita a un/a compañero/a de trabajo que ha estado enfermo/a un par de semanas y no ha ido a trabajar. Cuando lo/la visita Ud. le ofrece ayuda con diferentes cosas.

Estudiante 1:	Hola, _____, sabía que estabas enfermo/a y por eso vine a visitarte.
Estudiante 2:	Ay, _____, qué bueno. Pero _____.
Estudiante 1:	No, si no es ninguna molestia. Al contrario. ¿Te puedo ayudar en algo?
Estudiante 2:	_____.
Estudiante 1:	Quizás necesitas _____.
Estudiante 2:	_____.
Estudiante 1:	¿Quieres _____?
Estudiante 2:	Bueno, ya me voy. Chao. Llámame si necesitas algo.
Estudiante 1:	_____.

Answers 6.27. No te hubieras molestado. No es necesario, gracias. Gracias, no te molestes. No, gracias. No te preocupes.

Estructuras

Expressing Judgment, Doubt, and Uncertainty

Subjunctive After Expressions of Emotion, Judgment, and Doubt

To hear more about the subjunctive visit academic.cengage.com/spanish/interacciones.

a. Spanish verbs and phrases that express an emotion or judgment about another action require the use of the subjunctive when the subject of the first verb is different from the second.

Prior to introducing this section, you may want to review the formation of the present subjunctive taught in **Capítulo 5, Segunda situación.**

Roberto prefiere que **compremos** una casa nueva, pero es mejor que **nos quedemos** en un apartamento por el momento.	*Robert prefers that we buy a new house, but it's better that we stay in an apartment for the time being.*

Reminder. Two conditions must be present in order for a subjunctive to be used in a noun clause: (1) the presence of a phrase that may require the use of the subjunctive; (2) a change of subject.

1. Expressions of emotion or judgment include many impersonal expressions.

es bueno	es (in)útil	es preferible
es conveniente	es (una) lástima	es ridículo
es importante	es malo	es sorprendente
es (im)posible	es mejor	es terrible

Impersonal expressions that state a fact require the indicative. Such expressions include **es cierto, es evidente, es obvio, es verdad,** and **no es dudoso.**

Como nieva mucho **es obvio que no salimos** esta noche. **Es posible que miremos** una película.	*Since it is snowing a lot, it's obvious we're not going out tonight. It's possible that we will watch a movie.*

2. Other expressions of judgment include the following:

alegrarse de	lamentar	sorprender
enfadarse con	preferir	temer
enojarse de	sentir	tener miedo de
estar contento/a de		

Siento mucho que **Uds. no puedan** cenar con nosotros.	*I'm very sorry that you can't have dinner with us.*

b. The subjunctive is used after the following expressions of doubt or denial when the speaker expresses uncertainty or negation about the situation he/she is discussing.

dudar	acaso	es dudoso
negar	quizá/s	
no creer	tal vez	
no pensar		
¿creer?		
¿pensar?		

1. The subjunctive is used after **dudar, negar, no creer, no pensar,** and **es dudoso** when there is a change of subject.

No creo que esta casa **sea** muy cara.

I don't think that this house is very expensive.

2. Interrogative forms of **creer** and **pensar** require the subjunctive when the speaker is uncertain about the outcome of the action. The indicative is preferred in questions when the speaker does not express an opinion.

Subjunctive: Speaker Expresses Doubt

¿Crees que **haya** algo bueno en la tele?

Do you really think that there is something good on TV?

Indicative: Speaker Expresses No Opinion

¿Crees que **hay** algo bueno en la tele?

Do you think that there is something good on TV?

3. Verbs following the expressions **acaso, quizá/s, tal vez,** meaning *maybe* or *perhaps*, will be in the subjunctive when the speaker doubts that the situation will take place.

Quizás nuestro candidato **gane** las elecciones, pero es dudoso.

Perhaps our candidate will win the election, but it's doubtful.

When the speaker wishes to indicate more certainty, the indicative is used with **acaso, quizá/s, tal vez.**

Tal vez vamos a mirar las noticias.

Perhaps we will watch the news.

Práctica y conversación

Answers 6.28. *Answers vary but the present subjunctive must be used in the dependent clause after all expressions except* **Es verdad...**

6.28 La televisión. Exprese su opinión sobre la televisión, utilizando las siguientes expresiones: **(no) es + conveniente / ridículo / terrible / mejor / sorprendente / verdad / posible / malo.**

1. Hay demasiada violencia en la televisión.
2. Algunos niños miran más de cuatro horas de televisión diariamente.
3. Los anuncios siempre son interesantes y divertidos.
4. Pagamos para mirar algunos deportes en la tele.
5. Muchas personas no leen el periódico; sólo ven las noticias en la tele.
6. Generalmente puedo encontrar algún programa bueno en la tele.

Answers 6.29. *Answers vary but the present subjunctive must be used in the dependent clause.*

6.29 ¿Qué le parece? Exprese su opinión sobre los siguientes temas. Use las siguientes expresiones: **me sorprende, estoy contento/a de, prefiero, siento, tengo miedo de.**

los terremotos / la cafetería estudiantil / la universidad / los exámenes / las vacaciones / la política / ¿?

6.30 Mis opiniones. Complete las siguientes oraciones de una manera lógica.

1. Me sorprende que _____.
2. Tal vez el/la profesor/a _____.
3. Es necesario que _____.
4. Dudo que _____.
5. Me alegro que _____.
6. Es importante que _____.

6.31 ¿Qué vamos a ver? Ud. y un/a compañero/a están leyendo la guía de televisión en la página 213. Desgraciadamente no pueden ponerse de acuerdo sobre lo que quieren ver en la televisión. Cada uno/a critica lo que el/la otro/a dice y trata de imponer su opinión.

Modelo   Compañero/a: *Quiero ver Duelo de «chefs» esta noche.*
                    Usted: *Dudo que ese programa sea muy bueno. Prefiero que miremos Gente.*

Talking About Things and People

More About Gender and Number of Nouns

In order to talk about people, places, objects, and ideas you will need to know how to use nouns in Spanish. It is particularly important to be able to predict and learn the gender of nouns since that gender determines the endings of other words such as definite and indefinite articles and adjectives.

Gender of Nouns

a. Masculine nouns include

   1. nouns that refer to males, regardless of ending.

el policía	*policeman*
el hombre	*man*
el abuelo	*grandfather*

   2. most nouns that end in **-o.**

el piso	*floor*
el robo	*robbery*

      Exceptions: la mano, la radio, la moto(cicleta), la foto(grafía)

   3. some nouns that end in **-ma, -pa,** and **-ta.**

el problema	*problem*
el mapa	*map*
el cometa	*comet*

   4. most nouns that end with the letters **-l, -n, -r,** and **-s.**

el canal	*channel*
el rincón	*corner*
el comedor	*dining room*
el interés	*interest*

These lists should serve more as a reference for students rather than lists to be memorized. It takes much practice for students to correctly use nouns whose gender is not evident; most intermediate level students will not have complete mastery of this grammar point at this point in time.

5. days, months, and seasons.

el viernes	*Friday*
el febrero pasado	*last February*
el invierno	*winter*

Exception: la primavera

b. Feminine nouns include

1. nouns that refer to females, regardless of the ending.

la madre	*mother*
la mujer	*woman*
la enfermera	*nurse*

2. most nouns that end in **-a.**

| la comida | *meal* |
| la cucharita | *teaspoon* |

Exception: el día

3. most nouns that end in **-ión, -d, -umbre, -ie,** and **-sis.**

la reservación	*reservation*
la especialidad	*specialty*
la costumbre	*custom*
la serie	*series*
la crisis	*crisis*

Exceptions: el paréntesis, el análisis

c. Nouns ending in **-e** can be either masculine or feminine.

la clase	*class*
la gente	*people*
el diente	*tooth*
el restaurante	*restaurant*

d. Masculine nouns that refer to people and end with **-or, -n,** or **-és** become feminine by adding **-a.**

el profesor	la profesora	*professor*
el bailarín	la bailarina	*dancer*
el francés	la francesa	*French man / woman*

Note that the accents are deleted in the feminine forms.

e. The gender of some nouns that refer to people is determined by the article, not the ending.

| el artista | la artista | *artist* |
| el estudiante | la estudiante | *student* |

f. Some nouns have only one form and gender to refer to both males and females: **el ángel, el individuo, la persona, la víctima.**

Plural of Nouns

a. Nouns that end in a vowel add **-s** to become plural.

el hombre	los hombres	*men*
el plato	los platos	*plates*
la ensalada	las ensaladas	*salads*

b. Nouns that end in a consonant add **-es** to become plural. Sometimes written accent marks must be added or deleted in the plural form to maintain the original stress.

la mujer	las mujeres	*women*
la reservación	las reservaciones	*reservations*
el joven	los jóvenes	*young people*
el francés	los franceses	*French persons*

c. Nouns ending in **-z** change the **z** to **c** before adding **-es: el lápiz → los lápices; una vez → unas veces.**

d. Nouns of more than one syllable ending in an unstressed vowel + **-s** have identical singular and plural forms: **el martes → los martes; la crisis → las crisis.**

Práctica y conversación

 6.32 Los quehaceres. Explíquele a un/a compañero/a lo que Ud. quiere que él/ella limpie en su casa.

> **Modelo**   sala
> *Limpia la sala, por favor.*

dormitorios / cocina / muebles / comedor / jardín / mesas / ¿?

Answers 6.32. Limpia los dormitorios / la cocina / los muebles / el comedor / el jardín / las mesas / *Answers vary.*

6.33 En casa. Trabaje con un/a compañero/a para completar la siguiente conversación telefónica utilizando los artículos definidos en singular o en plural, según corresponda.

MARIELA: Hola, Chela. ¿Cómo están por tu casa?

CHELA: Toda ___la___ familia está bien, gracias.

MARIELA: Te llamo para ver si salimos más tarde. ¿Qué vas a hacer hoy?

CHELA: Me encantaría salir contigo, pero hoy tengo que hacer muchas cosas en ___la___ casa. Empecé con ___el___ comedor y eso fue un desastre. Después limpié ___la___ cocina y lavé ___los___ platos. Ahora estoy por salir a comprar ___la___ comida para ___la___ semana pero estoy muy preocupada. ___Los___ precios son cada día más altos. Parece que cada día ___la___ inflación se pone peor.

MARIELA: Sí, así es. ___El___ televisor de ___la___ sala de mi casa no funciona. Necesitamos comprar otro y no quiero ni pensar en eso.

CHELA: Ayer salí a comprar ___ø___ pollo. ¿Sabes cuánto cuesta? Veinte mil bolívares ___el___ kilo. ¡Imagínate!

MARIELA: Sí, es igual con ___la___ ropa y ___los___ zapatos. No sé lo que va a pasar. Pero tal vez en ___las___ elecciones de diciembre podamos cambiar de gobierno.

CHELA: Lo dudo, tú sabes cómo son ___las___ cosas aquí.

¿Qué oyó Ud.?  CD 1, Track 21

Para escuchar bien

The Main Idea and Supporting Details

You have already learned that you don't need to understand every single word of what is being said and that you can listen for the general idea of a conversation. It is also important to learn how to listen for the main idea of what is being said and the supporting details. For example, if somebody asks you what your occupation is, you might respond, "I'm a student." That would be the main idea you want to communicate. You might also add, "I study Political Science at George Washington University." Those would be the supporting details that expand the scope of your preliminary statement and add to the listener's knowledge about you.

Antes de escuchar

6.34 Los dibujos. Con un/a compañero/a de clase miren el dibujo que se presenta en esta página y hagan las siguientes actividades.

1. Describan a las personas en los dibujos, el lugar donde se encuentran, qué están haciendo, cómo están vestidas y cómo se sienten.
2. ¿Qué creen Uds. qué está pasando en esta situación? Justifiquen su respuesta.

Al escuchar

6.35 Los apuntes. Escuche la conversación entre Rosaluz y Mariana. Tome los apuntes que considere necesarios y complete las siguientes oraciones

1. Mariana se siente ___malísima___. Tiene ___gripe___.
2. Rosaluz le trae ___una revista___ y ___jugo de naranja___.
3. Rosaluz le dice a Mariana que debe ___descansar___, tomar ___líquidos___ y ___vitamina C___.
4. Mariana está viendo televisión, pero cuando se mejore ___va a ir al teatro con Rosaluz___.

Answers 6.34. 1. Hay dos mujeres. Una está sentada en un sillón viendo televisión. Está con bata de casa y está enferma. La otra está parada a la entrada del cuarto. Lleva una falda rosada y una chaqueta. Tiene una bolsa con muchas cosas. Se siente bien. **2.** *Some possible answers:* La mujer que está sentada está enferma y la otra la viene a visitar. La enferma no está arreglada y hay papeles en el suelo.

It will probably be necessary to play the dialogue more than once. During the first playing, students listen for the general idea. During the second playing, students should focus on the details.

Después de escuchar

6.36 Resumen. Con un/a compañero/a de clase, resuma la conversación entre Mariana y Rosaluz.

6.37 Algunos detalles. Complete las siguientes oraciones con la mejor respuesta.

1. Rosaluz le lleva a Mariana...
   a. muchas revistas nuevas y vitamina C.
   b. naranjas y frutas frescas.
   c. su revista favorita y jugo natural.

2. Sabemos que a Mariana le gusta...
   a. ver televisión, sobre todo los programas de acción.
   b. ir al teatro o ver una buena película en el cine.
   c. estar metida en la casa todo el tiempo.

3. Según la conversación, se sabe que Rosaluz y Mariana son...
   a. hermanas, pero no se ven mucho.
   b. vecinas que no se llevan bien.
   c. muy buenas amigas.

4. Mariana sabe que si necesita algo puede llamar a...
   a. Rosaluz.
   b. Gustavo.
   c. la farmacia.

  *Interacciones:* **Capítulo 6, Segunda situación**

Para saber más: academic.cengage.com/spanish/interacciones

Answers 6.36. *Some possible answers:* Mariana está enferma con la gripe. Se siente malísima. Su amiga Rosaluz la visita y le lleva una revista y jugo de naranja. Cuando Mariana se mejore las dos amigas irán al teatro.

Imágenes culturales  DVD

Las noticias venezolanas en la tele

For additional information on television news programs in the Hispanic world, view the film *Johnny Cien Pesos* and complete the activities in **Más allá de la pantalla: Capítulo 13.** RESUMEN: Con la ayuda de otras personas, Johnny decide robar una tienda de vídeo pero los medios de comunicación llegan a la escena y transmiten lo que está pasando.

Warm-up. To help students comprehend the video more easily, review the vocabulary related to **La televisión, El noticiero,** and **El desastre** in the **Presentación** of Capítulo 6, Segunda situación.

Vocabulario del vídeo. The following vocabulary will help you understand this video segment and complete the exercises: **atrapado** *(trapped)*; **inundado** *(flooded)*; **los evacuados** *(evacuated people)*; **los refugios** *(shelters).*

Answers A. Las noticias venezolanas en la tele = *Venezuelan News on TV.* En las noticias van a mostrar los crímenes, los desastres naturales y la política de Venezuela. En la foto hay un hombre saliendo de su coche sumergido a causa de mucha lluvia y la inundación.

Answers B. Según las noticias, hay inundaciones en Caracas, Venezuela. La situación es peligrosa y muchas personas han perdido casas y coches.

The additional video activities located in the *Cuaderno de actividades* are designed to be completed by students on their own outside of class. However, the additional activities can also be completed in class if time permits.

Antes de mirar

A Los desastres naturales. Con un/a compañero/a de clase, hagan una lista de los desastres naturales que vemos en las noticias de la televisión. Expliquen las consecuencias posibles de cada desastre.

B El título. Mire el título del vídeo de esta sección: *Las noticias venezolanas en la tele.* ¿Qué significa el título? En su opinión, ¿de qué va a tratar este vídeo? Después, mire la foto de arriba y descríbala. ¿Qué tipo de desastre natural ha causado este problema?

C La idea principal. Mire el vídeo por primera vez para determinar la idea principal del vídeo. También revise *(check)* y corrija sus respuestas anteriores.

Actividades de vídeo

Después de completar estas actividades de **Antes de mirar,** complete las otras actividades del vídeo para **Capítulo 6** en el *Cuaderno de actividades.*

Lectura cultural

Para leer bien

Background Knowledge: Geographical References

As you know from your experience with your native language, it is generally easier to read a selection containing a topic with which you are familiar than one with a topic you know little about. This familiarity with a topic is called background knowledge. Activating and expanding your background knowledge can greatly facilitate your reading in a foreign language.

A glance at the title and photo of the following reading indicates that the general topic is the geography of Venezuela. The following suggestions will help you activate and expand your background knowledge of geographical terms and the geography of Venezuela.

1. Scan the opening paragraphs of the selection for the specific topic of the article.
2. Familiarize yourself with the names of towns, cities, and places in Venezuela by skimming the entire selection.
3. Be prepared to guess the meaning of cognates related to geography.
4. Review the geographical information contained in **Bienvenidos a Centroamérica, a Colombia y a Venezuela.**
5. Think about the relationship between geography and lifestyle.

Antes de leer: El techo de Venezuela

A Los elementos generales. Dé un vistazo al título y al primer párrafo para determinar el tema principal del artículo.

B Un examen superficial. Examine superficialmente la lectura y haga mentalmente una lista de las ciudades, los pueblos y otros lugares geográficos mencionados en la lectura. Búsquelos en un mapa de Venezuela. ¿Por qué hay tantos lugares con el nombre Bolívar?

C Palabras geográficas. Mire esta lista de categorías de palabras geográficas y trate de adivinar *(guess)* lo que significan.

1. los Andes	andino	los valles
2. la tierra	el terreno	
3. el trópico	tropical	subtropical
4. alto	la altura / altitud	la elevación
5. el clima	árido	

Al leer

D Sitios geográficos. Mientras Ud. lee el artículo «El techo de Venezuela», haga una lista mental o escrita de los sitios geográficos mencionados. Incluya una breve descripción o definición del lugar.

Warm-up 1. Divide the class into pairs or small groups. Assign each group a paragraph or section of the reading. Each group should locate the cognates in the section assigned to them. Finally, each group should report back to the class on their findings.

Warm-up 2. Have each group locate words related to geography within the section assigned to them.

Answers A. El techo de Venezuela = *the rooftop of Venezuela*. El tema principal tiene que ver con las regiones montañosas de Venezuela.

Warm-up B. *Ask questions about the photo in the reading that follows:* ¿Cómo se llama la ciudad de la foto? (Mérida) ¿Qué hay alrededor de la ciudad? (Hay montañas.) ¿Cómo se llama la montaña más alta de la foto? (Se llama el Pico Bolívar.)

Answers B. Hay tantos lugares con el nombre de Bolívar porque Bolívar nació en Venezuela y es un gran héroe nacional.

Answers C. 1. the Andes / Andean / valleys **2.** earth, land / terrain **3.** the tropics / tropical / sub-tropical **4.** high / altitude / elevation **5.** climate / arid

El techo de Venezuela

The reading «El techo de Venezuela» emphasizes the cultural theme (Venezuela) of this chapter.

long ago
un ejemplo / discovery

Si uno les pregunta a los residentes de Caracas dónde se puede ver la Venezuela de antaño°, muchos contestan que en las montañas del estado de Mérida. Mérida es una muestra° de cómo era Venezuela antes del descubrimiento° del petróleo y antes de que el 75% de la población se concentrara en los grandes centros urbanos.

villages
surprising
shadow

En Mérida, moderna ciudad rodeada de aldeas° andinas, se disfruta de la tranquilidad y del encanto del ayer. Éste es el techo de Venezuela, tierra de contrastes sorprendentes°, donde la caña de azúcar se cultiva en la sombra° del Pico Bolívar, de 5.002 metros de altura.

La Carretera Panamericana

highway / section

La mayoría de los visitantes va de Caracas a Mérida en avión. Es sólo una hora de vuelo. Sin embargo, es mucho más interesante hacer el viaje por carretera°, en particular el tramo° de 173 kilómetros que forma parte de la Carretera Panamericana. Este tramo está bien pavimentado pero el viaje en auto lleva mucho tiempo. Hay que hacerlo despacio a causa de la cantidad de curvas cerradas.

plains / summit
Eagle

El camino sube abruptamente desde las llanuras° tropicales hasta el paso en la cima° del Pico del Águila°. A esta altura la temperatura es agradable en julio, aunque a los pocos kilómetros es bien diferente. En los Andes la elevación determina no sólo la temperatura, sino también la manera de vivir de la gente. Según la altitud, se cultiva café o papas, se lleva ropa de algodón o ponchos de lana gruesa°. Se dice que hasta el carácter de las personas varía con la altitud.

thick

As / emerge
to stop
landscape / wide / to park
high plateau

A medida que° el camino asciende hacia el Pico del Águila, con cada curva surgen° nuevos panoramas de las montañas y los valles. Dan ganas de parar° a cada paso y contemplar el paisaje°, pero hay muy pocos lugares donde el camino es lo bastante ancho° para estacionar° el coche. Pronto empieza el páramo°, región alta y fría a más de 3.000 metros de altitud. El paisaje es desolado. Los colores vivos han desaparecido y la tierra es oscura. Hay pocas casas, pues sólo los venezolanos más recios° pueden ganarse la vida en este ambiente. Cerca de la cima una niebla° densa y fría se cierne° como una cortina blanca frente al coche. Al atravesarla°, los viajeros se encuentran en lo alto del Pico del Águila a 4.115 metros de altitud. En este paso de la montaña hay una inmensa estatua de un águila con las alas° extendidas, símbolo del valor de Bolívar al cruzar los Andes buscando la libertad de América. El descenso del Pico del Águila se hace rápidamente.

robust
fog / hangs over / After
crossing it
wings

Algunos pueblos andinos

Apartaderos, situado a 3.470 metros de altitud, es una aldea turística al estilo de las de los Alpes. Es un lugar excelente donde uno puede parar y disfrutar del paisaje andino.

Pasado Apartaderos, el camino desciende hacia Mérida y el terreno es más suave y la vegetación más exuberante. Se pasa por Mucuchíes, Mucuruba y Tobay, pueblecitos coloniales preciosos que están en el camino a Mérida. Cada uno de ellos tiene una plaza Bolívar, una iglesia antigua y bien cuidada y edificios muy juntos.

La ciudad de Mérida

Mérida está en una mesa° baja rodeada de° altísimas montañas, entre ellas el Pico Bolívar, el más alto del país. Durante muchos años las montañas constituían un gran obstáculo al cambio, pero hoy día Mérida es una capital estatal moderna, de 125.000 habitantes. En la ciudad quedan pocos edificios históricos pero por todas partes se encuentran parques y plazas llenos de

plateau
surrounded by

Venezuela: Mérida con el Pico Bolívar al fondo

flores. La Plaza Bolívar, la más interesante de la ciudad, está rodeada de edificios gubernamentales y de la catedral. Cerca de la plaza hay varios restaurantes pequeños que sirven típica comida venezolana. También se ven artistas jóvenes pintando escenas de la vida de las aldeas andinas, uno de los temas populares de los pintores venezolanos.

La visita a Mérida no está completa si uno no se monta en el teleférico°. Éste, que es el más largo y más alto del mundo, asciende hasta la cima del Pico Espejo, a 4.765 metros de altitud. Aparte de ser un viaje emocionante para el visitante, el teleférico es un medio de transporte muy útil para los habitantes de los Andes que viven en remotas aldeas de las montañas. Para algunos el teleférico es el único medio de comunicación con Mérida.

cable railway

El teleférico no funciona los lunes ni martes, y éstos son días buenos para visitar las aldeas andinas históricas de los alrededores de Mérida. Una de las más visitadas es Jají, a unos 45 kilómetros al suroeste. Los habitantes de Jají se sienten muy orgullosos° de su pueblo que fue reconstruido a fines de la década de los 60 y tiene arquitectura colonial típica.

proud

Pueblo Nuevo del Sur

Si uno quiere visitar una localidad menos turística, puede ir a Pueblo Nuevo del Sur, declarado monumento nacional en 1960. A las cuatro de la tarde, Pueblo Nuevo del Sur descansa. Los habitantes están sentados indolentemente° en la plaza o en el frente de sus casas conversando en voz baja. Un hombre lleva un pesado saco en un burro como lo han hecho innumerables generaciones antes que él. De las puertas abiertas de la vieja iglesia de Santa Rita salen las delicadas notas de un violín.

lazily

El que llega a Pueblo Nuevo del Sur ha viajado en el espacio y en el tiempo. Aquí no hay hoteles ni restaurantes. El paso de los siglos no ha dejado más que alguno que otro retoque°. Es lógico que Pueblo Nuevo sea un monumento histórico. Desde este apacible° lugar se puede regresar a Mérida en una hora, pero el viaje supone el transcurso de varios siglos. Al salir de Pueblo Nuevo uno se da cuenta de que ha visto lo que vino a ver en Mérida: una visión de la Venezuela de ayer.

a few indications
gentle

Después de leer

E Lugares venezolanos. Ponga enfrente de cada elemento de la primera columna la letra que le corresponde en la segunda columna para identificar los lugares venezolanos.

1. ___d___ La capital de Venezuela

2. ___g___ El estado que es el techo de Venezuela

3. ___l___ El camino largo entre México y la Argentina

4. ___k___ Una región fría y alta

5. ___a___ Un paso con una inmensa estatua que representa a Bolívar

6. ___h___ Una aldea turística al estilo de las de los Alpes

7. ___b___ El pico más alto de Venezuela

8. ___e___ Uno de los pueblecitos coloniales preciosos en el camino a Mérida

9. ___j___ Un medio de transporte para ascender una montaña

10. ___i___ Un popular pueblo turístico reconstruido

11. ___f___ Un pueblo poco turístico declarado monumento nacional en 1960

a. el Pico del Águila
b. el Pico Bolívar
c. el Pico Espejo
d. Caracas
e. Mucuruba
f. Pueblo Nuevo del Sur
g. Mérida
h. Apartaderos
i. Jají
j. un teleférico
k. un páramo
l. la Carretera Panamericana

F Rasgos geográficos. Haga una lista de las diversas características geográficas que se pueden ver en el estado de Mérida.

G Descripciones. Describa las siguientes atracciones del estado de Mérida.

las montañas / los valles / la ciudad de Mérida / Jají / Pueblo Nuevo del Sur

H La defensa de una opinión. ¿Qué evidencia hay en el artículo que confirma la idea siguiente? «El estado de Mérida es una visión de la Venezuela de ayer.»

Interacciones

A Sus compañeros/as de cuarto. You live in an apartment with two roommates. It's Parents' Weekend at school, and you must clean up the place before your parents arrive. Enlist your roommates' help and tell each of them what to do to prepare the apartment and some refreshments for your parents.

B Un/a nuevo/a criado/a. As a wealthy and busy professional, you are trying to find a replacement for your live-in domestic helper, who is about to retire. Interview a candidate (played by a classmate). Find out if he/she has qualities equal to or better than your present employee. Explain what you want him/her to do on the job. You are quite demanding and the prospective employee is not certain that he/she wants the job.

C Telediario. You and a classmate are the newscasters on *Telediario*, a brief news broadcast that occurs each evening from 8:58 to 9:00. Provide the highlights of the day's news for your audience. Include local, national, and international news as well as sports and a brief weather forecast.

D Los candidatos. You are Víctor / Victoria Romero, the host/hostess of a Hispanic television talk show geared to 18–25 year olds. This week's guests are three candidates for president of the U.S. You hold a brief debate with the candidates, asking them questions about items of concern to the viewers of your show. Each candidate should compare himself/herself to the others and explain what he/she wants the voters and Congress to do. Each candidate should express judgment or doubt about what the other candidates say.

Communicative modes incorporated. A: interpersonal **B:** interpersonal **C:** presentational **D:** interpersonal, presentational

Vocabulary incorporated. A: rooms of the house, furniture, household chores **B:** rooms of the house, furniture, household chores, expressions for enlisting help **C:** crime, disaster, news program, weather, sports vocabulary **D:** political vocabulary

Grammar incorporated. A: familiar commands, demonstrative adjectives and pronouns **B:** comparisons of equality, comparisons of inequality **C:** gender and number of nouns, preterite tense **D:** present subjunctive for expressing emotion, judgment and doubt; comparisons

Caracas, Venezuela

Así se escribe

Para escribir bien

Preparing to Write

Careful preparation is the most important phase of the writing process. The following suggestions should help you plan and organize beforehand so the actual writing is done more quickly and produces a more readable, interesting composition.

1. Choose a topic that interests you and one for which you have some background knowledge.
2. Brainstorm ideas that might possibly fit into the composition topic. Write down these ideas in Spanish.
3. Make a list of the best ideas obtained from your brainstorming.
4. Make a list of key vocabulary items for the composition. Look up words in the dictionary at this point.
5. Organize your key ideas into a logical sequence. These key ideas will form a basic outline for your composition.
6. Fill in your outline with the details and supporting elements for your key ideas. You are now ready to write your composition.

Antes de escribir

A La selección de las ideas principales. Lea las descripciones de las tres composiciones dadas en la sección **A escribir** y escoja la composición que sea más compatible con sus intereses y habilidades. Después, haga una lista de las ideas principales que Ud. quiere incluir en su composición.

B El vocabulario. Utilizando su lista de ideas de la **Práctica A,** haga una lista de vocabulario útil para su composición. Si Ud. ha escogido Composición **D** o **E,** incluya frases de *Así se habla: Enlisting Help.*

Al escribir

Escriba su composición, utilizando la lista de ideas y el vocabulario que Ud. hizo en los ejercicios de *Antes de escribir.*

> **All compositions: Vocabulary:** house: bathroom, bedroom, furniture, household chores, kitchen, living room; **Grammar:** demonstrative adjectives: **este/ese/aquel**, demonstrative pronouns: **éste/ése/aquél; C Grammar:** comparisons: equality, inequality, irregular, **Phrases/Functions:** comparing and contrasting, comparing and distinguishing, offering; **D: Grammar:** subjunctive with **que, with ojalá; Phrases/Functions:** asking for help, requesting and ordering, writing a letter (informal); **E: Grammar:** subjunctive with **que**/ with **ojalá; Phrases/Functions:** asking for help, requesting and ordering.

C *Criados contentos.* Ud. es el/la dueño/a de una compañía de limpieza doméstica que se llama *Criados contentos.* Escriba un anuncio para un periódico local, explicando sus servicios. Incluya información sobre los quehaceres domésticos que hacen, su horario y sus precios. Compare sus servicios con los de otras compañías de limpieza doméstica.

D **Una casa vieja.** Ud. y su esposo/a acaban de comprar una casa vieja que tiene muchos problemas: todas las ventanas están muy sucias, una ventana está rota, las paredes están sucias y necesitan pintura, el lavabo en un cuarto de baño no funciona, el lavaplatos no funciona, no hay luz en dos de los dormitorios, no se puede cerrar fácilmente la puerta principal, la alfombra de la sala huele mal. Escríbale una nota a la persona que viene para reparar la casa. Explíquele los problemas y lo que debe hacer para resolverlos.

E **Los quehaceres domésticos.** Hay cuatro personas en su familia y en su casa hay unos veinte quehaceres domésticos que alguien tiene que hacer todas las semanas. Prepare una lista de instrucciones para estos quehaceres. Cada persona tiene que hacer cinco.

Después de escribir

Antes de entregarle su composición a su profesor/a, Ud. debe leerla de nuevo y corregir los errores. Preste atención a las ideas principales y a los detalles. ¿Están en orden lógico las ideas y los detalles? Revise el vocabulario para la casa y los quehaceres domésticos. También revise las frases para pedir ayuda y los verbos en el subjuntivo.

Answers. All composition topics should include new vocabulary and grammatical structures of this chapter and should show a concern for the logical progression of ideas and details.

 Interacciones: **Capítulo 6, Tercera situación**

 Para saber más: academic.cengage.com/spanish/interacciones

Herencia cultural: Centroamérica, Colombia y Venezuela

Cultural products and practices: Famous people of Central America, Colombia, and Venezuela and what they have accomplished. **Cultural comparisons:** famous historical personages and famous entertainment / literary / governmental figures of these regions and the U.S.

Personalidades

De ayer

◄ Conocido como el Libertador de América, **Simón Bolívar** (1783–1830) nació en Caracas, Venezuela. Fue el líder del movimiento de la independencia en las colonias españolas de Sudamérica. Bolívar libertó los actuales países de Bolivia, Colombia, Ecuador, Perú y Venezuela. Muchos lugares en Sudamérica llevan su nombre.

► Nacido en Nicaragua, «la tierra de los poetas», **Rubén Darío** (1867–1916) fue responsable de la renovación de la poesía en la lengua española. Creó nuevas formas poéticas que los otros poetas de Latinoamérica y de España imitaron. También escribió cuentos, ensayos y crítica literaria.

De hoy

◄ **Carolina Herrera** (1939–), la famosa diseñadora de alta costura, nació en Caracas, Venezuela. En 1981 se trasladó a Nueva York con su familia e inauguró su primera colección de ropa femenina. Actualmente sus elegantes diseños atraen a celebridades y a personas de alta sociedad internacional. Además de su línea de vestidos, vende vestidos de novia, perfumes, cosméticos y accesorios en sus boutiques.

▼ La autora colombiana **Laura Restrepo** (1950–) figura entre los autores más importantes de la literatura latinoamericana contemporánea. Sus novelas, que han sido traducidas a más de una docena de idiomas, han recibido premios importantes de varios países. Los más destacados de sus libros son *El leopardo al sol, La novia oscura* y *Delio* que mezclan el realismo con la imaginación narrativa.

Heinle Transparency Bank: A–18, A–14 Country profiles: Colombia y Venezuela. Use these images to review geographical information about the countries with your students.

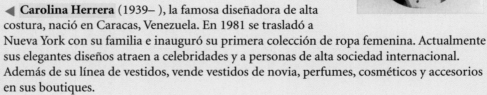

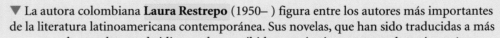

Comprensión cultural 1. Have students work in pairs or groups of three. Assign one of the **personalidades** to each group and have them prepare a description of each person as well as a brief biography. Have each group report back to the class.

 El panameño **Rubén Blades** (1948–) es un hombre de muchos talentos. Además de ser un célebre músico, compositor de salsa y actor de cine y de televisión en los EE.UU., es abogado y político. Fue candidato a la presidencia de su país en 1994. Después fue Embajador de Buena Voluntad de las Naciones Unidas y actualmente es el Ministro de Turismo en su país natal.

▶ La cantante colombiana **Shakira** (1977–) lanzó su primer álbum a los 17 años de edad y poco después se convirtió en una artista importante y popular. Ha aparecido en conciertos y en la televisión en todo el mundo. Entre sus premios más importantes están el de la Mejor Artista Latina y la Artista Colombiana del Siglo. También ha recibido más de 20 discos de oro.

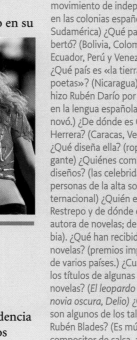

Arte y arquitectura
Unos artistas modernos: Botero y Soto

Fernando Botero, La familia presidencial, 1967. Oil on canvas, 6'8 1/8" x 6'5 1/4". Collection, The Museum of Modern Art, New York. Gift of Warren D. Benedek.

La mayoría de los artistas modernos de Latinoamérica forman parte de una tendencia internacional. Aunque usan temas latinos también tratan de representar temas universales del hombre contemporáneo y sus problemas como miembro de una sociedad urbana. Los artistas viajan mucho por el mundo, se conocen e intercambian ideas y técnicas. Tienen exposiciones de sus obras en sus propios países y en las grandes capitales de Europa y las Américas.

◀ **Fernando Botero** (1932–) Nació en Medellín, Colombia, pero se trasladó a Bogotá donde presentó sus primeras obras. Después, viajó a Madrid y allá estudió los cuadros de Goya y Velázquez. De éste aprendió la técnica realista y de aquél su punto de vista crítico.

Muchas de las obras de Botero son sátiras de otras obras famosas o de la vida colombiana; sus personajes representan las instituciones del país, como la Iglesia, el gobierno, o el ejército. Una de sus obras famosas es *La familia presidencial (1967)*, una sátira de la familia presidencial colombiana.

◀ **Jesús Rafael Soto** (1923–) Nació en Ciudad Bolívar, Venezuela. Es un escultor conocido y miembro del movimiento de arte geométrico y kinético. Sus obras están en una universidad de Caracas, en Alemania y los EE.UU., entre otros lugares. Su obra *Vibraciones* (1965) es una escultura de alambres *(wires)* y cuadradros *(squares)* suspendidos sobre una superficie rayada; el efecto es una ilusión óptica. Cree en la participación del espectador en la creación artística. Por eso creó *Penetrable* (1971), que consiste en una serie de tubos de aluminio que cambian cuando el público camina entre ellos.

Comprensión

Fernando Botero: *La familia presidencial*

A Los personajes. Conecte a cada personaje del cuadro con la institución que representa.

__d__ el sacerdote *(priest)*		a. el ejército
__a__ el general		b. la familia
__c__ el hombre con las gafas		c. el gobierno
__b__ las tres mujeres		d. la Iglesia

B El contenido. Conteste las siguientes preguntas acerca de la obra.

1. ¿Qué animales se ven en la obra?
2. ¿Qué otras cosas se ven?
3. ¿Quién es el hombre de bigote y barba a la izquierda y qué hace?

C La interpretación. ¿De qué manera están relacionados todos los personajes de la obra? ¿Qué está diciendo el artista sobre el gobierno y las otras instituciones de su país?

Jesús Rafael Soto: *Penetrable*

D La creación artística. Según Soto, el público debe participar en la creación artística. ¿De qué manera participa el público en la creación de la escultura *Penetrable*?

 Para saber más: academic.cengage.com/spanish/interacciones

Lectura literaria
Para leer bien
Applying Journalistic Reading Techniques to Literature

In the **Para leer bien** sections of this text you have learned to apply reading strategies such as predicting and guessing content, scanning, skimming, locating the main and supporting ideas, and using background knowledge to the reading of journalistic articles and essays. These same strategies can also be effectively applied to the reading of literature. However, certain adaptations need to be made.

Prior to reading you will need to scan the overall layout of the selection to determine its genre (**el cuento, el drama, el ensayo, la novela, la poesía**). Scanning a literary title may not prove to be as helpful in establishing the main idea as scanning the title of a journalistic article. Literary titles are frequently imprecise in order to establish a tone or suggest feelings rather than provide a detailed summary of what is to follow. Skimming the opening paragraph of a short story will often provide further clues as to content and main theme. In the opening paragraph, look for the main ideas and supporting details. The tone of the first paragraph will often carry over throughout the entire story.

Using and expanding background knowledge will help in predicting and guessing content as well as decoding for deeper and more specific meaning. Identifying the verb core is particularly useful when decoding poetry, for poetic language often does not follow normal word order. You can also use your background knowledge of literary terminology taught in previous **Herencia cultural** sections.

In order to fully comprehend a literary selection, it is often necessary to read it more than one time. A second reading will often clarify the central theme and the various elements of the genre.

When approaching the following literary selection, remember to take advantage of the prereading and decoding techniques you have learned.

Antes de leer: Un día de éstos

▶ **Gabriel García Márquez** (1928–) es un célebre escritor de cuentos y novelas y ganador del Premio Nóbel de Literatura en 1982. Nació en Aracataca, Colombia, una pequeña aldea en la costa del Caribe. Más tarde García Márquez transformó esta aldea en Macondo, el escenario mítico de su ficción. Su novela más famosa, **Cien años de soledad,** se publicó en 1967; probablemente es la novela más leída y más traducida del siglo XX.

Sus cuentos y novelas tratan los mismos temas: la soledad, la violencia, la corrupción, la pobreza y la injusticia. «Un día de éstos» tiene lugar en un país sin nombre en la América del Sur.

Los antecedentes históricos del cuento son «la violencia», el conflicto que empezó en Colombia en 1948 y duró más de diez años. Unas 200.000 personas murieron en ese conflicto entre liberales y conservadores. «Un día de éstos» presenta la violencia en un microcosmo.

For additional information on the theme of violence view the following films: *El silencio de Neto* and *La boca del lobo*. Then, complete the activities in **Más allá de la pantalla: Capítulo 2** and **Capítulo 4.** RESUMEN de *El silencio de Neto*: Un niño guatemalteco recuerda las dificultades y la violencia durante la intervención de los EE.UU. en su país en el siglo XX. RESUMEN de *La boca del lobo*: Un pueblo indígena en el Perú se encuentra atrapado entre la violencia del grupo terrorista Sendero Luminoso y la violencia de los soldados peruanos luchando contra los terroristas.

E El autor y sus obras. Conteste las siguientes preguntas acerca del autor de «Un día de éstos».

1. ¿Quién es el autor de «Un día de éstos» y de dónde es?
2. ¿Qué premio importante recibió?
3. ¿Cuáles son sus temas principales?
4. ¿Qué es «la violencia»? ¿Cuál es la relación entre «la violencia» y el cuento «Un día de éstos»?

F Un día de éstos. ¿Qué significa el título «Un día de éstos»? ¿En cuál/es de las siguientes situaciones se puede usar la frase *un día de éstos*?

1. Hace mucho tiempo que Ud. necesita un coche nuevo. Finalmente Ud. encuentra el coche de sus sueños a un precio muy barato.
2. Un/a compañero/a de clase lo/la insulta a Ud. a menudo y Ud. nunca le dice nada porque tiene miedo. Ud. piensa que en el futuro va a encontrar el insulto perfecto para su compañero/a.
3. Su profesor/a de matemáticas siempre les da mucha tarea a los estudiantes pero también les da muy buenas notas a todos.

G El consultorio del dentista. ¿Quiénes trabajan en un consultorio de dentista? ¿Quiénes van a ver al dentista? ¿Cuáles son algunas de las razones para ir a ver al dentista?

H El escenario. El cuento «Un día de éstos» tiene lugar *(takes place)* en el consultorio de un dentista en un lugar rural y pobre. Mire el dibujo que acompaña el cuento «Un día de éstos». Utilizando el vocabulario de los dos primeros párrafos del cuento, describa el escenario. ¿Cuáles son algunas diferencias entre el consultorio del cuento y un consultorio moderno?

I Los personajes. Hay tres personajes en el cuento: el dentista, el hijo del dentista y el paciente, que además es el alcalde *(mayor)* del pueblo y teniente *(lieutenant)* del ejército. El dentista y el alcalde / teniente representan los dos puntos de vista de la violencia en Colombia. Describa al dentista utilizando el vocabulario del primer párrafo del cuento.

Un día de éstos

La descripción del dentista y su gabinete°

dentist's office

warm / early riser

set of false teeth

plaster / handful

El lunes amaneció tibio° y sin lluvia. Don Aurelio Escovar, dentista sin título y buen madrugador°, abrió su gabinete a las seis. Sacó de la vidriera una dentadura postiza° montada aún en el molde de yeso° y puso sobre la mesa un puñado° de instrumentos que ordenó de mayor a menor, como en una exposición. Llevaba una camisa a rayas sin cuello, cerrada arriba con un botón dorado, y los pantalones sostenidos con cargadores° elásticos. Era rígido, enjuto°, con una mirada que raras veces correspondía a la situación, como la mirada de los sordos.

suspenders / lean

Cuando tuvo las cosas dispuestas sobre la mesa rodó la fresa° hacia el sillón de resortes° y se sentó a pulir la dentadura postiza. Parecía no pensar en lo que hacía, pero trabajaba con obstinación, pedaleando en la fresa incluso cuando no se servía de ella.

he rolled the drill / dental chair

Después de las ocho hizo una pausa para mirar el cielo por la ventana y vio dos gallinazos° pensativos que se secaban al sol en el caballete° de la casa vecina. Siguió trabajando con la idea de que antes del almuerzo volvería a llover. La voz destemplada° de su hijo de once años lo sacó de su abstracción.

buzzards
ridge of roof
loud

—Papá.

—Qué.

—Dice el alcalde que si le sacas una muela°.

you'll pull his tooth

—Dile que no estoy aquí.

Estaba puliendo un diente de oro. Lo retiró a la distancia del brazo y lo examinó con los ojos a medio cerrar°. En la salita de espera volvió a gritar su hijo.

half-closed

—Dice que sí estás porque te está oyendo.

El dentista siguió examinando el diente. Sólo cuando lo puso en la mesa con los trabajos terminados, dijo:

—Mejor.

Volvió a operar la fresa. De una cajita de cartón° donde guardaba las cosas por hacer, sacó un puente° de varias piezas y empezó a pulir el oro.

small cardboard box
dental bridge

—Papá.

—Qué.

Aún no había cambiado de expresión.

—Dice que si no le sacas la muela te pega un tiro°.

he will shoot you

Sin apresurarse, con un movimiento extremadamente tranquilo, dejó de pedalear en la fresa, la retiró del sillón y abrió por completo la gaveta inferior° de la mesa. Allí estaba el revólver.

lower drawer

—Bueno—dijo—. Dile que venga a pegármelo.

El alcalde y su problema dental

Hizo girar° el sillón hasta quedar de frente de la puerta, la mano apoyada en el borde° de la gaveta. El alcalde apareció en el umbral°. Se había afeitado la mejilla° izquierda, pero la otra, hinchada° y dolorida, tenía una barba de cinco días. El dentista vio en sus ojos marchitos° muchas noches de desesperación. Cerró la gaveta con la punta de los dedos y dijo suavemente:

he turned / edge
doorway / cheek
swollen / tired

—Siéntese.

—Buenos días, dijo el alcalde.

—Buenos, dijo el dentista.

Mientras hervía° los instrumentos, el alcalde apoyó el cráneo en el cabezal° de la silla y se sintió mejor. Respiraba un olor glacial. Era un gabinete pobre: una vieja silla de madera, la fresa de pedal, y una vidriera con pomos de loza°. Frente a la silla, una ventana con un cancel de tela° hasta la altura de un hombre. Cuando sintió que el dentista se acercaba, el alcalde afirmó los talones° y abrió la boca.

he boiled / leaned the back of
his head on the headrest /
porcelain bottles / cloth
curtains /dug in his heels

rotten

jaw

Don Aurelio Escovar le movió la cara hacia la luz. Después de observar la muela dañada°, ajustó la mandíbula° con una cautelosa presión de los dedos.

—Tiene que ser sin anestesia—, dijo.

—¿Por qué?

—Porque tiene un absceso.

El alcalde lo miró en los ojos.

—Está bien—dijo, y trató de sonreír. El dentista no le correspondió. Llevó a la mesa de trabajo la cacerola° con los instrumentos hervidos y los sacó del agua con unas pinzas frías, todavía sin apresurarse. Después rodó la escupidera° con la punta del zapato y fue a lavarse las manos en el aguamanil°. Hizo todo sin mirar al alcalde. Pero el alcalde no lo perdió de vista.

pot

moved the spittoon

washstand

La extracción de la muela

lower wisdom tooth / gripped /

forceps / grabbed the arms

kidneys / wrist

Era un cordal inferior°. El dentista abrió las piernas y apretó° la muela con el gatillo° caliente. El alcalde se aferró a las barras° de la silla, descargó toda su fuerza en los pies y sintió un vacío helado en los riñones°, pero no soltó un suspiro. El dentista sólo movió la muñeca°. Sin rencor, más bien con una amarga ternura, dijo:

Here you're paying us for
20 deaths (you caused),
lieutenant. / crunch

—Aquí nos paga veinte muertos, teniente°.

El alcalde sintió un crujido° de huesos en la mandíbula y sus ojos se llenaron de lágrimas. Pero no suspiró hasta que no sintió salir la muela. Entonces la vio a través de las lágrimas. Le pareció tan extraña a su dolor, que no pudo entender la tortura de sus cinco noches anteriores. Inclinado sobre la escupidera, sudoroso°, jadeante°, se desabotonó la guerrera° y buscó a tientas° el pañuelo° en el bolsillo del pantalón. El dentista le dio un trapo° limpio.

sweaty / panting / military
jacket / blindly / handkerchief /
rag

—Séquese las lágrimas, dijo.

cracked ceiling / dusty
spiderweb

El alcalde lo hizo. Estaba temblando. Mientras el dentista se lavaba las manos, vio el cielo raso desfondado° y una telaraña polvorienta° con huevos de araña e insectos muertos. El dentista regresó secándose las manos.

gargle with

disdainful / stretching

—Acuéstese—dijo—, y haga buches de° agua de sal. El alcalde se puso de pie, se despidió con un displicente° saludo militar, y se dirigió a la puerta estirando° las piernas, sin abotonarse la guerrera.

—Me pasa la cuenta—, dijo.

—¿A usted o al municipio?

screen

It's one and the same.

El alcalde no lo miró. Cerró la puerta, y dijo, a través de la red metálica°:

—Es la misma vaina°.

Después de leer

J El contenido. Complete el gráfico con información del cuento.

la hora	Es la mañana, entre las seis y las ocho.
el clima	Es un día tibio sin lluvia.
los objetos importantes	los instrumentos, la fresa, el sillón de resortes, el revólver del dentista, el trapo, la muela, la cuenta
las acciones importantes	El alcalde entra en el consultorio del dentista. / El dentista busca su revólver. / El alcalde se sienta en el sillón de resortes y se prepara. / El dentista le saca la muela al alcalde. / El dentista le da un trapo al alcalde para que se seque las lágrimas.

K El diálogo. Hay poco diálogo en el cuento; por eso todas las palabras son muy importantes. Conteste las siguientes preguntas acerca del diálogo del cuento.

1. ¿Es verdad lo que dice el dentista en la conversación que sigue? Justifique su respuesta.
   —Tiene que ser sin anestesia—, dijo.
   —¿Por qué?
   —Porque tiene un absceso.

   ¿Por qué hace sufrir al alcalde?
2. ¿Qué implica el dentista con la afirmación: «Aquí nos paga veinte muertos, teniente.»?
3. Explique la oración final: —Es la misma vaina.

L La interpretación. Conteste las siguientes preguntas que tienen que ver con su interpretación del cuento.

1. **La acción.** ¿Qué predomina en el cuento: la acción, el diálogo o la descripción? ¿Por qué? ¿Qué implican las acciones frías y casi mecánicas del dentista? La acción culminante es cuando el dentista le da un trapo limpio al alcalde para secarse las lágrimas. ¿Qué simboliza esta acción?
2. **El tono.** ¿Cómo es el tono del cuento? ¿Qué adjetivo/s mejor expresa/n la emoción principal del cuento?
3. **Las actitudes.** Compare las siguientes oraciones (a) del principio y (b) del final del cuento.
   a. El hijo le repite las palabras del alcalde a su papá: —Dice que si no le sacas la muela te pega un tiro.
   b. El dentista le dice al alcalde: —Séquese las lágrimas.
   ¿Quién tiene el control al principio y al final del cuento? ¿Hay un cambio en la actitud del alcalde? Explique.

Answers K. 1. No es verdad. El dentista lo ha dicho para hacer sufrir al alcalde porque el alcalde ha hecho sufrir a muchos amigos del dentista. **2.** El dentista implica que el alcalde ha matado a veinte de los amigos del dentista. **3.** Significa que el alcalde es el gobierno del pueblo y que tiene todo el poder y el control.

Answers L. 1. La descripción predomina en el cuento, para establecer el escenario y el tono. El dentista hace todo sin emoción, como si le gustara el dolor y el sufrimiento del alcalde. Cuando el dentista le da un trapo limpio al alcalde indica que el dentista tiene el control y que ha ganado. **2.** El cuento nos da miedo. El tono es aprensivo y tenso. *Answers vary.* **3.** El alcalde tiene el control al principio y el dentista lo tiene al final. *Answers vary.*

Comprehension check. *Ask students:* **1.** ¿Qué está haciendo el dentista al principio del cuento? ¿Por cuánto tiempo lo sigue haciendo? (Empieza a pulir una dentadura postiza. Lo hace por dos horas —desde las seis hasta las ocho.) **2.** ¿Qué le anuncia su hijo? (Su hijo le anuncia que el alcalde quiere que le saque una muela.) **3.** ¿Por qué dice el dentista «Dile que no estoy aquí.» cuando sí está en su consultorio? (Porque no quiere atender al alcalde; es su enemigo.) **4.** Describa el problema del alcalde. (El alcalde tiene un absceso en una muela.) **5.** ¿Cómo se comporta el alcalde cuando el dentista le saca la muela? (El alcalde estaba llorando y temblando.) **6.** ¿A quién debe pasarle la cuenta el dentista? (El dentista debe pasarle la cuenta al alcalde.)

Bienvenidos a los países andinos: Bolivia, Ecuador y Perú

 The **Culture Standard** is emphasized in this section. Students will learn about the geography, climate, population, languages, cities, government, and economy of Andean countries: Bolivia, Ecuador, and Peru.

Geografía y clima

Bolivia, el Ecuador y Perú son países andinos; la cordillera de los Andes ocupa gran parte de su territorio. *Bolivia:* Uno de los dos países de la América del Sur sin costa marítima. La zona de los Andes se llama el Altiplano, una región alta y árida. El lago Titicaca (compartido con Perú) es el lago navegable más alto del mundo. *Ecuador:* Hay dos regiones distintas: el oeste, la costa; el este, las montañas. La línea del ecuador pasa al norte de la ciudad de Quito. *Perú:* En extensión, el tercer país más grande de Sudamérica. Hay tres regiones distintas: el oeste, la costa; el centro, las montañas; el este, la selva que ocupa más de la mitad del territorio y por donde cruza el río Amazonas.

Población

Bolivia: 9.000.000 de habitantes: 55% indígenas (quechuas y aymaras), 30% mestizos, 15% europeos *Ecuador:* 13.600.000 habitantes: 65% mestizos, 25% indígenas, 7% europeos, 3% negros *Perú:* 28.400.000 habitantes: 45% indígenas, 37% mestizos, 15% europeos, 3% otros grupos étnicos

Economía

Bolivia: El boliviano es la moneda oficial. La economía se basa en los productos agrícolas y la industria minera

Bolivia y Paraguay son los dos países sudamericanos sin salida directa al mar. Aunque Bolivia está situada en la zona tropical, tiene un clima frío a causa de la altitud. El lago Titicaca es el lago navegable más alto del mundo (está a una altura de 12.500 pies sobre el nivel del mar) y es también el lago más grande de Sudamérica.

Answers. 1. *Bolivia:* La Paz es la capital; otras ciudades importantes son Cochabamba, Potosí, Santa Cruz de la Sierra y Sucre. *Ecuador:* Quito es la capital; otras ciudades importantes son Cuenca, Guayaquil y Riobamba. *Perú:* Lima es la capital; otras ciudades importantes son Arequipa, Cuzco, Huancayo, Iquitos y Trujillo. **2.** Son países andinos; la cordillera de los Andes ocupa gran parte de su territorio. Con la excepción de Bolivia, tienen una costa en el océano Pacífico. *Bolivia:* el Altiplano, el lago Titicaca; *Ecuador:* la línea del ecuador, la costa al oeste y las montañas al este; *Perú:* la costa al oeste y las montañas en el centro y la selva del Amazonas al este.

(estaño *[tin]*, plata, plomo y otros metales). *Ecuador:* El dólar estadounidense es la moneda oficial desde el año 2000. La economía se basa en el petróleo, los productos agrícolas (banana, café, cacao), y la pesca. *Perú:* El (nuevo) sol es la moneda oficial. La economía se basa en la industria minera (cobre, plata, plomo y otros metales), la pesca y el petróleo.

Introducción geográfica

Conteste las siguientes preguntas, usando mapas de Bolivia, el Ecuador y el Perú.

1. ¿Cuáles son las capitales y otras ciudades importantes de Bolivia, Ecuador y Perú?
2. ¿Qué rasgos geográficos tienen en común estos tres países? ¿Cuáles son otros rasgos geográficos importantes en cada país?
3. ¿Qué ventajas y desventajas ofrece la geografía de estos países?

To complete the above exercise, have students use the maps of Bolivia, Ecuador, and Peru located in the opening pages of the textbook, the transparencies, or a map located in the classroom.

En la foto. ¿Cómo se llama el lago en la foto? (Titicaca) ¿En qué país está? (Está entre Bolivia y Perú.) ¿ Qué hay alrededor del lago? (Hay montañas / un paisaje hermoso.) ¿Qué tiempo hace en la foto? (Hace sol / buen tiempo.)

El Altiplano de Bolivia y el lago Titicaca

To listen to this song, access the ***Interacciones,*** *6th Edition* playlist at
academic.cengage.com/spanish/interacciones

Notas musicales

*Susana Baca es una artista peruana cuya obra fue
clave en el renacimiento de la música y cultura
afro-peruana. La canción «María Landó» que trata
el tema de la vida difícil de una mujer, está basada
en el poema del mismo título de César Calvo.*

María no tiene tiempo (María Landó)
de alzar los ojos°   to look up
[...]
rotos de sueño
[...]
María de andar sufriendo (María Landó)
sólo trabaja
María sólo trabaja, sólo trabaja, sólo trabaja.

Susana Baca

María Landó

Después de escuchar «*María Landó*», conteste las siguientes preguntas.

1. ¿Cómo se llama la cantautor de «*María Landó*»? ¿De dónde es?

2. ¿Por qué no tiene tiempo María?

3. ¿Cómo son los ojos de María? ¿Por qué?

4. En su opinión, ¿cuál es el trabajo de María?

Heinle Transparency Bank: A-4, A-12, A-13 Country Profiles: La América del Sur; Country profiles: Perú, Ecuador, Bolivia, Chile. Use these maps to point out cities and geographical features of the Andean countries

Point out. The singer, composer and scholar Susana Baca is known for the inclusion of Afro-Peruvian rhythms in her music. Because of her worldwide popularity, these harmonies and rhythms have enjoyed a renaissance and a recognition that had been previously lacking. In 2002 she won a Grammy Award for her album of Afro-Peruvian music titled *Lamento negro*.

Answers. **1.** Se llama Susana Baca y es del Perú. **2.** No tiene tiempo porque siempre está trabajando. **3.** Los ojos de María son «rotos de sueño» porque ella está muy cansada. **4.** María puede ser criada, sirvienta, obrera, etc.

Go to the **Bienvenidos a...** section of your *Cuaderno de actividades* for additional exercises on this song.

Para saber más: academic.cengage.com/spanish/interacciones

CAPÍTULO **7** *De compras*

Quito, Ecuador: El centro comercial Quicentro.

Cultural Themes

Bolivia and Ecuador
Shopping in the Hispanic world

Communicative Goals

Making routine purchases
Expressing actions in progress
Making comparisons
Talking to and about people
    and things
Complaining
Denying and contradicting
Avoiding repetition of previously
    mentioned people and things
Linking ideas

En la foto. Have students describe the photo. ¿Qué hay en la foto? ¿Cuántas personas hay y quiénes son? ¿Qué hacen? ¿Dónde están?

Have students provide examples in English of the topics, situations, and phrases that would be covered in each of the communicative goals. **Modelo:** *Complaining:* Students might answer: *I'm sorry to tell you that . . .* or *I think you have made a mistake.*

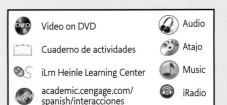

DVD	Video on DVD	🎧	Audio
⌐	Cuaderno de actividades	🌐	Atajo
📀	iLrn Heinle Learning Center	🎵	Music
🌐	academic.cengage.com/spanish/interacciones	📻	iRadio

Presentación

En un centro comercial

Práctica y conversación

7.1 ¿Qué me dices? Ud. y su compañero/a de clase necesitan ir de compras, pero cada persona tiene solamente una lista parcial de los artículos que debe comprar y de las tiendas. Uds. tienen que averiguar lo que hay en las dos listas para saber qué necesitan comprar y adónde deben ir para hacer cada compra. A continuación está su lista; la de su compañero/a de clase está en el **Apéndice A.** Conversen para descubrir la información que falta.

La Boutique de Moda
La Joyería Orense

los jeans
un vestido elegante
unos discos compactos
unas gafas de sol

The alternate drawing that corresponds to this activity can be found in **Apéndice A.**

Answers 7.1: *Tiendas:* Boutique de Moda, Joyería Orense, El Corte Inglés, Zapatería Toledo, Grandes Liquidaciones *Artículos a comprar:* los jeans, un vestido elegante, unos discos compactos, unas gafas de sol, un collar de esmeraldas, un lavaplatos, un regalo de bodas, unas botas

7.2 Quicentro. Trabajando en parejas, utilicen la información de Quicentro, un centro comercial en Quito, Ecuador, para explicar en qué departamento se compran las siguientes cosas.

jeans / un reloj de pulsera / un sofá / un vestido elegante / un paraguas / una novela / una cadena de oro / pantuflas / toallas / un iPod

DISFRUTA DE
**LAS COSAS
BUENAS**
DE LA VIDA

Directorio Locales

- **MODA HOMBRES**
- **MODA MUJERES**
- **MODA HOMBRES-MUJERES
  MODA NIÑOS
  ZAPATOS Y ARTÍCULOS DE CUERO**
- **JOYAS Y ACCESORIOS**
- **RELOJES, LENTES Y GAFAS**
- **EQUIPO DE DEPORTES**
- **SALUD Y BELLEZA**
- **JUGUETES Y PASATIEMPOS**
- **REGALOS, LIBROS Y ARTE**
- **DECORACIÓN HOGAR**
- **MÚSICA - ARTÍCULOS ELECTRÓNICOS**
- **ENTRETENIMIENTO**
- **PATIO DE COMIDAS**
- **COMIDA RÁPIDA**
- **GOURMET Y DELICATESSEN**
- **RESTAURANTES Y CAFETERÍAS**
- **VARIOS SERVICIOS**

7.3 ¡Gangas para todos! Ud. y un/a compañero/a de clase van a abrir una tienda en el centro estudiantil de la universidad. ¿Cómo será la tienda? ¿la mercancía? ¿los precios? ¿los empleados? ¿?

7.4 Creación. En una narración cuente lo que pasa en el dibujo de la **Presentación.**

Modelo   *Hay muchas personas en un centro comercial. En el centro del dibujo hay un hombre con muchos paquetes...*

VOCABULARIO

El centro comercial	Shopping mall
la boutique	boutique
el/la cajero/a	cashier
el/la dependiente/a	salesclerk
el escaparate	display case
la etiqueta	label
la ganga	bargain
los (grandes) almacenes	department store
la liquidación	clearance sale
la marca	brand
la mercancía	merchandise
el precio	price
la rebaja	reduction, sale
la tienda	store
de compras por Internet	Internet store
de liquidaciones	discount store
de lujo	expensive store
de música	music store
de regalos	gift store
de ropa de hombres	men's clothing store
de ropa de mujeres	women's clothing store
en línea	online store
la vitrina	store window
estar en liquidación	to be on sale
hacer compras por Internet	to shop online

La joyería	Jewelry shop
los aretes	earrings
la bisutería	costume jewelry
la cadena de oro	gold chain
el collar de brillantes	diamond necklace
las joyas	jewels
la perla	pearl
la piedra preciosa	precious stone
la pulsera	bracelet
el reloj (de pulsera)	(wrist)watch
asegurar	to insure
regalar	to give (a present)
valorar	to appraise

La zapatería	Shoe store
las botas	boots
el calzado	footwear
las chancletas	flip-flops
el número	size
las pantuflas	slippers
el par	pair
las sandalias	sandals
el tacón	heel
los zapatos bajos	low-heeled shoes
deportivos	athletic shoes
de tacón	high heels
de tenis	tennis shoes
apretarle (ie)	to pinch, be too tight
calzar	to wear shoes
quedar	to fit

Vocabulario suplementario. **Las alpargatas** (*espadrilles*); **los mocasines** (*loafers*); **los zapatos de plataforma** (*platform shoes*); **los zapatos de punta descubierta** (*open-toed shoes*); **los zapatos con el talón descubierto** (*mules*).

Vocabulario regional. In Spain the word for *store window* = **el escaparate** and the word for *display case* = **la vitrina.**

Heinle Transparency Bank: C-3, I-9 Los artículos personales (las joyas); el centro comercial. Use these images to illustrate additional vocabulary to your students.

Making Routine Purchases

VENDEDORA: Buenas tardes, señorita. ¿En qué puedo servirle?

MANUELA: Estoy buscando un regalo para mi novio y francamente no sé qué comprarle.

VENDEDORA: ¿Qué le parece una corbata de seda? Tenemos de toda clase. Unas son más finas que otras, por supuesto, pero en general todas son de muy buena calidad.

MANUELA: ¿Me las podría enseñar, por favor?

VENDEDORA: Sí, cómo no. Venga por acá. Aquí están.

MANUELA: Sí, se ven muy finas. Tiene razón. Y, ¿cuánto cuestan? Ésta me gusta mucho.

VENDEDORA: Bueno, ésa es una de las más finas y cuesta 150 bolivianos.

MANUELA: ¡Ay, no! ¡Eso es mucho para mí! ¡No, no, no, no!

VENDEDORA: Bueno, mire, aquí tengo las más baratas. ¿Qué le parece ésta? Sólo cuesta 100 bolivianos. Y esta otra cuesta 75.

MANUELA: Bueno, ésta no está tan mal. Me la llevo. Espero que le guste.

When you want to purchase something, you need to know the following expressions:

Vendedor/a:

¿Qué desearía ver?	*What would you like to see?*
¿En qué puedo servirle?	*How may I help you?*
¿Qué le parece... ?	*What do you think of . . . ?*
¿Qué número / talla necesita?	*What size do you need?*
¿Quisiera probarse / llevar / ver... ?	*Would you like to try on / take / see . . . ?*
No nos queda/n más.	*We don't have any left.*
¿Desearía algo más?	*Would you like anything else?*
Aquí lo/la/los/las tiene.	*Here you are.*
Pase por la caja, por favor.	*Please step over to the cashier's.*
... está en oferta.	*. . . is on sale.*

Cliente:

Hágame el favor de mostrarme...	*Please show me . . .*
Me encanta/n...	*I love . . .*
No me gusta.	*I don't like it.*
No me parece mal / feo / apropiado.	*I don't think it's bad / ugly / appropriate.*
(No) Me queda bien.	*It fits (does not fit) me.*
Lo encuentro barato / muy caro / ordinario / fino / delicado.	*I find it inexpensive / very expensive ordinary / of good quality / delicate.*
Quisiera probarme...	*I would like to try . . . on.*
¿Cuánto cuesta, por favor?	*How much is it, please?*
¿Me lo podría dejar en... ?	*Could you lower the price to . . . ?*
¡Ay, no! Eso es mucho.	*Oh, no! That's too much.*
Quisiera algo más barato.	*I'd like something cheaper.*
Está bien.	*That's fine.*
Me lo/la/los/las llevo.	*I'll take it (them).*
¿Me lo/la/los/las podría envolver?	*Could you wrap it (them) for me?*

After explaining the expressions, have students repeat expressions aloud. Correct pronunciation and intonation when necessary.

To hear more about Spanish pronunciation visit academic.cengage.com/spanish/interacciones.

7.5 En la tienda. ¿Qué dice Ud. cuando va a la tienda y...

1. quiere saber si venden ropa deportiva?
2. no le gusta lo que el/la vendedor/a le enseña?
3. quiere probarse unos pantalones?
4. los pantalones le quedan muy bien?
5. quiere saber el precio?
6. quiere comprárselos?

Warm-up 7.5. Divide the students in pairs and ask them to do **7.5.** Go around the class to see how they are doing. Answer the students' questions and/or correct their mistakes when necessary. Then, call on a few students to give the answers out loud.

Answers 7.5. *Possible answers*: **1.** Hágame el favor de mostrarme ropa deportiva. **2.** No me gusta. **3.** Quisiera probarme unos pantalones. **4.** Me quedan bien. **5.** ¿Cuánto cuestan, por favor? **6.** Me los llevo.

7.6 ¡Necesito ropa! Ud. y su amigo/a hablan sobre la ropa que necesitan comprar para la fiesta de este fin de semana. Primero, hagan la lista de las cosas que necesitan. Luego, vayan a la tienda y compren lo que quieren. Otro/a estudiante que hace el papel de vendedor/a los/las ayudará.

Modelo Estudiante 1: *Mira, Fernando, necesito comprar ropa para la fiesta. Necesito un vestido, zapatos y un bolso.*
Estudiante 2: *Yo también. Vamos a la tienda.*
Estudiante 3: *Buenas tardes, ¿en qué puedo servirles?*

Instructions 7.6. Divide students in groups of three and ask them to role-play the situation. Ask students to prepare and then present their situation in front of the class without looking at their notes. Reward creativity!

Quito, Ecuador: Una boutique

Estructuras

Expressing Actions in Progress

Progressive Tenses

The progressive tenses emphasize actions that are taking place at a particular moment in time. In English the present progressive tense is composed of *to be + present participle: I am buying a jacket; John is returning a sweater.*

a. In Spanish the present progressive tense is composed of **estar** + *the present participle.*

estar + Present Participle		
estoy	comprando	*I am buying*
estás	escogiendo	*you are choosing*
está	decidiendo	*he / she is, you are deciding*
estamos	leyendo	*we are reading*
estáis	pidiendo	*you are ordering*
están	durmiendo	*they / you are sleeping*

Reminder: Three verbs have irregular present participles: **ir → yendo; poder → pudiendo; venir → viniendo.** These verbs are rarely used in progressive tenses.

Reminder: With double object pronouns, both pronouns are in the same position: they both precede the conjugated verb, or they are both attached to the end of the present participle.

b. To form the present participle

1. add **-ando** to the stem of **-ar** verbs: **esperar → esper- → esperando.**

2. add **-iendo** to the stem of **-er** and **-ir** verbs: **comer → com- → comiendo; asistir → asist- → asistiendo.** When the stem ends in a vowel, add the ending **-yendo: oír → o- → oyendo; traer → tra- → trayendo.**

3. **-ir** verbs whose stem changes **e → i** or **o → u** in the third-person of the preterite have this stem change in the present participle also: **pedir → pid- → pidiendo; dormir → durm- → durmiendo.**

c. With verbs in the progressive tenses, direct, indirect, and reflexive pronouns may precede the conjugated verb or be attached to the end of the present participle.

Están probándo**se** ropa nueva. ⎫
Se están probando ropa nueva. ⎭   *They are trying on new clothes.*

d. The Spanish present progressive is used only to emphasize an action that is currently in progress. Contrary to English, the Spanish present progressive is not used to refer to present actions that take place over an extended period of time or to an action that will take place in the future. Compare the following.

Este año Iliana **trabaja** en el centro comercial.	*This year Iliana is working in the mall.*
Ahora mismo **está trabajando** de cajera.	*Right now she is working as a cashier.*
Carlos **está llegando** en este momento.	*Carlos is arriving at this very moment.*
Sofía **llega** más tarde.	*Sofía is arriving later.*

e. To describe or express an action that was in progress at a particular moment in the past, the imperfect of **estar** + *the present participle* is used.

Anoche a esta hora **estábamos buscando** muebles en el gran almacén.

Last night at this time we were looking for furniture in the department store.

f. The verbs **andar, continuar, ir, seguir,** and **venir** can also be used with the present participle to form progressive tenses.

En el centro comercial Roberto **anda probándose** ropa nueva y **mirando** a la gente.

At the mall Roberto goes around trying on new clothes and watching people.

Práctica y conversación

7.7 En el centro comercial. Explique lo que estas personas están haciendo ahora en el centro comercial.

Modelo Carlos / comer en un café
Carlos está comiendo en un café.

1. Eduardo / probarse los zapatos
2. tú y yo / hacer compras
3. mi hija / tomar un refresco
4. Uds. / divertirse
5. Carolina / buscar rebajas
6. tú / leer las etiquetas
7. los jóvenes / oír música
8. yo / almorzar en el café

7.8 Ahora mismo. ¿Qué piensa Ud. que estas personas están haciendo ahora mismo? Después, diga lo que ellos estaban haciendo anoche a las ocho.

mi mejor amigo/a / mi vecino/a / mi compañero/a de cuarto /
mi profesor/a de español / mi abuelo/a / mi novio/a

7.9 ¡Estoy comprando de todo! Ud. va de compras a su centro comercial favorito con su mejor amigo/a y cuando está en la tienda suena su teléfono celular. Es su padre (madre) / esposo/a que quiere saber dónde está y qué está haciendo. Cuéntele dónde está, con quién está, qué están haciendo, qué quieren comprar, etc. Él / Ella está muy preocupado/a, ya que no quiere que Ud. gaste mucho dinero.

Modelo Estudiante 1: *Aló, ¿mamá? Estoy en el centro comercial con Juliana.*
Estudiante 2: *¿Qué estás comprando, hija? Ten cuidado, no quiero que gastes mucho dinero.*

Making Comparisons

Superlative Forms of Adjectives

In certain situations such as shopping or discussion of family or friends we often want to compare objects or persons and set them apart from all others: *This is the largest mall in the state.* To make these statements that compare one item to many others in its category, the superlative form of the adjective is used. The English superlative is composed of *the most* or *the least* + adjective or the adjective + the ending *-est.*

Warm-up 1. Before beginning the exercises of this section, review the present tense forms of **estar.**

Warm-up 2. Form the present participle of these verbs: **comprar (comprando); comer (comiendo); salir (saliendo); traer (trayendo); leer (leyendo); pedir (pidiendo); dormir (durmiendo).**

Warm-up 3. Substitution. *Roberto está probándose una corbata. nosotros / Enrique y yo / tú / Uds. / ellos / yo / él. Answers:* (Nosotros) estamos probándonos una corbata. Enrique y yo estamos probándonos una corbata. (Tú) Estás probándote una corbata. Uds. están probándose una corbata. Ellos están probándose una corbata. (Yo) Estoy probándome una corbata. Él está probándose una corbata.

Answers 7.7. 1. Eduardo está probándose (se está probando) los zapatos. **2.** Tú y yo estamos haciendo compras. **3.** Mi hija está tomando un refresco. **4.** Uds. están divirtiéndose (se están divirtiendo). **5.** Carolina está buscando rebajas. **6.** (Tú) Estás leyendo las etiquetas. **7.** Los jóvenes están oyendo música. **8.** (Yo) Estoy almorzando en el café.

Warm-up 7.9. Ask students to say what they spend their money on when they go shopping and if they have problems / differences of opinion with their parents / partners.

a. In Spanish the superlative of adjectives is formed using the following construction.

DEFINITE ARTICLE (+ NOUN) + **más / menos** + ADJECTIVE + **de**

Antonio compró la cadena de oro **más cara de** la joyería.

Antonio bought the most expensive gold chain in the jewelry store.

Note that in these superlative constructions **de** = *in.*

b. In superlative constructions the irregular forms **mejor** and **peor** usually precede the noun.

Tienen los **mejores** precios del pueblo.

They have the best prices in town.

The irregular forms **mayor** and **menor** follow the noun.

Carolina es la hija **mayor** de la familia.

Carolina is the oldest daughter in the family.

c. After forms of **ser** the noun is frequently omitted from superlative constructions.

Esta zapatería es **la más grande de** Quito, pero aquélla es **la mejor.**

This shoe store is the largest in Quito, but that one is the best.

Práctica y conversación

7.10 Yo sólo quiero lo mejor. Ud. va de compras a una tienda muy elegante. Explíquele al / a la vendedor/a lo que quisiera comprar.

Modelo   vestido / elegante
Quisiera el vestido más elegante de la tienda.

1. zapatos / cómodo
2. cadena de oro
3. aretes / fino
4. perlas / caro
5. regalos / lindo
6. botas / grande
7. sandalias / bueno
8. pantuflas / barato

7.11 Lo mejor de su categoría. Describa a estas personas y cosas comparándolas con otras de la misma categoría.

Modelo   mi hermano
Mi hermano es el más alto de la familia.

Bill Gates / Tiffany / Ferrari / Angelina Jolie / el presidente de los EE.UU. / mis padres / las cataratas del Niágara / Monte Everest / mi novio/a

7.12 ¿Adónde vamos de compras? Ud. y sus compañeros/as tienen que ir de compras, pero antes comparan los precios de los artículos que necesitan en los anuncios de los almacenes. Luego deciden qué van a comprar, dónde y por qué.

Modelo   Estudiante 1: *Necesito comprar zapatos, pero los zapatos de ante son muy caros.*
Estudiante 2: *Sí, las sandalias de cuero son menos caras. ¿Por qué no las compras?*
Estudiante 3: *Bueno, vamos a Saga entonces y compremos los zapatos que necesitamos.*

In these ads **Bs.** = **bolivianos,** the currency of Bolivia.

SAGA

Zapatería	
Zapatos de ante	300 Bs.
Sandalias de cuero	200 Bs.
Botas de cuero	450 Bs.

Artículos de ropa	
Blusas	150 Bs.
Faldas	210 Bs.
Pantalones para damas	300 Bs.

Joyería	
Joyas de fantasía	80 Bs.
Relojes finos desde	650 Bs.
Aretes de oro	320 Bs.

CASA BOLIVAR

Zapatería	
Zapatos de ante	320 Bs.
Sandalias de cuero	245 Bs.
Botas de cuero	500 Bs.

Artículos de ropa	
Blusas	180 Bs.
Faldas	240 Bs.
Pantalones para damas	340 Bs.

Joyería	
Joyas de fantasía desde	100 Bs.
Relojes finos desde	750 Bs.
Aretes de oro	430 Bs.

ASARTI

Zapatería	
Zapatos de ante	160 Bs.
Sandalias de cuero	190 Bs.
Botas de cuero	425 Bs.

Artículos de ropa	
Blusas	140 Bs.
Faldas	225 Bs.
Pantalones para damas	280 Bs.

Joyería	
Joyas de fantasía	75 Bs.
Relojes finos desde	600 Bs.
Aretes de oro	280 Bs.

Talking About People and Things

Uses of the Definite Article

The definite article in English and Spanish is used to indicate a specific noun: **La zapatería está cerca de la joyería.** *The shoe store is near the jewelry store.*

a. The forms of the definite article precede the nouns they modify and agree with them in gender and number: **el precio; la perla; los zapatos; las botas.**

b. The masculine singular article **el** is used with feminine nouns that begin with a stressed **a-** or **ha-.** However, the plural forms of these nouns use **las: el agua / las aguas.**

c. In Spanish the definite article is used . . .

  1. before abstract nouns and before nouns used in a general sense.

En mi opinión, **la paz** mundial
  es muy importante.
No me gustan **los zapatos de tacón.**

*In my opinion, world peace is very
  important.*
I don't like high-heeled shoes.

2. with the names of languages except when they follow **de, en,** or forms of **hablar.** The article is often omitted after **aprender, enseñar, escribir, estudiar, leer,** and **saber.**

Se dice que **el chino** es una lengua muy difícil.	*They say that Chinese is a very difficult language.*
Susana es bilingüe. Habla inglés y español y estudia japonés.	*Susana is bilingual. She speaks English and Spanish and is studying Japanese.*

3. before a title (except **don / doña; san / santo / santa**) when speaking about a person, but omitted when speaking directly to the person.

—Miguel, éste es nuestro vecino, **el doctor** Casona.	*Miguel, this is our neighbor, Dr. Casona.*
—Mucho gusto, doctor Casona.	*Pleased to meet you, Dr. Casona.*

4. instead of a possessive pronoun with articles of clothing and parts of the body when preceded by a reflexive verb.

Al entrar en casa, se quitó **la chaqueta.**	*When he got home, he took off his jacket.*

5. with days of the week to mean *on.*

La liquidación empieza **el viernes** 25 de mayo.	*The clearance sale begins on Friday, May 25.*
El centro comercial no está abierto **los domingos.**	*The (shopping) mall is not open on Sundays.*

6. in telling time, generally meaning *o'clock.*

Se abre la Joyería Orense **a las diez** de la mañana.	*The Orense Jewelry Store opens at 10:00 (ten o'clock) A.M.*

7. with the names of certain countries and geographical areas.

la América del Sur	la Habana
la Argentina	la India
el Brasil	el Japón
el Canadá	el Paraguay
el Ecuador	el Perú
los Estados Unidos	la República Dominicana
la Florida	el Uruguay

The use of the definite article with certain countries and geographical regions is decreasing over time.

Point out. In these expressions with a quantity or weight, English uses the indefinite article while Spanish uses the definite article.

8. to refer to a quantity or weight.

Estas bananas cuestan cuatro bolivianos **el kilo / la libra.**	*These bananas cost four bolivianos a kilo / a pound.*

d. The neuter article **lo** + the masculine singular form of an adjective can be used to describe general qualities and characteristics: **lo bueno** = *the good thing, the good part.*

Lo bueno de este centro comercial es la variedad de tiendas.	*The good thing about this shopping center is the variety of stores.*

1. The words **más** or **menos** can precede the adjective.

Lo más importante es comprar zapatos nuevos. *The most important thing is to buy new shoes.*

2. The following are some common expressions with **lo.**

lo bueno	*the good thing*	lo peor	*the worst thing*
lo malo	*the bad thing*	lo mismo	*the same thing*
lo mejor	*the best think*		

Práctica y conversación

7.13 ¿Qué me pongo? ¿Qué se pone Ud. para ir a los siguientes lugares?

un centro comercial / un restaurante elegante / el cine / un partido de fútbol norteamericano / la clase de español / una fiesta

Modelo   *Para ir a clase me pongo los jeans y una camiseta.*

Answers 7.13. Answers should include the indefinite article before the articles of clothing.

7.14 La liquidación. Complete el siguiente diálogo con un/a compañero/a de clase, usando la forma apropiada del artículo definido cuando sea necesario.

1. Hola, [*nombre de su compañero/a*]. ¿Por qué no fuiste a __la__ liquidación de los Almacenes Guayaquil? Te estuvimos esperando.
2. ¿Cuándo fue? ¿ __el__ viernes?
3. No, __el__ sábado por __la__ noche; empezó a __las__ siete.
4. Me olvidé por completo. Fui a __la__ casa de mi hermana y ni me acordé. Pero dime, ¿fue Guillermo?
5. Desgraciadamente sí. Él me dijo que no tenía ni un centavo para comprar, pero se gastó todo __el__ dinero que le mandaron sus padres __el__ mes pasado para __la__ matrícula.
6. ¿Y qué va a hacer para pagar __la__ universidad, __los__ libros y __el__ alquiler?
7. No sé, pero de todas maneras quiere ir a __∅__ Chile y a __la__ Argentina en __las__ próximas vacaciones.
8. ¡Está loco! Bueno, qué se va a hacer. ¿Quién más fue de compras con Uds.?
9. __La__ misma gente de siempre. Todos me preguntaron por ti y por eso les dije que te habías ido a casa de tu hermana por __el__ fin de semana.
10. Gracias. En realidad se me olvidó por completo.

7.15 Entrevista personal. Hágale preguntas a un/a compañero/a de clase sobre su vida. Su compañero/a debe contestar.

Pregúntele...
1. qué es lo bueno de sus amigos / de su familia.
2. qué es lo malo de sus estudios / de su trabajo.
3. qué es lo más interesante de su vida universitaria.
4. qué es lo mejor de ir de compras.
5. qué es lo más importante en su vida.

Instructions 7.15. Students work in pairs and do the exercise. Teacher goes around offering help and/or correcting their mistakes.

After this, students are quickly called to give their answers.

7.16 El centro comercial. Ud. y un/a compañero/a están hablando de un viaje reciente al centro comercial. Comenten los aspectos positivos y negativos de su experiencia. Digan qué fue lo más interesante / divertido / agradable / desagradable / ¿?

Modelo   *A mí me parece que lo más agradable fue el almuerzo en el restaurante que tienen ahí.*

Warm-up 7.16. Ask students to narrate what they do when they go shopping with a friend (besides shopping), what it is that they like the best and why. Write their answers on the board.

Perspectivas

De compras en el mundo hispano

Cultural products: places to make purchases, such as outdoor markets, supermarkets, shopping malls, and department stores **Cultural practice:** shopping as a social activity, shopping in a variety of places **Cultural comparisons:** places where people shop in the U.S. and in the Hispanic world; changing shopping practices.

For additional information on stores and shopping in the Hispanic world, view the film *Johnny Cien Pesos* and/or *Nueve Reinas* and complete the activities in **Más allá de la pantalla: Capítulo 13** and/or **Capítulo 15.** RESUMEN *Johnny Cien Pesos:* Johnny y otras personas deciden robar una tienda de vídeo en vez de comprar lo que quieren. Muy pronto los medios de comunicación llegan a la escena y transmiten lo que está pasando. RESUMEN *Nueve Reinas:* Dos hombres tratan de hacerse millonarios vendiendo una colección de estampillas falsas (las Nueve Reinas).

Práctica intercultural. *Ask students the following questions about U.S. culture:* En una semana típica, ¿a cuántos lugares va Ud. para comprar algo? ¿Adónde va Ud. para comprar carne / frutas / vegetales / pan / comida preparada? ¿Adónde va Ud. para comprar ropa? ¿Se puede regatear (*to bargain*) en los lugares donde Ud. hace compras? Para Ud. y sus amigos/as, ¿es la compra una actividad social? Explique.

Ir de compras en el mundo hispano es una experiencia singular, ya que hay gran variedad de alternativas para todos los gustos y bolsillos, desde las tiendas pequeñas en el centro de la ciudad y lujosos centros comerciales en los suburbios hasta los vendedores ambulantes que se encuentran en todos los lugares.

Las tiendas y los centros comerciales

En el centro de la ciudad generalmente proliferan tiendas pequeñas especializadas en un producto u otro, ya sean joyas, ropa, telas, zapatos, carteras, anteojos o libros, revistas, artículos de escritorio, muebles o artefactos eléctricos. La ventaja de estas tiendas es la atención personal que recibe el cliente de los empleados o del mismo dueño. También existen, sin embargo, los centros comerciales, grandes y pequeños, sencillos y lujosos. En Lima, por ejemplo, hay muchos centros comerciales muy populares, como el Centro Comercial Jockey Plaza, el más grande y uno de los más caros del Perú. Ahí puede encontrar no sólo tiendas de ropa sino restaurantes, tiendas por departamentos o cines. LarcoMar es otro centro comercial famoso, el más nuevo en Lima, y estando frente al mar tiene una de las vistas más espectaculares. Por último hay que mencionar los vendedores ambulantes que se sitúan en diferentes lugares de la ciudad para vender todo lo imaginable. Así, venden no sólo comida, ropa y cosméticos, sino todo tipo de artículos para el hogar, herramientas, pinturas, productos para la construcción de viviendas, etc. La calidad de sus productos varía pero sus precios son más económicos y generalmente se puede regatear.

Otavalo, Ecuador: Un mercado al aire libre

Los mercados

Por otro lado, están los mercados artesanales. Si uno está interesado en comprar artesanía, puede ir a los muchos mercados artesanales que existen especialmente en los países con una población indígena grande como el Perú, Bolivia, el Ecuador o el Paraguay. En estos mercados los mismos artesanos venden sus productos a muy buenos precios. Se puede conseguir, por ejemplo, todo tipo de ropa de lana y alpaca, joyas y adornos de oro y plata, pinturas, muebles tallados de cuero y madera, cerámica, alfombras, y hamacas. En Bolivia y el Ecuador hay muchos mercados artesanales por todas partes, pero en el Ecuador no hay mejor lugar que el Mercado de Otavalo para comprar artículos artesanales.

En resumen, ir de compras en los países hispanos es una experiencia inolvidable.

Práctica y conversación

7.17 De compras. Utilizando la información presentada anteriormente, conteste las siguientes preguntas.

1. Si Ud. quiere comprar ropa deportiva o ropa elegante, ¿qué alternativas tiene en el mundo hispano? ¿Cuál preferiría Ud. y por qué?

2. ¿A qué sitios iría Ud. si quisiera comprar productos típicos del Perú, Bolivia o el Ecuador? ¿Qué le gustaría comprar?

3. ¿Cuál cree Ud. es la ventaja / desventaja de comprar productos a los vendedores ambulantes? Justifique su respuesta.

7.18 Comparaciones. Con un/a compañero/a de clase, comparen los lugares donde se puede ir de compras en los EE.UU. con los del mundo hispano. ¿Qué diferencias y semejanzas hay?

Answers 7.17. 1. las tiendas del centro de la ciudad, los centros comerciales o los vendedores ambulantes.
2. A los mercados artesanales. En el Ecuador, al mercado de Otavalo.

Interacciones:
Capítulo 7, Primera situación

Para saber más:
academic.cengage.com/ spanish/interacciones

Segunda situación

Presentación

En la tienda de ropa de mujeres

Práctica y conversación

7.19 ¡De buen gusto! ¿Qué cambios deben hacer las siguientes personas para vestirse bien?

1. María lleva una falda a cuadros, una blusa estampada y unas pantuflas rosadas.
2. José lleva un traje azul marino, una camiseta anaranjada y unos zapatos deportivos grises.
3. Susana lleva un vestido de seda negro, unos zapatos de tacón negros y unos calcetines de lana rojos.
4. Tomás lleva un pijama azul, un sombrero de paja y unas botas rojas.
5. Isabel lleva un traje de baño de lunares, un abrigo de piel y unas botas de cuero.
6. Paco lleva unos pantalones azules, una camisa de seda morada y una chaqueta a rayas.

En la tienda de ropa de hombres

 7.20 Entrevista. Pregúntele a un/a compañero/a de clase qué debe ponerse para las siguientes situaciones.

Pregúntele qué se pone para...

1. una entrevista importante.
2. esquiar.
3. una fiesta elegante.
4. un día en la playa.
5. lavar el coche.
6. un fin de semana en el campo.

7.21 ¡La edad no se revela! ¿Por qué usa este producto el lema *(slogan)* «La Edad No Se Revela»? ¿Qué tipo de ropa se puede lavar con este producto?

7.22 Creación. En una narración cuente lo que pasa en los dibujos de la **Presentación.**

Modelo *Varias personas están en una tienda probándose ropa. Una mujer se está probando un abrigo de piel, otra tiene varios vestidos en la mano.*

VOCABULARIO

Prendas de vestir	Articles of clothing
el abrigo	coat
la bata	(bath)robe
el bolso (E)	purse
la cartera (A)	
la bufanda	scarf
los calcetines	socks
el calentador (A)	jogging suit,
el chandal (E)	warm-up suit
la camisa de noche	nightgown
la camiseta	T-shirt
el chaleco	vest
los guantes	gloves
el impermeable	raincoat
las medias	stockings
el paraguas	umbrella
el pijama	pajamas
el sobretodo	overcoat
la sudadera	sweatshirt
la sudadera con capucha	hoodie
el traje de baño	bathing suit

El diseño	Design
a cuadros	plaid, checkered
a rayas	striped
de flores	flowered
de lunares	polka dot
de un solo color	solid color
estampado/a	printed

La tela	Fabric, material
el algodón	cotton
el cuero	leather
el encaje	lace
la lana	wool
el lino	linen
la piel	fur
la seda	silk

Algunos problemas	Some problems
acortar	to shorten
devolver (ue)	to return something
envolver (ue)	to wrap up
estar de moda	to be in style
estar pasado de moda	to be out of style
hacer juego con combinar con	to match
mostrar (ue)	to show
probarse (ue)	to try on
quedarle bien	to fit
quedarle	to be
un poco ancho	a little wide
apretado	tight
corto	short
chico	small
estrecho	narrow
flojo	loose
grande	big
largo	long
ser de buen gusto	to be in good taste
elegante	elegant, dressy
feo	ugly
lindo	pretty
vistoso	flashy
usar talla _____	to wear size _____

Additional common articles of clothing are listed in **Appendix B: Vocabulary at a Glance.**

Así se habla  CD 2, Track 3

Complaining

Warm-up. Before listening to the dialogue, have students describe the drawing. Ask questions such as: ¿Dónde están estas personas? ¿Cómo son estas personas? ¿Qué problema piensa Ud. que hay? ¿Qué cree Ud. están diciendo estas personas? Then have students brainstorm the phrases that the people in the drawing might be saying to each other.

Warm-up. Ask students for some of the reasons that they return items to the store. Ask them what phrases they would use to do this transaction, what phrases the person taking care of them would say. Then, ask them what they think the outcome of that conversation would be.

Have students listen to the dialogue once. Then ask them to provide a statement explaining the gist of the conversation.

Comprehension check. After playing the dialogue a second time, have students answer the following: ¿Adónde fue Noemí? (Fue al Departamento de Quejas de una tienda.) ¿Cuál es su problema? (Compró un vestido que tenía una mancha enorme.) ¿Qué respuesta recibe? (Que no se lo pueden cambiar.) ¿Por qué? (Porque la tienda nunca acepta de regreso ninguna prenda de vestir.) ¿Cómo reacciona Noemí a esto? (Se molesta y quiere hablar con el jefe de la empleada.) ¿Qué piensa Ud. que va a pasar? ¿Ha estado Ud. en alguna situación semejante? ¿Qué hizo? ¿Cómo se solucionó esta situación? (*Answers vary.*)

DEPENDIENTA: ¿En qué puedo servirle?

NOEMÍ: Señorita, ayer compré este vestido aquí y hoy cuando me lo iba a poner me di cuenta que tenía esta enorme mancha. Quisiera que me lo cambiaran, por favor.

DEPENDIENTA: Bueno, pero ¿no cree que Ud. debió examinarlo cuidadosamente antes de llevárselo?

NOEMÍ: Bueno, sí, pero lo que pasó fue que me probé otro de otro color y después escogí este rojo sin probármelo.

DEPENDIENTA: Desafortunadamente no podemos hacer nada, señora. No aceptamos cambios. Lo siento.

NOEMÍ: ¿Cómo dice? Y ahora, ¿qué voy a hacer? ¡Este vestido no sirve para nada!

DEPENDIENTA: Lo siento mucho, señora, pero ésa es la orden que nosotros tenemos.

NOEMÍ: ¡Esto no puede ser! Uds. tienen que cambiármelo. Llame a su jefe, por favor.

When you want to complain, you can use the following expressions.

After explaining the expressions, have students repeat expressions aloud. Correct pronunciation and intonation when necessary.

Siento decirle que...	*I'm sorry to tell you that . . .*
Disculpe, pero la verdad es que...	*Excuse me, but the truth is that . . .*
Me parece que aquí hay un error.	*I think there is a mistake here.*
Creo que se ha equivocado.	*I think you have made a mistake.*
¡No puedo seguir esperando!	*I can't keep (on) waiting!*
¡Esto no puede ser!	*It can't be!*
Pero, ¡qué se ha creído!	*But who do you think you are!*
¡Por quién me ha tomado!	*Who do you think I am!*
¡Qué falta de responsabilidad!	*How irresponsible!*
Y ahora, ¿qué voy a hacer?	*And now, what am I going to do?*
¡Ya me cansé de tantos problemas!	*I'm tired of so many problems!*

To hear more about Spanish pronunciation visit academic.cengage.com/spanish/interacciones.

Práctica y conversación

7.23 Perdón, pero... ¿Qué dice Ud. en las siguientes situaciones?

1. Ud. está en un restaurante y el mesero le sirve un helado de vainilla en vez de uno de chocolate.

2. Ud. está en el aeropuerto y le dicen que no puede viajar porque no hizo ninguna reservación.

3. Ud. tenía una cita con el dentista para las dos de la tarde. Ya son las cuatro y media y todavía no lo/la atienden.

4. Ud. está en un restaurante y le traen la cuenta de otra persona.

5. Ud. se inscribió en la clase de español pero su nombre no aparece en la lista del /de la profesor/a.

Instructions 7.23. Students prepare the exercise individually and then check their answers with a partner.

Answers 7.23. *Possible answers:* **1.** Me parece que aquí hay un error. **2.** Y ahora, ¿qué voy a hacer? **3.** ¡Qué falta de responsabilidad! **4.** Creo que se ha equivocado. **5.** ¡Esto no puede ser!

7.24 Pero, ¿qué es esto? Trabajando con dos compañeros/as de clase, dramaticen la siguiente situación. Ud. y su amigo/a van de compras porque necesitan ropa. Le piden ayuda a un/a vendedor/a pero tienen muchos problemas: se demora mucho en atenderlos/las, les da las tallas equivocadas, les cobra más de lo que cuestan las cosas y al final no les acepta ni sus cheques ni sus tarjetas de crédito.

Modelo   Estudiante 1: *Señor, por favor, me parece que ha habido un error. Yo pedí un impermeable pero éste es un sobretodo.*
Estudiante 2: *¡Cuánto lo siento! Ya regreso con un impermeable.*
Estudiante 3: *Señor, esto no me queda bien. Necesito una talla más grande.*

Estructuras

Denying and Contradicting

Indefinite and Negative Expressions

Negative words such as *no, never, no one, nothing,* or *neither* are used to contradict previous statements or deny the existence of people, things, or ideas. These negatives are frequently contrasted with indefinite expressions such as *someone, something,* or *either* that refer to non-specific people and things.

Indefinite Expressions		Negative Expressions	
algo	*something*	nada	*nothing*
alguien	*someone*	nadie	*no one, nobody*
algún	*any, some, someone*	ningún	*no, none, no one*
alguno/a		ninguno/a	
algunos/as		ningunos/as	
alguna vez	*sometime*	nunca ⎫	*never*
siempre	*always*	jamás ⎭	
o	*or*	ni	*nor*
o... o	*either . . . or*	ni... ni	*neither . . . nor*
también	*also, too*	tampoco	*neither, not . . . either*
de algún modo	*somehow*	de ningún modo	*by no means*
de alguna manera	*some way*	de ninguna manera	*no way*

a. To negate or contradict a sentence, **no** is placed before the verb.

No vamos de compras hoy.

We aren't (are not) going shopping today.

b. There are two patterns for use with negative expressions:

1. NEGATIVE + VERB PHRASE

Julio **nunca** está a la moda.
Nadie tiene tanta ropa como Ana.

Julio is never in style.
No one has as many clothes as Ana.

2. **No** + VERB PHRASE + NEGATIVE

Julio **no está** a la moda **nunca.**
No compro nada en aquella tienda.

Julio is never in style.
I don't buy anything in that store.

> Spanish frequently uses a double negative where English does not. **No quiero comprar nada.** = *I don't want to buy anything.* Look for other uses of the double negative in the examples of this section.

c. Indefinite expressions frequently occur in questions while negatives occur in answers.

—¿Quieres probarte el suéter **o** el chaleco?

Do you want to try on the sweater or the vest?

—No quiero probarme **ni** el suéter **ni** el chaleco.

I don't want to try on either the sweater or the vest.

d. Algún and **ningún** are used before masculine singular nouns.

Compraré ese vestido de **algún modo.**   *I will buy that dress somehow.*

Ninguno is generally used in the singular unless the noun it modifies is always plural.

—¿Tienes algunas camisas limpias?   *Do you have any clean shirts?*
—No, no tengo **ninguna.** Y no   *No, I don't have any. And I don't have any*
    tengo **ningunos** pantalones   *clean pants either.*
    limpios tampoco.

e. The personal **a** is used before **alguien / nadie** and **alguno / ninguno** when used as direct objects.

—¿Viste **a alguien** en el centro comercial?   *Did you see anyone at the mall?*
—No, no vi **a nadie.**   *No, I didn't see anyone.*

f. The Spanish word **no** cannot be used as an adjective: *no problem* = **ningún problema;** *no person* = **ninguna persona.**

Supplemental grammar. **Algo / nada** can be used to modify adjectives. **Este traje es algo nuevo.** = *This suit is somewhat new.* **Aquel vestido no es nada bonito.** = *That dress isn't pretty at all.*

Práctica y conversación

7.25 **¡No quiero nada de nada!** Su compañero/a le hace algunas preguntas, pero Ud. está de mal humor y le contesta negativamente a todo.

    Modelo   Estudiante 1: *¿Le compraste un regalo a Rodrigo?*
                  Estudiante 2: *No, no le compré ningún regalo.*

1. ¿Viste a alguien en la tienda?
2. ¿Te encontraste con alguien en el café?
3. ¿Comiste algo?
4. ¿Te compraste pantalones o un suéter?
5. ¿Fuiste al cine también?
6. ¿Alguna vez has estado de tan mal humor como ahora?

7.26 **¿Qué compraste?** Ud. acaba de regresar de un viaje por Bolivia, el Ecuador y el Perú y como tenía muy poco dinero, compró muy pocos regalos. Cuando abre sus maletas sus hermanos/as están muy desilusionados/as y le preguntan si Ud. les compró aretes de oro, pulseras y cadenas de plata, pantuflas de alpaca, adornos de plata para la casa, alfombras de alpaca, etc. Ud. les responde.

7.27 **Necesito zapatos.** Con dos compañeros/as, dramaticen la siguiente situación. Ud. habla con sus padres y les dice que necesita comprar varios tipos de zapatos para las diferentes actividades que Ud. tiene en la universidad. Sus padres, sin embargo, no están de acuerdo con Ud. y rechazan todo lo que les dice. Trate de llegar a un acuerdo con ellos.

    Modelo   Estudiante 1: *Papá, necesito comprar zapatos de tenis para practicar mi deporte favorito, botas para montar a caballo, zapatos de...*
                  Estudiante 2: *¡Espera, hijo! Yo no tengo tanto dinero. El próximo mes te doy dinero para un par de zapatos.*
                  Estudiante 1: *¡Pero, papá! ¡No es justo!*

Answers 7.25. 1. No, no vi a nadie en la tienda. **2.** No, no me encontré con nadie en el café. **3.** No, no comí nada. **4.** No, no compré ni pantalones ni (ningún) suéter. **5.** No, no fui al cine tampoco. **6.** No, jamás (nunca) he estado de tan mal humor como ahora.

Warm-up 7.26. Students brainstorm the type of presents they could buy in Bolivia, Ecuador, and Peru for their relatives and friends. Ask them what they think their friends and relatives would say if they didn't bring them any presents.

Instructions 7.26. Ask students to prepare the exercise to present it later in front of the class.

Warm-up 7.27. Ask students what their different athletic and social activities at the university are and what type of clothes they wear for each and every one of them. Write the information they provide on the board.

Avoiding Repetition of Previously Mentioned People and Things

Double Object Pronouns

Prior to presenting the material about double object pronouns, it would be a good idea to review direct object pronouns in **Capítulo 2, Segunda situación**. Review indirect object pronouns in **Capítulo 4, Primera situación**.

In conversation we avoid the repetition of previously mentioned people and things by using direct and indirect object pronouns; for example: *Did you give Charles that sweater? No, his parents gave **it to him**.* These double object pronouns are also used in Spanish.

Both object pronouns will precede an affirmative or negative conjugated verb. The order is always indirect object pronoun before direct object pronoun.

a. When both an indirect object pronoun and a direct object pronoun are used with the same verb, the indirect object pronoun precedes the direct object pronoun.

—¿Quién te regaló esa pulsera?   *Who gave you that bracelet?*
—Mi hermano **me la** dio para mi   *My brother gave it to me for my birthday.*
    cumpleaños.

When two pronouns are attached to an affirmative command, a written accent mark is placed over the stressed vowel of that command.

b. Double object pronouns follow the rules for placement of single object pronouns; that is, both pronouns must attach to the end of affirmative commands and precede negative commands.

—¿Quiere ver esta camisa?   *Do you want to see this shirt?*
—Sí, muéstre**mela**, por favor,   *Yes, show it to me please, but don't wrap it*
    pero no **me la** envuelva todavía.   *for me yet.*

c. When both a conjugated verb and infinitive are used, both object pronouns can precede the conjugated verb or attach to the end of the infinitive.

—Me gustaría ver tu traje nuevo.   *I would like to see your new suit.*
—Bueno, voy a mostrár**telo.**
—Bueno, **te lo** voy a mostrar.   *Okay, I'm going to show it to you.*

Note that when two pronouns are attached to an infinitive, a written accent mark is placed over the stressed vowel of that infinitive.

Point out. Provide students with other examples of the use of **se: Le di la camisa a Raúl.** = *I gave the shirt to Raúl.* **Se la di.** = *I gave it to him.*

d. When both pronouns are in the third person, the indirect object pronoun **le / les** becomes **se.**

—¿Les enviaste el regalo a tus padres?   *Did you send the gift to your parents?*
—Sí, **se** lo envié ayer.   *Yes, I sent it to them yesterday.*

e. The pronoun **se** can be clarified by adding the phrase **a** + *prepositional pronoun.*

—¿Le diste la chaqueta a tu hermano?   *Did you give the jacket to your brother?*
—Sí, **se** la di **a él** ayer.   *Yes, I gave it to him yesterday.*

Práctica y conversación

Answers 7.28. 1. Sí (No, no) se la compré. **2.** Sí, (No, no) te lo compré. **3.** Sí, (No, no) se lo compré. **4.** Sí, (No, no) nos los compré. **5.** Sí, (No, no) se la compré. **6.** Sí, (No, no) se las compré. **7.** Sí, (No, no) se los compré. **8.** Sí, (No, no) se los compré.

7.28 Las compras. Explique si Ud. les compró o no los siguientes regalos a estas personas.

    Modelo   a Jaime / la camiseta
              Sí, se la compré. / No, no se la compré.

1. a Pepe / la corbata
2. a ti / el sombrero
3. a Silvia / el calentador
4. a nosotros / los guantes
5. a su hermana / la bufanda
6. a Ud. / las camisas
7. a Luis / los calcetines
8. a Luz y Diego / los suéteres

7.29 **Y por fin, ¿compraste... ?** Ud. se encuentra con un/a amigo/a que quiere saber acerca de sus compras en el centro comercial. Conteste las preguntas con **Sí** o **No,** como Ud. desee.

Modelo   Estudiante 1: *¿Te compraste los zapatos de cuero?*
Estudiante 2: *Sí, (No, no) me los compré.*

1. ¿Te compraste una guitarra eléctrica?
2. ¿Te mostraron las joyas?
3. ¿Te dieron crédito?
4. ¿Les compraste regalos a tus padres?
5. ¿Le compraste los juguetes a tu hermanito?
6. ¿Me compraste algo a mí?
7. ¿?

Answers 7.29. 1. Sí, (No, no) me la compré. **2.** Sí, (No, no) me las mostraron. **3.** Sí, (No, no) me lo dieron. **4.** Sí, (No, no) se los compré. **5.** Sí, (No, no) se los compré. **6.** Sí, (No, no) te lo compré.

7.30 **¿Me los compraron?** Ud. y uno/a de sus compañeros/as de cuarto fueron a comprar diferentes cosas que necesitaban. Su tercer/a compañero/a no quiso ir con Uds. pero sí les hizo una serie de encargos. Al regresar, él/ella les pregunta si le compraron todo lo que él/ella quería y quiere que Uds. se lo den.

Modelo   Estudiante 1: *¿Me compraron mis discos?*
Estudiantes 2 y 3: *No, no te los compramos.*
Estudiante 1: *¿Por qué?*

Warm-up 7.30. Have students write a list of the things they usually go to the store or shopping center to buy. Ask them to compare their list with their partner's.

Linking Ideas

y → e; o → u

The words **y** *(and)* and **o** *(or)* undergo changes before certain words so they will be heard distinctly and understood.

a. When the word **y**, meaning *and,* is followed by a word beginning with **i** or **hi,** the **y** changes to **e.**

suéteres **e** impermeables   *sweaters and raincoats*
padres **e** hijos   *fathers and sons*

Exceptions: words beginning with **hie** as in **hielo** o **hierro**

b. When the word **o**, meaning *or,* is followed by a word beginning with **o** or **ho,** the word **o** changes to **u.**

plata **u** oro   *silver or gold*
ayer **u** hoy   *yesterday or today*

Práctica y conversación

7.31 **De moda.** Complete el siguiente diálogo utilizando **y / e** u **o / u,** según corresponda.

USTED: Tengo un abrigo nuevo, muy elegante. ¡Ah! __y__ además es impermeable.
AMIGO/A: ¡Oye, qué bien! ¿Pagaste mucho __o__ poco por él?
USTED: La verdad es que no me acuerdo si pagué mil __u__ ochocientos bolivianos por él. Algo así, pero sí sé que fue una verdadera ganga.
AMIGO/A: No está mal el precio, pero dime, ¿es pesado __o__ liviano?
USTED: Es un poco pesado porque tiene un forro muy grueso, pero lo voy a usar todo el tiempo porque abriga mucho. No sé si es Joaquín __u__ Óscar el que tiene uno parecido.
AMIGO/A: No sé. ¿Y lo compraste, ayer __u__ hoy? Porque sé que hoy había una rebaja.
USTED: Hoy. ¿Quieres que te lo enseñe ahora __o__ tienes que irte a tu casa?
AMIGO/A: No, no. Enséñamelo que yo también necesito comprarme __o__ un abrigo __o__ un impermeable uno de estos días, y si me gusta el tuyo me compro uno parecido hoy mismo. ¿Qué te parece?
USTED: Bueno... no sé qué decirte... si quieres... bueno...

¿Qué oyó Ud.? CD 2, Track 4

Para escuchar bien

Making Inferences

When you are participating in a conversation, there might be instances when either you or the person you are talking to does not say exactly what is meant. For example, if someone asks you if you want to eat some pizza and you say, "Uh . . . well . . . uh . . .," the person might rightly infer that you don't want any or at least that you don't want any at that particular moment. When someone asks you something, you may not always answer the question directly. For example, someone asks you, "Do you want to go to the movies?" and you answer "I have an exam tomorrow." From your answer, the person will think that you would probably like to go to the movies, but you can't because of your exam. Thus, the person has inferred the real meaning of what you said.

Antes de escuchar

7.32 El dibujo. Trabajando en parejas, miren el dibujo que se presenta en esta sección y hagan las siguientes actividades.

1. Describan a las personas en el dibujo y el lugar donde se encuentran. ¿Qué están haciendo estas personas?
2. ¿Qué creen Uds. que está pasando en esta situación? Justifiquen su respuesta.

Answers 7.32. 1. Hay dos mujeres. Están en una tienda. Una mujer es la vendedora y la otra es la compradora / clienta. La vendedora le está enseñando diferentes vestidos elegantes a la clienta.
2. *Some possible answers:* La mujer quiere comprar un vestido elegante y quiere ver varios modelos. La vendedora le enseña varias posibilidades.

Al escuchar

7.33 Los apuntes. Escuche la conversación entre Graciela y la vendedora. Tome los apuntes que considere necesarios y complete las siguientes oraciones:

1. Graciela busca un vestido _____ porque tiene que ir a _____.
2. La vendedora quiere saber si Graciela prefiere algo _____.
3. Graciela prefiere algo _____.
4. La vendedora le enseña _____.
5. Graciela piensa que el precio es _____ y _____.

Después de escuchar

7.34 Resumen. Trabajando en parejas, resuman la conversación entre Graciela y la vendedora.

7.35 Algunos detalles. Complete las siguientes oraciones con la mejor respuesta.

1. Graciela...
   a. tiene una vida social muy interesante.
   b. es una mujer muy sofisticada y rica.
   c. tiene muy buen gusto y no le importa gastar mucho.

2. Sabemos que la vendedora...
   a. está muy ocupada con otros clientes.
   b. es amable y tiene paciencia.
   c. no sabe hacer su trabajo muy bien.

3. Según la conversación podemos inferir que a Graciela...
   a. no le gusta ir de compras.
   b. sólo le gustan las liquidaciones.
   c. le gustan los vestidos elegantes.

4. Probablemente Graciela...
   a. no va a poder comprar lo que quiere.
   b. va a pedir crédito en la tienda.
   c. va a conseguir una rebaja.

Interacciones: **Capítulo 7, Segunda situación**

Para saber más: academic.cengage.com/spanish/interacciones

It will probably be necessary to play the dialogue more than once. During the first playing, students listen for the general idea. During the second playing, students should focus on the details.

Answers 7.33. 1. elegante, una recepción en una embajada **2.** barato o caro **3.** elegante **4.** varios vestidos: uno azul, uno rojo y uno verde **5.** muy alto, pide rebaja

Answers 7.34. *Some possible answers:* Graciela tiene una fiesta en una embajada y necesita un vestido elegante. Va a una tienda y le gusta un vestido azul pero es muy caro. Por eso, pide una rebaja.

Tercera situación

Imágenes culturales  DVD

El simbolismo de la ropa

Warm-up. To help students comprehend the video more easily, review the information about Bolivia in **Bienvenidos a los países andinos.** Have students describe the photo of the section including the animal. Have students provide the name of the current President of Bolivia.

Vocabulario del vídeo. The following vocabulary will help you understand this video segment and complete the exercises: **vistoso** (*flashy*); **apropiado** (*appropriate*); **el terno** (*three-piece suit*); **el esmoquin** (*tuxedo*).

Answers A. El simbolismo de la ropa = *The Symbolism of Clothing*. Va a tratar de las prendas de vestir apropiadas para varias funciones. Uno de los hombres lleva un traje de un solo color. El otro lleva un suéter informal de muchos colores. *Answers vary.*

Answers B. Evo Morales, el Presidente de Bolivia, suele llevar un suéter tradicional en funciones formales. El suéter es un símbolo de la gente indígena de su país. Muchos critican su ropa y piensan que debe llevar un traje como los presidentes de otros países.

The additional video activities located in the *Cuaderno de actividades* are designed to be completed by students on their own outside of class. However, the additional activities can also be completed in class if time permits.

Antes de mirar

A La ropa apropiada. Trabajando en parejas, nombren las prendas de vestir apropiadas para las siguientes personas para las ocasiones mencionadas: el novio y la novia en su boda; un/a joven en una entrevista para un nuevo trabajo; un/a estudiante en una clase universitaria: el Presidente de los EE.UU. en su discurso (*speech*) anual en el Congreso; un/a chico/a en un concierto de música rock; un/a chico/a en un concierto de música clásica. Después, hagan una lista de las prendas de vestir empezando con las más formales y terminando con las más informales.

B El título. Mire el título del vídeo de esta sección: *El simbolismo de la ropa.* ¿Qué significa el título? En su opinión, ¿de qué va a tratar este vídeo? Después, mire la foto de arriba y descríbala. ¿Qué llevan los dos hombres? ¿Están en una función formal o informal? Justifique su respuesta.

C La idea principal. Mire el vídeo por primera vez para determinar la idea principal del vídeo. También revise (*check*) y corrija sus respuestas anteriores.

Actividades de vídeo

Después de completar estas actividades de **Antes de mirar,** complete las otras actividades del vídeo para **Capítulo 7** en el *Cuaderno de actividades.*

Lectura cultural

Para leer bien

Identifying the Core of a Sentence

The reading techniques discussed to this point have been designed to help you with a process called prereading; that is, techniques that help you guess and predict content by looking for broad, general topics in the reading selection.

The process of reading for detail and deeper understanding is called "decoding." In the native language readers go through the prereading process quickly and automatically before proceeding to decoding. Beginning foreign language students often make the mistake of rushing into the decoding process before prereading.

As you learn techniques for decoding, you will need to remind yourself to preread as you have been taught; avoid the urge to decode as soon as you see a new reading selection.

In prereading you focus on the entire reading passage or on important paragraphs. In decoding, attention is focused down to the level of individual sentences, phrases, and words. It is important to identify the core of an individual sentence. The core generally consists of a main verb and the nouns or pronouns associated with it. In most sentences the identification of the verb core will be simple.

The following criteria will help you identify the core of Spanish sentences that are particularly long or difficult.

1. Identify the main verb(s). Spanish sentences may contain more than one verb core. Sentences linked by **y** or **pero** will have at least two main verb cores. Sentences with clauses introduced by words such as **que, cuando,** or **mientras** will contain a main and a subordinate verb core.
2. After locating the main verb, identify its subject. Remember that subject pronouns are rarely used with first- and second-person verbs. When mentioned for the first time, third-person subjects are generally nouns; once the noun subject is established, it can be replaced with a pronoun or identified simply by the third-person verb ending.
3. Identify verb objects. Verb objects are generally located close to the verbs with which they are associated. Object nouns usually follow the verb; direct object nouns referring to persons are preceded by the personal **a.** Object pronouns **lo, los, la, las / le, les** precede conjugated verbs.
4. Note that the important or core nouns are generally those not preceded by a preposition (except the personal **a**).

Antes de leer: La guayabera: cómoda, fresca y elegante

A El título. Dé un vistazo al título, a las fotos y al primer párrafo para determinar el tema del artículo. **Una guayabera** = una camisa tradicional y típica de la América Latina.

B Los verbos. Identifique el verbo principal de la oración del primer párrafo.

C Los sujetos. Identifique el sujeto del verbo principal del primer párrafo.

D El núcleo. Identifique el núcleo (core) de las oraciones de los dos primeros párrafos.

Al leer

E El núcleo de las oraciones. Mientras que Ud. lee el artículo «La guayabera: cómoda, fresca y elegante», identifique el núcleo de las oraciones como ayuda para comprender mejor.

The reading «La guayabera: cómoda, fresca y elegante» emphasizes the main topic (clothing) of this chapter.

Warm-up 1. Divide the class into pairs or small groups. Assign each group a paragraph or section of the reading. Each group should locate the cognates in the section assigned to them. Finally, each group should report back to the class on their findings.

Warm-up 2. Have each group locate words related to geography within the section assigned to them.

Answers A. The general theme is a description of the *guayabera.*

Answers B. no haya

Answers C. prenda de vestir

Answers D. *Primer párrafo:* Tal vez no haya prenda de vestir tan universal como la guayabera. *Segundo párrafo:* El uso de la guayabera está muy extendido. Esta prenda forma parte de la cultura hemisférica; antes era de lino y ahora es de algodón; no se sabe cuál fue su origen.

La guayabera: cómoda, fresca y elegante

article of clothing

Tal vez no haya prenda de vestir° tan universal como la guayabera, chaquetilla usada por los hombres desde hace varias generaciones en muchas de las islas del Caribe y en los países latinoamericanos.

El origen de la guayabera

El uso de la guayabera está muy extendido. Esta prenda, que antes era con frecuencia de lino y ahora es, por lo general, de algodón, forma parte de la cultura hemisférica hasta tal punto que no se sabe a ciencia cierta cuál fue su origen.

landowner / settled

Se cuenta que en el siglo XVII, un rico terrateniente° de Granada, España, se radicó° en Cuba. Pronto empezó a quejarse de que su vestimenta acostumbrada era demasiado calurosa para el clima tropical de la isla, y mandó que le hicieran una especie de chaqueta ligera de tela fresca con cuatro *pockets* bolsillos°. Según algunos cubanos, ésa fue la primera guayabera.

Dos hombres en guayabera

La prenda le resultó tan práctica que fue adoptada por sus vecinos de Sancti Spíritus, ciudad a unos 370 kilómetros de La Habana. *they produced* Ésta era también una zona donde se daban° *guavas, tropical fruit* las guayabas° que servían de comida de *made fun of* animales. Algunos habitantes de la cercana ciudad de Trinidad se burlaban de° los de Sancti *fed on* Spíritus llamándoles guayaberos, como si fueran ellos los que se alimentaban de° guayabas y no los animales. Fue así que la prenda que usaban los guayaberos empezó a llamarse guayabera, o por lo menos ése es el cuento.

Las guayaberas actuales

Igual que la guayabera original, la actual es ajustada como una chaqueta de safari y se lleva por fuera del pantalón. Suele ser blanca, pero también las hay beige, azules, grises y de otros colores claros. Tiene alforcitas° que van de arriba a abajo en el frente y en la espalda, o un *small pleats, tucks* *thread / pleats / seams* bordado en hilo° del mismo color de la tela en lugar de las alforzas° del frente. Las costuras° laterales quedan abiertas en la parte de abajo para dar libertad de movimiento. La guayabera *to button* tiene botoncitos en muchos lugares donde no hay nada que abotonar°; si tiene bolsillos, dos *chest/ above the waist /* van en el pecho° y dos a la altura de la cintura°. Hay una variación deportiva de mangas° cortas, *sleeves* pero también las hay de seda o de lino para más vestir.

Los cubanos y la guayabera

legacy

Durante la guerra de independencia de Cuba en la década de 1890, José Martí y otros cubanos llevaban la guayabera por patriotismo; simbolizaba la independencia. Con este legado° esta prenda es muy importante para los cubanos que viven ahora en los EE.UU. y, desde hace años, en algunos círculos de Miami el primero de julio se celebra el Día de la Guayabera.

Muchos creen que la guayabera no es una creación de Cuba sino de México, donde la confección° de guayaberas prospera. En Yucatán hay alrededor de 80 talleres° donde las hacen. Más o menos la mitad de las guayaberas hechas en México se exportan. Los EE.UU. y las Antillas compran muchas de ellas, pero los países del Oriente Medio resultan también muy buenos mercados. Se dice que en México «la guayabera no es una moda pasajera. Es una prenda duradera».

manufacturing / shops

La popularidad de la guayabera

La guayabera es lo que se lleva corrientemente en la mayoría de los países de Centroamérica desde Guatemala hasta Panamá. Sin duda es su comodidad° la que encariña a la gente° con ella. La guayabera es perfecta para la temperatura tropical que hay el año entero, sobre todo en la costa.

comfort / makes people grow fond of

Algunos bolivianos, ecuatorianos y peruanos comentan que en su país la guayabera se tiene por prenda veraniega° para los que no pueden gastar mucho en ropa. Para muchos es algo así como un uniforme.

summer

En los EE.UU. el uso de la guayabera se está extendiendo, particularmente en los estados más meridionales°. Si la categoría de la guayabera varía en algunos lugares, en los EE.UU. no es así. En este país ha llegado a aceptarse de tal modo en algunas zonas, que en los restaurantes y clubes particulares es considerada un buen sustituto para la chaqueta y la corbata.

southern

Así y todo, la guayabera, de humilde origen, creada sólo pensando en la comodidad, es ahora casi una prenda chic. Aunque en muchos países son baratas, últimamente en algunas tiendas de los EE.UU. han empezado a aparecer guayaberas hechas por diseñadores°. Adolfo es uno de los que confecciona variaciones de guayaberas para el mercado estadounidense, y en tiendas desde Panamá hasta Puerto Rico se hallan algunas etiquetas° de Givenchy, de la Renta y Dior.

designers

labels
competing

Como algunos países del mundo están compitiendo° por el mercado de las guayaberas y algunos ricos están dispuestos a pagar hasta 250 dólares por una guayabera de seda hecha a la medida°, el porvenir° de esta prenda parece estar asegurado.

custom-made / futuro

Después de leer

E ¿Ciertas o falsas? Identifique las oraciones falsas y corríjalas.

1. La guayabera es una prenda de vestir muy rara; la usan sólo los indígenas de la península de Yucatán.

2. Antes la guayabera era de lino; ahora suele ser de algodón.

3. Un rico terrateniente de la Argentina creó la primera guayabera.

4. La llaman «guayabera» porque está hecha con el jugo de las guayabas.

5. Las guayaberas suelen ser de colores oscuros.

6. Para los cubanos la guayabera es un símbolo de la independencia.

7. Se usa mucho la guayabera en Centroamérica, especialmente en los lugares donde hace fresco todo el año.

8. En los países andinos los de la clase alta usan la guayabera.

9. En los EE.UU. no se permite llevar la guayabera en los restaurantes.

10. La guayabera siempre es una prenda barata.

F Descripciones. Haga una lista de los adjetivos que se usan en el artículo para describir la guayabera.   universal, práctica, duradera, ligera, de colores claros, chic, barata

G Sitios geográficos. En el artículo se mencionan muchos lugares geográficos. Identifique o explique los términos siguientes.

Trinidad	el Oriente Medio	La Habana
Granada	Sancti Spíritus	Cuba
Miami	Guatemala	Panamá
Yucatán	Puerto Rico	

H La defensa de una opinión. ¿Qué evidencia hay en el artículo que confirma la idea siguiente? «La guayabera es una prenda universal, cómoda y elegante y tiene un futuro asegurado.»

Interacciones

A Un regalo de cumpleaños. Your sister / brother asks you to buy a birthday gift for a new boyfriend / girlfriend. Unfortunately you don't know him / her well, but your brother / sister tells you to buy him / her clothing and that he / she is the same size as you. Go to the store, ask the salesperson (played by a classmate) for suggestions for a gift. Ask to try on the clothing items and purchase one. Have it wrapped, then pay and leave.

B El/La dependiente/a desagradable. You received a new sweater as a gift from your aunt. The sweater doesn't fit and you want to return it and get your money back. You go to the store. The salesperson (played by a classmate) is not at all pleasant. You can't get your money back but you can exchange the sweater for something else. Resolve the situation.

C Un/a hijo/a rebelde. You are the parent of a teenager. Your son / daughter (played by a classmate) is packing for a two-week trip to Bolivia to visit friends. You tell him / her what to pack and wear at various occasions. Your son / daughter is feeling very negative and rebellious, refuses to follow your advice, and contradicts everything you say. Try to resolve the situation.

D Un/a reportero/a social. You are the reporter for the social scene for a Hispanic TV station in Miami. You are covering a **quinceañera** party for the daughter of a prominent local family. As the TV camera closes in on various guests at the party, describe what they are doing at this very moment. Inform your audience who the people are and what they are wearing. Among the guests are the following people: an aunt and uncle, various cousins, and the grandparents of the girl being honored; a local businessman and his wife; several neighbors of the family; several girlfriends of the girl being honored.

5 Communicative modes incorporated.
A: interpersonal; B: interpersonal; C: interpersonal; D: presentational.

Vocabulary incorporated.
A: articles of clothing; expressions for making a routine purchase B: expressions for complaining C: articles of clothing D: articles of clothing; party activities.

Grammar incorporated.
A: double object pronouns B: double object pronouns, uses of definite articles C: indefinite and negative expressions D: progressive tenses.

Point out. La quinceañera is a special party for a fifteen-year-old girl. It is celebrated in much the same fashion as a wedding. There is generally a dinner for the guests followed by music and dancing.

Así se escribe

Para escribir bien

Letters of Complaint

If you are dissatisfied with a product or service, it is sometimes necessary to write a letter of complaint in order to resolve the problem. Letters of complaint are different from complaining directly to a person, for you cannot ask or answer questions or negotiate a settlement quickly. To complain effectively by letter you will first need to give a brief history of the problem, then state what is still unsatisfactory, and finally explain what you would like the person(s) or company to do. You can use the phrases below or adapt phrases from the previous **Así se habla** section.

Historia breve del problema

Hace dos meses / El 20 de junio / La semana pasada compré un traje nuevo en su tienda. Al llevarlo la primera vez / En casa / Más tarde descubrí algunos problemas.

Two months ago / On June 20 / Last week I bought a new suit in your store. When I wore it for the first time / At home / Later I discovered various problems.

El problema específico

La blusa me queda demasiado pequeña / grande / corta / larga.
Los pantalones están sucios / rotos / descosidos.

The blouse is too small / large / short / long for me.
The pants are dirty / torn / unsewn.

Remedio deseado

Quisiera cambiarlo/la por otro/a.

I would like to exchange it for another.

Quisiera devolverlos/las y que me devuelvan el dinero.

I would like to return them and get my money back.

Note that business letters have a different salutation and closing from personal letters.

Estimado/s señor/es:
Atentamente,

Dear Sir/s:
Sincerely yours,

Antes de escribir

Answers A. Answers need to include a salutation and closing for a business letter such as **Estimado/s señor/es, Atentamente.**

A Una carta comercial. Lea las descripciones de las composiciones dadas en la sección **Al escribir** y escoja la composición que sea más compatible con sus intereses y habilidades. Después, cree el formato para su carta a la compañía, utilizando el saludo y la despedida de una carta comercial.

B El problema. Para comenzar la carta, escriba una lista de los detalles del problema que Ud. quiere resolver. Incluya una lista de la ropa incluida en su queja, la información sobre la historia del problema y una descripción del problema específico.

Answers B. Answers should include a brief history of the problem and a description of the problem itself.

Al escribir

Escriba su composición, utilizando el formato de la carta que Ud. hizo en la **Práctica A** y la lista de vocabulario e información que Ud. preparó en **B.**

> **All compositions: Grammar:** verbs: preterite, adjective agreement, adjective position; **Phrases/Functions:** writing a letter (formal), persuading; asking in a store; **Vocabulary:** clothing

C Un pedido equivocado. Ud. vive en Quito, Ecuador. Hace un mes pidió un abrigo gris, talla 40 del catálogo de Almacenes Alcalá de Guayaquil, Ecuador. Ayer recibió un paquete con un abrigo azul oscuro, talla 42. Escríbale una carta a la compañía, describiendo el problema y explicando que Ud. todavía quiere el abrigo gris, talla 40.

Answers. All compositions should include new vocabulary and phrases for letters of complaint.

D Una maleta perdida. En un vuelo reciente la aereolínea perdió su maleta con toda su ropa para las vacaciones. Ud. habló con el gerente en el aeropuerto pero él no pudo encontrar la maleta; tampoco le dio dinero para comprar ropa nueva. Escríbale una carta al presidente de la compañía. Explíquele el problema y pídale dinero para comprar una maleta nueva y más ropa. Incluya una lista de la ropa perdida.

E Un regalo de cumpleaños. Para su cumpleaños sus padres le regalaron un vestido / traje muy caro, pero le quedó grande. Sus padres le dieron el recibo y Ud. trató de devolverlo a la tienda. La dependienta no fue muy amable y no hizo nada. Escríbale una carta al gerente de la tienda; explique el problema, pida otro vestido / traje o el dinero para comprar algo distinto.

Después de escribir

Antes de entregarle su composición a su profesor/a, Ud. debe leerla de nuevo y corregir los errores. Preste atención a la breve historia del problema, la descripción del problema y la solución deseada. ¿Contiene su composición todos los detalles necesarios? ¿Están en orden cronológico? Revise el vocabulario acerca de la ropa y los adjetivos para describir la ropa. También revise los verbos en el pretérito.

 *Interacciones:* **Capítulo 7, Tercera situación**

 **Para saber más:** academic.cengage.com/spanish/interacciones

CAPÍTULO 8 En la ciudad

Lima, Perú: Plaza San Martín

Cultural Themes

Peru
Hispanic cities

Communicative Goals

Asking for, understanding, and
   giving directions
Telling others what to do
Asking for and giving information
Talking about other people
Persuading
Discussing future activities
Expressing probability
Suggesting group activities

Have students describe the photo. If necessary, ask: ¿Qué hay en la foto? ¿Cuántas
personas hay y quiénes son? ¿Qué hacen? ¿Dónde están?

Have students provide English examples of the topics, situations, and phrases that
would be covered in each of the communicative goals. **Modelo:** *Asking for, understanding, and giving directions.* Students might answer: *Could you tell me how to get to the
museum? Turn right at the corner and continue straight for two blocks.*

 Video on DVD   Audio

 Cuaderno de actividades   Atajo

iLrn Heinle Learning Center   Music

academic.cengage.com/
spanish/interacciones   iRadio

Presentación

¿Dónde está el museo?

Práctica y conversación

8.1 Situaciones. Pregúntele a su compañero/a de clase adónde Ud. debe ir en las siguientes situaciones.

1. Ud. quiere información sobre los puntos de interés histórico en Cuzco.
2. Ud. necesita comprar aspirina.
3. Ud. quiere ir al centro pero está demasiado lejos para caminar.
4. Ud. se da cuenta de que perdió el pasaporte.
5. Ud. desea comprar un periódico.
6. Ud. tiene que averiguar cuándo sale el autobús para Chosica.
7. Ud. necesita cambiar cheques de viajero.

8.2 Una excursión a Lima. Las siguientes personas van a pasar un día visitando Lima. Con un/a compañero/a de clase, decidan qué puntos de interés deben visitar y por qué.

una familia con tres hijos / cuatro estudiantes norteamericanos / un matrimonio joven / un venezolano que visita Lima por primera vez / Ud. y su compañero/a

8.3 Calendario turístico. Trabajando en parejas, decidan cuándo van a visitar Lima y a qué actividades turísticas van a asistir. Justifiquen sus respuestas.

Instructions 8.3. Have students read the **Calendario turístico** prior to discussing which events they will attend. Students could read the calendar aloud for pronunciation practice.

Warm-up 8.3. Ask questions about the **Calendario turístico** prior to having students form pairs to discuss what they will attend. ¿Qué pasa en Lima en enero? (La Semana de Lima conmemora su fundación el 18 de enero, con actos oficiales y festejos.) ¿Qué celebran en febrero? (Celebran los carnavales todos los domingos del mes.) ¿Cómo celebran la Semana Santa en Lima? (Hay actos religiosos y procesiones.) ¿Qué celebran el 28 de julio? (Se conmemora la independencia del Perú.) ¿Cómo la celebran? (Se realizan diferentes actividades por toda la ciudad.) ¿Qué día es el 30 de agosto? (Es la Fiesta de Santa Rosa, la Santa Patrona de las Américas, las Islas Filipinas y las fuerzas policiales.) ¿Cuándo comienza la temporada (season) de toros? (Comienza en octubre.) ¿Qué celebran en noviembre? (la Feria Internacional del Pacífico.)

BIENVENIDOS A LIMA

ENERO	Semana de Lima. Conmemoración de la fundación el 18 de enero de 1535, con actos oficiales y festejos.
FEBRERO	Carnavales, todos los domingos del mes.
MARZO	13–20 Fiesta de la Vendimia en el distrito de Surco.
MARZO Y ABRIL	Semana Santa: Actos religiosos y procesiones.
JULIO 28	Conmemorando la Independencia del Perú. Se realizan diferentes actividades en toda la ciudad, tales como desfile escolar y gran parada militar. Carreras de gala en el Hipódromo de Monterrico. Exhibición de productos artesanales en diferentes distritos.
AGOSTO 20–30	Semana de Cañete, aniversario de esta ciudad a 147 Km. de Lima (90 minutos). Se realizan competencias de tabla hawaiana, campeonato de gallos de pelea, fiestas, verbenas y el Festival Negro en que se eligen reinas del festejo y del ritmo.
AGOSTO 30	Fiesta de Santa Rosa, Patrona de las Américas, Filipinas, y las Fuerzas Policiales. Romerías al santuario donde vivió la santa limeña.
OCTUBRE	Mes del Señor de los Milagros, Patrono de Lima. Multitudinarias procesiones los días 18, 19 y 28. Octubre es también el inicio de la temporada de toros en el histórico coso de Acho. La temporada se prolonga hasta noviembre y los mejores toreros del mundo se disputan el Escapulario de Oro del Señor de los Milagros.
OCTOBRE 31	Día de la Canción Criolla. Se realizan festejos en diferentes centros musicales de Lima.
NOVIEMBRE	Durante dos semanas se realiza la Feria Internacional del Pacífico que ha cobrado renombre mundial por la cantidad y calidad de los expositores internacionales. En el recinto ferial se cumplen diversas actuaciones: funciones de folklore, desfiles, concursos.

8.4 ¿Qué me dices? Ud. y su compañero/a están haciendo una sopa de letras *(word search)*. Él/Ella tiene una mitad del rompecabezas *(puzzle)* y Ud. tiene la otra mitad. Conversen para descubrir las palabras que faltan.

The alternate drawing that corresponds to this activity can be found in **Apéndice A.**

Modelo   Su compañero/a: *1F*

Ud.: *Lo que se usa para ir al otro lado de un río.*

	A	B	C	D	E	F	G	H	I	J	K	L	M	N	O
1						P									
2						U									
3						E									
4						N									
5						T									
6	E	M	B	O	T	E	L	L	A	M	I	E	N	T	O
7															
8															
9			C	E	N	T	R	O							
10															

8.5 Creación. Cuente en una narración lo que pasa en el dibujo de la **Presentación.**

Modelo   *Ésta es una ciudad de un país hispano. Hay mucho tráfico, algunos turistas y gente en la calle.*

VOCABULARIO

Transparencies F-1, F-2, F-4: Los lugares públicos; un pueblo, la ciudad. Use these images to illustrate additional places in a city or town.

En la calle	On the street	Lugares	Places
la acera	sidewalk	el banco	bank
el autobús	bus	el centro	downtown
la avenida	avenue	la clínica	private hospital
la bocacalle	intersection	la comisaría	police station
el cruce		el cuartel de policía	
el/la conductor/a	driver	la estación de	fire station
la cuadra (A)	block	bomberos	
la manzana (E)		taxi	taxi stand
el edificio de	building of	trenes	train station
cemento	cement	la farmacia	pharmacy
ladrillo	brick	la gasolinera	gas station
madera	wood	el hospital	hospital
piedra	stone	la oficina de turismo	tourist bureau
vidrio	glass	la parada de autobuses	bus stop
el embotellamiento	traffic jam	el quiosco	newsstand
la esquina	corner		
el estacionamiento	parking	**Puntos de interés**	*Points of interest*
la fuente	fountain		
el letrero	sign, billboard	el ayuntamiento	city hall
el rótulo		el barrio colonial	colonial section
el metro	subway	histórico	historic section
el peatón/la	pedestrian	la catedral	cathedral
peatona		el jardín zoológico	zoo
el puente	bridge	el museo	museum
el rascacielos	skyscraper	el palacio presidencial	presidential palace
el semáforo	traffic light		
la señal de tráfico	traffic sign	el parque	park
el taxi	taxi	la plaza mayor	main square
el tranvía	trolley	la plaza de toros	bullring

Así se habla

Asking for, Understanding, and Giving Directions

Warm-up 1. Before listening to the dialogue, have students work in pairs and describe the people in the drawing.

Warm up 2. Ask students to think of the English expressions they use to ask for directions. Have them explain what they think about before they approach an older person / a man / a woman and how different people address them. Have them explain how they think this differs from or is similar to the way it is done in the Hispanic world.

Comprehension check. After playing the dialogue a second time, have students answer the following: ¿Adónde quiere ir Arnaldo? (al Museo Pedro de Osma) ¿Qué forma de transporte quiere tomar? (el autobús) ¿Hasta dónde tiene que caminar? (hasta la calle San Martín) ¿Qué tiene que hacer después? (doblar a la izquierda) ¿De qué color son los autobuses que pasan por el museo? (blanco con letras rojas) ¿Cree Ud. que va a llegar al museo? *(Answers vary.)*

ARNALDO: Disculpe, señor, pero quiero ir al Museo Pedro de Osma. ¿Me podría decir dónde se toma el autobús que va para allá?

SEÑOR GÓMEZ: Cómo no. Siga derecho por esta cuadra hasta llegar a la calle San Martín. Luego, doble a la izquierda. Por ahí pasan los autobuses que pasan por el Museo. Es un autobús blanco con letras rojas.

ARNALDO: Muchas gracias, señor. Muy amable.

SEÑOR GÓMEZ: ¡Qué ocurrencia! Espero que le guste el museo. ¡Se dicen maravillas de ese museo!

When you want to ask, understand, or give directions, you can use the following expressions.

To hear more about Spanish pronunciation visit academic.cengage.com/spanish/interacciones.

Asking for directions

¿Me podría/s decir +	*Could you tell me +*
cómo se llega / va a...?	*how to get to . . . ?*
dónde está...?	*where . . . is?*
qué autobús tomo para ir a...?	*what bus I should take to go to . . . ?*
dónde para el autobús que va para...?	*where the bus going to . . . stops?*

Giving directions

Tome / Toma el autobús / un taxi.	*Take the bus / a taxi.*
El autobús pasa por la otra cuadra.	*The bus goes by the other block.*
Camine / Camina / Vaya / Ve / Siga / **Sigue derecho.**	*Go straight.*
Doble / Dobla a la derecha / izquierda.	*Turn right / left.*
Al llegar a... siga / sigue / doble / dobla...	*When you get to . . . go / turn . . .*

Práctica y conversación

Warm-up 8.6. Have students explain what they do when they are in a foreign country and they want to go sightseeing. Have them say what sites they prefer to visit.

8.6 ¿Cómo voy a...? Ud. está en el Gran Hotel Bolívar de Lima y quiere ir a diferentes sitios de la ciudad. Pida direcciones a distintos/as compañeros/as de clase para ir a los siguientes sitios.

1. el Santuario de Santa Rosa de Lima
2. el Museo de la Inquisición
3. la Iglesia de la Merced
4. la Catedral
5. ¿?

Answers 8.6. *Possible answers:* **1.** ¿Me podría decir qué autobús tomo para ir al Santuario de Santa Rosa de Lima? **2.** ¿Dónde está el Museo de la Inquisición? **3.** ¿Cómo se llega a la Iglesia de la Merced? **4.** ¿Dónde para el autobús que va para la Catedral?

Vocabulario regional: In Lima you might see the abbreviation **Jr.** which means **el jirón,** another word for **la calle.**

Heinle Transparency Bank: F-3, F-6: ¿Dónde está?; Mapas de Madrid, México, D.F. y San Juan. Use these images to illustrate cities and their layout and to provide additional practice with asking for, understanding, and giving directions.

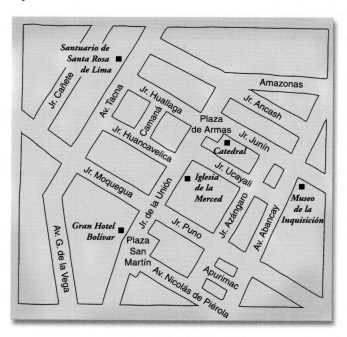

Estructuras

Telling Others What to Do

Formal Commands

Commands are used to give orders and directions. You will need to use formal commands when giving orders to one person you address with **usted,** or more than one person you address with **ustedes.**

Verbos en –AR		Verbos en –ER		Verbos en –IR	
tomar		**comer**		**abrir**	
(Ud.) **tome**	*take*	**coma**	*eat*	**abra**	*open*
(Uds.) **tomen**	*take*	**coman**	*eat*	**abran**	*open*

a. To form the formal commands of regular verbs, obtain the stem by dropping the -**o** from the first-person singular of the present tense: **paso** → **pas-; hago** → **hag-.** To the stem, add the endings -**e** / -**en** for -**ar** verbs or -**a** / -**an** for -**er** and -**ir** verbs: **pas-** → **pase** / **pasen; hag-** → **haga** / **hagan.**

b. Some regular commands will have spelling changes in the stem to preserve the consonant sound of the infinitive.

  1. With verbs ending in -**car,** the **c** → **qu: buscar** → **busque** / **busquen**
  2. With verbs ending in -**gar,** the **g** → **gu: llegar** → **llegue** / **lleguen**
  3. With verbs ending in -**zar,** the **z** → **c: cruzar** → **cruce** / **crucen**
  4. With verbs ending in -**ger,** the **g** → **j: escoger** → **escoja** / **escojan**

c. Dar, estar, ir, saber, and **ser** have irregular formal command stems.

DAR	**dé / den**	SABER	**sepa / sepan**
ESTAR	**esté / estén**	SER	**sea / sean**
IR	**vaya / vayan**		

d. Formal commands become negative by placing **no** before the verb.

Doble Ud. en la esquina pero **no cruce** la calle. — *Turn at the corner but don't cross the street.*

e. The pronouns **Ud. / Uds.** may be placed after the command form to make it more polite.

Sigan Uds. derecho y verán el museo. — *Go straight ahead and you will see the museum.*

f. Direct object, indirect object, and reflexive pronouns follow and attach to affirmative commands. They precede negative commands.

—¿Cuándo debemos visitar la catedral? — *When should we visit the cathedral?*

—**Visítenla** por la mañana, pero **no la visiten** durante la misa. — *Visit it in the morning, but don't visit it during Mass.*

When adding pronouns to commands of two or more syllables, a written accent mark is placed over the stressed vowel of the affirmative command.

Remind students that **Ud.** commands are used with one person whom they should address with a title such as **Sr. / Profesor +** *last name.* **Uds.** commands are used with two or more persons whom they would address with a title + *last name* in Spain or with any plural *you* in Latin America.

Have students obtain the stem for the formal command form of these verbs: caminar (camin-); beber (beb-); escribir (escrib-); leer (le-); traer (traig-); salir (salg-); ver (ve-); pagar (pagu-); empezar (empiec-)

Have students form **Ud. / Uds.** commands. *Usted:* llegar (llegue); ir (vaya); hacer (haga); poner (ponga); volver (vuelva). *Ustedes:* ser (sean); dar (den); comenzar (comiencen); dormir (duerman); estar (estén)

Have students form formal affirmative / negative commands. *Affirmative Ud.:* levantarse (levántese); ponerse (póngase); divertirse (diviértase); dormirse (duérmase) *Negative Ud.:* preocuparse (no se preocupe); acostarse (no se acueste); arreglarse (no se arregle); quejarse (no se queje)

Práctica y conversación

Answers 8.7. 1. Sepa el nombre de su hotel. **2.** Dé un paseo por el barrio colonial. **3.** Tome el metro al centro. **4.** Vaya a la plaza mayor. **5.** Tenga cuidado con el pasaporte. **6.** Llegue al aeropuerto a tiempo.

8.7 Una visita a su ciudad. Dígale a un/a turista lo que debe hacer para disfrutar de una visita a su ciudad.

Modelo empezar el día temprano
Empiece el día temprano.

1. saber el nombre de su hotel
2. dar un paseo por el barrio colonial
3. tomar el metro al centro
4. ir a la Plaza Mayor
5. tener cuidado con el pasaporte
6. llegar al aeropuerto a tiempo

Answers 8.8. 1. ¿Debemos comprar los regalos? Sí, cómprenlos. **2.** ¿Debemos quedarnos en el hotel? No, no se queden en el hotel. **3.** ¿Debemos almorzar en un café típico? Sí, almuercen en un café típico. **4.** ¿Debemos sacar fotos en el museo? No, no las saquen en el museo. **5.** ¿Debemos mandar tarjetas postales? Sí, mándenlas. **6.** ¿Debemos llevar los pasaportes a la plaza? No, no los lleven a la plaza. **7.** ¿Debemos ver el Palacio Nacional? Sí, véanlo.

8.8 Más consejos. En Lima su compañero/a le pide algunos consejos. Contéstele.

Modelo visitar la catedral / sí
Estudiante 1: *¿Debemos visitar la catedral?*
Estudiante 2: *Sí, visítenla.*

1. comprar regalos / sí
2. quedarse en el hotel / no
3. almorzar en un café típico / sí
4. sacar fotos en el museo / no
5. mandar tarjetas postales / sí
6. llevar los pasaportes a la plaza / no
7. ver el Palacio Nacional / sí
8. ¿?

8.9 Mi pueblo. Sus compañeros/as de clase piensan hacer una excursión a su pueblo. Dígales tres lugares que deben visitar y tres lugares que no deben visitar. Explíqueles por qué deben o no deben visitar estos lugares.

Modelo *En mi pueblo visiten los museos de arte y de historia.*
También vayan a los parques y visiten el zoológico, que es muy grande.

Warm-up 8.10. Have students tell each other what they know about Peru and what they would like to know. Write their answers on the board.

Instructions 8.10. Ask students to role-play this situation and assign different personalities: a person interested in indigenous cultures, a person interested in colonial architecture, and another interested in shopping.

8.10 ¡Qué ciudad! Ud. y sus compañeros/as piensan visitar Lima y sus alrededores. Discutan qué lugares van a visitar, qué cosas quieren hacer, qué quieren comprar, qué ropa y cuánto dinero tienen que llevar, ¿?

Sitios de interés: Plaza de Armas / el Jirón de la Unión / Plaza San Martín / Palacio de Gobierno / Parque de la Exposición / Palacio Torre Tagle / Iglesia San Pedro / Campo de Marte / Museo de Antropología y Arqueología / Museo de Oro

Modelo Estudiante 1: *Visitemos el centro de Lima y sus edificios coloniales.*
Estudiante 2: *Me parece muy interesante, pero vayamos también a los mercados indígenas.*

Asking For and Giving Information

Passive *se* and Third-Person Plural Passive

When giving information, you often use an impersonal subject such as *one, they, you,* or *people* rather than referring to a specific person. In this way, the information or action is stressed rather than the person doing the action.

> *People* say that Lima is very interesting.
> *You* can take a bus or a taxi downtown.

a. The Spanish equivalent of these *impersonal subjects + verb* is **se** + *third-person singular verb*.

—¿Dónde **se come** bien por aquí?	*Where can you get good food (eat well) around here?*
—**Se dice** que el Restaurante Miraflores es muy bueno.	*They say that the Miraflores Restaurant is very good.*

b. The impersonal **se** can also be used to express an action in the passive voice when no agent is expressed. In such cases the following format is used:

Se + THIRD-PERSON SINGULAR VERB + SINGULAR SUBJECT
Se + THIRD-PERSON PLURAL VERB + PLURAL SUBJECT

Se abre la oficina de turismo a las 8.30 pero no **se abren** las tiendas hasta las 10.	*The tourism bureau opens at 8:30 but the stores don't open until 10:00.*

c. The **se** passive is a very common construction and is frequently seen in signs giving information or warning.

Se alquila.	*For rent.*
Se arreglan (relojes).	*(Watches) repaired here.*
Se habla español.	*Spanish spoken (here).*
Se necesita camarero.	*Waiter needed.*
Se prohíbe fumar.	*No smoking.*
Se ruega no tocar.	*Please don't touch.*
Se vende/n.	*For sale.*

> To make these expressions negative, place **no** before **se: No se permite fumar.**

d. The third-person plural of a verb may also be used to express an action in the passive voice when no agent is expressed.

Venden periódicos en el quiosco.	*Newspapers are sold in the kiosk.*
Construyeron el ayuntamiento en el siglo XVIII.	*The city hall was built in the 18th century.*

Práctica y conversación

 8.11 ¿En qué lugar? Conteste las siguientes preguntas de una manera lógica. Luego, compare sus respuestas con las de su compañero/a.

1. ¿Dónde se venden periódicos?
2. ¿Dónde se consigue información turística?
3. ¿Adónde se lleva a una persona herida?
4. ¿Dónde se deposita el dinero?
5. ¿Dónde se compran aspirinas?
6. ¿Dónde se vende gasolina?
7. ¿Dónde se espera el autobús?
8. ¿Dónde se ven muchos animales?

8.12 Diviértase. Indique qué se puede hacer para divertirse en la ciudad de Lima.

Modelo   Toman el autobús al centro.
Se toma el autobús al centro.

1. Piden un plano de la ciudad en la oficina de turismo.
2. Visitan el Palacio Presidencial.
3. Caminan por el parque.
4. Toman un refresco en un café al aire libre.
5. Ven la nueva exposición en el museo.
6. Admiran la arquitectura colonial.
7. Visitan el parque Las Leyendas.

8.13 Conduzca con cuidado. Explíquele a su compañero/a lo que se debe hacer cuando se conduce en el extranjero.

Modelo   Estudiante 1: *¿Qué se debe hacer cuando se conduce en el extranjero?*
Estudiante 2: *Primero, se debe tener una licencia internacional. También ...*

Talking About Other People

Uses of the Indefinite Article

The indefinite article in Spanish and English is used to point out one or several nouns that are not specific.

a. The indefinite article **un / una** = *a, an;* **unos / unas** = *some, a few,* or *about.*

En **unas** ciudades de Latinoamérica hay **un** barrio histórico.	*In some Latin American cities there is a historic section.*

b. The masculine, singular form **un** is used before feminine nouns beginning with a stressed **a-** or **ha-:** un águila = *an eagle*; **un hacha** = *a hatchet.* The plural forms of such nouns use **unas: unas águilas.**

c. Sometimes the indefinite article is not used in Spanish as in English.

1. The indefinite article is usually required before each noun in a list.

Hay **una** catedral, **un** museo y **un** ayuntamiento en el centro de la ciudad.	*There is a cathedral, museum, and town hall in the downtown area.*

2. After forms of **ser** or **hacerse,** meaning *to become,* the indefinite article is omitted before an unmodified noun denoting profession, nationality, religion, or political beliefs.

Guadalupe y Manolo son peruanos. Ellos son católicos. Manolo es carpintero y Guadalupe es profesora en una escuela secundaria.	*Guadalupe and Manolo are Peruvian. They are Catholic. Manolo is a carpenter and Guadalupe is a teacher in a high school.*

When such nouns are modified, the indefinite article is used.

En **unos** años Manolo se hizo **un** carpintero bastante rico.	*In a few years, Manolo became a rather wealthy carpenter.*

Note. Students often fail to realize that the word **otro/a** = *other* as well as *another*. As a result, students frequently use the indefinite article with forms of **otro** when they want to say *another*. Emphasize that no indefinite article is placed before forms of **otro**.

3. The indefinite article is omitted before the words **cien/to, mil, otro, medio,** and **cierto** even though English includes it in such cases.

—Hay más de **mil** niños en ese barrio.	*There are more than a thousand children in that neighborhood.*
—Sí, y creo que necesitan otra escuela.	*Yes, and I think that they need another school.*

4. The indefinite article is generally omitted after **sin, con,** and the verbs **tener** and **buscar.**

Los turistas llegaron a Lima **sin reservación** pero ya **tienen hotel.**	*The tourists arrived in Lima without a reservation but they already have a hotel.*

NOTE: **Tener** will be followed by an indefinite article when **un/a** refers to how many items a person has.

—¿Cuántas residencias tienen?	*How many residences do they have?*
—Tienen **un** apartamento y **una** casa.	*They have an apartment and a house.*

Práctica y conversación

Instructions 8.14. Ask students to read the dialogue for general meaning and ask them to summarize the conversation. Then, divide the class into pairs and ask them to complete the exercise.

8.14 ¡Qué gusto de verte! Con su compañero/a completen el siguiente diálogo con la forma apropiada del artículo indefinido cuando sea necesario.

ELISA: Hola, Susana. ¿Cómo estás? ¡Tanto tiempo sin verte!

SUSANA: Sí, hija, ando muy ocupada todo el tiempo. Ahora vengo de ver a _____unos_____ amigos que acaban de llegar de Noruega.

ELISA: ¡No me digas! ¿Y se van a quedar mucho tiempo por aquí? ¿O sólo se van a quedar _____unos_____ días?

SUSANA: Bueno, él es _____∅_____ ingeniero y ella es _____∅_____ arquitecta, y piensan mudarse aquí a Lima. Quieren _____un_____ clima cálido y además han recibido _____un_____ contrato fabuloso de _____una_____ compañía internacional para trabajar aquí.

ELISA: ¡Qué suerte! ¿Cuántos hijos tienen?

SUSANA: Dos. _____Un_____ hijo y _____una_____ hija.

ELISA: ¡Qué bien!

SUSANA: Sí. Si quieres, _____un_____ día de éstos vienes a mi casa para que los conozcas. Son _____unas_____ personas muy agradables.

ELISA: ¡Maravilloso! Dame _____una_____ llamada cuando quieras.

SUSANA: ¡Perfecto! Te llamo entonces.

Warm-up 8.15. Have students tell each other where they come from, and what they like and dislike most about their hometown.

Instructions 8.15. Have students role-play the situation. Go around the class providing help with grammar and vocabulary. Then, ask students to dramatize the situation they created.

8.15 Mi ciudad. Cuéntele a su compañero/a de clase acerca de su ciudad o pueblo. Dígale dónde está, cuánto tiempo hace que vive allá, qué hay en el centro, qué puntos de interés hay. Su compañero/a mostrará interés y le hará preguntas.

Modelo Estudiante 1: *Yo soy de Lima. Lima es una ciudad muy grande y hermosa. El centro de la ciudad es una zona histórica. Hay una catedral y muchos edificios coloniales.*

Estudiante 2: *Me parece que Lima es una ciudad muy interesante. Dime, ¿hay una playa cerca?*

Estudiante 1: *¿Una? No. ¡Hay muchísimas playas!*

Perspectivas

Las ciudades hispanas

El concepto de la plaza

Mientras la típica ciudad estadounidense está construida a lo largo de una calle principal que se llama muchas veces *Main Street*, la ciudad hispana está construida alrededor de una plaza. En muchas ciudades de España esta plaza principal se llama la «Plaza Mayor»; en el Perú, el Ecuador y Bolivia es la «Plaza de Armas», y el «Zócalo» en México, D.F. Alrededor de la plaza se concentran los edificios del gobierno, como el palacio nacional o el ayuntamiento, la catedral metropolitana, los bancos y negocios importantes y los hoteles de lujo.

La plaza es el centro geográfico y social de la ciudad. Es el lugar donde se reúnen los amigos y donde la gente conversa acerca de los acontecimientos *(happenings)* de la ciudad o de la nación. En las ciudades grandes hay varias plazas importantes y en otras partes de la ciudad se encuentran plazas menos grandes que forman el centro de los barrios residenciales.

Diferencias entre las ciudades de los EE.UU. y las del mundo hispano

Como el centro de las ciudades hispanas es tan animado de día y noche, los hispanos que viven en una ciudad prefieren vivir en el centro cerca de la plaza principal, las diversiones, las escuelas y el trabajo. Al contrario de la mayoría de las ciudades de los EE.UU., son los de la clase media y alta los que viven en el centro de la ciudad mientras los más pobres viven en las afueras.

Por lo general las ciudades en el mundo hispano son más antiguas que las ciudades de los Estados Unidos. Muchas ciudades de las Américas son del siglo XVI y algunas de España datan de la época griega o romana. Por eso es normal ver edificios muy antiguos pero bien conservados junto a otros edificios contemporáneos.

Otra diferencia entre las ciudades norteamericanas y las hispanas es el tamaño: las ciudades hispanas generalmente tienen menos extensión geográfica que las ciudades estadounidenses.

Práctica y conversación

8.16 El centro de Lima. Conteste las siguientes preguntas utilizando el mapa del centro de Lima en la próxima página.

1. ¿Qué edificios hay alrededor de la Plaza de Armas?
2. ¿Qué otras cosas hay alrededor de la Plaza de Armas?
3. Además de la Plaza de Armas, ¿qué otras plazas hay en el centro de Lima?
4. ¿Es grande o pequeño el centro de Lima? Justifique su respuesta.
5. Compare el centro de Lima con el centro de una ciudad norteamericana que Ud. conozca. Explique las diferencias y semejanzas entre las dos ciudades.

Las ciudades hispanas. Cultural products: cities in the Spanish-speaking world, components of a city such as the central plaza with monuments, fountains, parks. **Cultural practice:** design of the city, concept of the plaza in the center. **Cultural comparisons:** layout and design of U.S. and Hispanic cities.

For additional information on cities in the Hispanic world, view the film *Los olvidados* and/or *Martín (Hache)* and complete the activities in *Más allá de la pantalla:* **Capítulo 10** and/or **Capítulo 7.** RESUMEN *Los olvidados:* Un adolescente mexicano escapa de un correccional y se reúne con otros jóvenes en uno de los barrios más pobres de México, D.F. en los años 40. RESUMEN *Martín (Hache):* El adolescente Martín (Hache) vive en Buenos Aires con su madre. Después de una sobredosis su padre le lleva a vivir con él en Madrid donde tiene que adaptarse a una vida nueva. Escenas de Buenos Aires y Madrid.

Práctica intercultural. Piense en las ciudades estadounidenses que Ud. conoce o ha visitado. ¿Tienen todas las ciudades una configuración semejante o hay diferencias entre las ciudades viejas y las más modernas? ¿Se parece la distribución *(design)* de las ciudades de Nueva Inglaterra a la de las ciudades de Tejas? ¿Por qué?

Answers 8.16. 1. la Casa del Oidor, la Catedral, el Palacio de Gobierno, el Palacio Municipal, el Museo del Banco Central de Reserva **2.** el Monumento a Pizarro, el Monumento a Tauli Chusco **3.** la Plaza Bolívar **4.–5.** *Answers will vary.*

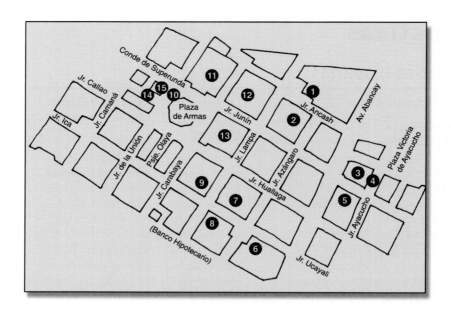

El centro de Lima

CLAVE	
1 Iglesia y Convento de San Francisco	9 Museo del Banco Central de Reserva
2 Casa de Pilatos	10 Monumento a Pizarro
3 Plaza Bolívar	11 Palacio de Gobierno
4 Congreso de la República	12 Casa del Oidor
5 Museo de la Inquisición	13 Catedral
6 Iglesia y Convento de San Pedro	14 Monumento a Tauli Chusco
7 Palacio de Torre Tagle	15 Palacio Municipal
8 Casa de Goyeneche	

Vocabulario: Jr. = el jirón = la avenida

8.17 Una visita a Lima. Ud. y un/a compañero/a de clase visitarán Lima, Perú, y se alojarán en un hotel en el centro. Usando el mapa y la información sobre Lima de este capítulo, decidan qué lugares visitarán Uds. ¿Qué actividades pueden hacer en el centro y cerca de la Plaza de Armas?

Interacciones: **Capítulo 8, Primera situación**

Para saber más: academic.cengage.com/spanish/interacciones

Presentación

¿Qué vamos a hacer hoy?

Práctica y conversación

8.18 ¡Vamos a divertirnos! Complete Ud. las oraciones de una manera lógica.

1. Este domingo podemos ver _____.
2. Si hace buen tiempo, podemos ir _____ o _____.
3. Compramos las entradas en _____.
4. Si queremos asientos buenos, es necesario _____.
5. Si nos gusta mucho lo que vemos, al final vamos a _____ .
6. Y si no nos gusta, vamos a _____ .

 8.19 ¿Por qué no vamos a... ? Ud. y dos compañeros/as de clase son los tres amigos del dibujo de la **Presentación.** Escoja una actividad y trate de convencer a sus compañeros/as de hacer lo que Ud. quiere. Mencione las ventajas y desventajas de la actividad. Luego, sus compañeros/as van a tratar de convencerlo/la a Ud. de hacer lo que ellos/ellas quieren.

Warm-up 8.18. Have students work in pairs and answer the following: ¿Qué se hace en el centro cultural / la corrida de toros / el parque de atracciones?

Warm-up 8–20. Prior to having students decide on which
activities they will engage in
while in Lima, ask questions
about the photographs.
Palacio Torre Tagle: ¿Qué
lugar es éste? (Es el Palacio
Torre Tagle.) ¿Cuándo lo construyeron? (Lo construyeron en
1735.) **El Jirón de la Unión:**
¿Qué hay en el Jirón de la
Unión? (Hay tiendas, boutiques
y restaurantes.) ¿Qué se ve en
la foto de la calle? (muchas
personas / un cine / tiendas)

8.20 Un día en Lima. ¿Qué lugares de interés turístico visitaría Ud. si tuviera un día libre en Lima? Utilice las fotos a continuación y también el calendario turístico de la **Presentación** de la **Primera situación.**

Palacio Torre Tagle, construido en 1735 por la familia Torre Tagle, es un edificio típico de la arquitectura colonial.

El Jirón de la Unión es una calle principal con tiendas, boutiques y restaurantes.

La Catedral con su magnífico altar es el edificio más antiguo de la Plaza de Armas de Lima. Fue destruida por un terremoto en 1746 pero la reconstruyeron después.

Warm-up 8–20. La Catedral: ¿Cuál es el edificio más antiguo de la Plaza de Armas? (Es la Catedral.) ¿Qué pasó con la Catedral en 1746? (Fue destruida en un terremoto pero la reconstruyeron después.)
El monumento a San Martín: ¿Quién es José de San Martín? (Es un héroe nacional que proclamó la independencia del Perú en 1821.)

En el centro de la Plaza San Martín está el Monumento a José de San Martín, el general y héroe nacional que proclamó la independencia del Perú el 28 de julio de 1821.

8.21 Creación. En una narración cuente lo que pasa en el dibujo de la **Presentación.**

Modelo *Hay tres jóvenes y cada uno piensa hacer cosas diferentes. Uno, por ejemplo, quiere ir al parque de diversiones.*

VOCABULARIO

El centro cultural	Cultural center
los cuadros	paintings, pictures
las pinturas	
los dibujos	drawings
el espectáculo de variedades	variety show
la exposición de arte	art exhibit
la galería	art gallery
las obras de arte	works of art
los retratos	portraits
admirar	to admire
aplaudir	to applaud
comentar sobre	to comment on
criticar	to criticize
discutir	to discuss
escuchar	to listen to
a los cantantes	the singers
a los músicos	the musicians
al grupo musical	the musical group
reservar los asientos	to reserve seats
ver una exposición	to see an exhibit

La corrida de toros	Bullfight
los billetes	tickets
los boletos	
las entradas	
el desfile	parade

la espada	sword
el matador	bullfighter
la taquilla	ticket window
la tauromaquia	art of bullfighting
el toro	bull
el traje de luces	bullfighter's suit
chiflar	to boo, hiss

El parque de atracciones	Amusement park
el algodón de azúcar	cotton candy
la atracción	ride
la casa de	house of
espejos	mirrors
fantasmas	horrors
el globo	balloon
la gran rueda	Ferris wheel
el juego de suerte	game of chance
la montaña rusa	roller coaster
las palomitas	popcorn
el puesto	booth, stand
asustado/a	scared
peligroso/a	dangerous
tímido/a	shy, timid
valiente	brave, courageous

Así se habla  CD 2, Track 6

Persuading

IGNACIO: Humberto, ¿qué haces estudiando un domingo? Vámonos a la playa, arréglate.

HUMBERTO: No, no puedo. Tengo que terminar este trabajo.

IGNACIO: ¿No crees que sería mejor si descansaras un poco? Si vas, podrás trabajar mejor después. Ya verás.

HUMBERTO: ¿A qué hora crees que regresarán?

IGNACIO: Como a las seis.

HUMBERTO: No, creo que mejor no... estoy muy atrasado.

IGNACIO: Haz lo que quieras, pero si no descansas te vas a enfermar. Mira, Elena, Teresa y Leonor se reunirán con nosotros a mediodía.

HUMBERTO: ¡Umm!... Este... bueno... entonces... espérame, ya voy.

IGNACIO: ¡Así se habla, hermano!

When you are suggesting group activities, you can use the following expressions.

Quizás debería/n / debieras/n considerar...	*Perhaps you should consider . . .*
¿No crees/n / te / les parece que podrías/n...	*Don't you think you could . . . ?*
¿No crees/n que sería mejor si...	*Don't you think it'd be better if . . . ?*
Haz / Hagan lo que quieras/n, pero...	*Do what you want, but . . .*
Tienes/n que ver las ventajas / desventajas de...	*You have to see the advantages / disadvantages of . . .*
Si te / se fijas/n en...	*If you look at . . .*
Hay que tener en cuenta que...	*You have to take into account that . . .*

Warm-up 1. Before listening to the dialogue, have students describe the drawing. Their description of the people should include what they are wearing. Finally, ask them what time of the year it must be and have them justify their response according to what people are wearing.

Warm-up 2. Ask students to think about the English expressions they use to persuade. Have them explain what they think about before they want to persuade a friend / a parent / a professor to do something. Have them explain how they think this differs or is similar to the way it is done in the Hispanic world.

Comprehension check. After playing the dialogue a second time, have students answer the following: ¿Adónde va a ir Ignacio? (a la playa) ¿Qué quiere Ignacio que haga Humberto? (Quiere que deje de estudiar y que vaya a la playa con él.) ¿Qué tiene que hacer Humberto? (Tiene que terminar un trabajo.) ¿Por qué cree Ignacio que Humberto debe hacer lo que él le dice? (Porque si descansa va a poder estudiar mejor.) ¿Quiénes van a ir con Ignacio? (Elena, Teresa y Leonor) ¿Qué efecto tiene esto en Humberto? (Humberto decide ir a la playa.) ¿Qué haría Ud. en una situación similar? (Answers vary.)

To hear more about Spanish pronunciation visit academic.cengage.com/spanish/interacciones.

Práctica y conversación

8.22 ¡Vamos! Ud. y sus compañeros/as de cuarto tienen que hacer una serie de cosas pero nadie se decide. Ud. toma la iniciativa. ¿Qué les dice si tiene que... ?

1. estudiar para el examen de física
2. hacer la tarea de español
3. comer temprano
4. comprar entradas para un concierto

 8.23 ¡Cuidémonos! Ud. y su compañero/a han empezado un régimen de dieta y ejercicio. ¿Qué dicen?

1. no comer muchos dulces
2. hacer gimnasia todos los días
3. no acostarse tarde
4. no tomar gaseosas
5. comer comida saludable
6. no darse por vencidos/as

Estructuras

Discussing Future Activities

Future Tense

The future tense in English is formed with the auxiliary verb *will + main verb: I will work.* Although the Spanish future tense is also used to discuss future activities, it is not formed with an auxiliary verb.

The English auxiliary verb *will* does not always indicate a Spanish future tense. Frequently the word *will* is used as a translation for the subjunctive. *I hope they will visit Peru.* = **Espero que visiten el Perú.**

Verbos en -AR	Verbos en -ER	Verbos en -IR
visitar	**leer**	**asistir**
visitaré	leeré	asistiré
visitarás	leerás	asistirás
visitará	leerá	asistirá
visitaremos	leeremos	asistiremos
visitaréis	leeréis	asistiréis
visitarán	leerán	asistirán

a. The future tense of regular verbs is formed by adding the endings **-é, -ás, -á, -emos, -éis, -án** to the infinitive.

Mañana **visitaremos** el Palacio   *Tomorrow we will visit Torre Tagle Palace.*
   Torre Tagle.

b. A few common Spanish verbs do not use the infinitive as a stem for the future tense.

These verbs fall into three categories.

Drop the infinitive vowel		Replace infinitive vowel with -d		Irregular form	
haber	**habr-**	poner	**pondr-**	decir	**dir-**
poder	**podr-**	salir	**saldr-**	hacer	**har-**
querer	**querr-**	tener	**tendr-**		
saber	**sabr-**	valer	**valdr-**		
		venir	**vendr-**		

The future tense of **hay (haber)** is **habrá** = *there will be.*

c. There are three ways to express a future idea or action in Spanish.

1. The construction **ir a** + *infinitive* corresponds to the English *to be going* + *infinitive.*

    Voy a comprar las entradas.   *I'm going to buy the tickets.*

2. The present tense can be used to express an action that will take place in the very near future.

   Esta tarde **voy** al teatro y **compro**   *This afternoon I'm going to the theater*
    las entradas.   *and I'll buy the tickets.*

3. The future tense can express actions that will take place in the near or distant future. The future tense is not used as frequently as the other two constructions. Often it implies a stronger commitment on the part of the speaker than the **ir a** + *infinitive* construction.

   Compraré las entradas si tú me   *I will buy the tickets if you give me the*
    das el dinero.   *money.*

Point out. Using the written dialogue of **Así se habla,** have students find examples of future actions expressed with the future tense (**podrás estudiar, aprenderás, verás, regresarán, se reunirán**) and future actions expressed with **ir a** + *infinitive:* (**te vas a enfermar**).

Warm-up 1. Have students provide the future tense for the following: José: ver (verá); divertirse (se divertirá); salir (saldrá); tener (tendrá); venir (vendrá)

Warm-up 2: Sustitución. **1.** Tomás visitará la capital. tú ([Tú] Visitarás la capital.) Felipe y Antonio (Felipe y Antonio visitarán la capital.) nosotras ([Nosotras] Visitaremos la capital.) Elena (Elena visitará la capital.) yo ([Yo] Visitaré la capital.); **2.** Nicolás y yo saldremos mañana. mis padres (Mis padres saldrán mañana.) tú ([Tú] Saldrás mañana.) Carmen (Carmen saldrá mañana.) yo ([Yo] Saldré mañana.) Uds. (Uds. saldrán mañana.)

Instructions 8.24. Have various students read the cartoon strip aloud in Spanish. Have students point out the verbs in the future tense in the dialogue: **(seré / tomarás / cambiaré / tomaré).** Have students point out future actions expressed with **ir a +** infinitive: **(voy a ser).**

Answers 8.24. Generalmente Charlie Brown es indeciso; no puede tomar decisiones. Charlie dice que el año que viene va a ser otro hombre. Será firme y fuerte; tomará decisiones.

Answers 8.25. Admiraré la cerámica en el Museo Rafael Larco Herrera. / Asistiré a un concierto en el Campo de Marte. / Veré el Jardín Japonés en el Parque de la Exposición. / Reservaré asientos para la corrida de toros. / Iré al Museo de Oro. / Volveré al Jirón de la Unión para comer.

Answers 8.26. 1. (Nosotros) Conduciremos coches eléctricos. **2.** Las computadoras controlarán el tráfico. **3.** No habrá crimen. **4.** (Tú) Podrás caminar por todas partes. **5.** La policía tendrá poco trabajo. **6.** Las tiendas y los restaurantes nunca se cerrarán. **7.** (Yo) Estaré contento/a de vivir en el centro de la ciudad.

Práctica y conversación

8.24 Las esperanzas de Charlie Brown. Lea la siguiente tira cómica y conteste las preguntas.

¿Cómo es Charlie Brown generalmente? ¿Cómo va a ser Charlie el año que viene? ¿Qué hará Charlie?

8.25 Planes de un/a turista. ¿Qué hará Ud. para divertirse en Lima?

> **Modelo**   leer la guía turística
> *Leeré la guía turística.*

admirar la cerámica del Museo Rafael Larco Herrera / asistir a un concierto en el Campo de Marte / ver el Jardín Japonés en el Parque de la Exposición / reservar asientos para la corrida de toros / ir al Museo de Oro / volver al Jirón de la Unión para comer

8.26 La ciudad en 2020. ¿Cómo será la ciudad en el año 2020?

> **Modelo**   la tecnología / resolver muchos problemas
> *La tecnología resolverá muchos problemas.*

1. nosotros / conducir coches eléctricos
2. las computadoras / controlar el tráfico
3. no haber crimen
4. tú / poder caminar por todas partes
5. la policía / tener poco trabajo
6. las tiendas y los restaurantes / nunca cerrarse
7. yo / estar contento/a de vivir en el centro de la ciudad

8.27 ¿Qué vas a hacer? Con un/a compañero/a, hagan planes para el fin de semana. Discutan sus obligaciones, compromisos, fiestas y todo lo que van a hacer.

> **Modelo**   Estudiante 1: *¿Qué harás este fin de semana?*
> Estudiante 2: *Creo que estudiaré todo el tiempo.*

8.28 ¡Quién sabe! En grupos, hablen de lo que piensan hacer después de su graduación. Otro/a estudiante reportará a la clase lo discutido.

> **Modelo**   Estudiante 1: *Iré a América del Sur a trabajar. Me interesa mucho el Perú.*
> Estudiante 2: *¡Qué bien! Yo no viajaré a ninguna parte. Buscaré un trabajo en un periódico de mi ciudad.*
> Estudiante 3: *Yo seguiré estudiando. Quiero sacar mi maestría en arqueología.*

Warm-up 8.27. Have students brainstorm about the types of things they usually do on weekends. Then, ask them how they think this is similar or different from what young people in Hispanic countries do.

8.28 Warm-up. Ask students to write a list of the things they want to do after graduating; have students organize the list in terms of their priorities.

Expressing Probability

Future of Probability

In order to express probability in Spanish, you can use the future tense. The English equivalents for the future of probability include *wonder, bet, can, could, must, might,* and *probably.*

—¿Qué **será** esto?   *I wonder what this is?*
—**Será** una entrada para el concierto   *It must be a ticket for tomorrow's concert.*
de mañana.

—¿Dónde **estará** Lucía?   *Where could Lucía be?*
—Pues, **llegará** tarde, como siempre.   *Well, she will probably arrive late,*
                                            as usual.

Práctica y conversación

8.29 Mi primer viaje al Perú. Ud. está pensando en su primer viaje al Perú después de graduarse. Exprese sus opiniones e ideas.

> **Modelo**   visitar muchos lugares
> *Visitaré muchos lugares.*

sacar muchas fotos de las ruinas incaicas en Cajamarquilla / conseguir reservaciones para la excursión a Cuzco / ir al mercado de Huancayo / visitar Iquitos y el río Amazonas / tener tiempo para ir a Machu Picchu / viajar a Arequipa / ver las líneas de Nazca

 8.30 ¿Cómo estará Cristina? Con sus compañeros/as, hablen acerca de Cristina, su compañera de clase que ha estado ausente las dos últimas semanas.

Estudiante 1	Estudiante 2	Estudiante 3
1. ¿Qué (pasar) con Cristina?	2. Yo creo que (estar) enferma.	3. ¿(Estar) en el muy hospital?
4. Sí, seguro (estar) en el hospital.	5. ¿Cuándo (regresar)?	6. Pues, (volver) pronto, espero...
7. Probablemente la (llamar) a su casa.	8. Seguramente te (contestar) sus padres.	9. (Estar) bien muy pronto, sin duda.

Point out. When expressing probability, the future tense can be used in Spanish. However, the Spanish future tense used to express probability no longer translates into English with the auxiliary verb *will*; there are other words that are used in English to express probability: *can, wonder, must, might, probably.*

Point out. The important concept to be taught here is the English equivalent of the Spanish future tense to express probability.

Answers 8.29. Sacaré muchas fotos de las ruinas incaicas en Cajamarquilla. / Conseguiré reservaciones para la excursión a Cuzco. / Iré al mercado de Huancayo. / Visitaré Iquitos y el río Amazonas. / Tendré tiempo para ir a Machu Picchu. / Viajaré a Arequipa. / Veré las líneas de Nazca.

Expansion 8.29. After completing **Práctica 8.29,** have students translate the verbs into English so they see the relationship between the Spanish future tense and the English expressions of probability.

Warm-up 8.30. Have students brainstorm the reasons why they might miss classes for over a week. Then, ask them if their friends would be worried and what they would do.

Suggesting Group Activities

Nosotros Commands

When suggesting group activities, the speaker often includes himself / herself in the plans. In English these suggestions are expressed with the phrase *let's + verb: Let's go to the amusement park.* In Spanish these suggestions can be expressed using:

Supplemental Grammar:
English has only one way to suggest group activities (*let's + verb*) while Spanish has two forms (**ir a** + *infinitive* and **nosotros** commands).

a. the phrase **vamos a** + *infinitive*.

> Primero **vamos a comer** y después **vamos a ir** al cine.

> *First, let's eat and then let's go to the movies.*

b. the **nosotros** or first-person command.

> **Salgamos** a las 7 y **regresemos** a las 10.

> *Let's leave at 7:00 and let's return at 10:00.*

Nosotros commands are subjunctive forms and show the same basic irregularities as the first-person plural of the present subjunctive.

c. To form the **nosotros** command, drop the **-o** from the first-person singular of the present tense: **bailo → bail-; salgo → salg-.** To the stem add the ending **-emos** for **-ar** verbs or **-amos** for **-er** and **-ir** verbs: **bail- → bailemos; salg- → salgamos.**

1. The **nosotros** commands will show the same spelling changes as formal commands.

Verbs ending in **-car**	c → qu:	**practicar → practiquemos**
Verbs ending in **-gar**	g → gu:	**pagar → paguemos**
Verbs ending in **-zar**	z → c:	**almorzar → almorcemos**
Verbs ending in **-ger** or **-gir**	g → j:	**escoger → escojamos** **dirigir → dirijamos**

2. The following verbs have irregular stems as in the formal commands: **dar → demos; estar → estemos; saber → sepamos; ser → seamos.**

The verb **ir** has the following forms:

Affirmative	**Vamos** al cine.	*Let's go to the movies.*
Negative	**No vayamos** a la exposición.	*Let's not go to the exhibit.*

3. Stem-changing **-ir** verbs undergo the same changes in the **nosotros** command as in the **nosotros** form of the present subjunctive, that is, **e → i** and **o → u: seguir → sigamos; dormir → durmamos.** However, **-ar** and **-er** stem-changing verbs follow a regular pattern and do not change the stem in the **nosotros** command: **cerrar → cerremos; volver → volvamos.**

d. Pronouns follow and attach to the end of affirmative **nosotros** commands and precede the negative forms.

> —¿Quieres regalarle este disco a Antonio?

> *Do you want to give this CD to Antonio?*

> —Sí, **comprémoslo** ahora pero **no se lo demos** hasta su fiesta.

> *Yes, let's buy it now but let's not give it to him until his party.*

1. When adding pronouns to commands of two or more syllables, a written accent mark is placed over the stressed vowel of the affirmative command.

2. The final -s is dropped from the **nosotros** command before adding the pronouns -**se** or -**nos**.

—¿Cuándo vamos a enviarle una tarjeta a Roberto?

When are we going to send a card to Roberto?

—**Sentémonos** con Mariana y **escribámosela** ahora.

Let's sit down with Mariana and let's write it to him now.

Práctica y conversación

 **8.31 ¿Qué vamos a hacer?** Ud. y su compañero/a hacen sugerencias de lo que pueden hacer este fin de semana.

ir de compras / mirar la tele / dar un paseo / jugar al tenis / escuchar discos / cenar en un restaurante / organizar una fiesta / ¿?

Answers 8.31. Vamos de compras. / Miremos la tele. / Demos un paseo. / Juguemos al tenis. / Escuchemos discos. / Cenemos en un restaurante. / Organicemos una fiesta.

 **8.32 Más sugerencias.** Ud. sigue haciendo sugerencias para mañana, pero su compañero/a no está de acuerdo. Cada vez que Ud. sugiere algo, su compañero/a responde con una idea diferente.

Modelo
caminar / subir al metro
Estudiante 1: *Caminemos.*
Estudiante 2: *No, mejor subamos al metro.*

1. estudiar / divertirnos
2. ir al cine / ir al concierto
3. comprar las entradas más baratas / escoger buenos asientos
4. llamar a Carlos / invitar a Susana y a José
5. llevar jeans / ponernos algo más elegante
6. comer en casa / cenar en un restaurante

Answers 8.32. 1. No estudiemos. Mejor divirtámonos. **2.** No vayamos al cine. Mejor vamos al concierto. **3.** No compremos las entradas más baratas. Mejor escojamos buenos asientos. **4.** No llamemos a Carlos. Mejor invitemos a Susana y a José. **5.** No llevemos jeans. Mejor pongámonos algo más elegante. **6.** No comamos en casa. Mejor cenemos en un restaurante.

 **8.33 Vamos al concierto.** Ud. y su compañero/a deciden ir al concierto. ¿Qué deben hacer o no hacer?

arreglarse con cuidado / reunirse temprano / olvidarse de las entradas / sentarse en la primera fila / despedirse tarde / ¿?

Answers 8.33. *Affirmative or negative may vary.* Arreglémonos con cuidado. (No nos arreglemos con cuidado.) / Reunámonos temprano. (No nos reunamos temprano.) / Olvidémonos de las entradas. (No nos olvidemos de las entradas.) / Sentémonos en la primera fila. (No nos sentemos en la primera fila.) / Despidámonos tarde. (No nos despidamos tarde.)

 **8.34 Una sorpresa.** Ud. y su compañero/a van a organizar una fiesta sorpresa para su mejor amigo/a. Mencione por lo menos cinco actividades que pueden hacer en la fiesta.

Warm-up 8.34. Have students write a list of what they do when they plan a surprise party for a friend or relative.

Las ruinas de Machu Picchu, Perú

¿Qué oyó Ud.?  CD 2, Track 7

Para escuchar bien

Taking notes

It will probably be necessary to play the dialogue more than once. During the first playing, students listen for the general idea. During the second playing, students should focus on the details.

Answers 8.35. 1. Hay tres chicas. Están en su casa hablando sobre lo que van a hacer. 2. *Some possible answers*: Cada una quiere ir a un sitio diferente. Una piensa en un concierto, otra en una corrida de toros, la otra en un parque de atracciones.

When you attend a class or conference or when you ask a friend for a recipe or directions, it is important to take notes about what you hear. Taking notes helps you remember what was said and improves your writing skills in Spanish.

Antes de escuchar

8.35 **Los dibujos.** Trabajando en parejas, miren el dibujo que se presenta en esta sección y hagan las siguientes actividades.

1. Describan a las personas en los dibujos y el lugar donde se encuentran. Expliquen lo que están haciendo.

2. ¿Qué problemas piensan Uds. que tienen estas personas? Justifiquen su respuesta.

Al escuchar

8.36 Los apuntes. Escuche la conversación entre Vilma, Margarita e Iris. Tome los apuntes que considere necesarios y complete las siguientes oraciones.

1. Vilma sugiere ir o a _____ o a _____.
2. Margarita prefiere _____.
3. Iris dice que es mejor _____.
4. Vilma rechaza la sugerencia de Iris porque _____.
5. Las amigas deciden ir _____ porque _____.

Answers 8.36. 1. al museo, al concierto 2. ir a una corrida de toros 3. ir a un parque de diversiones 4. es sábado y va a haber muchos niños llorando y gritando 5. al Museo de la Nación, la exposición es sólo hasta el día siguiente.

Después de escuchar

8.37 Resumen. Trabajando en parejas, resuman la conversación entre Vilma, Iris y Margarita.

8.38 Algunos detalles. Complete las siguientes oraciones con la mejor respuesta.

1. Vilma, Iris y Margarita son...
   a. un poco frívolas y egoístas.
   b. muy fáciles de complacer.
   c. admiradoras de las artes.

2. Podemos pensar que Vilma, Iris y Margarita...
   a. siempre se ponen de acuerdo fácilmente.
   b. son solteras y no tienen hijos.
   c. tienen los mismos gustos.

3. Según la conversación, podemos inferir que a las tres amigas les...
   a. interesa ver la exposición en el museo.
   b. gusta quedarse en la casa discutiendo.
   c. encanta divertirse todos los días.

4. Después de escuchar la conversación, sabemos que las tres amigas...
   a. van a disfrutar de sus actividades ese sábado.
   b. van a salir solas al día siguiente.
   c. van a tener muchos más problemas ese día.

Answers 8.37. *Some possible answers:* Tres amigas están discutiendo sobre adónde van a ir ese día en la tarde. Cada una quiere ir a un sitio diferente. Por fin deciden ir al museo porque la exposición sólo va a estar un día más.

 *Interacciones:* Capítulo 8, Segunda situación

 **Para saber más:** academic.cengage.com/spanish/interacciones

Imágenes culturales

La corona mochica

Warm-up. Before viewing the video, review the information about Peru in **Bienvenidos a los países andinos** as well as the photos of the city of Lima in **Capítulo 8.**

Vocabulario del vídeo. The following vocabulary will help you understand this video segment and complete the exercises: **la corona** *(crown);* **mochica** *(name of one of the many indigenous cultures of Peru);* **el pulpo** *(octopus).*

Answers B. *La corona mochica = The Mochican Crown.* Va a tratar de la cultura de los mochicas del Perú. Es la corona mochica. Es de oro. Se parece a un gato. Tiene ocho brazos / piernas.

The additional video activities located in the *Cuaderno de actividades* are designed to be completed by students on their own outside of class. However, the additional activities can also be completed in class if time permits.

Antes de mirar

A Las culturas indígenas *(indigenous, native).* Trabajando en parejas, nombren los objetos de la vida diaria que se asocian con las culturas indígenas dentro de los EE.UU. ¿Cómo son estos objetos? ¿De qué están hechas? ¿Cuáles de estos objetos se puede ver en un museo de antropología estadounidense?

B El título. Mire el título del vídeo de esta sección: *La corona mochica.* ¿Qué significa el título? En su opinión, ¿de qué va a tratar este vídeo? Después, mire la foto de arriba y descríbala. En su opinión, ¿qué es este objeto? ¿De qué metal es? ¿A qué animal se parece la cara? ¿Cuántos brazos / piernas tiene el animal?

C La idea principal. Mire el vídeo por primera vez para determinar la idea principal del vídeo. También revise *(check)* y corrija sus respuestas anteriores.

Actividades del vídeo

Después de completar estas actividades de **Antes de mirar,** complete las otras actividades del vídeo para **Capítulo 8** en el *Cuaderno de actividades.*

Lectura cultural

Para leer bien

Background Knowledge: Historical References

You have learned to use and expand your background knowledge of geography in order to better comprehend a reading selection. Another important component of background knowledge are references to important historical dates and periods. Authors mention dates and historical periods for two reasons: to help the reader establish the chronology of events mentioned in the reading, and to help the reader evoke the characteristics of an era and mentally picture the setting and/or characters.

To take advantage of your background knowledge of historical dates and eras, scan the title and reading for clues to time references such as actual dates (1776), the names of important historical events (*Revolutionary War*) or persons (*George Washington*), or historical periods (*colonial America*). After locating the time references, review the characteristics of that period; try to mentally picture the clothing, art, architecture, modes of transportation, and types of recreation, music, and dance. Try to associate other important persons, events, and dates with the information given.

Even if you know little about a historical era in Hispanic culture, your knowledge of that same time period in your own or another society will make you aware of the period and help you find similarities and differences.

Antes de leer

A La época colonial. En la lectura que sigue se mencionan el imperio español y la época colonial peruana. Trabajando en parejas, contesten las siguientes preguntas: ¿Cómo era la vida colonial en el Perú en aquella época? ¿Cómo era la arquitectura? Como ayuda, utilicen las fotos de Lima y del Perú de este capítulo y también las fotos e información de *Arte y arquitectura* en las páginas 313–314.

B Las ciudades del siglo XX. Durante el siglo XX las ciudades de muchos países, incluyendo las de Latinoamérica, llegaron a ser enormes. Trabajando en parejas, contesten las siguientes preguntas: ¿Cuáles son las ventajas de vivir en una ciudad grande? ¿Cuáles son algunos de los problemas asociados con las ciudades grandes y la vida urbana?

C La revitalización urbana (*urban renewal*). En la época contemporánea muchas ciudades tratan de resolver sus problemas y revitalizar el centro. Trabajando en parejas, contesten las siguientes preguntas: ¿En qué consiste la revitalización urbana? ¿Cuáles son los beneficios de la revitalización urbana?

Al leer

D Las épocas. Mientras Ud. lee la siguiente selección, «El retorno de los balcones de Lima», haga una lista mental o escrita de los lugares y acontecimientos (*events*) mencionados e indique si pertenecen a la época colonial, a la vida urbana del siglo XX o la revitalización urbana.

Answers C. *Answers should include:* La revitalización urbana consiste en una serie de acciones para eliminar los problemas de las ciudades, especialmente los problemas del centro. Las acciones incluyen eliminar el crimen, restaurar los edificios en mal estado, establecer nuevos restaurantes, hoteles y tiendas, crear nuevos trabajos y empresas, mejorar las escuelas y atraer a turistas. La revitalización ayuda la economía y crea un ambiente que atrae a habitantes y a turistas.

Warm-up 1. Ask students: ¿Cuáles son las características de estas épocas históricas? **1.** la Edad Media (el sistema feudal con nobles y siervos, una sociedad agrícola) **2.** el Renacimiento (el comienzo de las ciudades y una clase de artesanos) **3.** la época colonial en los EE.UU. (la guerra de Independencia, una sociedad agrícola con ciudades pequeñas) **4.** el siglo XIX en Europa y América (el comienzo de la Revolución Industrial, la inmigración, las ciudades grandes)

Warm-up 2. You may want students to read the first two paragraphs of "La arquitectura colonial del Perú," p. 313–314, as an advance organizer for the reading «El retorno de los balcones de Lima».

Point out. The architecture of the colonial period in the U.S. and the colonial period in Latin America are very different. A colonial-style house or building in the U.S. does not resemble a colonial-style building in Lima, Peru.

Answers A. *Answers should include:* España gobernó el Nuevo Mundo y dividió el territorio de las Américas en cuatro virreinatos. Lima era la capital del virreinato del Perú; era una ciudad rica y el centro político y social del Nuevo Mundo. El estilo predominante de la arquitectura era el barroco con mucha decoración, líneas curvas, columnas torcidas y espacios grandiosos.

Answers B. *Answers should include: Ventajas:* En una ciudad grande hay más oportunidades de trabajo, educación y servicios de salud. También hay más diversiones como el teatro, la música, los restaurantes y los deportes. *Problemas:* Algunos de los problemas asociados con la vida urbana son el aislamiento, el tráfico, el alto nivel de crimen, las drogas, las pandillas o los grupos de niños o jóvenes delincuentes, el mal estado de los edificios del centro y la contaminación del aire.

El retorno de los balcones de Lima

The reading "El retorno de los balcones de Lima" emphasizes both the cultural theme (**el Perú**) and the main topic (cities/urban life) of this chapter.

El centro histórico de Lima

sidewalks
street vendors
devastated

los habitantes de Lima, Perú

rescued

*Hace unos diez años, el centro histórico de Lima había dejado de ser el centro grandioso y elegante que había sido durante siglos. Las veredas° de toda la zona céntrica estaban cubiertas de quioscos donde los vendedores ambulantes° vendían sus productos. Las plazas estaban cubiertas de basura y asoladas° por los ladrones y las bandas de pirañas, como se conoce en Lima a los niños de la calle que roban en masa. Con frecuencia, los turistas evitaban Lima. No eran los únicos; los limeños° simplemente dejaron de visitar el centro de su propia ciudad. El centro, como muchos de sus monumentos históricos, parecía estar al borde del colapso.

Hoy el centro histórico de Lima es un lugar muy diferente. Las calles están libres de vendedores ambulantes, las veredas no están cubiertas de basura y los parques son seguros. Los monumentos históricos están siendo rescatados° y protegidos. Todos los días puede verse a los turistas sacando fotografías de los numerosos monumentos de la ciudad y los domingos el centro se llena de limeños que llegan de otras partes de la ciudad.

La preservación de la herencia cultural

successful
rescue
investment
former mayor

association
World Heritage Site

tackled

Lima es uno de los más existosos° ejemplos del movimiento de revitalización de los centros históricos de las ciudades que se observa en toda América Latina. El proceso de rescatar° y preservar la herencia cultural de una ciudad contribuye a atraer el turismo y la inversión°, dice Alberto Andrade, antiguo alcalde° de Lima.

Andrade cree que es esencial que los limeños aprecien y valoren el centro de Lima como la expresión de una cultura y una identidad que vale la pena preservar. Lima había tomado los primeros pasos en este sentido antes de que Andrade entrara en escena. En 1991, el Patronato° de Lima logró que la UNESCO declarara al centro histórico Patrimonio de la Humanidad°, por la gran concentración de tesoros históricos y artísticos.

Cuando Andrade fue elegido alcalde, comenzaron a verse cambios tangibles. Casi inmediatamente el gobierno municipal abordó° uno de los principales problemas de Lima, la eliminación de los veinte mil vendedores ambulantes de las calles de la ciudad ofreciéndoles incentivos para comprar espacios en uno de los mercados remodelados situados fuera del centro histórico. En poco más de un año, casi todos los vendedores ambulantes habían salido de los lugares públicos.

expanded

managed

have attracted

Después, el gobierno municipal empezó a limpiar y remodelar algunos de los espacios que quedaron libres y ensanchó° la Plaza de Armas, virtualmente eliminó la basura de las calles del centro histórico y mejoró la seguridad de la zona. La municipalidad también ha procurado° restablecer el prestigio de la zona como centro cultural con exposiciones de arte que han atraído° a los peruanos y a los turistas a la zona céntrica.

Adopte un balcón

named

El gobierno de Andrade también ha puesto en práctica un interesante programa denominado° «Adopte un balcón». Los edificios de Lima contienen un gran número de balcones

Un típico balcón de «la ciudad de los balcones».

cerrados de madera de influencia española y morisca°, que son característicos de la ciudad. *Moorish*
Estos notables balcones, que datan del siglo XVI a mediados del siglo XIX, y que aún parecen
flotar sobre las calles de Lima, constituyeron en una época una especie de vínculo° entre las *link*
casas y las calles de la ciudad. Con el transcurso° de los años, el estilo varió de balcones de *passing*
madera verde pintada con intrincados enrejados°, a balcones de madera de color natural *grill or lattice work*
finamente tallada°, hasta los de ventanas de vidrio. A mediados del siglo XIX los balcones *carved*
habían pasado de moda, y muchos de ellos fueron destruidos. En la época en que Andrade
asumió el cargo, la mayor parte de los balcones se hallaban seriamente deteriorados.

«Estos balcones son únicos en el mundo, o si existen, tienen muy pocas variaciones», dice
el arquitecto Adolfo Vargas. «Los balcones de otras ciudades son lugares abiertos, los de aquí
son cerrados y le han dado a Lima la reputación de «ciudad de los balcones». Los balcones
constituyen el símbolo fácilmente identificable de la ciudad, visible en el centro y presente en
la memoria colectiva».

Por estas razones, el programa ha contribuido a restaurar los balcones, y a crear una
conciencia e incluso un símbolo de todo el proceso de revitalización de Lima. Hasta ahora, el
programa ha logrado la adopción y la restauración de más de setenta balcones por parte de
embajadas° extranjeras, de empresas y de individuos. Se espera que el programa de los *embassies*
balcones habrá de continuar hasta que se hayan restaurado los cuatrocientos balcones
de la ciudad y se haga justicia a la reputación que se ha ganado como «la ciudad de los
balcones».

Los proyectos futuros

A pesar de estos cambios, aún queda mucho por hacerse en el centro histórico. Mientras que la
nueva visión contempla que se convierta en un destino turístico y un centro cultural, también
reconoce que es y siempre debería ser un barrio residencial. El problema de la vivienda° en el *housing*
centro es uno de los más graves. En la actualidad, veinte mil viviendas° del centro histórico *dwellings*
necesitan algún tipo de remodelación, y de éstas, cinco mil se hallan al borde del colapso.

Otro de los grandes proyectos necesarios para completar el proceso de revitalización
urbana es la creación de parques junto al río Rímac, que bordea el centro histórico, formando
una zona verde dentro del centro de la ciudad. Otro aspecto que debe enfrentar el centro
histórico es el transporte. Se requieren cambios ambiciosos para reducir el número de
vehículos y la contaminación que producen.

Los funcionarios municipales proyectan que la totalidad del proceso de revitalización,
incluidos, entre otros proyectos, el transporte, la vivienda y el proyecto de los parques
requerirá por lo menos diez años y costará 500 millones de dólares. Para sufragar° estos gastos *to defray*
se necesitarán préstamos° de bancos multinacionales y grandes inversiones privadas. *loans*

Una nueva apreciación de lo propio

«La labor de la municipalidad ha fortalecido la autoestima de la ciudad, y ha generado una
nueva tendencia de apreciación del centro. Hoy la gente reconoce que el centro es hermoso,
que pueden volver a visitarlo y que el centro les ha sido devuelto», dice Patricia Uribe,
representante de la UNESCO en el Perú. «Por primera vez en diez años, hay muchos limeños
que han regresado al centro, llevando a sus hijos. Éstos son niños que a la edad de diez o doce
años jamás habían puesto un pie en el centro de la ciudad, que nunca habían visto la catedral.
Han venido a ver la catedral, han venido a ver su centro. Este fenómeno de fortalecimiento° de *strengthening*
la identidad y de apreciación de lo propio es muy importante».

Have students view the photo of Palacio Torre Tagle, on page 292, to see a fine example of a historical mansion whose balconies have been renovated.

Después de leer

E La revitalización de Lima. Marque con una **C** (**cumplido**) todas las acciones de la revitalización de Lima que ya se han **cumplido** y, con una **F** (**futuro**) las que se van a llevar a cabo *(carry out)* en el **futuro**.

1. _____C_____ iniciar el programa «Adopte un balcón»
2. _____C_____ eliminar 20.000 vendedores ambulantes del centro histórico
3. _____F_____ crear una serie de parques a lo largo del río Rímac
4. _____C_____ eliminar la basura del centro
5. _____F_____ mejorar el transporte
6. _____F_____ remodelar 20.000 viviendas
7. _____C_____ restablecer el prestigio del centro como zona cultural

F Referencias históricas. Con un/a compañero/a de clase, describan la ciudad de Lima a fines del siglo XX. Incluyan una descripción de los problemas urbanos del centro histórico de la ciudad.

G Los balcones de Lima. Trabajando en parejas, describan el programa «Adopte un balcón» y las razones por las cuales lo han iniciado en Lima. Incluyan información sobre las características de los balcones de Lima.

H En defensa de una opinión. ¿Qué evidencia hay en el artículo que confirma la siguiente idea? «La iniciativa municipal de Lima, Perú, debe servir como modelo para otras ciudades para preservar la herencia cultural y revitalizar el centro.»

Interacciones

A Un sábado libre. It is late Saturday morning. You and three friends have the entire afternoon and evening free. Discuss what you will do and suggest group activities. Try to persuade others to do what you want to do. Decide where you will eat and what you will do in the afternoon and evening. After you have made your decisions, inform your classmates of your plans.

B El quiosco turístico. You work in a tourist information booth located in the Plaza de Armas in Lima, Perú. Two tourists (played by your classmates) come to the booth to obtain information on how to get to various sites in Lima. Using the map of Lima on page 290, tell them how to get to **la Plaza Bolívar, el Palacio Torre Tagle, el Museo del Banco Central de Reserva, el Congreso de la República,** and **la Casa de Pilatos.**

C Un viaje especial. After you graduate, you plan to take a special trip. Explain when and where you will go, with whom you will travel, what cities you will see, what special sites you will visit, and what activities you will participate in while there.

D «El/La turista alegre». As "El/La turista alegre" you have a weekly five-minute travel segment on a morning television news show. Discuss your favorite city. Describe the famous buildings and sites and explain when they were constructed. Explain what one can see and do there; provide opening and closing hours for museums and events. Explain where one should shop, what one can buy, and where and what one can eat. Include other information you find interesting.

Communicative modes incorporated. A: interpersonal; **B:** interpersonal, interpretive; **C:** presentational; **D:** presentational.

Vocabulary incorporated. A: cultural activities, leisure-time activities **B:** vocabulary of the city, expressions for giving directions **C:** tourist attractions, cultural activities, leisure-time activities **D:** vocabulary of the city, cultural activities; leisure-time activities.

Grammar incorporated. A: future tense, **nosotros** commands **B:** formal commands **C:** future tense **D:** passive **se** and third-person plural passive.

Así se escribe

Para escribir bien

Keeping a Journal

There are many situations in both private and professional life for which journal entries are useful. In the business or professional world journals are used for logging phone calls and discussions with clients, remembering content of meetings, and recording travel expenses.

In private life journals and diaries provide interesting personal records of daily events, travel experiences, special occasions, and family and school activities. Keeping a personal journal is an effective tool for improving your writing in Spanish for it provides writing practice on a daily basis. These suggestions will help you:

1. Keep your entries in a special notebook you use only for this purpose.
2. Set aside a period each day for journal writing, such as each evening before going to bed.
3. Try to develop a natural, personal style with emphasis on content.
4. Learn to rephrase and circumlocute in order to express meaning.
5. Spanish diary entries have a format similar to that of letters, as seen in the model below.

Antes de escribir

Answers A. Answers must include a date, salutation, pre-closing, and closing for a diary entry.

A Un apunte (*diary entry*). Lea las descripciones de las composiciones dadas en la sección **Al escribir** y escoja una composición según sus intereses y habilidades. Después, haga el formato para un apunte, incluyendo la fecha, la salutación, la pre-despedida y la despedida.

DATE	*el 27 de abril de 1942*
SALUTATION	*Querido diario:*
PRE-CLOSINGS	*Bueno, querido diario, mi mamá/ papá, / amigo me llama*
	Como siempre, querido diario, tengo que irme / ir a dormir
CLOSINGS	*Hasta mañana, Susana.* *(your name)*
	Hasta pronto, Jaime. *(your name)*

Answers B. All verbs should be in the first-person singular of the preterite.

B Las actividades. Haga una lista de todas las actividades que Ud. quiere incluir en sus tres apuntes. Ponga las actividades en orden cronológico, utilizando la primera persona singular del pretérito.

Al escribir

Escriba su composición, utilizando el formato para un apunte que Ud. creó en el ejercicio **A** y la lista de actividades de **B**. Escoja **uno** de los siguientes temas.

Answers. All composition topics should include new vocabulary and grammatical structures of this chapter and should use the format for a diary/journal entry.

C Querido diario. En su diario personal, escriba un apunte durante tres días. Incluya información sobre su rutina diaria, su trabajo, sus estudios y sus actividades.

C **Grammar:** verbs: preterite, verbs: preterite & imperfect; **Phrases/ Functions:** sequencing events; describing the past; **Vocabulario:** calendar, days of the week, leisure, numbers 0–20, numbers 21–31, studies, university

D Un viaje. En su diario personal, escriba un apunte durante tres días sobre un viaje real o imaginario a una ciudad grande. Incluya una descripción de la ciudad, sus puntos de interés y lo que Ud. hizo en la ciudad.

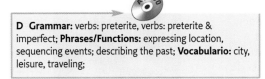

D **Grammar:** verbs: preterite, verbs: preterite & imperfect; **Phrases/Functions:** expressing location, sequencing events; describing the past; **Vocabulario:** city, leisure, traveling;

E Un/a guía turístico/a. Ud. es el/la guía para un grupo de estudiantes peruanos que van a estudiar en su universidad. Recientemente Ud. pasó tres días en la universidad preparándose para esta visita. Escriba un apunte para cada uno de los días explicando la vida universitaria. Incluya la información básica acerca de la universidad; explique dónde, qué y cuándo se come, dónde está la biblioteca y sus horas de operación y otra información importante.

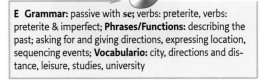

E **Grammar:** passive with **se;** verbs: preterite, verbs: preterite & imperfect; **Phrases/Functions:** describing the past; asking for and giving directions, expressing location, sequencing events; **Vocabulario:** city, directions and distance, leisure, studies, university

Después de escribir

Antes de entregarle su composición a su profesor/a, Ud. debe leerla de nuevo y corregir los errores. Preste atención a su lista de actividades. ¿Están todas las actividades en orden cronológico? Revise el vocabulario para la ciudad y los verbos en el pretérito y en el imperfecto.

Interacciones: **Capítulo 8, Tercera situación**

Para saber más: academic.cengage.com/spanish/interacciones

Herencia cultural: Bolivia, Ecuador y Perú

Heinle Transparency Bank: A-4, A-12, A-13 La América del Sur; Country pro-files: Perú, Ecuador; Country profiles: Bolivia. Use these images to review geographical information about the countries with your students.

Cultural products and practices: Famous people of Bolivia, Ecuador, and Peru and what they have accomplished. **Cultural comparisons:** Famous historical personages and famous entertainment, literary and governmental figures of these regions and the U.S.

Personalidades
De ayer

Comprensión cultural. Have students work in pairs or groups of three. Assign one of the **personalidades** to each group and have them prepare a description of each person as well as a brief biography. Have each group report back to the class.

◀ **José de San Martín** (1778–1850) luchó con Bolívar por la independencia de Sudamérica y fue el libertador de la Argentina, Chile y el Perú. Después de vencer a los españoles en varias batallas, proclamó la independencia del Perú el 28 de julio de 1821 y fue nombrado 'Protector del Perú'.

◀ **Antonio José de Sucre** (1795–1830) fue uno de los líderes más respetados de la guerra de independencia de Sudamérica. Bolívar lo nombró su lugarteniente (*deputy*) y con Bolívar y San Martín libertó el Perú y el Alto Perú (Bolivia). Después, formó el gobierno de la nueva República de Bolivia y fue su primer presidente.

De hoy

◀ A los 14 años, la cantautora pop-rock **Daniela Guzmán** (1982–) hizo su primera presentación musical en su ciudad natal de Guayaquil, Ecuador. En muy poco tiempo obtuvo su propio programa de televisión y fue nombrada «Embajadora Musical del Ecuador». Pasó tiempo en los EE.UU. y actualmente promociona sus nuevas canciones y compone para otros artistas en varios países.

◀ Nacido en Bolivia, **Jaime Escalante** (1931–) emigró a Los Ángeles y se hizo profesor de matemáticas de una escuela secundaria. La película *Stand and Deliver* describe a este famoso profesor y los métodos que utilizó en la enseñanza de los estudiantes hispanos. Por su labor con estos alumnos ha recibido muchos premios importantes. Todavía ayuda a otros profesores de matemáticas de los EE.UU. a utilizar sus técnicas.

◀ El peruano **Mario Vargas Llosa** (1936–) es uno de los novelistas contemporáneos más importantes de la América del Sur. Sus novelas, entre ellas *La ciudad y los perros*, describen la vida social peruana, especialmente el mundo urbano de Lima. En 1990 fue candidato a la presidencia del Perú.

◀ **Graciela Rodo Boulanger** (1935–), famosa pintora boliviana, nació en La Paz pero vive en París desde 1964. Su tema principal es la infancia y los personajes de sus pinturas son niños. En 1979 fue designada como la artista oficial de UNICEF para diseñar el cartel (*poster*) del Año Internacional del Niño. Sus obras se encuentran en museos en La Paz, París, Washington D.C. y Zurich.

Arte y arquitectura

Lima: La Catedral y el Palacio Arzobispal

Comprensión cultural: Personalidades. *Ask students:* ¿Qué países libertó San Martín? ¿Con qué nombre es conocido San Martín? ¿Cuándo proclamó la independencia del Perú? ¿Qué lugares o regiones libertó Sucre? Después de la guerra de independencia, ¿qué hizo Sucre? ¿Quién es Daniela Guzmán? ¿Qué tipo de música prefiere cantar? ¿Qué la nombraron? ¿Quién es Vargas Llosa? ¿Cuál fue la primera novela que escribió? ¿Cuál es el tema principal de Vargas Llosa? ¿Quién es Jaime Escalante y qué hizo? ¿Qué película describe sus métodos de enseñanza? ¿Quién es Graciela Rodo Boulanger? ¿Cuál es su tema principal? ¿Dónde se encuentran sus obras?

Cultural products: Colonial and baroque architecture in Peru. **Cultural comparisons:** The concept of the colonial period in the U.S. and Peru (Latin America); colonial architecture in the U.S. and Peru (Latin America).

La arquitectura colonial del Perú

En la historia de Hispanoamérica, la época que va de la conquista española en el siglo XVI hasta las guerras de independencia en el siglo XIX se llama la época colonial. Durante este período España gobernó a la población y administró la economía del Nuevo Mundo. Los reyes de España dividieron la región en cuatro subdivisiones llamadas virreinatos *(viceroyalties)*. El virreinato del Perú fue la región más rica y su capital, Lima, la Ciudad de los Reyes, fue el centro político y social del territorio. Lima fue una ciudad acaudalada *(affluent)* con numerosos conventos, monasterios e iglesias y opulentos palacios y mansiones. La primera y más antigua universidad de las Américas, San Marcos, fue establecida en Lima en 1551.

El trazado *(layout)* de las ciudades y la arquitectura virreinal reflejan los estilos de España y Europa de aquella época. Los españoles siempre pusieron la plaza mayor en el centro de las ciudades en el Nuevo Mundo, y a su alrededor construyeron la catedral y edificios municipales. El estilo predominante en el Perú y en México fue el barroco, caracterizado por la profusión de adornos y decoración, la línea curva, columnas torcidas *(twisted)* y espacios grandiosos.

Lima: Interior de la Iglesia de San Pedro, consagrada en 1638

Muchas iglesias contienen magníficos ejemplos de la decoración barroca, con altares dorados, coros de madera labrada y techos embellecidos con escenas del paraíso. También se puede ver buenos ejemplos de la arquitectura colonial en el Cuzco donde los españoles construyeron iglesias y palacios sobre los restos de edificios incaicos. La Iglesia de Santo Domingo en el Cuzco, por ejemplo, fue construida sobre las ruinas del Templo del Sol.

Cuzco: Iglesia de Santo Domingo

Comprensión

A La arquitectura. Complete el gráfico con información acerca de las características de la arquitectura del Perú colonial.

LAS CARACTERÍSTICAS	
Estilo barroco	*profusión de adornos y decoraciones, de líneas curvas, de columnas torcidas, de espacios grandiosos*
Trazado de las ciudades coloniales	*una plaza mayor en el centro con la catedral y edificios municipales a su alrededor*
Interior de las iglesias barrocas	*altares dorados, coros de madera labrada y techos embellecidos con escenas del paraíso*
Arquitectura colonial del Cuzco	*iglesias y palacios construidos sobre los restos de edificios incaicos*

 B Lima. Trabajando en parejas, describan la ciudad colonial de Lima, Perú. Incluyan información sobre los edificios y la arquitectura.

 C La época colonial. Trabajando en parejas, comparen la época colonial de los EE.UU. con la época colonial del Perú. Incluyan las fechas de la época, el estilo de arquitectura predominante, la vida diaria y otros hechos *(facts)* históricos.

Lectura literaria
Para leer bien
Identifying Literary Themes

In order to help you comprehend journalistic articles, you have learned to locate the main ideas and supporting elements and apply background knowledge concerning geography and history. These same techniques can be used with literary readings in order to learn to identify and understand themes.

The literary theme (**el tema**) is generally defined as the central concept, the main idea, or the fundamental meaning of a literary selection. Some common general literary themes include love, death, the meaning of life, and the human condition. Often a general theme can be broken down into more specific sub-themes. For example, the general theme of love can be further described as unrequited love, maternal love, love of family, love of country, or love of a supreme being.

A literary theme can be *explicit,* expressed in a direct manner, or *implicit,* expressed in an indirect or subtle manner. While the main idea of a journalistic article is generally explicit, the main theme of a literary selection is generally implicit. The reader needs to analyze a variety of items within the text in order to establish the main theme of a work of literature. The reader should attempt to formulate the theme according to the effect created by items such as the actions of the characters, the relationships among the characters, the comments made by the main characters, and the comments made by the narrator or author. With a close reading, it should become clear that the author is emphasizing a particular concept or idea; the concept or idea that the author is emphasizing is the main theme of the literary work.

Expansion A. Divide the class into three groups; within each group students should work in pairs. The pairs in one group should describe the Plaza de Armas, the Catedral, and the Palacio Arzobispal in Lima. Students in the second group should describe the baroque characteristics of the interior of the Iglesia de San Pedro. The students in the third group should describe the Iglesia de Santo Domingo in Cuzco. Have the students in each group choose one pair to report back to the class and describe the photo assigned to them.

Warm-up B. Have students work in pairs to describe the concept of **el virreinato**.

 Para saber más: academic.cengage.com/ spanish/interacciones

You will find additional literary selections in the **Heinle Voices Database** at www.textchoice. com/voices. With this unit you may want to consider using *Amor de madre* or *El alacrán de fray Gómez* by Ricardo Palma or *Para ellas* or la leyenda indígena *Malccoy* by Clorinda Matto de Turner.

For additional information on colonial Peruvian society, view the film *Camila* and complete the activities in *Más allá de la pantalla:* **Capítulo 9. RESUMEN:** La película narra el romance de Camila O'Gorman con un joven sacerdote en el contexto de una sociedad autoritaria y conservadora de la Argentina del siglo XIX.

The following work, "La camisa de Margarita" by Ricardo Palma, takes place in eighteenth-century Peru. When approaching this reading, it is important to keep in mind the historical setting in order to establish the theme. Remember to use the reading strategies you have learned as well as the literary terminology presented in previous sections.

Antes de leer: La camisa de Margarita

◄ **Ricardo Palma** (1833–1919), uno de los más célebres autores del Perú, fue escritor, lingüista y político. Nació en Lima y fue director de la Biblioteca Nacional. Pasó mucho tiempo coleccionando anécdotas y leyendas *(legends)* históricas del Perú. Publicó estos cuentos en una serie de diez volúmenes con el título de *Tradiciones peruanas*. La «tradición» es un nuevo género literario creado por Palma. Es una narración generalmente basada en una anécdota, una leyenda o un documento histórico; pero, a veces las tradiciones son pura ficción. Las tradiciones tienen elementos de un cuento y también de un «cuadro de costumbres», una descripción de las costumbres locales. Las tradiciones suelen ser divertidas; muchas son sátiras sociales.

D El autor y sus obras. Conteste las siguientes preguntas acerca del autor de «La camisa de Margarita».

1. ¿Quién es el autor de «La camisa de Margarita» y de dónde es? ¿Qué puesto ocupó en su país?
2. ¿Qué cosas coleccionó?
3. ¿Qué es «una tradición» y en qué está basada? ¿Cómo son las tradiciones?
4. Utilizando la información sobre Ricardo Palma y sus tradiciones peruanas, en su opinión, ¿cómo va a ser la tradición «La camisa de Margarita»?

E El título. Dé un vistazo al título de la siguiente lectura (**la camisa** = *gown*). ¿Cuáles son las características de una camisa? ¿En qué ocasiones se lleva una camisa? Ahora, mire el dibujo del cuento y conteste estas preguntas: ¿Qué lleva la chica? ¿Quiénes son los dos personajes? ¿Cuál es la ocasión?

F El escenario. El cuento tiene lugar en Lima en el año 1765. ¿Cómo era Lima en aquella época? Si es necesario, repase la información de **La arquitectura colonial del Perú** en las páginas 313–314.

G Una dote (*dowry*). El cuento que sigue es la historia de la joven Margarita, que logró contribuir una dote a pesar de las protestas del tío del novio. ¿Qué es una dote y en qué consiste generalmente? ¿Existe el concepto de la dote en nuestra sociedad? ¿Cuándo se usaban las dotes?

H Un viejo refrán. El cuento «La camisa de Margarita» está escrito en base a un refrán *(saying)* popular peruano: «¡Esto es más caro que la camisa de Margarita Pareja!» ¿En qué situación se puede usar este refrán?

La camisa de Margarita

Entre las viejas de Lima existe la tradición de quejarse del precio alto de un artículo diciendo:

—¡Qué! Si esto es° más caro que la camisa de Margarita Pareja.

This is

Yo tenía mucha curiosidad de saber algo de esa Margarita y un día encontré un artículo en un periódico de Madrid que hablaba de la niña y su famosa camisa. Ahora Uds. van a leer su historia.

Don Luis y Margarita se conocen

Margarita Pareja era (por los años de 1765) la hija más mimada° de don Raimundo Pareja, caballero y colector general° del Callao°.

pampered

tax collector / el puerto de Lima

La muchacha era una de esas limeñitas° que, por su belleza, cautivan al mismo diablo°. Tenía un par de ojos negros que eran como dos torpedos cargados con dinamita y que hacían explosión en el corazón de los galanes° limeños.

señoritas de Lima / *captivate the devil himself*

señores jóvenes y elegantes

Llegó por entonces de España un arrogante joven de Madrid, llamado don Luis Alcázar. Tenía éste en Lima un tío solterón y acaudalado°, de una familia antigua e importante, y muy orgulloso°.

rico / *proud*

Por supuesto que, mientras le llegaba la ocasión de heredar al tío, vivía nuestro don Luis tan pobre como una rata y sufriendo mucho.

Alcázar conoció a la linda Margarita en una procesión religiosa. La muchacha le llenó el ojo y le flechó el corazón°. Le echó flores°, y aunque ella no le contestó ni sí ni no, dio a entender con sonrisitas y demás armas del arsenal femenino que el galán era muy de su gusto. La verdad es que se enamoraron muchísimo.

(fig.) wounded his heart / He courted her

Problemas en la relación

Don Luis no creía que su pobreza sería obstáculo para casarse con Margarita. Así, fue al padre de Margarita y le pidió la mano de su hija.

A don Raimundo no le cayó en gracia la petición y cortésmente despidió al joven, diciéndole que Margarita era aún muy niña para tomar marido, pues, a pesar de sus diez y ocho años, todavía jugaba a las muñecas.

Pero no era ésta la verdadera razón. La verdad era que don Raimundo no quería ser suegro de un pobretón y les dijo eso en confianza a sus amigos, uno de los que fue con el chisme° a don Honorato, que así se llamaba el tío. Éste, que era más arrogante que el Cid°, se enojó y dijo:

—¡Cómo se entiende! ¡Desairar° a mi sobrino! A muchas les encantaría casarse con el muchacho, porque no hay mejor en todo Lima. Pero, ¿adónde ha de ir conmigo ese colectorcito°?

Margarita se enferma

Margarita, pues era nerviosa como una damisela de hoy, gritó y se arrancó° el pelo, y tuvo convulsiones. Perdía colores y carnes°, se enfermaba a vista de ojos, hablaba de meterse monja° y no hacía nada en concierto.

—¡O de Luis o de Dios!° gritaba cada vez que los nervios se le sublevaban, cosa que pasaba con mucha frecuencia. Su padre se alarmó, llamó a médicos y a curanderas, y todos declararon que la única medicina salvadora no se vendía en la farmacia. O casarla con el varón de su gusto, o enterrarla°. Tal fue el ultimátum médico.

La reunión entre don Raimundo y don Honorato

Don Raimundo se encaminó como loco a casa de don Honorato, y le dijo:

—Vengo a que consienta usted en que mañana mismo se case su sobrino con Margarita, porque si no, la muchacha se va a morir.

—No puede ser —contestó sin interés el tío—Mi sobrino es un *pobretón* y lo que usted debe buscar para su hija es un hombre con mucha plata°.

El diálogo fue violento. Mientras más rogaba don Raimundo, más se enojaba el tío y ya aquél iba a retirarse cuando don Luis entrando en la cuestión, dijo:

—Pero, tío, no es justo que matemos a quien no tiene la culpa.

—¿Tú te das por satisfecho?

—De todo corazón, tío y señor.

—Pues bien, muchacho, consiento en darte gusto; pero con una condición, y es ésta: don Raimundo me ha de jurar ante la Hostia consagrada° que no regalará un centavo a su hija ni le dejará un real° en la herencia°.

Aquí empezó nuevo y más agitado litigio.

—Pero, hombre —arguyó don Raimundo—, mi hija tiene veinte mil duros° de dote.

—Renunciamos a la dote. La niña vendrá a casa de su marido nada más que con la ropa que lleva.

—Concédame usted entonces regalarle los muebles y el ajuar° de novia.

—Ni un alfiler°. Si no está de acuerdo, dejarlo y que se muera la chica.

—Sea usted razonable, don Honorato. Mi hija necesita llevar por lo menos una camisa para reemplazar la puesta°.

—Bien. Consiento en que le regale la camisa de novia y eso es todo.

Glosses (left margin):

gossip — chisme
héroe nacional de España — Cid
Reject — Desairar
Who does this little tax collector think he is? — colectorcito

pulled out — se arrancó
weight / become a nun — carnes / meterse monja

¡Voy a ser la esposa o de Luis o de Dios! — ¡O de Luis o de Dios!

bury her — enterrarla

dinero — plata

sacred Communion Host (wafer) — Hostia consagrada
moneda colonial / *inheritance* — real / herencia

moneda colonial — duros

las joyas y ropa que lleva la novia en el matrimonio / *pin* — ajuar / alfiler

replace the one she's wearing — reemplazar la puesta

Al día siguiente don Raimundo y don Honorato se dirigieron muy de mañana a la iglesia de San Francisco, arrodillándose° para oír misa, y, según lo pactado, en el momento en que el sacerdote elevaba la Hostia divina, dijo el padre de Margarita:

—Juro no dar a mi hija más que la camisa de novia. Así Dios me condene si perjurare°.

kneeling down

I lie

La solución del problema

Y don Raimundo Pareja cumplió su juramento, porque ni en vida ni en muerte dio después a su hija cosa que valiera un centavo. Pero los encajes° de Flandes que adornaban la camisa de la novia costaron dos mil setecientos duros. Y en el cordoncillo° al cuello había una cadena de brillantes° que valían aun más. Los recién casados hicieron creer al tío que la camisa no era muy costosa porque don Honorato era tan testarudo° que habría forzado al sobrino a divorciarse. Convengamos° en que fue muy merecida la fama que alcanzó la camisa nupcial de Margarita Pareja.

lace

embroidery / diamonds

stubborn / Let's agree

Después de leer

I Los personajes. Complete el siguiente gráfico con información del cuento.

	Descripción	Relación con los otros personajes
Margarita Pareja	Joven, mimada, hermosa, ojos negros	la hija de don Raimundo y la novia de Luis Alcázar
Don Raimundo Pareja	cortés, rico, un poco viejo	el padre de Margarita y el (futuro) suegro de Luis Alcázar
Don Honorato	soltero, un poco viejo, orgulloso de su familia, rico	el tío de Luis Alcázar
Luis Alcázar	joven, pobre, arrogante, español	el sobrino de don Honorato y el novio de Margarita

J ¿En qué orden? Ponga en orden cronológico los siguientes eventos del cuento.

_____3_____ Luis y Margarita se enamoran.

_____9_____ Don Raimundo jura no darle a su hija más que la camisa de novia.

_____8_____ Don Honorato dice que don Raimundo no puede darle dinero a su hija y rechaza la dote.

_____7_____ Don Raimundo le pide permiso a don Honorato para que los novios se casen.

_____2_____ Luis conoce a Margarita en una procesión.

_____6_____ Margarita dice que quiere hacerse monja.

_____5_____ Don Raimundo prohíbe el matrimonio entre Luis y Margarita.

_____1_____ Llega Luis Alcázar de España.

_____4_____ Luis le pide la mano de Margarita a don Raimundo.

_____10_____ Los dos novios reciben dinero de don Raimundo en forma de una camisa muy costosa.

 K Los temas. Trabajando en parejas, decidan cuál es el tema principal del cuento. Recuerden que el honor era uno de los valores más importantes en la sociedad colonial. ¿Cómo se ve el tema del honor en los cuatro personajes principales? Además del honor, ¿hay otros temas importantes? Explique.

Answers K. Temas: el honor / el amor romántico / el amor entre padre e hija / el amor familiar.

Para saber más: academic.cengage.com/spanish/interacciones

Bienvenidos a la comunidad hispana en los EE.UU.

Población

42.700.000 hispanos dentro de los EE.UU.: **chicanos** 67%; **puertorriqueños** 8.5%; **cubanos** 3.7%; **dominicanos** 2.7%; los demás países del mundo hispano 18%. Los hispanos representan la minoría más grande dentro de los EE.UU.

Concentración

Chicanos (personas en los EE.UU. de origin mexicano): de Texas a California; **puertorriqueños** y **dominicanos**: ciudad de Nueva York y la región metropolitana; **cubanos**: Miami y el sur de la Florida

Fuerza de trabajo hispano

Gran variedad de puestos en muchos sectores económicos

Hispanos famosos

Cine y televisión: Camerón Díaz, América Ferreira, Daisy Fuentes, Andy García, Eva Longoria, George López, Jennifer López, Rita Moreno, Edward James Olmos, Jorge Ramos, Chita Rivera, Cristina Saralegui
Deportes: Óscar de la Hoya, Nancy López, Pedro Martínez, Manny Ramírez, Alex Rodríguez, Iván «Pudge» Rodríguez, Sammy Sosa

Have students use the map showing the concentration of Hispanics in the U.S. located in the opening pages of the student textbook, on the transparencies, or on a map located in the classroom.

Literatura: Julia Álvarez, Sandra Cisneros, Judith Ortiz Cofer, Esmeralda Santiago, Pedro Juan Soto
Moda: Adolfo, Narciso Rodríguez, Óscar de la Renta
Música: Marc Anthony, Gloria Estefan, Ricky Martin, Jon Secada, Los Lobos
Política: Carlos Gutiérrez, Bill Richardson, Ileana Ros-Lehtinen

Heinle Transparency Bank: A-2, A-3, A-10, A-11: **México y la América Central; El Caribe; Country profile: Puerto Rico; Country Profiles: Cuba y la República Dominicana.** Use these maps to review geographic information about the countries of origin of Hispanics in the U.S.

Introducción geográfica

Conteste las siguientes preguntas usando mapas de Cuba, México, Puerto Rico, la República Dominicana y los EE.UU.

1. ¿De dónde son los chicanos? ¿En qué región de los EE.UU. se encuentran principalmente? ¿Por qué?

2. ¿En qué región de los EE.UU. se encuentra una gran concentración de cubanos? ¿Y de puertorriqueños? ¿Y de dominicanos? ¿Por qué salen del Caribe?

3. ¿Hay una presencia hispana en la ciudad o el pueblo donde Ud. vive? ¿Cómo se nota esta presencia?

Answers. 1. Son de México. Se encuentran en el suroeste de los EE.UU. porque está cerc de México. Además, esta región antes pertenecía a México y muchos chicanos viven allí desde hace mucho tiempo. **2.** Los cubanos se concentran en Miami y en el sur de la Florida porque está muy cerca de Cuba. Los puertorriqueños y dominicanos se encuentran en Nueva York y la región metropolitana. Van a Nueva York para encontrar trabajo. Los puertorriqueños son ciudadanos estadounidenses y van y vienen con facilidad.

Óscar de la Hoya, boxeador

Eva Longoria, actriz

Marc Anthony, cantante

Ileana Ros-Lehtinen, Representante

To listen to this song, access the *Interacciones, 6ᵗʰ Edition* playlist at academic.cengage.com/spanish/interacciones

Notas musicales

Los Lobos es un grupo de Los Ángeles, California, cuya música es conocida por la fusión de numerosas influencias, tales como *Tex-Mex, blues* y música tradicional mexicana. En «Cumbia raza» cantan de la importancia de la herencia cultural y de su influencia en la vida de cada individuo.

De la canción «Cumbia raza»

Allá en la tierra de mis padres
Allá en la tierra de los dioses°   gods
Se oye un ritmo muy alegre
Que lo bailan día y noche
Cumbia, cumbia rica
Cumbia de mi patria
Cumbia cumbia, hermosa cumbia
Cumbia de mi raza°   race, ethnic background

Los Lobos

La cumbia refers to the music, rhythm, and dance that originated in the coastal area of Colombia and spread to many other Spanish-speaking countries of the Americas.

Point out. The music of Los Lobos, a Chicano band that has its roots in East L.A., combines many musical styles such as rock, Tex-mex, country, folk and traditional Spanish and Mexican bolero and norteño compositions. One of their greatest successes was in the 1980s with their version of the famous Ritchie Valens song *La Bamba*.

«Cumbia raza»

Después de escuchar «**Cumbia raza**», conteste las siguientes preguntas.

1. ¿Cómo se llama la banda que canta «*Cumbia raza*»? ¿De dónde es?
2. ¿A qué se refiere «la tierra de mis padres»?
3. ¿Cuál es el ritmo que se oye y que se baila?
4. ¿Qué significan las palabras «patria» y «raza»? ¿Qué importancia tienen?

Answers. 1. La banda se llama Los Lobos y es de Los Ángeles, CA. **2.** Se refiere a México, el país natal de Los Lobos. **3.** El ritmo es cumbia. **4.** «Patria» y «raza» se refieren al país y a los orígenes de uno, en este caso, los orígenes mexicanos de los chicanos que viven en los EE.UU.

Go to the **Bienvenidos a la comunidad hispana** section of your *Cuaderno de actividades* for additional exercises on this song.

Para saber más: academic.cengage.com/spanish/interacciones

CAPÍTULO 9

En la agencia de empleos

Los empleados hablan del personal.

Cultural Themes

The Hispanic Community:
   Cubans and Puerto Ricans
The concept of work in the
   Hispanic world

Communicative Goals

Changing directions in a
   conversation
Explaining what one would do
   under certain conditions
Describing how actions are done
Indicating quantity
Double-checking comprehension
Talking about unknown or
   nonexistent people and things
Explaining what you want others
   to do
Expressing exceptional qualities

Have students describe the photo. If necessary, ask specific questions such as the following: ¿Qué hay en la foto? ¿Cuántas personas hay y quiénes son? ¿Qué hacen? ¿Dónde están?

Have students provide English examples of the topics, situations, and phrases that would be covered in each of the communicative goals. **Modelo:** *Explaining what one would do under certain conditions:* Students might answer: *Under those conditions, I would look for another job.*

Video on DVD		Audio
Cuaderno de actividades		Atajo
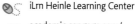 iLrn Heinle Learning Center		Music
www academic.cengage.com/ spanish/interacciones		iRadio

Presentación

¿Dónde trabajaría Ud.?

Práctica y conversación

9.1 Conseguir empleo. ¿Qué hay que hacer para conseguir empleo? Ordene las oraciones en forma lógica, escribiendo delante de la oración un número del 1 al 7.

_6_ Se habla de las aptitudes personales.
_1_ Se leen los anuncios clasificados.
_5_ Se consigue una entrevista.
_7_ Se toma una decisión.
_4_ Se manda un currículum vitae con cartas de recomendación.
_2_ Se entera de las condiciones del trabajo.
_3_ Se llena una solicitud.

9.2 Más anuncios clasificados. ¿Cuáles de los empleos en la página 324 requieren que el/la aspirante tenga… ?

habilidades técnicas / experiencia / licenciatura / referencias / permiso de conducir / buena personalidad

CABLE TV	SOLICITO GERENTE TIENDA
Se solicita Linemen en construcción aerea de cable tv y personal con experiencia en construcción soterrada. Posiciones disponibles inmediatamente. Enviar Resume **PO Box 60002, Luquillo PR 00773**	Conocimiento música latina y americana. Resumé fax: **720-3726**.

CONTABLE Bininque. Ciclo contabilidad completo. 2 a 3 años experiencia en manufactura, conocimientos computadoras, exper. de oficina. Enviar resume al **731-2600**

SOLICITO BARTENDER sin experiencia. Ofrecemos entrenamiento. $5.00 hora comenzando. Aplicar personalmente Calle Cacique 2277 Esq. Loiza. **726-2171** 8AM.-12AM.

DUNKIN DONUTS Busca Asistente Gerente para Plaza Carolina. Enviar resumé a Sonia Ramírez **PO Box 9059, Carolina PR 00988**

JOVENES Modelos atractivas, dinámicas, con iniciativa y facilidad de palabra para promoción de servicios y productos de estética (No ventas) $15 p/h Inf. **726-1436**

GUARDIA DE SEGURIDAD full time. Buen salario, plan médico, se requiere referencias y fotos. Entrevistarse **Meliyan Apartments** Alonso Torres 1404 Santiago Iglesias, Rio Piedras. LU a VI 8am-4pm

ESTILISTA CON EXPERIENCIA En corte y blower. $50 Diarios. **TECNICA(O) DE UÑAS** Experiencia en todo tipo de uñas **760-0523**

● **PANADERIA INDUSTRIAL** tiene plazas para empleo general en línea de producción. Turno nocturno $4.25 hra. Reqs: Lic. Conducir, Cert. Salud y Buena Conducta. **782-2400** Unidad: 18966

HOGAR DE ANCIANOS Solicita persona con experiencia para trabajar turno nocturno. **756-8224**

SOLICITO CHOFER Part-time, para manejar Van, trabajo laundry. Buen salario, beneficios marginales. Entrevista: Severo Quiñones 526 Esq. San Antonio Pda. 26 Bo. Obrero, Santurce.

REPARADOR (A) DE COMPUTADORAS Exp. en P/C Compatible y Ensamblaje. Referencias necesarias. Area Hato Rey **763-1094**

Necesito Modista(o) Que sepa cortar y coser. TEL. **725-4750**

9.3 El empleo ideal. En grupos, preparen una descripción del empleo ideal. Mencionen por lo menos cinco características.

Modelo   *Para mí, el empleo ideal ofrece un buen horario de trabajo, buen sueldo, un ambiente de trabajo agradable,…*

9.4 ¿Qué me dices? Ud. y un/a compañero/a de clase tienen que crear un Manual de Personal en el que describen todos los puestos de su compañía. Hablen de lo que está en cada hoja de apuntes hasta que Uds. tengan una lista completa de los puestos y las características de los empleados que ocupan esos puestos. A continuación está su hoja de apuntes; la de su compañero/a de clase está en el **Apéndice A.**

The alternate drawing that corresponds to this activity can be found in **Apéndice A.**

Answers 9.4. *El jefe ejecutivo principal:* Tiene buen sentido para los negocios y mucha experiencia en manejar diversas empresas. *La recepcionista:* Se lleva bien con otras personas y nunca falta al trabajo. *El contador:* Trabaja bien con los números. *El publicista:* Tiene mucho talento artístico y entiende bien a nuestros clientes. *El abogado:* Entiende todos los reglamentos del comercio. Es experto en cuestiones legales. *El especialista en computadoras:* En cuanto a la tecnología avanzada es experto. Crea y mantiene nuestros portales de la Web. *El representante de ventas:* Se lleva bien con los clientes y conoce bien todos nuestros productos.

Modelo   *Hay varios puestos en nuestra compañía. El jefe ejecutivo principal tiene buen sentido para los negocios y… La recepcionista es una persona que…*

1. Jefe ejecutivo principal
2. Recepcionista
3. Contador

* Tiene mucho talento artístico y entiende bien a nuestros clientes.

* Entiende todos los reglamentos del comercio. Es experto en cuestiones legales.

* En cuanto a la tecnología avanzada es experto. Crea y mantiene nuestros portales de la Web.

* Se lleva muy bien con los clientes y conoce bien todos nuestros productos.

9.5 Creación. Cuente en una narración lo que pasa en el dibujo de la **Presentación.**

Modelo *Hay dos personas en una oficina, un hombre y una mujer. El hombre está entrevistando a la mujer. Otra aspirante sale de la oficina.*

VOCABULARIO

Heinle Transparency Bank: M-4 Buscar trabajo. Use this image to illustrate additional vocabulary to your students.

La solicitud de trabajo	*Job application*	el sueldo	*salary*
el anuncio clasificado	*classified ad*	conseguir (i, i) una entrevista	*to get an interview*
el/la aspirante	*applicant*	despedir (i, i)	*to fire (from a job)*
la compañía (Cía.) la empresa	*company (Co.)*	emplear	*to employ, to hire*
el desempleo	*unemployment*	ofrecer un puesto	*to offer a job*
la destreza	*skill*	tener	*to have*
el empleo el puesto	*job, position*	buen sentido para los negocios	*good business sense*
el personal	*personnel*	conocimientos técnicos	*technical knowledge*
el/la supervisor/a	*supervisor*	experiencia	*experience*
cuidadoso/a	*careful*	iniciativa	*initiative*
maduro/a	*mature*	talento artístico	*artistic talent*
responsable	*responsible*	tomar una decisión	*to make a decision*
encargarse de	*to be in charge of*		
enterarse de	*to find out about*	**Globalización**	*Globalization*
llenar una solicitud	*to fill out a job application*	desarrollar el uso de la energía eólica	*to develop the use of wind energy*
solicitar	*to apply for a job*	nuclear	*nuclear*
		renovable	*renewable*
La entrevista de trabajo	*Job interview*	del etanol	*ethanol*
las aptitudes personales	*personal skills*	de las pilas de combustible de hidrógeno	*hydrogen fuel cells*
el ascenso	*promotion*	resolver el problema del calentamiento global	*to solve the problem of global warming*
los beneficios sociales	*(fringe) benefits*		
la carrera	*career*	de los cambios climáticos	*climate changes*
la carta de recomendación	*letter of recommendation*		
la confianza	*confidence, trust*		
el currículum vitae	*résumé*		

Así se habla  CD 2, Track 8

Changing Directions in a Conversation

Warm-up 1. Before listening to the dialogue, have students work in pairs and describe the people in the drawing and what they are doing. Then ask: ¿Quiénes son esas personas? ¿Qué están haciendo? ¿Cómo es la oficina? En su opinión, ¿qué tipo de empresa es? ¿De qué cree Ud. están hablando las personas?

Comprehension check. After students have read the dialogue aloud, have them answer the following: ¿Qué quiere la Sra. Figueroa? (Contratar un supervisor técnico.) ¿Por qué? (Porque tienen mucho personal y necesitan alguien que los ayude.) ¿Qué van a hacer para solucionar este problema? (Van a anunciar un puesto en la Web y en los periódicos locales.) ¿Quién va a hacer esto y cuándo? (El señor Cáceres lo va a hacer inmediatamente.) ¿Quién cree Ud. es el jefe en esta conversación? Justifique su respuesta. (La Sra. Figueroa. Trata al señor Cáceres usando «tú», lo llama por su nombre y le da órdenes. El Sr. Cáceres usa «Ud.» para hablarle a la Sra. Figueroa.)

SR. CÁCERES: Nuestro personal está creciendo día a día y cada vez es más especializado.

SRA. FIGUEROA: Jorge, ya que estamos en el tema de personal, no te olvides que necesitamos contratar un buen supervisor técnico para la agencia. Con treinta empleados y con todo el trabajo que tenemos, tú y yo necesitamos alguien que nos ayude.

SR. CÁCERES: Sí, lo sé, y tenemos que hacerlo inmediatamente. Voy a anunciarlo en nuestro portal de la Web y en los periódicos locales.

SRA. FIGUEROA: Perfecto, y hablando del anuncio, me gustaría que saliera rápidamente. No te descuides.

SR. CÁCERES: No se preocupe, Sra. Figueroa.

When you want to express your ideas, change topics of conversation, or interrupt a speaker, you can use the following expressions:

Introducing an idea	
Tengo otra idea.	*I have another idea.*
Ya que estamos en el tema…	*Since we are on the topic …*
Yo propongo…	*I propose …*
Hablando de…	*Speaking of / about …*
Yo quisiera decir que…	*I would like to say that …*
Changing the subject	
Cambiando de tema…	*Changing the subject …*
Pasemos a otro punto.	*Let's move on to something else.*
Por otro lado…	*On the other hand …*

Interrupting	
Un momento.	*Wait a minute.*
Escuche/n.	*Listen.*
Antes que me olvide…	*Before I forget …*
Perdón, pero yo…	*Excuse me, but I …*

Returning to the topic	
Volviendo a…	*Going back to …*
Como decía…	*As I / he / she was saying …*

To hear more about Spanish pronunciation visit academic.cengage.com/ spanish/interacciones.

Práctica y conversación

9.6 Con amigos. Ud. está hablando con unos amigos acerca de su trabajo. ¿Qué dicen Ud. y sus amigos en las siguientes situaciones?

1. Ud. tiene una idea maravillosa para obtener mejores beneficios sociales.
2. Ud. quiere proponer la idea de pedir una entrevista con el supervisor.
3. Su amigo/a piensa que su idea es peligrosa y presenta otra alternativa.
4. Ud. defiende su proposición.
5. Su amigo/a lo/la interrumpe.
6. Ud. quiere añadir algo.

9.7 ¡Ya estoy cansado de trabajar tanto! Ud. ha estado trabajando muchísimo y está muy cansado/a. Por eso quiere comer algo y divertirse un poco. Con un/a compañero/a, completen el siguiente diálogo.

Usted

1. _____ tengo una idea. ¿Qué te parece si… ?
3. Ya que estamos en el tema…
5. Perdón, pero yo…

Su compañero/a

2. Bueno, pero… Tengo otra idea…
4. Un momento…
6. Bueno, como tú digas. ¡Vamos, pues!

9.8 ¿Cómo buscamos trabajo? Ud. y su amigo/a están hablando de qué van a hacer para encontrar trabajo el próximo verano ya que quieren trabajar en un país hispano. Ud. prefiere ir a los diferentes consulados o a agencias internacionales, pero su amigo/a prefiere consultar en Internet. Discutan qué van a hacer. Luego, informen a la clase su decisión y justifíquenla.

Modelo Estudiante 1: *Yo creo que lo primero que tengo que hacer es visitar los diferentes consulados y preguntar si tienen una lista de trabajos en sus países para alguien que tenga mis aptitudes personales.*

Estudiante 2: *Me parece muy bien, pero yo creo que puedes buscar en Internet.*

Warm-up 9.6. Brainstorm with students some of the requests that personnel usually presents to management.

Instructions 9.6. Have students form groups of three. Go around the class to see how they are doing. Answer students' questions and/or correct their mistakes when necessary. Then, call on a few students to give the answers out loud.

Warm-up 9.7. Brainstorm with students what they do when they are tired of studying or working and want to relax. Write their answers on the board. Then, ask them what they think are the similarities/differences between them and their Hispanic counterparts.

Warm-up 9.8. Brainstorm with students what they would do if they wanted to get a job in a foreign country.

Estructuras

Explaining What You Would Do Under Certain Conditions

Conditional

The conditional tense is used to explain what you would do when certain conditions are present. The English conditional tense is formed with the auxiliary verb *would + main verb: Given your low salary, I would apply for a different job.*

a. In Spanish the conditional of regular verbs is formed by adding the endings of the imperfect tense of **-er** and **-ir** verbs to the infinitive: **-ía, -ías, -ía, -íamos, -íais, -ían.**

Even though the endings used for the conditional tense are the same as the imperfect endings for **-er** and **-ir** verbs, the stems are different. For regular verbs, the stem for the conditional is the entire infinitive while the stem for the imperfect tense is the infinitive minus the **-ar**, **-er**, or **-ir** ending.

Verbos en –AR	Verbos en –ER	Verbos en –IR
trabajar	**ofrecer**	**conseguir**
trabajaría	ofrecería	conseguiría
trabajarías	ofrecerías	conseguirías
trabajaría	ofrecería	conseguiría
trabajaríamos	ofreceríamos	conseguiríamos
trabajaríais	ofreceríais	conseguiríais
trabajarían	ofrecerían	conseguirían

b. Irregular conditional stems are the same as irregular future stems.

Drop the infinitive vowel		Replace infinitive vowel with -d		Irregular form	
haber	**habr-**	poner	**pondr-**	decir	**dir-**
poder	**podr-**	salir	**saldr-**	hacer	**har-**
querer	**querr-**	tener	**tendr-**		
saber	**sabr-**	valer	**valdr-**		
		venir	**vendr-**		

The conditional of **hay (haber)** is **habría** = *there would be.*

Sometimes the word *would* does not indicate a conditional tense but, rather, *used to.* When *would = used to,* the imperfect tense is used. *When I was younger, I would (used to) go to the park a lot.*

c. The conditional is generally used to explain what someone would do in a certain situation or under certain conditions.

—Con tantos aspirantes, ¿**solicitarías** este puesto?
With so many applicants, would you apply for this job?

—Problamente sí, pero primero **trataría** de enterarme del sueldo.
Probably yes, but I would first try to find out about the salary.

Verbs frequently used to soften a request or criticism include **me gustaría** (I would like), **¿querría Ud.?** (would you want?), **¿podría Ud.?** (could you?) **debería** (you should), **sería mejor** (it would be better).

d. The conditional can also be used to soften a request or criticism.

—Perdone, señor. ¿**Podría** Ud. decirme dónde se encuentra la Compañía Suárez?
Pardon me, sir. Could you tell me where Suárez Company is located?

Práctica y conversación

9.9 Un/a aspirante perfecto/a. ¿Cómo sería un/a aspirante perfecto/a?

> **Modelo**   conseguir la entrevista
> *Conseguiría la entrevista.*

ser responsable / ofrecer recomendaciones excelentes / demostrar iniciativa / trabajar cuidadosamente / tener conocimientos técnicos / estar listo/a para empezar a trabajar inmediatamente

Answers 9.9. Sería responsable. Ofrecería recomendaciones excelentes. Demostraría iniciativa. Trabajaría cuidadosamente. Tendría conocimientos técnicos. Estaría listo/a para empezar a trabajar inmediatamente.

9.10 ¿Qué haría Ud.? Explique lo que Ud. haría si tuviera *(if you had)* una entrevista de trabajo.

> **Modelo**   llegar a tiempo
> *Llegaría a tiempo.*

1. vestirse bien
2. llenar una solicitud
3. traer las cartas de referencia
4. hablar de mis aptitudes personales
5. enterarse de las responsabilidades del puesto
6. tomar una decisión pronto
7. ¿?

Answers 9.10. 1. Me vestiría bien. **2.** Llenaría una solicitud. **3.** Traería las cartas de referencia. **4.** Hablaría de mis aptitudes personales. **5.** Me enteraría de las responsabilidades del puesto. **6.** Tomaría una decisión pronto.

9.11 Haríamos muchas cosas buenas. Trabajen en grupos de tres. Supongan que Uds. tienen un puesto dentro de la universidad que les permite mejorar la vida de los estudiantes. Preparen una lista de lo que Uds. harían para mejorar su vida financiera, académica y social y un plan de cómo implementar sus sugerencias. Informen luego al resto de la clase sobre su plan de acción.

> **Modelo**   Estudiante 1: *Una de las cosas que podríamos hacer es ofrecer mejores préstamos a los estudiantes para que puedan pagar sus estudios.*
> Estudiante 2: *Eso me parece muy importante, pero también podríamos mejorar su vida social. Sería bueno ampliar el centro estudiantil y construir un gimnasio con todos los equipos necesarios.*
> Estudiante 3: *Estoy de acuerdo. Los estudiantes estarían felices así.*

Warm-up 9.11. Have students tell each other what they think the school could do to improve the quality of their lives.

Instructions 9.11. Ask students to role-play this situation and assign different roles: one is in charge of improving the academic aspects, another one of improving the social aspects, and a third one is in charge of improving the financial aspects. Then, the three should put their plans together into a proposal.

Describing How Actions Are Done

Adverb Formation

Adverbs are words that modify or describe a verb, an adjective, or another adverb such as those in the following phrases: *he always works* = trabaja **siempre**; *rather pretty* = **bastante** bonita; *very rapidly* = **muy** rápidamente.

  a. Some adverbs are formed by adding **-mente** to an adjective. The **-mente** ending corresponds to *-ly* in English: **finalmente** = *finally*.

  1. The suffix **-mente** is attached to the end of an adjective having only one singular form: **final → finalmente; elegante → elegantemente.**

  2. The suffix **-mente** is attached to the feminine form of adjectives that have both a masculine and feminine singular form: **rápido → rápida → rápidamente.**

  3. Adjectives that have a written accent mark will retain it in the adverb form: **fácil → fácilmente.**

  b. Adverbs are usually placed after the verb. When two or more adverbs are used to modify the same verb, only the last adverb in the series will have the suffix **-mente**.

  Ricardo terminó su trabajo **rápida y eficazmente.**   *Ricardo finished his work rapidly and efficiently.*

  c. Adverbs generally precede the adjective or adverb they modify.

  Esta solicitud es **demasiado** larga.   *This application is too long. I'm not going*
  No voy a llenarla **muy** rápidamente.   *to fill it out very quickly.*

  d. The preposition **con** + *noun* are often used in place of very long adverbs: *affectionately* = **cariñosamente, con cariño**; *responsibly* = **responsablemente, con responsabilidad.**

  Berta siempre trabaja **con cuidado.**   *Berta always works carefully.*

Práctica y conversación

9.12 Los nuevos trabajos. ¿Cómo trabajarían estas personas en un nuevo trabajo?

  Modelo   Carlota / rápido
  Carlota trabajaría rápidamente.

1. Juan / eficaz
2. Anita / lento
3. Esteban / cuidadoso
4. Mercedes / atento

5. Gerardo / paciente
6. Marcos / feliz
7. Elisa / claro y conciso
8. yo / ¿?

9.13 Yo trabajaría eficazmente. Ud. está hablando con su compañero/a y le cuenta acerca de sus planes de establecer un pequeño negocio. Dígale de qué se trata y por qué quiere hacerlo, cómo piensa empezarlo, cómo va a seleccionar a sus empleados, cómo va a administrarlo, etc.

  Modelo   Estudiante 1: *Yo quiero poner un negocio para organizar las fiestas de los estudiantes, incluyendo comida, música, decoración y todo lo demás. Quiero que sea un lugar que funcione eficaz y responsablemente.*

Indicating Quantity

Adjectives of Quantity

In order to talk about the number or size of people, places, and things, you will need to learn to use adjectives of quantity.

alguno	*some*	numerosos	*numerous*
bastante	*enough*	otro	*other, another*
cada	*each, every*	poco	*little, few*
demasiado	*too much / many*	tanto	*so much / many*
más	*more*	todo	*all, every*
menos	*less*	todos	*all, every*
mucho	*much, many, a lot*	varios	*several, some, various*

a. Adjectives of quantity precede the nouns they modify.

Recibimos **muchas** solicitudes para el nuevo puesto.	*We received a lot of applications for the new position.*

b. Some of these adjectives of quantity have special forms and / or usage.

1. **Alguno** is shortened to **algún** before a masculine singular noun: **algún puesto.**

2. **Cada** is invariable; it is used with singular nouns only: **cada anuncio; cada entrevista.**

3. Forms of **todo** are followed by the corresponding article + noun: **toda la carta** = *the whole letter;* **todos los beneficios** = *all the benefits, every benefit.*

4. **Más** and **menos** are invariable.

En mi opinión, ese empleado merece **más** dinero.	*In my opinion, that employee deserves more money.*

5. **Numerosos/as** and **varios/as** are used only in the plural.

Esta compañía ofrece **varios** beneficios sociales.	*This company offers several fringe benefits.*

6. The forms of **otro** are never preceded by **un / una.**

¿Vas a **otra** entrevista esta tarde?	*Are you going to another interview this afternoon?*

Point out. Forms of **alguno** cannot be used to express *some* + a measured amount. *Give me some wine* = **Dame (un poco de) vino. Algún vino** = *some type / brand of wine.*

Point out. The English expression *all of the bread* = **todo el pan;** the word *of* does not appear in the Spanish phrase.

Point out. Students often fail to realize that the word **otro/a** = *other* as well as *another.* As a result, students frequently use the indefinite article with forms of **otro** when they want to say *another.* Emphasize that no indefinite article is placed before forms of **otro.**

Práctica y conversación

9.14 Estas entrevistas. Ud. tiene que tomar muchas decisiones antes de ofrecer varios puestos a algunos aspirantes. Diga lo que tiene que hacer primero.

1. Quiero ver todos los **anuncios** clasificados.
   solicitudes / cartas de recomendación / aspirantes
2. Tengo que hablar con mi jefe sobre algunos **puestos.**
   beneficios sociales / aptitudes personales / decisiones
3. Quiero hablar con otro **aspirante.**
   supervisor / empleada de personal / gerente

9.15 Deseos y quejas. Complete las siguientes oraciones de una manera lógica.

1. Quiero otro/a _____.

2. Nunca hay bastante/s _____.

3. Compro poco/a _____.

4. Tengo que hacer mucho/a _____.

5. Algunos/as _____ son interesantes.

6. Siempre hay demasiado/a _____ en esta universidad.

 9.16 Entrevista personal. Hágale preguntas a un/a compañero/a de clase.

Pregúntele…

1. qué hace para buscar trabajo.

2. si puede recomendar una agencia de empleos.

3. si quiere trabajar en un país de habla hispana.

4. si habla catalán o portugués.

5. si quiere ganar mucho dinero.

Perspectivas

El concepto del trabajo

Tradicionalmente el trabajo no ha tenido el mismo valor en la cultura hispana como en la cultura de los EE.UU. Un dicho popular afirma que «Los gringos viven para trabajar mientras los hispanos trabajan para vivir.» Eso significa que en la cultura hispana el trabajo es una necesidad que se hace para ganarse la vida pero no es una obsesión. También significa que hay otros valores que tienen más importancia que el trabajo. Pasar tiempo con la familia o con amigos y celebrar la vida son dos de los valores con más influencia que el trabajo.

En algunos de los países hispanos, la mayoría de los trabajadores reciben cuatro semanas de vacaciones al año. Si la familia tiene dinero, viaja a la playa o a las montañas y pasan casi un mes juntos descansando y divirtiéndose. Los trabajadores también reciben otros días pagados para asistir a bodas, bautismos, funerales y otros eventos familiares.

Como la matrícula universitaria es gratis o cuesta muy poco, los estudiantes no suelen trabajar como en los EE.UU. Para los estudiantes hispanos la carrera universitaria es su trabajo y tienen tiempo para dedicar más horas a sus estudios.

Con el avance de la economía global el concepto del trabajo en el mundo hispano está cambiando. Los hispanos, especialmente los que viven en las grandes ciudades y los que trabajan en una compañía multinacional, trabajan tantas horas como los trabajadores en los EE.UU. También muchos necesitan trasladarse a otra ciudad o región para encontrar un buen puesto. Todos estos cambios tienen consecuencias. Generalmente los hispanos ganan más dinero pero a la vez tienen menos tiempo que pueden pasar con la familia o con amigos. Y también empiezan a sufrir síntomas físicos y emocionales relacionados con el estrés y el desgaste profesional *(burnout)*.

NUEVO CENTRO medico capacita senores(ras) señoritas 30 dias para seleccionar su personal estable en laboratorio RX RRPP instrumentacion emergencia guardia etc. Rz. Marañon 391 Altos Rimac 12 m - 4 pm., L - S.

PANADERIA necesita señoritas despachadoras. Presentarse de lunes a viernes Berlin 580 Miraflores

PARA EQUIPAR nuevo policlinico requerimos profesionales c/equipo dental RX laboratorio ecografo con central estrategica excelentes ambientes c/telefono Raz. Marañon 391 Rimac frente a Bco. de La Nacion horas oficina.

PERSONAL de vigilancia para turnos de 12 horas diurno I/. 6,500.- nocturnos 5,900.- necesita Viconsa Lampa 879 Of. 408 atencion toda la semana en las mañanas

PERSONAL De mensajeria solicita compañia presentarse Jr. Moquegua 112 - 301 Lima

POLICLINICO requiere 1 doctora Medicina General, Serumista, honorarios mensuales 1 médico radiólogo, ecografista sus 2 sedes, contamos con pool de pacientes y movilidad una vez por semana. Presentarse asimismo 1 Oftalmólogo, 1 Otorrino, dirección Av. Alfredo Mendiola 5361, Panamericana Norte, frente Acersa Ceper.

SE NECESITA recepcionista 8 a 3 buena presencia y facilidad de palabra para centro Pre Universitario Presentarse lunes en la mañana en Av. Tacna 643 Lima.

SE NECESITA señoritas para trabajos de encuestas sueldo minimo comisiones movilidad presentarse Jr. Chancay # 856, 10 a.m.

SE NECESITA universitario medicina y enfermeria presentarse Jirón Chancay # 850, a las 10 a.m.

SE NECESITA cortadores, compostureros, saqueros y pantaloneros para empresa de confecciones de prestigio en el mercado presentarse a Jr. Cuzco # 417 Of. 709, Lima

SE NECESITA Srta. Auxiliar Contabilidad con documentos. Presentarse el dia lunes 23 de 10 a 12 m. Manuel Segura 732, Lince

SECRETARIAS ejecutivas bilingues c. experiencia presentarse c. documentos Jose Pardo # 620 of. 214 Miraflores

SECRETARIA mecanografa señorita(ra) 18-25 años, buena presencia, educada, responsable, oficina administrativa de sólida empresa comercial Puerto Bermudez # 122, San Luis, altura Cdra. 15, Nicolas Arriola

SECRETARIA necesito estudio abogados buena presencia documetnos Huancavelica 470 Of. 308 9 am a 1 pm

Práctica y conversación

9.17 La economía global. Trabajando en parejas, utilicen los avisos aquí presentados para hacer una lista de los trabajos que representan la economía tradicional y los que representan la economía global. ¿Cuáles son los puestos que a Uds. les gustan? En su opinión, ¿cuáles pueden producir el desgaste profesional?

9.18 Comparaciones. Utilice el aviso en la última columna a la derecha en el cual se solicita una «**SECRETARIA** mecanógrafa…» y conteste las siguientes preguntas: ¿Cuáles son algunas de las diferencias en el aviso del mundo hispano y un aviso de los EE.UU.? ¿Qué se puede mencionar en el mundo hispano que no se puede mencionar o pedir en los EE.UU.?

Presentación

Necesito un/a asistente ejecutivo/a

Práctica y conversación

9.19 ¿Qué sección? Indique qué sección de una empresa tiene las siguientes responsabilidades.

Answers 9.19. 1. el mercadeo (las ventas) **2.** la administración **3.** la contabilidad **4.** las finanzas **5.** las ventas **6.** las finanzas **7.** la informática

1. Se decide dónde y cómo se venden los productos.
2. Se preocupa de la planificación y la coordinación de todas las responsabilidades.
3. Se pagan las obligaciones financieras.
4. Se compran las acciones y los bonos.
5. Se preocupa de los pedidos, los vendedores y las zonas de ventas.
6. Se controla el presupuesto.
7. Se coordina el uso de las computadoras.

9.20 Definiciones. Dé las palabras que corresponden a estas definiciones.

Answers 9.20. 1. los cibernautas **2.** hacer clic **3.** un programa multimedia **4.** la red **5.** el escáner **6.** el teclado.

1. las personas que usan Internet
2. comunicarse con un enlace
3. un programa que ofrece sonido, animación, películas, música, etc.
4. la red mundial de computadoras
5. una máquina que entra las fotos, el texto, etc., en la computadora
6. lo que permite comunicarse con la computadora

9.21 La tecnología personal. Ud. y un/a compañero/a de clase tienen un pequeño negocio donde venden productos útiles y baratos para estudiantes. Trabajando en parejas, decidan cuáles de los siguientes productos van a vender en su negocio. Justifiquen su respuesta.

G. Sea puntual con sus citas con este organizador personal y calculadora Royal®. Organizador fácil de usar con memoria de 2KB, calculadora de 10 dígitos, pantalla de 3 líneas, función con código de acceso para información confidencial, apagado automático, alarmas diarias, archivos de teléfonos y memos. La pantalla en ángulo facilita la lectura. Mantiene las horas, alarmas diarias, fechas y detalles de las citas. Solar, con pila auxiliar incluida. Garantía limitada. Importado.
LW369 $39.99*
4.79 por mes*

H. Mantenga su saldo al día con esta chequera y calculadora Royal®. 3 diferentes memorias para cuentas de ahorro, cheques y tarjetas de crédito. Pila auxiliar incluida. Pantalla de 8 dígitos. El protector de memoria guarda el saldo. Tiene código de acceso. Bolígrafo, portador de tarjetas/fotos. Garantía limitada. Importada.
L3972 $19.99* **4.89** por mes*

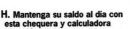

J. Sea un genio de la ortografía con el Franklin® Spelling Ace®. Corrige la ortografía de más de 80,000 palabras. La función "Confusables" le ayuda con palabras que se confunden fácilmente. Tiene juegos de palabras: Hangman, Jumble, flashcards, anagramas y Word Blaster. Solución incorporada de crucigramas y combinaciones. Pantalla de 16 caracteres. Incluye pilas y estuche. Garantía limitada. Importado.
AU239 $19.99* **4.89** por mes*

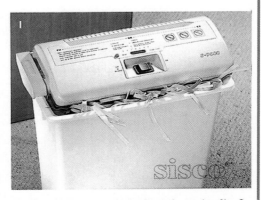

I. Guarde sus secretos con este cortador de papel y papelero Sisco® Protector™. Corta de 1 a 3 hojas de papel en tiras de ¼". Opción manual o automática y de seguridad para quitar papeles atascados. Incluye su propio papelero. Garantía limitada. Importado.
LP463 $79.99* **8.79** por mes*

9.22 Creación. Cuente en una narración lo que pasa en el dibujo de la **Presentación.**

Modelo *Hay una mujer de negocios en su oficina. Mira la pantalla de su computadora. Trabaja en la sección de publicidad. Hay muchos papeles, periódicos y anuncios en su escritorio.*

VOCABULARIO

Las secciones	Departments
la administración	management
la contabilidad	accounting
las finanzas	finance
la informática	computer science, information technology
el mercadeo	marketing
la publicidad	advertising
las relaciones públicas	public relations
las ventas	sales

La oficina comercial	Business office
el aparato Blackberry	Blackberry
el archivo	file cabinet
la calculadora	calculator
la cámara digital	digital camera
la carpeta	file folder
la cinta adhesiva	tape
la engrapadora	stapler
la grapa	staple
el informe	report
la papelera	wastebasket
el quitagrapas	staple remover
el sacapuntas	pencil sharpener
el teléfono celular	cellular phone

La economía	The economy
la acción	stock, share of stock
la bolsa (de acciones) (de valores)	stock market
el bono	bond
los valores	securities, assets

Internet	The Internet
los cibernautas	people who use the Internet
los enlaces	links
la página base	home page
el portal de la Web	Website
la realidad virtual	virtual reality
la red	network
hacer clic	to click
interconectar	to network
navegar Internet / la red	to surf the Internet

La computadora	Personal computer
la carpeta predeterminada	default folder
el chip	microchip
la computadora portátil	laptop computer
el correo electrónico	e-mail
el disco	disk
el disco duro	hard drive
el documento	file
el escáner	scanner
el escritorio de la computadora	desktop
el hardware	hardware
la impresora	printer
el lector	drive
CD-ROM	CD-ROM drive
de discos	disk drive
DVD	DVD drive
el monitor	monitor
la pantalla	screen
el programa	program
el servidor	server
el software multimedia	multimedia software
la tecla	key
el teclado	keyboard
estar fuera de servicio	to be down

The word **multimedia** is an adjective; it does not change form to agree with the noun it modifies: **el software multimedia, la programación multimedia, los programas multimedia, las oficinas multimedia.**

The Spanish equivalent of *the Internet* = **Internet** (used without an article) or **la red**. The equivalent of the *World Wide Web* = **la Web.**

 Heinle Transparency Bank C-3: Los artículos personales (la computadora). Use this image to illustrate additional vocabulary to your students.

Así se habla  CD 2, Track 9

Double-Checking Comprehension

Warm-up. Before listening to the dialogue, have students describe the drawing. Ask: ¿Quiénes son esas personas? ¿Qué están haciendo? ¿Cómo es la oficina? ¿De qué cree Ud. que están hablando las personas? ¿Quién cree Ud. que es el jefe? ¿Por qué?

SRA. SANTAMARÍA: Bueno, tenemos que encontrar el secretario o la secretaria ideal.

SR. ECHEVARRÍA: Sí, queremos que sea una persona que hable español, pero que también sepa portugués y catalán para poder comunicarse con nuestros clientes. ¿De acuerdo?

SRA. SANTAMARÍA: Sí, claro que sí, pero no se olviden que también queremos alguien que pueda usar las nuevas computadoras y todo el equipo que tenemos y manejar los programas que usamos, porque si no, vamos a tener problemas.

SRA. GUTIÉRREZ: Sí, tienes razón. También tiene que saber cómo diseñar y mantener nuestra página base. En resumen, necesitamos una persona que esté muy bien preparada. ¿Les parece?

SRA. SANTAMARÍA: Claro que sí. ¿Y cuánto le vamos a pagar?

Comprehension check. After students have read the dialogue aloud, have them answer the following: ¿Qué quiere la Sra. Santamaría? (Contratar un secretario o una secretaria.) ¿Qué tiene que saber esta persona? (Tiene que hablar español, portugués y catalán, saber usar la computadora y todo el equipo y manejar los programas. ¿Están todos de acuerdo? (Sí.) ¿Cree Ud. que va a ser fácil conseguir a esta persona?

When you want to check comprehension, you can use one of the following expressions.

¿Oyó? / ¿Oíste?	*Did you hear (me)?*
¿Me ha/s oído bien?	*Did you hear me well?*
¿Ya?	*Okay?*
¿Comprende/s?	*Do you understand?*
¿Se da cuenta Ud.? / ¿Te das cuenta?	*Do you realize (it)?*
¿Está/s seguro/a ?	*Are you sure?*

¿De acuerdo? ¿Conforme?	Do you agree?
¿Le / Te parece bien? ¿Qué le / te parece?	Does it seem okay to you? What do you think?
¿Vale? (España) ¿Está bien?	Is it okay?

Práctica y conversación

9.23 ¿Qué te parece? Ud. y su esposo/a tienen mucho trabajo y necesitan ayuda. ¿Qué dicen en las siguientes situaciones?

Estudiante 1

1. Ud. ha sugerido contratar una persona para que limpie la casa dos veces por semana. Su esposo/a no contesta. Ud. le dice: _____ ... ¿de acuerdo?

3. Ud. tiene mucho trabajo y está muy cansado/a. No quiere más obligaciones. Por eso insiste en contratar otra persona. Quiere saber si su esposo/a comprende. Ud. le dice: _____ ... ¿te das cuenta?

Estudiante 2

2. Ud. prefiere que su esposo/a haga la limpieza de la casa y así no gastar dinero. Quiere saber si su esposo/a está de acuerdo. Ud. le dice: _____ ... ¿qué te parece?

4. Ud. sugiere que los dos hagan la limpieza juntos una vez por semana. Ud. quiere saber si su esposo/a acepta su sugerencia. Ud. le dice: _____ ... ¿está bien?

9.24 Por favor, no agarres mis cosas. Trabajando en parejas, dramaticen la siguiente situación.

Ud. y su compañero/a son secretarios/as en una empresa y Ud. ha notado que él/ella ha estado usando su computadora para navegar la red. Además ha estado revisando sus archivos y ha borrado una serie de documentos importantes en su computadora. Ud. le habla pero él/ella parece no prestarle atención.

Modelo Estudiante 1: *Mira, Elena, ¿por qué has usado mi computadora?*
Estudiante 2: *¿Qué dices? No te entiendo.*
Estudiante 1: *¿Te das cuenta de lo que has hecho? ¡Me has borrado mis archivos!*

Estructuras

Talking About Unknown or Nonexistent People and Things

Subjunctive in Adjective Clauses

Adjective clauses are used to describe preceding nouns or pronouns: *I need a secretary **who speaks Spanish**. I'm looking for a job **that pays well.***

a. In Spanish, when the verb in the adjective clause describes something that may not exist or has not yet happened, the verb must be in the subjunctive. When the adjective clause describes a factual situation, the indicative is used. Compare the following examples.

Subjunctive: Unknown or Indefinite Antecedent

Busco una secretaria que **hable** español.

I'm looking for a secretary who speaks Spanish.
(Such a person may not exist.)

Indicative: Existing Antecedent

Busco la secretaria que **habla** español.

I'm looking for the secretary who speaks Spanish.
(Such a person exists.)

Point out. No personal **a** is used before a direct object referring to an indefinite or hypothetical person.

Point out. The use of the indefinite antecedent (**una secretaria** versus **la secretaria**) is often the signal for using the subjunctive.

b. Likewise, when the verb in the adjective clause describes something that does not exist, the subjunctive is used.

Subjunctive: Negative Antecedent

—Necesitamos alguien que **comprenda** este nuevo programa de computadoras.

We need someone who understands this new computer program.

—Lo siento, pero en nuestra sección no hay nadie que lo **comprenda.**

I'm sorry, but in our department there isn't anyone who understands it.

Indicative: Existing Antecedent

—Pero en la sección de contabilidad hay dos o tres secretarias que lo **usan** y lo **comprenden** bien.

But in the accounting department there are two or three secretaries who use it and understand it well.

Point out. The indefinite antecedent (**alguien**) signals the use of the subjunctive in the first example.

Point out. The negative antecedent (**nadie**) signals the use of the subjunctive in the second example.

c. Remember that it is the meaning of the entire main clause and not a particular word that signals the use of the subjunctive. When the main clause indicates that a person or thing mentioned is outside the speaker's knowledge or experience, then the subjunctive is used.

1. The speaker is looking for a specific computer and knows that it exists.

    Buscamos una computadora que **tiene** un teclado español.

    We are looking for a computer that has a Spanish keyboard.

2. The speaker is not looking for a specific computer and doesn't know if such a computer exists.

    Buscamos una computadora que **tenga** un teclado español.

    We are looking for a computer that has a Spanish keyboard.

Práctica y conversación

9.25 **Otro contador.** **9.25** **Otro contador.** Ud. es el/la gerente del departamento de finanzas en una pequeña empresa que necesita otro contador. Explique las calificaciones necesarias de este nuevo empleado.

1. Buscamos un contador que...

   conocer nuestro programa de computadoras / saber mucho de contabilidad / ser inteligente / aprender rápidamente / resolver problemas eficazmente

2. No necesitamos ninguna persona que...

   perder tiempo / dormirse en su oficina / siempre estar de mal humor / equivocarse mucho / salir temprano

9.26 **Las fantasías.** Complete las oraciones de una manera lógica, explicando sus ideas.

1. Quiero un trabajo que _____.
2. Quiero un/a novio/a que _____.
3. Deseo una casa que _____.
4. Quiero comprar un coche que _____.
5. Busco un/a profesor/a que _____.

9.27 **Se necesitan empleados/as.** Ud. es el/la jefe/a de personal de una compañía y necesita contratar un/a contador/a, un/a secretario/a y un/a mensajero/a. Hable con su asistente y discuta las características que deben tener estos empleados.

Modelo Estudiante 1: *Sra. Gómez, necesitamos contratar un contador. Quiero que sea una persona que trabaje bien con números.*
Estudiante 2: *Sí, pero también es necesario que se lleve bien con los otros empleados.*

Explaining What You Want Others to Do

Indirect Commands

Indirect commands are used when one person tells another person what a third person (or persons) should do. *Srta. Guzmán, have the new secretary file these documents.*

a. The subjunctive form is always used in Spanish indirect commands.

Que lo **haga** Tomás.   *Let Tomás do it.*
Que **escriba** las cartas la nueva secretaria.   *Have the new secretary write the letters.*

Word order in Spanish indirect commands is very different from the English equivalent.

Que	+	(no)	+	REFLEXIVE or OBJECT PRONOUNS	+	VERB (in present subjunctive)	+	SUBJECT
Que				las		escriba		la nueva secretaria.
Que		(no)		se		preocupen		los empleados.

b. The indirect command is frequently used to express good wishes directly to another person.

¡Que **te mejores** pronto!   *Get well soon!*
¡Que **se diviertan**!   *Have a good time!*

c. The introductory **que** will generally mean *let* but it can also mean *may* or *have*.

Que seas muy feliz
en tu cumpleaños
y que cada nuevo cumpleaños
te traiga la dulce satisfacción
de nuevos logros alcanzados

¿Qué le desean a la persona que celebra su cumpleaños?

Práctica y conversación

9.28 En la oficina. Use un mandato indirecto para explicar las responsabilidades de las siguientes personas.

> **Modelo**   contestar el teléfono / la recepcionista
> *Que lo conteste la recepcionista.*

1. mandar las cartas / el secretario
2. hacer publicidad / la publicista
3. tomar decisiones importantes / el gerente
4. pagar las cuentas / el contador
5. ayudar a los clientes / el representante de ventas
6. explicar las leyes / la abogada

9.29 Que tenga suerte. Expréseles sus buenos deseos a las siguientes personas cuando digan lo que hacen o van a hacer.

> **Modelo**   Su amigo busca trabajo. / tener suerte
> Estudiante 1: *Busco trabajo.*
> Estudiante 2: *Que tengas suerte.*

1. Su hermano llena una solicitud. / conseguir una entrevista
2. Sus amigos salen en viaje de negocios. / tener buen viaje
3. Su jefe está enfermo. / mejorarse pronto
4. Su novio/a empieza un nuevo empleo. / tener éxito
5. Sus compañeros/as de trabajo van de vacaciones. / divertirse
6. Su amigo/a necesita dinero. / encontrar un empleo pronto

Answers 9.28. 1. Que las mande el secretario. 2. Que la haga la publicista. 3. Que las tome el gerente. 4. Que las pague el contador. 5. Que los ayude el representante de ventas. 6. Que las explique la abogada.

Answers 9.29. 1. Lleno una solicitud. Que consigas una entrevista. 2. Salimos en viaje de negocios. Que tengan buen viaje. 3. Estoy enfermo. Que se mejore pronto. 4. Empiezo un nuevo empleo. Que tengas éxito. 5. Nos vamos de vacaciones. Que se diviertan. 6. Necesito dinero. Que encuentres un empleo pronto.

Warm-up 9.30. Have students brainstorm the types of things new employees need to know when they start a new job and what questions they need to ask.

Instructions 9.30. Students, working in pairs, role-play this activity. Assign different types of personalities to each one of the characters: demanding boss, laid-back assistant; laid-back boss, very nervous assistant; talkative boss, quiet assistant, etc.

9.30 ¡Que haga todo esto! Ud. es el/la jefe/a de personal y se va de vacaciones, pero hay un problema: un/a nuevo/a técnico/a de computadoras va a llegar al día siguiente y Ud. no va a poder darle las instrucciones personalmente. Llame a su asistente y dígale lo que tiene que decirle a esta nueva persona. Él/Ella le hará una serie de preguntas sobre las órdenes que Ud. deja, dónde lo/la puede localizar en caso que sea necesario, etc. Finalmente, Ud. se despide y él/ella le desea unas buenas vacaciones.

Modelo   Estudiante 1: *Sra. Pereda, dígale al nuevo técnico que revise todas las computadoras porque hay muchas que tienen problemas.*
Estudiante 2: *Bien. ¿Y que escriba un informe sobre cada una de ellas?*
Estudiante 1: *Sí. Que ayude a los empleados a solucionar los problemas que tienen.*

Expressing Exceptional Qualities

Absolute Superlative

The absolute superlative is an adjective ending in **-ísimo**; it is used to describe exceptional qualities or to denote a high degree of the quality described. The Spanish forms have the English meaning *very, extremely,* or *exceptionally + adjective.*

To form the absolute superlative of adjectives that

Accent marks on the adjective stem are dropped when **-ísimo** is added: **difícil → dificilísimo; rápido → rapidísimo.**

Spelling changes occur in the feminine and plural forms as well: **riquísima; larguísimos.**

1. end in a consonant, add **-ísimo** to the singular form: **difícil → dificilísimo.**
2. end in a vowel, drop the final vowel and then add **-ísimo: lindo → lindísimo; grande → grandísimo.**
3. end in **-co** or **-go,** make the following spelling changes: **c → qu: rico → riquísimo; g → gu: largo → larguísimo.**

Note that the suffix changes form to agree in number and gender with the noun modified.

Se puede encontrar información **interesantísima** navegando la red, pero requiere **muchísimo** tiempo. | *You can find very, very interesting information by surfing the Internet, but it requires a lot of time.*

Práctica y conversación

9.31 Una compañía moderna. Complete las siguientes oraciones utilizando el superlativo absoluto de los adjetivos presentados entre paréntesis.

1. En una compañía moderna hay (muchas) secciones con empleados (buenos).
2. Casi todos los empleados tienen un sentido (bueno) para los negocios y son (inteligentes).
3. Trabajan (largas) horas para mejorar la compañía; a veces el trabajo es (difícil).
4. Los empleados que tienen una iniciativa fuerte se hacen (ricos).
5. En las compañías modernas utilizan una variedad (grande) de tecnología.

9.32 Mis amigos. Cuéntele a su compañero/a acerca de sus amigos/as. Dígale quién es muy...

pobre / rico / callado / alto / simpático / antipático / inteligente / liberal / ¿?

¿Qué oyó Ud.? CD 2, Track 10

Summarizing

When you listen to a conversation or lecture, you may have to summarize what you heard. A summary can be written in the form of an outline, chart, or paragraph. To write an outline, chart, or paragraph you have to recall factual information and categorize it logically in the proper format.

Antes de escuchar

9.33 Los dibujos. Trabajando en parejas, miren el dibujo que se presenta arriba y hagan las siguientes actividades.

1. Describan a las personas en los dibujos, el lugar donde se encuentran y lo que están haciendo.
2. ¿Qué problemas tienen estas personas? Justifiquen su respuesta.

Al escuchar

9.34 Los apuntes. Escuche la conversación entre Mario y Gerardo. Tome los apuntes que considere necesarios y complete las siguientes oraciones.

1. Mario está preocupado porque _____. Sugiere _____.
2. Para solucionar el problema Mario quiere una persona que _____.
3. Necesitan una persona que sea _____, que sepa _____ y que tenga algún conocimiento de _____.
4. La secretaria que tenían antes era _____, _____ y _____.
5. Gerardo va a _____, ofrecer _____ y luego los dos van a _____.

Answers 9.33. Hay dos hombres. Están en la oficina trabajando. Un hombre está parado y el otro está sentado en su escritorio. Hay muchos papeles en su escritorio. *Some possible answers:* Tienen mucho trabajo. Uno piensa en poner un aviso en el periódico. El otro piensa en contratar una secretaria.

It will probably be necessary to play the dialogue more than once. During the first playing, students listen for the general idea. During the second playing, students should focus on the details.

Answers 9.34. 1. todo está atrasado, que contraten otro empleado **2.** venga pronto **3.** eficiente, responsable, usar la computadora, contabilidad **4.** seria, trabajadora, de confianza **5.** poner un aviso en el periódico, un buen sueldo, entrevistar a los aspirantes.

Después de escuchar

Answers 9.35. *Some possible answers:* Dos compañeros de trabajo hablan sobre la necesidad de contratar otro empleado porque el trabajo está atrasado. Van a poner un aviso en el periódico y luego entrevistarán a los aspirantes.

9.35 Resumen. Con un/a compañero/a de clase, resuman la conversación entre Mario y Gerardo.

9.36 Algunos detalles. Complete las siguientes oraciones con la mejor respuesta.

1. Mario y Gerardo quieren...
   a. que la empresa funcione más eficientemente.
   b. tener más tiempo para usar la computadora.
   c. la secretaria que tenían antes.

2. Es necesario que la persona que trabaje con ellos sea...
   a. eficiente, seria y casada.
   b. trabajadora y responsable.
   c. especialista en contabilidad.

3. Para conseguir un/a buen/a empleado/a, van a...
   a. llamar a la antigua secretaria.
   b. poner un aviso en el periódico.
   c. ponerse en contacto con sus amistades.

4. Podemos pensar que después de que contraten a la persona correcta...
   a. las cosas van a seguir estando atrasadas.
   b. Gerardo va a dejar su trabajo.
   c. no van a tener más problemas.

Interacciones: **Capítulo 9, Segunda situación**

Para saber más: academic.cengage.com/spanish/interacciones

Tercera situación

Imágenes culturales  DVD

Los hispanos en Nueva York

Antes de mirar

A La distribución de los hispanos. Trabajando en parejas, expliquen los países de origen de los hispanos viviendo en los EE.UU. ¿Qué estados tienen grandes números de hispanos? ¿Cuál es el país o región de origen de los hispanos en cada uno de estos estados? Describan la presencia de hispanos dentro del estado donde Ud. vive, dentro del estado de su universidad, y dentro de su universidad.

B El título. Mire el título del vídeo de esta sección: *Los hispanos en Nueva York.* ¿Qué significa el título? En su opinión, ¿de qué grupo/s de hispanos va a tratar este vídeo? Después, mire la foto de arriba y descríbala. En su opinión, ¿en qué estado o región de los EE.UU. está esta tienda? Justifique su respuesta.

C La idea principal. Mire el vídeo por primera vez para determinar la idea principal del vídeo. También revise *(check)* y corrija sus respuestas anteriores.

Actividades de vídeo

Después de completar estas actividades de **Antes de mirar,** complete las otras actividades del vídeo para **Capítulo 9** en el *Cuaderno de actividades.*

Warm-up. To help students comprehend the video more easily, review the information about Hispanics in **Bienvenidos a la comunidad hispana en los EE.UU.**

Vocabulario del vídeo. The following vocabulary will help you understand this video segment and complete the exercises: **la rivalidad** *(rivalry);* **crecer/creciendo** *(to grow/growing).*

Answers A. La mayoría de los hispanos en los EE.UU. son de México, Puerto Rico, Cuba y la República Dominicana. En Arizona, California, Colorado, Nevada y Nuevo México son de México. En Nueva Jersey y Nueva York son de Puerto Rico o la República Dominicana. En la Florida son de Cuba.

Answers B. Los hispanos en Nueva York = *Hispanics in New York.* Según el título, va a tratar de los puertorriqueños y los dominicanos. La foto es de una carnicería mexicana que probablemente está en el suroeste de los EE.UU. porque la mayoría de los chicanos vive en aquella región.

Answers C. Nueva York tiene una población hispana muy grande; la mayoría son puertorriqueños y dominicanos. Recientemente un número significante de mexicanos ha llegado a la ciudad y esto está creando una rivalidad entre los mexicanos y los otros grupos que han llegado antes.

The additional video activities located in the *Cuaderno de actividades* are designed to be completed by students on their own outside of class. However, the additional activities can also be completed in class if time permits.

Lectura cultural

Para leer bien

Identifying Point of View

Prereading and decoding are two steps that lead to comprehension. Comprehension is a global task and involves assigning meaning to the entire reading selection. In reading selections containing material that is simple to understand, comprehension may result merely from using prereading techniques and from decoding key words and phrases.

Comprehension of more complex reading selections will involve more than just these initial two stages. One key to comprehension is the identification of point of view. The authors of articles and editorials frequently present their own ideas and try to convince the reader to accept these same ideas or point of view. You need to learn to identify these points of view in order to comprehend and interpret the selection. The following techniques will aid you in this process.

1. **Identify the main theme.** Using prereading techniques, identify the main theme of the reading. Decide if the author is merely relaying information or is trying to present an idea and convince you of his / her point of view.

2. **Identify the point of view.** When the author is trying to present a point of view and convince you of its worth, you as the reader must identify that point of view using some of the following techniques.

   a. Find out information about the author that will provide clues as to his / her beliefs. Ask yourself: Who is the author? Where is he / she from? Where and for whom does he / she work? With what political / religious / social group(s) is he / she associated?

   b. As you decode, make a mental list or outline of the main points or ideas of the article.

3. **Evaluate the point of view.** As a reader, you need to decide if the author's point of view is valid.

   a. Decide if the main points are presented logically and clearly.

   b. Decide if the author is trying to convince you through emotional appeal or logic and reasoning.

   c. Ask if the main points are supported with legitimate examples, statistics, or research.

4. **Agree or disagree with the point of view.**

   a. Does the author's point of view depend on special circumstances or cultural background?

   b. Does the author's point of view correspond to your background, experience, and beliefs?

   c. Does the article reinforce or change your opinion?

Antes de leer

Answers A. *El tema*: El español como lengua emergente de uso internacional.

A El tema. Dé un vistazo al título, a las fotos y al primer párrafo para determinar el tema del artículo.

B La periodista. Lea el párrafo siguiente sobre la periodista que escribió el artículo de la **Lectura cultural** de este capítulo. Decida qué información puede influir en el punto de vista de la autora.

La persona que escribió el artículo que sigue es una periodista española llamada Ana Isabel Zarzuela. El artículo fue publicado en la revista española *Cambio 16,* que se publica cada semana y se especializa en noticias sobre política, economía, cultura y sociedad.

C El punto de vista. Lea los dos primeros párrafos de la lectura a continuación. Decida si la periodista está informando al lector o si está tratando de convencerlo de algo.

D Un idioma emergente. Explique lo que significa la frase «un idioma emergente». ¿Está Ud. de acuerdo con lo que dice la periodista en los dos primeros párrafos? ¿Por qué?

Al leer

E El punto de vista. Mientras Ud. lee el artículo «El español: un idioma emergente», haga una lista mental o escrita de las ideas principales y trate de decidir si estas ideas son válidas según la evidencia presentada. También decida si Ud. está de acuerdo con el autor.

Answers B. La periodista es española y probablemente tiene un punto de vista español. También la revista es española. Como la revista se especializa en noticias sobre política, economía, cultura y sociedad, la periodista va a escribir sobre estos temas.

Answers C. Está tratando de convencer al lector de que el español es un idioma emergente e importante, de uso internacional.

The reading «El español: un idioma emergente» emphasizes the cultural theme (The Hispanic Community) of this chapter.

El español: un idioma emergente

Más de 500 millones de personas hablan hoy español. Reforzada° por una rica tradición cultural, la lengua española goza de una amplia presencia internacional. El español se ha convertido en° un idioma emergente que aspira a ser la segunda lengua mundial.

Razones para el crecimiento° del español

El gran crecimiento demográfico de las sociedades latinoamericanas y la supervivencia° del español en centros históricos, sostienen en parte esa emergencia. Pero hay otras razones.

Brasil se ha convertido en uno de los mercados más potentes para la literatura y la música hispana, con un crecimiento del 500 por ciento, en los dos últimos años. La enseñanza del español ha aumentado° tanto que 50 centros universitarios ofrecen licenciaturas° en español, y el Ministerio de Educación brasileño calcula que en los próximos años el país podría necesitar 210.000 profesores de español, sobre todo, si finalmente se aprueba° el español como materia obligatoria en la enseñanza secundaria.

En Asia Oriental la curiosidad por la cultura latina y el deseo de estrechar lazos° económicos abren las puertas al español, que es ya la segunda lengua más estudiada en las universidades japonesas.

Pero el avance más espectacular es el que esta lengua ha vivido en los EE.UU. En los EE.UU. el español prospera y no sólo entre la comunidad hispana, ya que casi 80 millones de estadounidenses lo utilizan como segunda lengua. Además, los más de 42.700.000 hispanos que viven en el país, su creciente peso° político, su potencial económico y la proliferación de medios de comunicación en español, han impulsado esa emergencia.

Reinforced

become

growth

survival

increased / degree programs

is approved

tighten bonds

weight

Nuevos ciudadanos hispanos en los EE.UU.

Los hispanos y el español en los EE.UU.

Hoy es más fácil, que en ningún otro momento de la historia, ser hispano y vivir el español en los EE.UU. El factor de crecimiento demográfico es el principal elemento de la fuerza de los hispanos que viven en los EE.UU. Según proyecciones de la oficina del Censo, con base en Washington, D.C., los hispanos rozarán° los cien millones de habitantes en el año 2100, cuando la población de los EE.UU. alcance° los 571 millones de personas, el doble de lo que es actualmente.

Con 100 millones de personas, los hispanos pueden marcar el ritmo de la sociedad norteamericana de finales del siglo XXI, cuando la mayoría anglosajona representará menos del 50 por ciento de la población. El resto se comprondrá° de minorías étnicas, lideradas° por la hispana.

Prueba° de la vitalidad económica de los hispanos es el aumento° del poder adquisitivo° del grupo. Además de las estaciones de radio y las cadenas de televisión, en la actualidad° existen 1.300 publicaciones periódicas, 24 diarios° y 250 semanarios° en español en este país, que, sin duda, han contribuido a mejorar la imagen de lo hispano y aumentar la lealtad de los latinos hacia su propia lengua y cultura.

La cultura es patente° en el ámbito° musical y, sobre todo, en portales de Internet. A pesar de la aparición constante de portales latinos, es muy pequeña la proporción de contenidos en español; un dos por ciento de las páginas web publicadas en el mundo, aunque el español es la segunda lengua (después del inglés) en los medios de comunicación en Internet. Además, el español es la lengua más estudiada en colegios y universidades de los EE.UU. y existen ciudades del país, como Miami, San Antonio o, incluso, Los Ángeles, Chicago y Nueva York, donde el bilingüismo es ya una cosa normal.

will touch on
reaches

will be composed of / led

Proof / increase / buying power
at the present time
daily papers / weekly papers

evident / sphere

Sin embargo, hay algunas personas que son más pesimistas en cuanto al uso del español en el futuro en los EE.UU., y estas personas apuntan° las estadísticas. El 98,5 por ciento de los hispanos cree que hay que aprender inglés para trabajar y obtener prestigio social y sólo un 68 por ciento habla español en su casa, a excepción de algunos estados del suroeste, donde un 82 por ciento de los hispanos mayores de cinco años utiliza el español en su vida diaria. De los hogares° donde se habla español, sólo en un 23 por ciento ningún miembro de la familia habla bien el inglés.

point out

homes

El *spanglish*

El español, que ya llega a los EE.UU. con raíces° variadas —sobre todo mexicanas, cubanas y centroamericanas— se diversifica aún más en su convivencia° con el inglés. El spanglish —o Spanish U.S., como otros lingüistas prefieren llamarlo—, asume construcciones gramaticales del inglés y se termina convirtiendo en un tipo de dialecto propio. **Puchar** (*to push*) por «empujar», **mapear** (*to mop*) por «pasar la fregona» o **hablar p'atrás** (*to talk back*) por «contestar», son expresiones que pueblan° las conversaciones entre algunos hispanos.

El gran reto° del español en las primeras décadas del siglo XXI será su consolidación como segunda lengua internacional. Y para eso tiene tres lugares donde se la juega°: Estados Unidos, Brasil y un espacio virtual, la sociedad de la información. Sin duda, el español del futuro será más diverso e integrado.

roots
coexistence

populate
challenge
is being played out

Después de leer

F ¿Cierto o falso? Identifique las oraciones falsas y corríjalas.

1. No se estudia el español fuera de los países hispanos.
2. El español aspira a ser la segunda lengua mundial.
3. El idioma español no ha cambiado a causa de su convivencia con el inglés.
4. El spanglish es muy común en Brasil.
5. El español del futuro será más diverso e integrado.
6. Según las proyecciones de la oficina del Censo, a finales del siglo XXI los anglosajones representarán el 75 por ciento de la población de los EE.UU.
7. Es más difícil hoy ser hispano y vivir el español en los EE.UU.

G Las estadísticas. Muchas veces las estadísticas ayudan a defender un punto de vista. Complete las siguientes oraciones con las estadísticas acerca de la información del artículo.

1. Más de _500.000.000_ de personas hablan hoy español.
2. Actualmente hay más de _42.700.000_ de hispanos que viven en los EE.UU.
3. Hay casi _80.000.000_ de estadounidenses que utilizan el español como segunda lengua.
4. En el año 2100 habrá _100.000.000_ de hispanos dentro de los EE.UU. y la población total de los EE.UU. alcanzará los _571.000.000_ de personas.
5. Actualmente existen _1.300_ publicaciones periódicas, _24_ diarios y _250_ semanarios en español.
6. En Brasil hay _50_ centros universitarios que ofrecen especializaciones en español.
7. El Ministerio de Educación brasileño calcula que en los próximos años Brasil podría necesitar _210.000_ profesores de español.

H Otro punto de vista. Utilizando la información del artículo, explique el punto de vista de las personas que piensan que el español no va a ser importante en los EE.UU. en el futuro.

I En defensa de una opinión. ¿Qué evidencia hay en el artículo que confirma la siguiente idea? «El español es un idioma emergente.»

Answers F. 1. Falso. Se estudia el español en muchos otros países. La enseñanza del español ha aumentado enormemente en Brasil; es la segunda lengua más estudiada en las universidades japonesas. **2.** Cierto **3.** Falso. El español ha cambiado a causa de su convivencia con el inglés. Se usan a menudo frases como **puchar** por «empujar»; **mapear** por «pasar la fregona»; **hablar p'atrás** por «contestar». **4.** Falso. El spanglish es muy común en los EE.UU. **5.** Cierto **6.** Falso. Los anglosajones representarán menos del 50 por ciento de la población de los EE.UU. **7.** Falso. Es más fácil hoy que en ningún otro momento de la historia ser hispano y vivir el español en los EE.UU.

Interacciones

🔄 **Communicative modes incorporated. A** interpersonal **B** presentational **C** interpersonal **D** presentational

Vocabulary incorporated. A job application and interview vocabulary, job qualifications **B** job application and interview vocabulary, departments within a firm **C:** job application and interview vocabulary, job qualifications **D** job application vocabulary, office equipment, departments within a firm

Grammar incorporated. A Subjunctive in adjective clauses, adverb formation, adjectives of quantity **B** conditional tense, absolute superlative **C** absolute superlative, subjunctive in adjective clauses **D** conditional tense, subjunctive in adjective clauses

A La agencia de empleos. Your agency has placed an ad in the paper for openings in a large corporation specializing in electronics and appliances. The openings include a sales manager, advertising director, accountant, and computer programmer. Interview four classmates for the positions. Find out if they have the necessary qualifications, experience, and personality for one of the four jobs.

B El/La nuevo/a supervisor/a. You have applied for a new position as supervisor of a large department in an important company. Explain to the interview team (played by your classmates) what you would do as their new supervisor to improve the company. Explain your personal skills and exceptional qualities.

C El/La consejero/a. You are a job counselor for undergraduates who are trying to finalize career plans. Interview a classmate and discuss the type of job he/she wants as well as the exceptional qualities he/she has that would be appropriate for the job.

D El trabajo ideal. Explain what your ideal job would be like. Explain where the job would be located, what your boss and other employees would be like, what type of salary and benefits you would receive, what responsibilities you would have, and what tasks you would perform.

Así se escribe

Para escribir bien

Filling Out an Application

One of the most common types of writing that many persons do on a regular basis involves filling in forms and applications. While the writing of letters, reports, papers, and compositions requires connected text, the completion of forms requires only individual words and phrases. Thus, the accuracy of filling out forms is largely dependent on your ability to read the phrases requesting information. Knowledge of the following vocabulary items should help you in most forms.

Antigüedad: Número de años que ha trabajado en el mismo lugar

Apellido/s: El nombre de familia, como Gómez, García Fernández, Smith

Código postal (C.P.): Unos números que indican la zona postal donde Ud. vive

Colonia: Un pequeño pueblo en las afueras de una ciudad mexicana

Cónyuge: El/La esposo/a

Dependencia: En México es un barrio dentro de una colonia

Dirección / Direcciones /Domicilio actual: El lugar donde Ud. vive actualmente

Empresa: Una compañía

Estado civil (Edo. civil): Casado/a, soltero/a, viudo/a, divorciado/a, separado/a

Estado de cuenta (Edo. de cuenta): La cuenta que recibe al fin de cada mes y que tiene que pagar

Ingreso: El sueldo o el salario; el dinero que recibe de su trabajo

Núm.: Número

Solicitante: La persona que llena la solicitud

Teléfono: El número de teléfono

Antes de escribir

A Habilidades necesarias. Lea las descripciones de las tres composiciones dadas a continuación y escoja una según sus intereses y habilidades. Después, haga una lista de las habilidades necesarias para el puesto mencionado en la composición que Ud. escogió.

B Una solicitud personal. Llene la siguiente solicitud utilizando información personal.

SOLICITUD PERSONAL PARA LA TARJETA AMERICAN EXPRESS™®

Para Uso Exclusivo de American Express	Folio		Núm. de Cuenta:

DATOS GENERALES DEL SOLICITANTE

Apellidos: Paterno   Materno   Nombre

Cómo desearía que apareciera su nombre en La Tarjeta (considere espacios)

Edad   Reg. Fed. Contribuyentes   Edo. Civil

Domicilio Actual: Calle   Núm.   Colonia

Delegación   C.P.   Ciudad   Estado

Tiempo de residir ahí   Teléfono Lada

Vive en casa: Rentada ☐   Familiares ☐   Propia ☐   Pagándola ☐
Deseo recibir mi Edo. de Cuenta: Domicilio ☐   Oficina ☐
Núm. Licencia o Pasaporte   Fecha de Nacimiento

Nombre Completo del Cónyuge   Separación de Bienes ☐
                                       Sociedad Conyugal ☐
Número Dependientes

Domicilio Anterior (si tiene   Calle   Núm
menos de 3 años en el actual)
Colonia   Delegación   C.P.

Ciudad   Estado   Tiempo de residir ahí

Es o ha sido Tarjetahabiente American Express   Si ☐ No ☐
Cuenta Núm.

EMPLEO ACTUAL Y ANTERIOR

Nombre de la Empresa Actual

Actividad de la Empresa

Puesto   Profesión   Antiguedad

Domicilio: Calle   Núm.   Colonia   Teléfono

Delegación   C.P.   Ciudad   Estado

Nombre de la Empresa Anterior

Actividad de la Empresa

Puesto   Profesión   Antiguedad

Domicilio: Calle   Núm   Colonia   Teléfono

Delegación   C.P   Ciudad   Estado

INGRESOS MENSUALES COMPROBABLES

Favor de especificar Ingreso Mensual $
Otros Ingresos Mensuales $
(Fuente)
Total $
Indique cualquier información adicional para facilitar la expedición de La(s) Tarjeta(s) (bienes raíces, valores, etc.)

REFERENCIAS PERSONALES

Nombre, Domicilio, Teléfono de 3 parientes o Amigos que no vivan con Ud., indicando si tienen Tarjeta American Express

1.

2

3

REFERENCIAS BANCARIAS Y/O COMERCIALES

Bancarias (Tipo de cuenta, y Sucursal)   Núm. de Cuenta
1
2
3

Comerciales (Tarjetas de Crédito)
1
2
3.

Las cuotas anuales y de inscripción le serán cargadas en su Estado de Cuenta

TARJETAS COMPLEMENTARIAS

Por favor envíenme Tarjetas Complementarias (personas mayores de 18 años solamente)
Nombre completo

Sexo	Edad	Parentesco	Fecha de Nacimiento
			Día Mes Año

Firma del Complementario

Lugar y Fecha

Firma del Solicitante Personal Básico

El solicitante manifiesta que los datos asentados en esta solicitud son verdaderos y autoriza a American Express Company (México), S.A. de C.V., a verificar la autenticidad de los mismos en cualquier momento que American Express Company (México), S.A. de C.V., lo juzgue necesario, y conviene en que si ésta es aceptada por American Express Company (México), S.A. de C.V. y se expiden una o más tarjetas, esta solicitud tendrá el carácter de contrato entre las partes en los términos de los artículos 1792, 1793 y demás aplicables del Código Civil para el Distrito Federal en materia común, y para toda la República en materia Federal, de acuerdo con los términos y condiciones del contrato de adhesión registrado con fecha 4 de abril de 1986 en el folio no. 194, libro 1, volumen I, visto a fojas 11 del Registro Público de Contratos de Adhesión, que lleva la Procuraduría Federal del Consumidor. Declara el solicitante básico, así como los solicitantes complementarios, que conocen y están de acuerdo con los términos, obligaciones y condiciones del Contrato de Adhesión anteriormente mencionado y que regulan el uso de la tarjeta American Express. El uso de la tarjeta por el solicitante significa su consentimiento a dichos términos, obligaciones y condiciones.
El tarjetahabiente se obliga a pagar mensualmente y en forma puntual a la fecha límite de pago fijada por American Express Company (México), S.A. de C.V., el monto de los cargos que haya realizado con la tarjeta American Express, y está de acuerdo en que la falta de pago oportuno de los saldos o cargos mencionados, generarán cargos moratorios sobre saldos insolutos mensuales, los cuales serán variables y serán calculados para los saldos en Moneda Nacional como expresamente se señala en el Contrato de Adhesión ya mencionado.
Así mismo, en el caso de que el solicitante, ya siendo tarjetahabiente, incurra en mora en el pago puntual de los cargos que haya realizado con la tarjeta American Express, American Express Company (México), S.A. de C.V., expedirá un estado de cuenta del tarjetahabiente, en el cual se asentará el saldo no liquidado, así como los cargos moratorios generados, con la certificación de un corredor o notario público de que las cantidades que en su caso aparezcan en dicho estado de cuenta, son conceptos que efectivamente figuran a cargo del tarjetahabiente en los libros de American Express Company (México), S.A. de C.V. y el tarjetahabiente acepta que deberá pagar a American Express Company (México), S.A. de C.V., dichos cargos ante el requerimiento que mediante el procedimiento judicial correspondiente se le haga para tal fin y en el cual se le exhiba el estado de cuenta certificado, teniendo para el tarjetahabiente esta obligación de pago por la cantidad consignada en el ya mencionado estado de cuenta a su cargo, la fuerza de sentencia ejecutoriada conforme los artículos 1051 y 1391, fracción I, del Código de Comercio, pudiéndose cumplimentar lo dispuesto en el artículo 1348 del mismo ordenamiento; ante el juzgado a través del cual se realizó el requerimiento de pago. Al firmar esta solicitud, el solicitante consiente en todos y cada uno de sus términos y condiciones de la misma. American Express Company (México), S.A. de C.V., se reserva el derecho de declinar esta solicitud. Este contrato fue aprobado por la Procuraduría Federal del Consumidor según oficio número 24-1093 de fecha 4 de abril de 1986.

3COM-VIII-87

Firma del Solicitante

Al escribir

Escriba su composición, utilizando la lista de habilidades creada en la práctica **B Habilidades necesarias.**

Answers. All composition topics should include the new vocabulary and grammar structures of this chapter as well as the vocabulary of applications.

C Un/a nuevo/a gerente de ventas *(sales manager)***.** Ud. trabaja en la Oficina de Personal de una compañía que fabrica y vende computadoras. Su compañía necesita un/a nuevo/a gerente de ventas y Ud. tiene que crear una solicitud para este puesto y también un aviso para el periódico local.

> **C Grammar:** Adverbs, verbs: subjunctive with a relative; comparisons: adjectives; **Phrases/Functions:** Describing people, expressing a need; **Vocabulary:** Computers, offices, personality, professions

D Una carta de solicitud. Ud. acaba de leer un aviso para un puesto ideal. Escríbale una carta a la Oficina de Personal de la empresa en la que describa sus habilidades y aptitudes para el puesto. También explique lo que Ud. haría para la empresa. Incluya la información general pedida en una solicitud.

> **D Grammar:** verbs: conditional; comparisons: adjectives; **Phrases/Functions:** Comparing and distinguishing, writing a letter (formal), describing people; **Vocabulary:** Computers, offices, personality, professions

E Una carta de recomendación. Su mejor amigo/a solicita empleo en una compañía grande e importante. Escríbale una carta de recomendación a la Oficina de Personal para describir a su amigo/a. Explique lo que su amigo/a haría para la compañía. Incluya la información general pedida en una solicitud de empleo y también una descripción de las aptitudes de su amigo/a.

> **E Grammar:** verbs: conditional; comparisons: adjectives; **Phrases/Functions:** Comparing and distinguishing, writing a letter (formal); describing people; **Vocabulary:** Computers, offices, personality, professions

Después de escribir

Antes de entregarle su composición a su profesor/a, Ud. debe leerla de nuevo y corregir los errores. Preste atención a la información general de una solicitud. ¿Ha incluido toda la información necesaria? Revise el vocabulario para el puesto, la oficina y la empresa. También revise los verbos.

Interacciones: **Capítulo 9, Tercera situación**

Para saber más: academic.cengage.com/spanish/interacciones

10 En la empresa multinacional

Una empresa multinacional

Cultural Themes

The Hispanic community: Chicanos

Hispanic business and banking

Communicative Goals

Making a business phone call

Discussing completed past actions

Explaining what you hope has happened

Discussing reciprocal actions

Doing the banking

Talking about actions completed before other actions

Explaining duration of actions

Expressing quantity

Have students describe the photo. Ask specific questions such as: **¿Qué hay en la foto? ¿Cuántas personas hay y quiénes son? ¿Qué hacen? ¿Dónde están?**

Have students provide English examples of the topics, situations, and phrases that would be covered in each of the communicative goals. **Modelo:** *Explaining duration of actions:* Students might answer: *"I have been studying Spanish for three years." "How long have you been a student here?"*

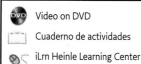 Video on DVD		Audio	
Cuaderno de actividades		Atajo	
iLrn Heinle Learning Center		Music	
academic.cengage.com/ spanish/interacciones		iRadio	

Presentación

Quisiera hablar con el jefe

Práctica y conversación

10.1 ¿Quién lo hace? ¿Quién hace las siguientes actividades?

1. Crea los anuncios comerciales.
2. Explica los reglamentos de comercio.
3. Ejecuta los pedidos.
4. Atiende al público.
5. Trabaja con números.
6. Archiva los documentos.
7. Resuelve los problemas legales.
8. Crea los programas para la computadora.

Answers 10.1. 1. el/la publicista **2.** el/la abogado/a **3.** el/la representante de ventas **4.** el/la recepcionista **5.** el/la contador/a **6.** el/la oficinista **7.** el/la abogado/a **8.** el/la especialista en computadoras

10.2 En la oficina. En el dibujo de la **Presentación** hay varios grupos de personas. Trabajando en parejas, escojan un grupo y dramaticen su conversación a la clase.

10.3 Un teléfono celular. Ud. y un/a compañero/a de clase trabajan en los EE.UU. para una empresa multinacional con oficinas en varias ciudades mexicanas. Diariamente Uds. necesitan comunicarse con el personal mexicano y de vez en cuando necesitan viajar a México y comunicarse con las oficinas en los EE.UU. Lean el siguiente anuncio y decidan si el teléfono celular y su plan de llamadas son buenos para su trabajo. Justifiquen su respuesta.

The alternate drawing that corresponds to this activity can be found in **Apéndice A.**

Answers 10.4. 2d, 3e, 6b

10.4 ¿Qué me dices? Aquí tiene Ud. unos anuncios clasificados. Su compañero/a tiene otros anuncios en el **Apéndice A.** Conversen para encontrar los tres anuncios que tienen respuesta.

1 Se ofrece automóvil SEAT Ibiza en buenas condiciones, pocos kilómetros. Llame al 61-25-34.	2 Tengo iPod 30 GB para vender. Haga una oferta. imapple@mundo.com	3 Vendemos computadora portátil con maletín. Precio negociable. Tel 41-39-54.
4 Quiero cámara digital. Si Ud. la ofrece a un buen precio, Llámeme 75-68-22.	5 Busco servicio de limpieza para diez oficinas. Para más detalles llamar al 79-20-73.	6 Necesitamos especialista en computadoras con experiencia e iniciativa. Llamar al 55-34-80 entre 10 y 18h.

10.5 Creación. En una narración cuente lo que pasa en el dibujo de la **Presentación.**

Modelo *Podemos ver una oficina grande donde hay muchas personas y mucha actividad. En primer lugar, hay una mujer hablando por teléfono y un hombre que le quiere hablar. Más allá se ve...*

VOCABULARIO

El personal	Personnel	Las responsabilidades	Responsibilities
el/la abogado/a	lawyer	archivar los documentos	to file documents
el/la accionista	stockbroker	atender (ie) al público	to attend to the public
el/la asistente ejecutivo/a	executive assistant	cumplir pedidos	to fill orders
el/la contador/a	accountant	entender (ie) los reglamentos	to understand the regulations
el/la ejecutivo/a	executive	del comercio de exportación y de importación	of export and import trade
el/la especialista en computadoras	computer specialist		
el/la financista	financier	exportar productos	to export products
el/la gerente	manager	hacer publicidad	to advertise
el hombre/la mujer de negocios	businessman, businesswoman	importar productos	to import products
el/la jefe/a	boss	ofrecer servicios	to offer services
el/la oficinista	office worker	pagar los derechos de aduana	to pay duty taxes
el/la operador/a de computadoras	computer operator	resolver (ue) los problemas	to solve problems
el/la programador/a	programmer		
el/la publicista	advertising person	trabajar con números	to work with numbers
el/la recepcionista	receptionist	tecnología avanzada	advanced technology
el/la representante de ventas	sales representative		

Heinle Transparency Bank: D-3; Las profesiones. Use these images to illustrate additional vocabulary to your students.

Así se habla  CD 2, Track 11

Making a Business Phone Call

Warm-up 1. Before listening to the dialogue, have students describe the drawing. Ask: ¿Quién es esa persona? ¿Qué está haciendo? ¿Qué tipo de trabajo tiene? En su opinión, ¿cree Ud. que es un trabajo interesante o aburrido? ¿Por qué?

Warm-up 2. Ask students to think about the English expressions they use when they make a business call. Have them explain how they think this differs or is similar to the way it is done in the Hispanic world.

Comprehension check. After playing the dialogue a second time, have students answer the following: ¿A qué compañía llama el Sr. Robles? (Petróleos del Suroeste) ¿Quién contesta? (La operadora) ¿Con quién quiere hablar el Sr. Robles y por qué? (Con el Sr. Gamarra porque ya ha cumplido con todos sus pedidos.) ¿Consigue el Sr. Robles hablar con la persona que quiere? ¿Por qué sí o por qué no ? (No, porque el Sr. Gamarra está en una reunión.) ¿Qué va a pasar después? (El Sr. Gamarra llamará al Sr. Robles.)

OPERADORA: Petróleos del Suroeste, buenas tardes.
SR. ROBLES: Buenas tardes. Quisiera hablar con el Sr. Gamarra, por favor.
OPERADORA: El Sr. Gamarra está en una reunión. ¿Quisiera dejar algún mensaje?
SR. ROBLES: Sí, por favor. Dígale que llamó el Sr. Robles y que ya he cumplido con todos sus pedidos. Me hubiera gustado hablar con él, pero si no es posible ahora, por favor dígale que me llame tan pronto como pueda.
OPERADORA: Le haré presente.
SR. ROBLES: Muchas gracias, señorita.

To make and/or answer a business telephone call, you can use the following phrases.

Party making call:

Con el / la señor/a ... , por favor.	*(I'd like to talk to) Mr. / Mrs . . . , please.*
Quisiera hacer una cita con ..., por favor.	*I would like to make an appointment with . . . , please.*
¿Podría dejarle un mensaje?	*Could I leave him / her a message?*
Dígale por favor que ...	*Please tell him / her that . . .*
Llamaré más tarde.	*I'll call later.*
Se lo agradezco.	*I appreciate it.*

Party answering call:

El / La señor/a no se encuentra / está en la otra línea / en una reunión.	*Mr. / Mrs.... . is not in / is on the other line / is in a meeting.*
¿Quisiera dejar algún mensaje?	*Would you like to leave a message?*
Muy bien, le daré su mensaje.	*Very well, I'll leave him / her your message.*
¿Para cuándo quisiera la cita?	*When would you like your appointment for?*
¿El... a las ... estaría bien?	*Would . . . at . . . be convenient for you?*

To hear more about Spanish pronunciation visit academic.cengage.com/ spanish/interacciones.

Práctica y conversación

10.6 Por favor con... Trabajando en parejas, dramaticen la siguiente situación.

Answers 10.6. 2. Con el señor Retes, por favor. **3.** El señor Retes está ocupado. **4.** ¿Podría dejar un mensaje? **5.** Sí, por supuesto. **6.** Muchas gracias. Hasta luego.

Recepcionista	Cliente
1. ¡Riiiin! ¡Riiiin! Ud. responde.	2. Ud. quiere hablar con el Sr. Retes.
3. El Sr. Retes está ocupado.	4. Ud. quiere dejar un mensaje.
5. Ud. responde.	6. Ud. agradece y se despide.

10.7 ¿Con la Dra. Astete, por favor? En grupos, un/a estudiante hace el papel de recepcionista, otro/a el papel de la Dra. Astete y otro/a el papel de paciente.

Warm-up 10.7. Brainstorm with students about what they do when they need to make an appointment with their doctor. Ask them what phrases from those they have learned they would use in making their appointment.

Situación:

Ud. quiere pedir una cita con la Dra. Astete, pero sólo puede ir a la consulta en las tardes. Como la recepcionista no puede conseguirle nada que le convenga, Ud. pide hablar con la doctora y le presenta su problema.

Modelo Estudiante 1: *Oficina de la Dra. Astete. Buenas tardes.*
Estudiante 2: *Buenas tardes. Como no puedo conseguir una cita con la Dra. Astete, quisiera hablar con ella, por favor.*
Estudiante 1: *Un momento, por favor.*
Estudiante 3: *Habla la Dra. Astete, ¿En qué puedo ayudarle?*

Primera situación **359**

Estructuras

Discussing Completed Past Actions

Present Perfect Tense

Point out. The regular past participle ends in *-ed* in English; many irregular forms in English end in *-en*.

Tener = *to have, possess;* **haber** = *to have* and is used only as an auxiliary verb: **Hemos comprado un nuevo edificio. El edificio tiene seis pisos.**

The past participle is invariable. **Raúl ha trabajado. Susana ha trabajado.**

The present perfect tense is used to express a completed action in the past in both Spanish and English. In English this tense is formed with the present tense of the auxiliary verb *to have* + *the past participle: I **have** already **solved** the problem and Enrique **has filled** the order.*

Present Perfect Tense		
haber	**+**	**past participle**
he		-AR
has		pagado
ha		-ER
hemos		vendido
habéis		-IR
han		decidido

a. In Spanish the present perfect indicative is formed with the present tense of the auxiliary verb **haber** followed by the past participle of the main verb. The past participle used in a perfect tense is invariable; it never changes form regardless of the gender or number of the subject.

b. The past participle of regular **-ar** verbs is formed by adding **-ado** to the stem:

   trabajar → **trabaj-** → **trabajado.** The past participle of regular **-er** and **-ir** verbs is formed by adding **-ido** to the stem: **comprender** → **comprend-** → **comprendido; cumplir** → **cumpl-** → **cumplido.**

c. Some common verbs have irregular past participles.

abrir	**abierto**	poner	**puesto**
cubrir	**cubierto**	resolver	**resuelto**
decir	**dicho**	romper	**roto**
escribir	**escrito**	ver	**visto**
hacer	**hecho**	volver	**vuelto**
morir	**muerto**		

   Note that compound verbs formed from the verbs in the above chart will show the same irregularities in the past participle: **envolver** → **envuelto** = *wrapped;* **descubrir** → **descubierto** = *discovered.*

d. Past participles of **-er** and **-ir** verbs whose stem ends with **-a, -e,** or **-o** use a written accent over the **i** of the participle ending: **traer** → **traído; leer** → **leído; oír** → **oído.**

e. Reflexive and object pronouns must precede the conjugated verb **haber.**

—¿**Le has hablado** al Sr. Ruiz esta mañana?

Have you spoken to Mr. Ruiz this morning?

—No, no **le he hablado** pero **le he escrito** una carta.

No, I haven't spoken to him but I have written him a letter.

f. The present perfect is often used to express an action that was very recently completed or an event that is still affecting the present. In Spain this tense is often used as a substitute for the preterite.

—¿**Has resuelto** el problema con la aduana?

Have you solved the problem with customs?

—Todavía no. Pero **he hablado** con el agente muchas veces.

Not yet. But I have talked with the agent many times.

Práctica y conversación

 10.8 Mi último empleo. Su compañero/a de clase hace el papel de jefe y quiere saber lo que Ud. ha hecho en su último empleo. Conteste sus preguntas.

Modelo   trabajar con números
      Estudiante 1: *¿Ha trabajado Ud. con números?*
      Estudiante 2: *Sí, he trabajado con números.*

archivar los documentos / hacer publicidad / resolver problemas / trabajar con tecnología avanzada / tomar decisiones / escribir informes / usar una computadora

10.9 Antes de llegar. Diga seis cosas que Ud. ha hecho hoy antes de llegar a la universidad.

 10.10 Entrevista. Hágale preguntas a su compañero/a de clase sobre sus experiencias.

Pregúntele...

1. dónde ha trabajado antes.
2. si ha atendido al público.
3. si se ha llevado bien con los clientes.
4. si ha usado un procesador de textos.
5. si ha trabajado horas extras.
6. si ha sido despedido/a por alguna compañía.
7. ¿?

Answers 10.8. ¿Ha archivado Ud. los documentos? Sí, (No) he archivado los documentos. ¿Ha hecho Ud. publicidad? Sí, (No) he hecho publicidad. ¿Ha resuelto Ud. problemas? Sí, (No) he resuelto problemas. ¿Ha trabajado con tecnología avanzada? Sí, (No) he trabajado con tecnología avanzada. ¿Ha tomado Ud. decisiones? Sí, (No) he tomado decisiones. ¿Ha escrito Ud. informes? Sí, (No) he escrito informes. ¿Ha usado Ud. una computadora? Sí, (No) he usado una computadora.

Explaining What You Hope Has Happened

Present Perfect Subjunctive

When you explain what you hope or doubt has already happened, you will need to use the present perfect subjunctive.

Present Perfect Subjunctive		
haber	**+**	**past participle**
haya		-AR
hayas		pagado
haya		-ER
hayamos		vendido
hayáis		-IR
hayan		decidido

a. The present perfect subjunctive is formed with the present subjunctive of the auxiliary verb **haber** followed by the past participle.

b. The same expressions that require the use of the present subjunctive can also require the use of the present perfect subjunctive.

Me alegro / Espero / Dudo / Es mejor que **hayan pagado** los derechos de aduana.

I'm happy / I hope / I doubt / It's better that they have paid the duty taxes.

c. The present perfect subjunctive is used instead of the present subjunctive when the action of the subjunctive clause occurred before the action of the main clause.

Compare the following examples.

Espero que **archives** los documentos.
I hope that you (will) file the documents.

Espero que ya **hayas archivado** los documentos.
I hope that you have already filed the documents.

No creo que **tengan** problemas con la computadora—es nueva.
I don't think that they are having problems with the computer—it's new.

No creo que **hayan tenido** problemas con la computadora—sólo con la fotocopiadora.
I don't think that they have had problems with the computer—only with the photocopier.

Práctica y conversación

10.11 En la oficina. Las siguientes personas están trabajando en un proyecto importantísimo. Diga lo que Ud. espera que ellos ya hayan hecho.

Modelo el abogado / resolver los problemas legales
Espero que el abogado haya resuelto los problemas legales.

1. el programador / crear el software multimedia
2. la financista / trabajar con el presupuesto
3. el publicista / terminar los anuncios

Point out. The perfect tenses are all formed in the same manner: **haber** + *past participle*. The name of the tense is determined by the tense of the auxiliary verb **haber**; when **haber** is in the present subjunctive, the tense is called the *present perfect subjunctive*.

You can review the expressions that require the subjunctive as follows: expressions of hope, desire, command, and request: **Capítulo 5, Segunda situación;** expressions of judgment, doubt, and uncertainty: **Capítulo 6, Segunda situación.**

To hear more about the subjunctive visit academic.cengage.com/ spanish/interacciones.

Answers 10.11. 1. Espero que el programador haya creado el software multimedia. **2.** Espero que la financista haya trabajado con el presupuesto. **3.** Espero que el publicista haya terminado los anuncios. **4.** Espero que la ejecutiva haya tomado decisiones importantes. **5.** Espero que el oficinista haya archivado todos los documentos. **6.** Espero que la representante de ventas haya cumplido con los pedidos.

4. la ejecutiva / tomar decisiones importantes
5. el oficinista / archivar todos los documentos
6. la representante de ventas / cumplir los pedidos

10.12 Espero... Ud. acaba de salir de una entrevista de trabajo y ahora está pensando en el puesto. Complete las siguientes frases usando el presente perfecto del subjuntivo de los verbos que se presentan a continuación.

dar   decidir   demostrar   hablar   hacer   leer

1. Espero que _____haya leído_____ las cartas de recomendación.
2. Ojalá que yo ____haya demostrado____ bastante confianza.
3. Dudo que yo ____haya hecho____ demasiadas preguntas.
4. Ojalá que ____haya hablado____ con mi último supervisor.
5. No creo que le ____haya dado____ el puesto a otro aspirante.
6. Espero que ____haya decidido____ ofrecerme el puesto.

10.13 Los dueños. Ud. y un/a amigo/a quieren fundar una compañía nueva. Uds. ya se han dividido las responsabilidades, pero hay dificultades. Diga lo que Ud. espera que ya haya hecho la otra persona.

Modelo Estudiante 1: *Mira, José, espero que el abogado ya haya escrito el contrato de alquiler. ¿Qué sabes tú?*
Estudiante 2: *No sé nada, pero espero que ya lo haya hecho, así como también que el publicista haya terminado los anuncios.*

10.14 Los hombres y las mujeres de negocios. Ud. es un/a ejecutivo/a de una empresa multinacional y dos de sus empleados/as han ido en viaje de negocios a Latinoamérica. Uno/a de ellos/ellas tenía que resolver los problemas de aduana y el/la otro/a tenía que entrevistarse con los financistas de los diferentes países. Ud. los/las llama por teléfono para saber lo que han hecho y para decirles lo que Ud. espera que ya hayan hecho.

Modelo Estudiante 1: *Alejandro, no creo que hayas tenido dificultades para arreglar los problemas de aduana, ¿verdad?*
Estudiante 2: *Bueno, no, en realidad no he tenido problemas, pero el proceso es bastante lento y voy a tener que quedarme una semana más.*

Warm-up 10.14. Have students tell each other what they think are some of the problems involved when doing business with foreign countries.

Instructions 10.14. Ask students to role-play this situation. Assign different groups different roles: a group of successful businessmen/businesswomen; a group that has found nothing but problems; a group that has had problems with customs; a group that has not been able to complete the interviews.

Discussing Reciprocal Actions

Reciprocal *nos* and *se*

English uses the phrases *each other* or *one another* to express reciprocal actions. *The couple met each other while working in a firm in Los Angeles.*

a. Spanish uses the plural reflexive pronouns **nos, os, se** to express reciprocal or mutual actions.

1. **nos** + *1st-person plural verb*: **nos escribimos** = *we write to each other.*
2. **os** + *2nd-person plural verb*: **os escribís** = *you write to each other.*
3. **se** + *3rd-person plural verb*: **se escriben** = *they write to each other.*

Armando y Dolores **se conocieron** en la oficina. Ahora **se ven** a menudo.   *Armando and Dolores met at the office. Now they see each other frequently.*

b. Because the reflexive and reciprocal forms are identical, confusions can arise. Compare the following examples.

Armando y Dolores **se conocen** bien.
$\begin{cases} \textit{Armando and Dolores know themselves well.} \\ \textit{Armando and Dolores know each other well.} \end{cases}$

c. The forms **el uno al otro, la una a la otra, los unos a los otros, las unas a las otras** are used to clarify or emphasize a reciprocal action. Note that the masculine forms are used unless both persons are female.

Armando y Dolores se conocen bien **el uno al otro.**

Armando and Dolores know each other well.

Cada semana Anita y Marta se escriben **la una a la otra.**

Anita and Marta write each other every week.

Práctica y conversación

10.15 **Las amigas.** Ana y Bernarda son secretarias de una oficina muy grande. Explique lo que hacen y cuándo lo hacen.

Modelo escribir notas
Ana y Bernarda se escriben notas a menudo.

hablar / ver / ayudar / llamar por teléfono / entender / reunir / ¿?

10.16 **¡Mis compañeros son terribles!** Ud. está en un hotel en Texas en un viaje de negocios con dos compañeros/as de trabajo. Desafortunadamente, ellos/ellas tienen un carácter terrible y se han peleado todo el tiempo. Ud. habla con ellos/ellas y les reclama. Ellos/Ellas niegan todo.

Modelo Estudiante 1: *¡Jorge, Esteban, no aguanto más! Uds. se pelean todo el tiempo.*

Estudiantes 2 Y 3: *¡Eso es falso! Nosotros no nos peleamos.*

gritar / mirar con desdén / mentir / ignorar / insultar / ¿?

10.17 **En la empresa.** Ud. es un/a empleado/a en una empresa y su amigo/a quiere saber cómo es la relación que tiene Ud. con sus compañeros/as de trabajo. Ud. le explica.

Modelo Estudiante 1: *Mira, David, ¿cómo se llevan Uds. en la oficina? Aquí nosotros nos peleamos todo el tiempo, las personas se miran con desdén, se insultan. ¡Es horrible!*

Estudiante 2: *¡Qué pena, Emilio! Aquí nosotros nos respetamos mucho. Nos reunimos a menudo, nos escribimos notas por correo electrónico y nunca nos insultamos.*

Answers 10.15. Ana y Bernarda se hablan a menudo. Ana y Bernarda se ven a menudo. Ana y Bernarda se ayudan a menudo. Ana y Bernarda se llaman por teléfono a menudo. Ana y Bernarda se entienden a menudo. Ana y Bernarda se reúnen a menudo.

Warm-up 10.16. Have students brainstorm about what are some of the most frequent problems they have with their siblings / roommates / co-workers.

Answers 10.16. *Only the Estudiantes 2 y 3 lines vary.* ¡Eso es falso! Nosotros no nos gritamos / no nos miramos con desdén / no nos mentimos / no nos ignoramos / no nos insultamos / *Answers will vary.*

Warm-up 10.17. Have students brainstorm the typical relation between co-workers, and between employees and their boss.

Perspectivas

Las comunidades hispanas

DISCOTECA SABINAS
7604 W. VERNOR
DETROIT, MI. 48209
- **CD'S Y CASSETTES** *VIDEOS MEXICANOS*
- MUSICA MEXICANA • SALSA   *TARJETAS TELEFONICAS*
- MERENGUE • BACHATA   **¡Se Habla Español!!**
- MARIACHI
- RITMOS TROPICALES   **(313) 841-4557**
- Y TODO LO QUE USTED BUSCA

| HORARIOS | MAR. • VIE. 10 AM - 7 PM |
| DE ATENCION: | SAB. • DOM. 10 AM - 9 PM |

Olas Travel
Charo Ledón
BOLETOS DE AVION A TODO EL MUNDO
Escoletas Tarifas a Toda Latinoamérica
TRADUCCIONES DE DOCUMENTOS Actas de Nacimiento, Certificados de Matrimonio, Licencias, Etc
NOTARIO PUBLICO • TARJETAS TELEFONICAS
ENVIOS DE DINERO
Sigue (734) 213-5396   Ria MONEY TRANSFER
1900 W. Stadium, Ann Arbor MI 48103

Mariachi Especial de México
Raúl Hernández Representante
ALGO ESPECIAL SUPER MERCADO
2628 Bagley St. Detroit, MI 48216
Tel:(313) 963-9013 • Cel:(734) 223-6729
Fax: 313- 963-3703

Portrait Studio
- Retratos de Familia
- Fotos Niños
- Quinceañeras
- Graduaciones • Bodas
- Toda Ocasión
FRED MORA
7020 Michigan Ave.
Detroit, MI 48210
313-551-0825

DECORACIONES PARA FIESTAS Y BODAS
Se hacen decoraciones para Fiestas; Bodas; 15 años; Bautismos, Sets para Bodas; Graduaciones, Showers y todo tipo de celebración. Corsages, Distintivos, presents, Volos, y todo lo que necesita para sus fiestas.
CALL MARITZA FLORES
TEL: (313) 445-4521
(313) 297-6772
8125 Gartner, Detroit

ENCINO WOOD DESIGNS
- Muebleria y carpinteria & especialistas en Muebles de Oficina
1650 Waterman
Detroit, MI 48209
Cell: 313-729-8669

E n muchas ciudades de los EE.UU. existen comunidades hispanas donde vive gente de diversos lugares de la América Latina, pero principalmente de México, Cuba y Puerto Rico. Es muy interesante visitar estas comunidades ya que en ellas hay mercados, restaurantes, periódicos y agencias de servicios sociales, todo para el público latino.

Además de revistas en español, los mercados latinos venden discos de música latina y también una serie de productos alimenticios típicos que las amas de casa compran para su dieta diaria. Los restaurantes sirven comidas y bebidas típicas de distintos países y son muy visitados por la población latina. Muchas comunidades tienen también periódicos locales donde los profesionales anuncian sus servicios y donde se publican las noticias de la comunidad. Las comunidades más grandes cuentan con una estación de radio que toca preferentemente música latina y que anuncia las noticias locales y mundiales en español.

Visite una comunidad latina si tiene la oportunidad de hacerlo. No sólo podrá practicar su español con personas de distintos países hispanos, sino que podrá disfrutar de su cultura desde muy cerca.

Práctica y conversación

10.18 Vamos al barrio latino. Trabajando en parejas, hagan planes para visitar un barrio latino. Usando los anuncios de arriba, digan qué piensa hacer, qué van a comprar, si van a comer en un restaurante. Luego, explíquenle sus planes a la clase.

10.19 De compras. Ud. va de compras en el barrio latino. Compre algo que sólo se puede encontrar allá. Un/a estudiante hace el papel de vendedor/a de una tienda latina y otro/a el papel de cliente. Utilicen los anuncios para escoger una tienda.

For additional information on the global economy and its effects within the Hispanic world, view the film *Amores perros* and complete the activities in *Más allá de la pantalla: Capítulo 14.* RESUMEN: *Amores perros* tiene lugar en México, D.F., durante la crisis económica de los años 90. Narra tres historias diferentes y describe la vida y el sufrimiento de las personas que quedan fuera de la nueva economía global.

Cultural products: Hispanic communities **(barrios)** within the U.S., components of the Hispanic communities such as stores, restaurants, social service agencies. **Cultural practice:** shopping within the Hispanic community, meeting others in shops and stores. **Cultural comparisons:** Hispanic communities and other communities within the U.S.

Warm-up. Ask students: ¿Hay algún barrio hispano en la ciudad o cerca de la ciudad donde Ud. vive? ¿Lo ha visitado? Como estudiante de español, ¿cómo lo (la) ayudaría a Ud. una visita a una comunidad hispana? ¿Qué se puede hacer en la comunidad? ¿Qué haría Ud.?

Interacciones: Capítulo 10, Primera situación

Para saber más: academic.cengage.com/spanish/ interacciones

Segunda situación

Presentación

En el banco

Práctica y conversación

10.20 Situaciones. ¿Qué debe hacer Ud. en las siguientes situaciones? Usted....

1. quiere pagar con cheques pero sólo tiene cuenta de ahorros.
2. necesita comprar una casa pero no tiene suficiente dinero.
3. gasta más dinero de lo que gana.
4. no quiere pagar con dinero en efectivo.
5. tiene muchos documentos importantes que deben estar en un lugar seguro.
6. necesita suelto pero sólo tiene billetes.
7. necesita pesos pero sólo tiene dólares.

10.21 Préstamos a la mano. Utilizando el anuncio a continuación, diga qué tipo de préstamo van a pedir los siguientes clientes en NationsBank.

1. La cocina de la casa de los Hernández es muy vieja y necesitan renovarla.
2. Celia Prieto necesita un coche nuevo para ir a su trabajo.
3. José Roque va a casarse y necesita dinero para la luna de miel.
4. Manuel Castellanos y su esposa viven en un apartamento pero quieren comprar una casa.
5. Fernando y Marta Torres necesitan dinero para pagar la matrícula universitaria de sus hijos. No tienen dinero en una cuenta de ahorros pero sí tienen una casa.

Answers 10.21. 1. una mejora al hogar 2. un préstamo para un automóvil 3. una línea de crédito 4. una hipoteca 5. un préstamo sobre el valor neto de la vivienda

Préstamos A La Mano.

Un carro nuevo, un cuarto para el bebé que viene en camino, o una buena educación. En NationsBank nos dedicamos a ayudarle hacer sus sueños realidad con los productos y servicios de préstamo que ofrecen las tasas de interés y flexibilidad que usted necesita.

Hipotecas: Abra las puertas al hogar de sus sueños (o refinancíe la suya).

Mejoras Al Hogar: Dele la nueva cara que su hogar merece y que esté a su alcance.

Préstamos Para Automóviles: Siéntese al timón del carro de sus sueños sin dar vueltas.

Líneas De Crédito: Dese el lujo de unas vacaciones bién merecidas.

Préstamos Sobre El Valor Neto De La Vivienda: Ha trabajado por su casa, póngala a trabajar por usted y descubra posibles ahorros en sus impuestos.*

Visite su sucursal NationsBank más cercana, o llame gratis al 1-800-688-6086 y pregunte acerca de los préstamos que le ayudarán hacer sus sueños realidad.

*El crédito está sujeto a aprobción. Consulte a su asesor de impuestos o contador para determinar si las limitaciones sobre deducciones le aplican a usted. NationsBank, N.A. (del Sur). Miembro FDIC. ⌂ Ofreciendo Igualdad en Oportunidades de Préstamo Hipotecario. ©1996 NationsBank Corporation.

NationsBank

Como Tener Un Banquero En La Familia.

 10.22 En el banco. Trabajando en parejas, dramaticen la conversación entre la cajera y el cliente en el dibujo de la **Presentación.**

Modelo   Estudiante 1: *Quisiera cambiar estos dólares a pesos, por favor.*
Estudiante 2: *Necesito ver su pasaporte, señor.*
Estudiante 1: *Muy bien. Aquí está.*

10.23 Creación. En una narración cuente lo que pasa en el dibujo de la **Presentación.**

Modelo   *Un hombre le pide un préstamo a un banquero que revisa unos documentos. Otro hombre habla con una banquera mientras tres clientes hacen cola. Hay un policía en el banco que lee el periódico. Un ladrón...*

VOCABULARIO

El dinero	Money
el billete	bill
el cajero automático	ATM
la chequera (A)	checkbook
el talonario (E)	
la cuenta corriente	checking account
de ahorros	savings account
el dinero en efectivo	cash
el giro al extranjero	foreign draft
la moneda	coin
el sencillo	loose change
el suelto	
la tarjeta de crédito	credit card
débito	debit card
el vuelto	change returned

El préstamo	Loan
la clasificación de crédito	credit rating
la fecha de vencimiento	due date
el pago inicial	down payment
mensual	monthly payment
la tasa de interés	interest rate
declararse en quiebra	to file for bankruptcy
encontrarse (ue) de mora	to default
pagar a plazos	to pay in installments
pedir (i, i) prestado	to borrow

Actividades bancarias	Banking activities
ahorrar	to save
alquilar una caja de seguridad	to rent a safety deposit box

cambiar dinero	to exchange currency
cobrar un cheque	to cash a check
depositar	to deposit
ingresar	
invertir (ie, i)	to invest
pedir (i, i) consejo financiero	to ask for financial advice
rebotar un cheque	to bounce a check
retirar dinero	to withdraw money
sacar dinero	
saber la tasa de cambio	to find out the rate of exchange
solicitar una hipoteca	to apply for a mortgage
verificar el saldo de la cuenta bancaria	to verify the bank account balance

La economía	Economy
la balanza de pagos	balance of payments
el consumo	consumption
el costo de vida	cost of living
el desarrollo	development
la evasión fiscal	tax evasion
la inflación	inflation
el presupuesto	budget
el reajuste de salarios	salary adjustment
la reforma fiscal	tax reform
la renta	income
el subdesarrollo	underdevelopment

Así se habla  CD 2, Track 12

Doing the Banking

XANDRA: No lo puedo creer, Mario. Había encontrado mi chequera pero la he vuelto a perder.

MARIO: ¿Otra vez, Xandra? Pero, ¿dónde tienes la cabeza? Pierdes la chequera quinientas veces al día. ¿Qué te pasa? Voy a tener que cancelar nuestra cuenta mancomunada y abrir una personal.

XANDRA: No sé, no sé, no sé. No me atormentes. Hace dos horas que la busco pero no la encuentro.

MARIO: Bueno, cálmate, pues. A ver, dime ¿cuándo fue la última vez que la viste?

XANDRA: Ayer. Yo había planeado ir al banco esta tarde y sacar dinero para pagarle a Marianita. ¡Ay, Dios mío, me voy a morir!

MARIO: No te vas a morir. A ver piensa, piensa.

XANDRA: A ver, a ver... creo que la puse aquí... no, no está...

Warm-up 1. Before listening to the dialogue, have students work in pairs and describe the drawing. Ask: ¿Quiénes son esas personas? ¿Qué están haciendo? ¿Qué cree Ud. que ha pasado? ¿Qué tipo de personalidad cree Ud. que tienen? ¿Por qué? ¿Qué cree Ud. va a pasar? Justifique su opinión.

Comprehension check. After playing the dialogue a second time, have students answer the following: ¿Qué le pasó a Xandra? (Perdió su chequera nuevamente.) ¿Con qué amenaza Mario a Xandra? (con cancelar su cuenta mancomunada y abrir una cuenta personal) ¿Hace cuánto tiempo que Xandra busca la chequera? (hace dos horas) ¿Cuándo fue la última vez que Xandra vio la chequera? (ayer) ¿Cuál es la actitud de Mario? (Quiere que Xandra se calme y piense dónde puso la chequera.)

To hear more about Spanish pronunciation visit academic.cengage.com/ spanish/interacciones.

When doing the banking, you can use the following expressions.

Quisiera abrir una cuenta corriente / de ahorros.	*I would like to open a checking / savings account.*
Quisiera cerrar mi cuenta corriente / de ahorros.	*I would like to close my checking / savings account.*
¿Qué interés paga una cuenta a plazo fijo?	*What is the interest rate on a fixed account?*
He perdido mi libreta / chequera.	*I have lost my savings book / checkbook.*
Quisiera retirar... de mi cuenta.	*I would like to withdraw . . . from my account.*
Quisiera depositar... en mi cuenta.	*I would like to deposit . . . in my account.*
¿Me podría dar mi estado de cuenta?	*Could you give me my bank statement?*
Quiero una cuenta personal / mancomunada.	*I want a personal / joint account.*
¿Me van a dar una chequera provisional?	*Are you going to give me a temporary checkbook?*

Práctica y conversación

Warm-up 10.24. Brainstorm with students about the types of transactions they do at the bank on a regular basis and what other types of transactions they think they will do in the future.

Instructions 10.24. Have students work in pairs. Monitor students to see how they are doing. Answer students' questions and/or correct their mistakes when necessary. Then, call on a few students to give the answers aloud.

Answers 10.24. 1. ¿Me podría dar mi estado de cuenta? **2.** Quisiera retirar $5.000 dólares de mi cuenta de ahorros. **3.** Quisiera abrir una cuenta corriente mancomunada con mi hermano. **4.** Quisiera depositar $5.000 en esa cuenta. **5.** ¿Me van a dar una chequera provisional? **6.** Quisiera saber cuánto interés gana una cuenta de ahorros a plazo fijo.

Warm-up 10.25. Brainstorm with students about the type of expenses involved when getting married and what couples have to do when they don't have money.

10.24 En el banco. Ud. va al banco a hacer varias cosas. ¿Qué le dice al / a la empleado/a si Ud. quiere... ?

1. saber cuánto dinero tiene en su cuenta de ahorros

2. retirar $5.000 dólares de su cuenta de ahorros

3. abrir una cuenta corriente nueva a nombre suyo y de su hermano

4. depositar $5.000 dólares en esa cuenta

5. una chequera provisional

6. saber cuánto interés gana una cuenta de ahorros a plazo fijo

10.25 Banco «La Seguridad». Trabajen en parejas. Ud. se va a casar y necesita mucho dinero. Por eso, va al banco La Seguridad para pedir información acerca de los préstamos que dan (tasa de interés, fecha de vencimiento, pago mensual, etc.) y para abrir una nueva cuenta de ahorros. Hable con un/a empleado/a. Él/Ella le ayudará en todo.

Modelo Estudiante 1: *Buenas tardes, quisiera que me dé información acerca de los préstamos que da este banco.*

Estudiante 2: *Muy bien, señor. Pase a hablar con la señora Rosales. Ella le explicará los diferentes préstamos, las tasas de interés y todo lo que Ud. necesite.*

Estructuras

Talking About Actions Completed Before Other Actions

Past Perfect Tense

The perfect tenses describe actions that are already completed. The past perfect tense (sometimes called the pluperfect tense) is used to describe or discuss actions completed before another action. *I **had** already **gone** to the bank when Sr. Fonseca called.*

Past Perfect Tense		
haber	**+**	**past participle**
había		-AR
habías		prestado
había		-ER
habíamos		aprendido
habíais		-IR
habían		invertido

a. In Spanish the past perfect indicative is formed with the imperfect of **haber** + *past participle* of the main verb.

b. The past perfect is used in a similar manner in both English and Spanish. It expresses an action that was completed before another action, event, or time in the past. The expressions **antes, nunca, todavía,** and **ya** may help indicate that one action was completed prior to others.

Todavía no habíamos depositado todos los cheques.

We still had not deposited all the checks.

Mario **ya había sacado** el dinero cuando llegó el jefe.

Mario had already withdrawn the money when the boss arrived.

Reminder. In English, the present perfect tense = *have / has* + past participle; the past perfect tense = *had + past participle*.

Reminder. The perfect tenses are all formed in the same manner: **haber** + *past participle*. The name of the tense is determined by the tense of the auxiliary verb **haber;** when **haber** is in the imperfect tense, the tense is called the *past perfect*.

Práctica y conversación

10.26 En el banco. ¿Qué habían hecho ya estas personas en el banco ayer a las cinco?

1. la Sra. Gómez / alquilar una caja de seguridad
2. nosotros / cobrar un cheque
3. el Sr. Ochoa / solicitar una hipoteca
4. María / sacar dinero en efectivo
5. Uds. / verificar el saldo de la cuenta corriente
6. Tomás / pedir consejo financiero
7. yo / depositar dinero en la cuenta de ahorros

Answers 10.26. 1. La Sra. Gómez había alquilado una caja de seguridad. **2.** (Nosotros) Habíamos cobrado un cheque. **3.** El Sr. Ochoa había solicitado una hipoteca. **4.** María había sacado dinero en efectivo. **5.** Uds. habían verificado el saldo de la cuenta corriente. **6.** Tomás había pedido consejo financiero. **7.** (Yo) Había depositado dinero en la cuenta de ahorros.

10.27 Actividades bancarias. Ud. tiene mucho cuidado con los asuntos financieros. Explique cuándo había hecho las siguientes actividades.

> **Modelo** Verifiqué el saldo de la cuenta de ahorros. Retiré dinero.
> *Ya había verificado el saldo de la cuenta de ahorros cuando retiré dinero.*

1. Averigüé la tasa de interés. Pedí un préstamo.
2. Deposité el dinero. Cobré un cheque.
3. Pedí consejo financiero. Invertí mucho dinero.
4. Averigüé la tasa de cambio. Cambié dinero.
5. Verifiqué el saldo de la cuenta corriente. Cobré un cheque.

10.28 Averiguaciones. Ud. tiene un/a amigo/a que ha tenido muchos problemas financieros. Pregúntele si había hecho las siguientes cosas antes de tener problemas. El/Ella le contesta.

> solicitar una hipoteca / pedir dinero prestado / alquilar una caja de seguridad / pedir una tarjeta de crédito / pedir consejo financiero / ¿?

Explaining Duration of Actions

Hace and *llevar* in Time Expressions

In Spanish there are two basic constructions to discuss the duration of actions or situations. These constructions are very different from their English equivalents.

a. Hace + *expressions of time*

Question

¿Cuánto tiempo hace que... (**no**) + *present tense verb?*	*(For) How long + has / have + subject + been + -ing form of verb?*
¿Cuánto tiempo hace que tu hijo ahorra para un coche?	*How long has your son been saving for a car?*

Answer

1. **Hace** + *unit of time* + **que** + *subject* + (**no**) + *present tense of verb*	Subject + *has / have + been + -ing* form of verb + *for* + unit of time
Hace dos años que Jorge ahorra y todavía no tiene suficiente dinero.	*Jorge has been saving for two years and he still doesn't have enough money.*
2. Subject + (**no**) + *present tense* + **desde hace** + *unit of time*	Subject + *has / have + been + -ing* form of verb + *for* + unit of time
Jorge ahorra **desde hace** dos años.	*Jorge has been saving for two years.*

Note that either variation of the Spanish answer has the same English equivalent.

b. Llevar + *expression of time*

Question

¿Cuánto tiempo + *present tense of* **llevar** + *(subject)* + *gerund?*	*(For) How long + has / have + subject + been + -ing form of verb?*
¿Cuánto tiempo llevas trabajando en este banco?	*How long have you been working in this bank?*

Affirmative answer

(Subject) + **Llevar** *in present tense unit of time + gerund*	*Subject + has / have + been + -ing form + of verb + unit of time*
Llevo seis meses trabajando aquí.	*I have been working here for six months.*

Negative answer

Llevar *in present tense + unit of time +* **sin** *+ infinitive*	*Subject + has / have + not + past participle + for + unit of time*
Llevo tres años **sin** ahorrar dinero.	*I haven't saved money for three years.*

Práctica y conversación

 10.29 ¿Cuánto tiempo? Su compañero/a de clase quiere saber cuánto tiempo hace que Ud. hace las siguientes actividades. Conteste sus preguntas.

Modelo recibir los pagos mensuales / 10 meses
Estudiante 1: *¿Cuánto tiempo hace que recibes los pagos mensuales?*
Estudiante 2: *Hace 10 meses que recibo los pagos mensuales.*

1. esperar para hablar con el cajero / media hora
2. pagar a plazos / 8 meses
3. tener una cuenta corriente / 2 años
4. trabajar en este banco / 5 años
5. invertir en las acciones / 3 meses
6. depositar dinero en este banco / 8 semanas
7. ahorrar dinero / 6 meses

10.30 Mucho tiempo. ¿Cuánto tiempo llevan las siguientes personas en las actividades mencionadas?

Modelo el Sr. Rojas / 1 año / trabajar en este banco
El Sr. Rojas lleva un año trabajando en este banco.

1. los empleados / 2 años / no recibir un reajuste de salarios
2. Raúl / 3 meses / buscar otro empleo
3. mis padres / 5 años / pedir consejo financiero
4. nosotros / muchos años / pagar impuestos sobre la renta
5. tú / 3 años / alquilar una caja de seguridad
6. la compañía / 6 meses / resolver los problemas financieros

Answers 10.29. 1. ¿Cuánto tiempo hace que esperas para hablar con el cajero? Hace media hora que espero para hablar con el cajero. **2.** ¿Cuánto tiempo hace que pagas a plazos? Hace ocho meses que pago a plazos. **3.** ¿Cuánto tiempo hace que tienes una cuenta corriente? Hace dos años que tengo una cuenta corriente. **4.** ¿Cuánto tiempo hace que trabajas en este banco? Hace cinco años que trabajo en este banco.
5. ¿Cuánto tiempo hace que inviertes en las acciones? Hace tres meses que invierto en las acciones. **6.** ¿Cuánto tiempo hace que depositas dinero en este banco? Hace ocho semanas que deposito dinero en este banco. **7.** ¿Cuánto tiempo hace que ahorras dinero? Hace seis meses que ahorro dinero.

Answers 10.30. 1. Los empleados llevan dos años sin recibir un reajuste de salarios. **2.** Raúl lleva tres meses buscando otro empleo. **3.** Mis padres llevan cinco años pidiendo consejo financiero. **4.** (Nosotros) Llevamos muchos años pagando impuestos sobre la renta.
5. (Tú) Llevas tres años alquilando una caja de seguridad.
6. La compañía lleva seis meses resolviendo los problemas financieros.

Warm-up 10.31. Have students brainstorm about some of the things a bank needs to know about clients before giving them a loan.

Instructions 10.31. Have students divide into pairs and role-play different types of customers and/or employees: a customer with serious financial problems; a very helpful / uninterested / nervous / knowledgeable / ignorant employee.

10.31 Entrevista. Ud. es un/a empleado/a bancario/a y necesita información acerca de un/a cliente que solicita un préstamo.

Pregúntele cuánto tiempo hace que...

1. vive en la ciudad.
2. está casado/a.
3. trabaja en la compañía Petróleos Sudamericanos.
4. tiene cuenta en el banco.
5. paga una hipoteca.

Expressing Quantity

Using Numbers

Numbers are used for many important situations and functions such as counting, expressing age, time, dates, addresses and phone numbers as well as in making purchases and doing the banking.

100	cien, ciento	1.000	mil
200	doscientos	1.001	mil uno
300	trescientos	1992	mil novecientos noventa y dos
400	cuatrocientos	100.000	cien mil
500	quinientos	1.000.000	un millón
600	seiscientos	2.000.000	dos millones
700	setecientos	100.000.000	cien millones
800	ochocientos		
900	novecientos		

a. **Cien** is used instead of **ciento**

1. before any noun.

    cien pesos   cien cajas

2. before **mil** and **millones.**

    100.000 = cien mil   100.000.000 = cien millones

b. The word **ciento** is used with the numbers 101–199.

    101 = ciento uno   175 = ciento setenta y cinco

c. The masculine forms of the numbers 200–999 are used in counting and before masculine nouns. The feminine forms are used before feminine nouns.

    361 pesos = trescient**os** sesenta y **un** pesos
    741 cajas = setecient**as** cuarenta y **una** cajas

d. The word **mil** = *one thousand* or *a thousand:* 20.000 = **veinte mil. Mil** becomes **miles** only when it is used as a noun; in such cases, it is usually followed by **de.**

    En el banco hay **miles de**   *In the bank there are thousands of coins.*
    monedas.

e. The Spanish equivalent of *one million* is **un millón;** the plural form is **millones.** *One billion* is **mil millones. Millón** and **millones** are followed by **de** when they immediately precede a noun.

$1.000.000 = un millón **de** dólares
$2.100.000 = dos millones cien mil dólares
$25.000.000 = veinticinco millones **de** dólares

Práctica y conversación

10.32 Vamos a contar. Cuente en español de 100 a 1.000, de cien en cien. Ahora, cuente de 1.000 a 10.000, de mil en mil.

10.33 En el banco. Ud. trabaja en el departamento internacional de un banco. ¿Cuánto dinero recibe el banco hoy?

1. 5.000.000 (euros)
2. 17.000.000 (dólares)
3. 23.000.000 (bolívares)
4. 47.000.000 (pesos)
5. 61.000.000 (colones)
6. 83.000.000 (guaraníes

10.34 El inventario. Cada año hay que contar lo que hay en la oficina. Telefonee a su colega en la oficina de Caracas y léale su inventario.

1. 867 sillas
2. 571 documentos
3. 1.727 engrapadoras
4. 2.253 carpetas
5. 441 calculadoras
6. 381 impresoras
7. 137 computadoras
8. 690 escritorios

10.35 Inversiones. Ud. es asesor/a financiero/a y está hablando con uno de los gerentes de una compañía multinacional. Dígale cómo, dónde y qué cantidades de dinero debe invertir. Él / Ella tendrá sus propias ideas.

Modelo Estudiante 1: *Definitivamente con los intereses que está pagando le aconsejo que invierta dos millones en una cuenta a plazo fijo en el Banco La Nación.*
Estudiante 2: *Dos millones es mucho. Quizás sólo cien mil dólares.*

¿Qué oyó Ud.?  CD 2, Track 13

Para escuchar bien

Reporting What Was Said

Sometimes when you listen to a conversation or message, you have to report what you have heard to another person. You do this by retelling what happened or by reporting what was said in the third-person singular and plural. For example, "John said he would come to the meeting." If you are telling one person what a second person must do in Spanish, you will generally use **que** + subjunctive as in an indirect command. For example: **Que lo haga María.**

Antes de escuchar

10.36 La fotografía. Trabajando en parejas, miren la fotografía que se presenta en esta página y hagan las siguientes actividades.

1. Describan a las personas en la foto, el lugar donde se encuentran y lo que están haciendo.
2. En su opinión, ¿qué tipo de relación existe entre estas personas? Justifique su respuesta.

Answers 10.36. 1. Hay dos hombres vestidos formalmente. Están en una oficina / un banco elegante. Están pidiendo consejo financiero / verificando el saldo de la cuenta bancaria. **2.** *Possible answers*: Una relación de negocios. Están en una oficina; parece que han hecho un acuerdo comercial.

376 Capítulo 10 ■ En la empresa multinacional

Al escuchar

10.37 Los apuntes. Escuche la conversación entre Nerio y el empleado del banco. Tome los apuntes que considere necesarios y complete las siguientes oraciones.

1. Nerio va al banco porque quiere _____.
2. Él vive en Miami _____.
3. Nerio trabaja para _____ y lleva ahí _____.
4. Nerio necesita depositar _____ dólares.
5. El número de su cuenta es _____.

Después de escuchar

10.38 Resumen. Trabajando en parejas, resuman la conversación entre Nerio y el empleado del banco.

10.39 Algunos detalles. Escoja entre las alternativas que se presentan a continuación las que mejor recuenten lo que ocurrió.

1. Nerio quería que...

    a. el empleado lo ayudara a abrir una cuenta corriente.
    b. le dieran un préstamo personal y una hipoteca.
    c. el banco le prestara $345,789.00.

2. El empleado le dijo a Nerio que...

    a. presentara muchos documentos de identidad.
    b. le diera algunos datos personales.
    c. el proceso era muy complicado.

3. Nerio pensaba que el proceso iba a ser...

    a. imposible de realizar.
    b. mucho más sencillo.
    c. más complicado de lo que fue.

4. Podemos pensar que después de que Nerio termine su conversación con el empleado del banco...

    a. él se va a mudar a otra ciudad.
    b. él va a seguir depositando dinero en ese banco.
    c. va a conseguir un mejor trabajo.

Interacciones: **Capítulo 10, Segunda situación**

Para saber más: academic.cengage.com/spanish/interacciones

It will probably be necessary to play the dialogue more than once. During the first playing, students listen for the general idea. During the second playing, students should focus on the details.

Answers 10.37. *Some possible answers:* 1. abrir una cuenta corriente. 2. hace dos años 3. una compañía de construcción, año y medio. 4. $750 5. 385.

Answers 10.38. *Some possible answers:* Nerio va al banco porque quiere abrir una cuenta corriente a su nombre. Él vive en Miami hace dos años y trabaja para una compañía de construcción hace año y medio. El empleado le dice que deposite $750 y que en quince días él recibirá los cheques con su nombre.

Tercera situación

Imágenes culturales

El nuevo menú de McDonald's

INTRODUCING THE NEW TASTE MENU OF SOUTH FLORIDA

LATIN McOMELET
EXTRA VALUE MEAL
$1.99

CUBAN SANDWICH
EXTRA VALUE MEAL
$4.29

Antes de mirar

A La comida de McDonald's. Trabajando en parejas, nombren las cosas típicas que se venden en McDonald's. Después, comparen la comida en su lista con el menú de McDonald's en la página 134. ¿Qué comida tienen en común las dos listas?

B El título. Mire el título del vídeo de esta sección: *El nuevo menú de McDonald's.* ¿Qué significa el título? En su opinión, ¿de qué va a tratar este vídeo? Después, mire la foto de arriba y descríbala. ¿De dónde es este menú nuevo? ¿Qué cosas nuevas hay en este menú?

C La idea principal. Mire el vídeo por primera vez para determinar la idea principal del vídeo. También revise *(check)* y corrija sus respuestas anteriores.

Actividades de vídeo

Después de completar estas actividades de **Antes de mirar,** complete las otras actividades del vídeo para **Capítulo 10** en el *Cuaderno de actividades.*

Lectura cultural

Para leer bien

Using the Dictionary

You have been learning many techniques to help you guess the meaning of individual words and phrases. There are times, however, when identifying cognates, root words, and prefixes and suffixes or clarifying meaning through context simply do not offer you any clues as to meaning. In those instances, it is appropriate to consult a bilingual Spanish-English dictionary.

There are certain techniques that can make dictionary use more effective.

1. Remember to try to understand as much as you can before looking up unfamiliar items.
2. Look up only those words that are essential to understanding the passage. Such words would include words in the title, frequently repeated words, and words at the core of a sentence such as verbs, nouns, and adjectives.

The most difficult task facing you when using the dictionary is to select the best English equivalent from the many possible entries. This task is made easier if you know the part of speech of the word in question. Examine the following two examples.

> **Paso** por ti a las ocho.
> Tuvo dificultades a cada **paso**.

In the first example, **paso** is a verb and its meaning would be located under **pasar**. The second example would be located under the noun **el paso**.

When an entry provides multiple translations, read the entire entry before trying to decide on the proper equivalent. In that way you will have a more general idea as to the global meaning of the vocabulary item in question.

Be aware of the context of the word in question. Both the expression **el paso del tiempo** and **a cada paso** are located under the noun **el paso**. The context of the first phrase leads you to the meaning of **el paso** = *passing* while in **a cada paso, el paso** = *step*.

Cross-checking entries can also help you determine the best English equivalent. After selecting one English equivalent from the several provided, look up that word in the English-Spanish section of the dictionary. Use that entry to help you judge the appropriateness of your selection. While cross-checking is particularly valuable when writing and trying to find the exact Spanish equivalent for an English word, it is also a valuable reading technique.

Antes de leer

A El tema. Dé un vistazo al título, a las fotos y al primer párrafo de la siguiente lectura para determinar el tema del artículo.

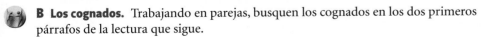

B Los cognados. Trabajando en parejas, busquen los cognados en los dos primeros párrafos de la lectura que sigue.

C Unas definiciones. Busque las siguientes palabras en un diccionario para saber lo que significan. Algunas de las palabras son cognados falsos o palabras con varios sentidos; todas las palabras aparecen en la lectura que sigue.

creciente / el/la empresario/a / el éxito / la jornada / el premio / soñar (el sueño) / el terreno / el tiempo / triunfar

Answers A. El tema: Algunas mujeres hispanas han triunfado en varias profesiones.

Answers B. una época / reciente / tradicional / oportunidades / la educación / la carrera / profesional / familia / sector / los servicios / un número / profesionales / el cine / la televisión / la música / grupo / famosas / la televisión / mencionar / la música / la danza / publicistas / políticas / científicas / artistas / un ejemplo / talento / tenacidad / los obstáculos / continuación / presentan / las historias

Variation B. Divide students into pairs or small groups. Assign each group a paragraph or section of the reading. Each group should locate the cognates in the section assigned to them. Finally, each group should report back to the class with their findings.

Answers C. creciente *(growing)*; **el/la empresario/a** *(businessperson)*; **el éxito/exitoso** *(success/successful)*; **la jornada** *(day, workday, work)*; **el premio** *(award, prize, reward)*; **soñar (el sueño)** *(to dream/dream)*; **el terreno** *(land, plot of land, site)*; **el tiempo** *(time, weather, period of time)*; **triunfar/el triunfo** *(to be successful, to win, to triumph / success, victory, triumph)*

Al leer

D Palabras desconocidas (unknown). En algunos párrafos de la siguiente lectura «Homenaje al triunfo de la mujer hispana», no hay glosas o equivalentes en inglés. Mientras Ud. lee la selección, utilice varios métodos incluyendo su lista de cognados de la **Práctica B** y el diccionario para decidir lo que significan las palabras desconocidas.

Homenaje (tribute) al triunfo de la mujer hispana

The reading «Homenaje al triunfo de la mujer hispana» emphasizes both the cultural theme **(la comunidad hispana en los EE.UU.)** and the main topic (Hispanic business and banking) of this chapter.

For more information on the famous women mentioned in the following paragraph, direct students to **Personalidades de hoy** in **Herencia cultural V: La comunidad hispana en los EE.UU.**

*E*n una época bastante reciente la mujer hispana tenía un papel tradicional. Tenía pocas oportunidades para la educación o una carrera profesional. Las mujeres que trabajaban fuera de casa para mantener a su familia, solían trabajar en el sector de los servicios como criada, camarera u oficinista. Hoy en día este papel tradicional de la mujer hispana está cambiando y hay un número creciente de mujeres que han triunfado trabajando en puestos profesionales.

Las mujeres hispanas más reconocidas son las que trabajan en el cine, la televisión o la música. Casi todos conocen al grupo de mujeres hispanas de Hollywood que incluye las famosas Camerón Díaz, Salma Hayek, Jennifer López y Rita Moreno. En la televisión se puede mencionar María Elena Salinas y Cristina Saralegui. Y en el mundo de la música y la danza están Gloria Estefan y Chita Rivera. Pero hoy en día también hay empresarias, publicistas, políticas, científicas y artistas que son un ejemplo de talento y tenacidad, por haber logrado el triunfo en los EE.UU. venciendo todos los obstáculos. A continuación se presentan las historias de algunas de estas mujeres en un homenaje al triunfo de la mujer hispana.

Linda Alvarado

Linda Alvarado cree en «el sueño americano» y espera que llegue el día en que la gente sea juzgada no por sus orígenes, sino por sus capacidades. Explica que «Éste es un sueño al que no podemos renunciar y los hispanos debemos *share it* compartirlo°, porque, somos una pieza clave en el futuro de los EE.UU.»

Linda Alvarado sabe lo que dice. Hoy es presidenta de Alvarado Construction, una empresa constructora en Denver, Colorado, que se especializa en el campo de ingeniería industrial, comercial, telecomunicaciones y ambiente. En la empresa trabajan 2.000 empleados en quince estados.

Linda nació en Albuquerque, Nuevo México, y es la única mujer de seis hijos. Asistió a la Universidad de Pomona, en California, donde estudió economía. «Como mucha gente, yo necesitaba un trabajo. Entré en una empresa de paisajismo°, y empecé como obrera, regando plantas. Pero me gustaba. Trabajaba como un montón de hombres».

landscaping

Cuando terminó la universidad, no podía conseguir empleo. Finalmente, la contrató una empresa constructora en California. Comenzó a tomar cursos de inspección de terreno en California State University, para adquirir destrezas, pero «no fui muy bien acogida°. Era la única mujer en la clase».

welcomed

Con el tiempo comenzó a soñar con «empezar mi compañía constructora». Y recurrió a seis bancos en busca de financiamiento. Los seis la rechazaron°. «Finalmente, mis padres hipotecaron su casa por la cantidad de 2.500 dólares para ayudarme con los comienzos».

turned her down

Además de triunfar en su compañía, Linda hizo historia al ser la primera mujer hispana propietaria y socia de la franquicia de un equipo de béisbol de liga mayor: los Rockies de Colorado. Ha recibido numerosos premios y distinciones de su comunidad en su calidad de hispana y empresaria exitosa.

Daisy Expósito

Daisy Expósito es una mujer de trato amable y buen humor, dos de las claves de su éxito como profesional, según dice ella, que ha desarrollado una carrera extraordinaria.

Cubana de nacimiento, Daisy trabaja en The Bravo Group, filial° hispana de la multinacional Young & Rubicam, la agencia de publicidad en español con mayores ingresos en los EE.UU. Comenzó como directora creativa y llegó a presidenta en 12 años. Bajo su dirección, el capital de facturación de la agencia creció desde menos de 5 millones de dólares, hasta cerca de los 300 millones de dólares.

subsidary

Como en la mayoría de las historias de éxito, su camino estuvo lleno de grandes sacrificios y experiencias difíciles de olvidar. «Tenía 10 años cuando abandoné mi hogar en Cuba. Para mí fue un tremendo choque emocional. Viajamos a España, a casa de unos familiares. Mientras yo lloraba, mi padre, que lo había perdido todo, repetía: —Bueno, hay que empezar de nuevo... no hay otro camino», recuerda Daisy, que de esta forma recogió su más valiosa experiencia, que la marcó para el resto de sus días: no mirar atrás, no rendirse° nunca, comenzar de cero, una y otra vez, si es necesario.

give up

Después de un año en España, la familia Expósito llegó a Nueva York. «Sabía algunas palabras en inglés, pero me sentía perdida en una ciudad tan grande».

Mientras estudiaba sicología y comunicaciones, dio sus primeros pasos como productora de anuncios para radio, TV y prensa, en Connell Advertising. Hace poco más de 20 años ingresó en una agencia de publicidad dedicada al mercado hispano. Daisy ha sido reconocida dentro del grupo de los «100 Mejores Ejecutivos» de los EE.UU. Ha ganado numerosas distinciones y acaba de ser seleccionada para el Premio Matrix como una de las «mujeres que cambian el mundo».

Ellen Ochoa

Ellen Ochoa es la primera astronauta de la NASA con raíces hispanas. Fue su inclinación especial por las matemáticas en la escuela secundaria que la puso en la ruta del espacio. Después, se interesó por la física y tiene una maestría en ciencias y un doctorado en ingeniería eléctrica.

Ellen es la tercera de cinco hijos. Nació en California de madre estadounidense y padre mexicano. «Él ya murió, pero mis padres se divorciaron cuando yo era pequeña, así que fue mi madre quien me educó y siempre me animó a estudiar», dice.

Ellen ha recibido varios premios, como Ingeniera Hispana del Año y Liderazgo de la Herencia Hispana, y es co-inventora de tres patentes relacionadas con la ingeniería óptica. También ha obtenido medallas por los vuelos espaciales que ha realizado. En abril de 2002, fue en la misión del 13th Shuttle a visitar la Estación Espacial Internacional.

I would have liked

«Por mi carrera he hecho grandes sacrificios, como no haberle podido dedicar el tiempo que hubiese querido° a mi primer hijo». Pero su esposo, a quien conoció dentro de la misma NASA, la apoya incondicionalmente.

Ileana Ros-Lehtinen

For a photo of Ileana Ros-Lehtinen, direct students to **Bienvenidos V: La comunidad hispana en los EE.UU.**

she strives

Ileana Ros-Lehtinen es la primera mujer hispana elegida al Congreso de los EE.UU., donde representa al Distrito 18, de la Florida. Es una luchadora incansable por la libertad y la democracia. Es la voz de los refugiados que vienen a este país huyendo de los suyos por situaciones políticas adversas y gestiona° para que les den un estatus legal en este país. Ileana dice, «Una de las causas más fuertes que están en mi corazón es crear fondos para ayudar a los refugiados a que puedan obtener su ciudadanía».

Ileana Ros-Lehtinen nació en La Habana, Cuba, y vino a los EE.UU. con su familia, cuando tenía siete años. «Mis padres son mis modelos. Ellos perdieron todo cuando salieron de Cuba, pero nunca miraron hacia atrás».

Sin hablar una palabra en inglés, se integró al sistema escolar norteamericano. Con el tiempo, obtuvo su *bachelor* y una maestría de la Florida International University. Ileana había empezado su carrera como educadora y fundó una escuela elemental privada en el sur de la Florida.

Desde 1982, Ileana ha demostrado su liderazgo legislativo. Sirvió cuatro años en la Casa de Representantes de la Florida y se convirtió después en senadora del estado. Esta representante ante el Congreso de los EE.UU. es muy conocida por defender los derechos humanos. Ha sido muy activa a nivel de la Florida, en temas relacionados con la educación, el ambiente, los niños, los ancianos, las mujeres y su salud.

Ella y su esposo, Dexter Lehtinen, en una época fueron senadores del estado. Juntos tienen cuatro hijos.

Después de leer

E Mujeres hispanas. Identifique a estas mujeres hispanas poniendo enfrente de cada descripción la letra que corresponde a los nombres.

a. Linda Alvarado   **d.** Ellen Ochoa
b. Gloria Estefan   **e.** Ileana Ros-Lehtinen
c. Daisy Expósito   **f.** Cristina Saralegui

1. _____ c _____ Presidenta de The Bravo Group, una agencia de publicidad
2. _____ e _____ Primera mujer hispana elegida al Congreso de los EE.UU.
3. _____ b _____ Famosa cantante hispana
4. _____ d _____ Primera astronauta de la NASA
5. _____ a _____ Primera mujer hispana propietaria de un equipo de béisbol de liga mayor
6. _____ f _____ Famosa personalidad de la televisión hispana

F La juventud. Complete la siguiente tabla para describir la juventud de las cuatro mujeres del artículo.

NOMBRE	LUGAR DE NACIMIENTO	ESPECIALIZACIONES ESCOLARES	PRIMER PUESTO
Linda Alvarado			
Daisy Expósito			
Ellen Ochoa			
Ileana Ros-Lehtinen			

Answers F. *Linda Alvarado:* Nuevo México, economía, una empresa de paisajismo; *Daisy Expósito:* Cuba, sicología y comunicaciones, agencia de publicidad; *Ellen Ochoa:* California, matemáticas, física e ingeniería eléctrica, ninguna información; *Ileana Ros-Lehtinen:* La Habana, Cuba, ciencias de la educación, educadora

G Los sueños y los sacrificios. ¿Cuáles son algunos de los sueños de las mujeres hispanas que han triunfado? ¿Qué sacrificios han hecho para realizar sus sueños? ¿Quiénes las han ayudado?

H En defensa de una opinión. ¿Qué evidencia hay en el artículo que confirma la siguiente idea? «Algunas mujeres hispanas han triunfado en los EE.UU. por su talento y tenacidad a pesar de los obstáculos.»

Interacciones

Communicative modes incorporated. A interpersonal; **B** interpersonal; **C** interpersonal; **D** presentational.

Vocabulary incorporated. A expressions for making a business phone call, office personnel, office tasks **B** expressions for doing the banking, money-related vocabulary **C** numbers, office tasks **D** office tasks, economics vocabulary.

Grammar incorporated. A present perfect tense **B** using numbers, present perfect tense **C** present perfect, present perfect subjunctive, numbers **D** present perfect, **hace** and **llevar** in expressions of time.

A Compañía Meléndez, S.A. You are the secretary for Claudio Meléndez, the president of Compañía Meléndez, S.A., a large clothing firm; you must handle all incoming phone calls. With your classmates, play the following roles.

Sr. Soto: Sales manager who wants to talk to the president about slow sales of the new winter suits. The president doesn't want to talk to Sr. Soto. Offer to take a message.

Dra. Guzmán: Designer of women's dresses. She wants to talk to the president about her designs for spring. Put her through to the president. She talks to the president about what she has done for her new collection.

Sra. Meléndez: Wants to talk to her husband about a dinner party he should attend tomorrow evening. Put her through to the president even though he doesn't want to talk with his wife.

B En el Banco Nacional. A classmate will play the role of the teller in the bank where you have your account. You go to the window with your monthly paycheck. Get cash for the weekend and deposit the rest into your checking account. Explain that you're about to buy a new car. You want some information on an auto loan including the necessary down payment, interest rate, and monthly payment on the car of your choice. Then withdraw the amount for the down payment from your savings account.

C Una reunión de la junta directiva. You are the president of a large multinational firm based in San Antonio, Texas. The firm deals with the importation of coffee and fruit from Central and South America. You hold a meeting with three members of the Board of Directors, played by your classmates. Find out how various departments are doing in terms of sales. Explain what you hope the other members of the firm have done to obtain better quality products and sales. Use specific numbers.

D En la ocasión de su jubilación. You are retiring after many years as president of a firm that sells imported furniture and accessories. Explain your history with the firm and how long you have worked in various areas. Explain what you have done to help make the firm what it is today.

Así se escribe

Para escribir bien

Writing a Business Letter

The language used in Spanish business letters is quite different from that used in personal letters. There are certain standard phrases that must be used in the salutation, opening, pre-closing, and closing. In the past Spanish business letters were often quite lengthy because of the use of many formulaic courtesy expressions and very "flowery" language. Today, however, most Spanish business letters reflect the concise, clear style typical of business letters in the international market.

Salutations

Estimado/a señor/a + apellido:	
Muy estimado/a señor/a + apellido:	Dear Mr. (Mrs.) + last name
Distinguido/a señor/a + apellido	
Muy señor/es mío/s:	
Muy señor/es nuestro/s:	Dear Sir(-s):

Pre-closings

En espera de sus gratas noticias	Awaiting your (kind) reply
Le reiteramos nuestro agradecimiento y quedamos de Ud.	We thank you again and we remain
Su afmo. (afectísimo) amigo y S. S. (seguro servidor)	Your devoted friend and servant (This pre-closing is passing from use.)

Closings

(Muy) Atentamente,	Sincerely yours,
(Muy) Respetuosamente,	Respectfully yours,
Cordialmente,	Cordially yours,

Other Expressions

acusar recibo	to acknowledge receipt
a la mayor brevedad posible	as soon as possible
a vuelta de correo	by return mail
adjuntar	to enclose
me es grato + infinitive	I am happy + inf.

Abbreviations

Hnos. (Hermanos)	Brothers
S.A. (Sociedad Anónima)	Inc. (Incorporated)
Cía. (Compañía)	Co. (Company)

Shortened Phrases

el corriente	el mes en corriente	this month
el pasado	el mes pasado	last month
atenta	la atenta carta	letter
grata	la grata carta	letter
la presente	la carta presente	this letter
el p. pdo	el mes próximo pasado	last month

Antes de escribir

Lea las descripciones de las tres composiciones dadas a continuación y escoja una según sus intereses y habilidades.

A Cree el formato para una carta comercial incluyendo las frases para el saludo, el espacio para el texto, la pre-despedida y la despedida. Trate de incorporar frases nuevas.

B La presentación. Escriba la primera oración de su carta comercial en la cual Ud. presenta su explicación para escribir la carta.

Answers A. Answers must include a salutation, pre-closing and closing for a business letter.

Answers B. The sentence must correlate with the composition topic chosen.

Al escribir

Escriba su composición utilizando el formato para la carta comercial creado en la **Práctica A** y la primera oración creada en **B**.

C *People en español.* Ud. quiere subscribirse a la revista *People en español*. Escríbale una carta a la compañía preguntando cuántos números anuales hay y lo que cuesta una subscripción anual. Pida una solicitud de subscripción. *People en español;* P.O. Box 30652; Tampa, FL 33630-0652.

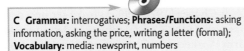

> **C Grammar:** interrogatives; **Phrases/Functions:** asking information, asking the price, writing a letter (formal); **Vocabulary:** media: newsprint, numbers

D Un nuevo puesto. Ud. acaba de obtener un puesto como gerente general de una empresa multinacional en Los Ángeles. Su jefe quiere saber qué tipo de personal Ud. necesita para su departamento. Escríbale una carta al jefe describiendo el personal que necesita. Explíquele también las responsabilidades para cada puesto.

> **D Grammar:** adjective agreement, comparisons: adjectives, verbs: compound tenses, verbs: compound tenses usage; **Phrases/Functions:** describing people, writing a letter (formal); **Vocabulary:** office, personality, professions

E El Banco Madrileño. Ud. es un estudiante de intercambio en Madrid y acaba de recibir el estado de cuenta mensual *(monthly statement)* de su banco. Pero hay un error muy grave. Según el banco Ud. tiene sólo 19,79 euros en su cuenta corriente pero Ud. está seguro/a de que tiene 1.979 euros. Escríbale al banco y trate de resolver el problema. Banco Madrileño; Gran Vía 38; 28032 Madrid, España.

Answers. All composition topics should include the new vocabulary and grammar structures for this chapter as well as basic phrases and format for a business letter.

> **E Grammar:** Verbs: compound tenses, verbs: compound tenses usage; **Phrases/Functions:** asking for information, denying, persuading; **Vocabulary:** banking, numbers

Después de escribir

Antes de entregarle su composición a su profesor/a, Ud. debe leerla de nuevo y corregir los errores. Preste atención al formato y a las frases para una carta comercial. ¿Contiene su carta todas las secciones de una carta comercial? ¿Está en orden lógico toda la información? También revise el vocabulario y los verbos de su composición.

Interacciones: **Capítulo 10, Tercera situación**

Para saber más: academic.cengage.com/spanish/ interacciones

Herencia cultural: La comunidad hispana en los EE.UU.

Cultural products and practices: Famous Hispanics in the U.S. and what they have accomplished Cultural comparisons: famous historical personages and famous entertainment / literary / governmental figures of both cultures

Personalidades

Heinle Transparency Bank: A-2, A-3, A-10, A-11: México y la América Central; El Caribe; Country profile: Puerto Rico; Country Profiles: Cuba y la República Dominicana. Use these maps and images to illustrate the geographical origins of many Hispanics in the U.S.

De ayer

Comprensión cultural
1. Have students work in pairs or groups of three. Assign one of the **personalidades** to each group and have them prepare a description of each person as well as a brief biography. Have each group report back to the class.

◀ Por su trabajo para mejorar la vida de los obreros migratorios, **César Chávez** (1927–1993) llegó a ser uno de los líderes chicanos más respetados. Con la influencia del sindicato (*union*) United Farm Workers que Chávez fundó en 1962, los campesinos recibieron contratos y mejores condiciones de trabajo.

▶ La cantante **Celia Cruz** (1924–2003), conocida como «la Reina de la Salsa», nació en La Habana, Cuba. Después de una larga carrera en Cuba y los EE.UU., ha dejado un legado (*legacy*) que incluye 70 discos, dos Grammy, tres Grammy Latinos, una estrella en el Paseo de la Fama de Hollywood y una medalla de National Endowment for the Arts; también apareció en varias películas. Para muchos hispanoamericanos siempre ha sido una inspiración.

De hoy

◀ La famosa cantante, bailarina y actriz **Jennifer López** (1970–) nació en Bronx, Nueva York, de padres puertorriqueños. Desde niña sabía que quería actuar y obtuvo su primer gran oportunidad cuando ganó el papel de la protagonista de la película *Selena*. Una vez establecida como actriz, lanzó su primer álbum. En 2006 lanzó su sexto álbum musical y su primer trabajo completamente en español *Como ama una mujer*.

▶ **Bill Richardson** (1947–), hijo de madre mexicana y padre estadounidense, nació en California, pero fue educado en México. Durante su vida política ha ocupado varios puestos importantes incluyendo el de congresista, embajador de los EE.UU. ante la Organización de las Naciones Unidas y Secretario de Energía. Fue elegido Gobernador de Nuevo México en 2002 y es el único gobernador hispano en los EE.UU. En 2007–2008 fue candidato a la presidencia de los EE.UU.

▶ **Iván «Pudge» Rodríguez** (1971–) es considerado por muchos como el mejor receptor (*catcher*) de la historia de béisbol. Nacido en Puerto Rico, actualmente juega con los Tigres de Detroit. Entre los premios que ha ganado están el Jugador Más Valioso de la Liga Americana y 12 Guantes de Oro. También es un hombre muy generoso que ha contribuido mucho dinero para ayudar a las familias necesitadas.

◀ La escritora **Julia Álvarez** (1950–) emigró de la República Dominicana a los EE.UU. a la edad de diez años. Empezó su carrera literaria como poeta pero ganó la fama con sus novelas *How the García Girls Lost Their Accents (De cómo las hermanas García perdieron su acento)* y *In the Time of the Butterflies (En el tiempo de las mariposas)*. Álvarez ha recibido varios premios por sus obras que reflejan una visión multicultural.

Comprensión cultural. Ask students: ¿Qué organización fundó César Chávez? A causa del trabajo de Chávez, ¿qué recibieron los campesinos migratorios? ¿Con qué nombre es conocida Celia Cruz? ¿Qué medalla recibió Celia Cruz? ¿De dónde es Jennifer López? ¿Cuáles son sus tres carreras profesionales? ¿Quién es Bill Richardson? ¿Qué puestos ha ocupado? ¿Con qué equipo juega Iván Rodríguez? ¿Cuáles son algunos de los premios que ha recibido? ¿Quién es Julia Álvarez? ¿Qué reflejan sus obras?

For additional information on Hispanics in the U.S., view the film *El Norte* and complete the activities in ***Más allá de la pantalla:* Capítulo 5.** RESUMEN: ***El Norte*** cuenta la historia de Rosa y Enrique, dos hermanos guatemaltecos, que viajan desde su pueblo natal a los EE.UU. en busca de un futuro mejor. La película describe las dificultades y los problemas que encuentran como inmigrantes.

5 **Cultural products:** Buildings and architecture of Spanish influence in the U.S. **Cultural comparisons:** the early Spanish settlements in the U.S. compared to other early settlements.

Arte y arquitectura
El legado hispano dentro de los EE.UU.

▶ Hay una larga tradición hispana dentro de los EE.UU. Cuarenta y dos años antes que los ingleses fundaron Jamestown y cincuenta y cinco años antes de la llegada de los *Pilgrims,* los españoles fundaron el primer pueblo en los EE.UU.: San Agustín, en la Florida. Algunos de los edificios de San Agustín todavía existen en forma preservada o restaurada.

La Florida: San Agustín

San Antonio, Texas: El Álamo

En el oeste de nuestra nación los españoles exploraron y poblaron otros lugares. Les dieron nombres españoles a los estados de California, Colorado, Nevada y Nuevo México y a las ciudades de Amarillo, El Paso, Las Vegas, Los Ángeles, San Francisco y Santa Fe, entre otras. En todos estos sitios construyeron casas, escuelas, iglesias y edificios municipales de estilo «español». Este estilo se caracteriza por el uso de paredes gruesas de adobe, techos de tejas *(tiles)* y vigas *(beams)* de madera. Además, estos edificios suelen tener un patio interior y un decorado sencillo.

En California se puede ver buenos ejemplos de esta arquitectura típica en las misiones. En el siglo XVIII el rey español Carlos III mandó que los franciscanos fueran a California para evangelizar y educar a los indígenas. Bajo la dirección de Fray Junípero Serra los franciscanos fundaron una serie de misiones a lo largo de la costa del Pacífico. Las misiones incluían una iglesia, un campanario *(bell tower),* la residencia de los frailes y un patio grande con un jardín. La mayoría de ellas ha sobrevivido los desastres naturales y el desarrollo moderno. Muchas de las ciudades importantes de California son una extensión de esas antiguas misiones.

California: Misión San Carlos Borromeo de Carmelo

Comprensión

A Nombres españoles. Trabajando en parejas, preparen una lista de los estados y las ciudades de los EE.UU. que tienen nombre español. Incluyan también nombres de ríos, montañas y otros rasgos geográficos.

B Ciudades españolas. Complete el siguiente gráfico con información acerca de las ciudades estadounidenses que fueron fundadas por los españoles.

Nombre de la ciudad	Estado	Ejemplos de arquitectura española

C La arquitectura. ¿Cuáles son las características de la arquitectura española? ¿Qué características se puede ver en la foto de San Antonio y de la misión? ¿Dónde se puede ver buenos ejemplos de la arquitectura española en los EE.UU.? ¿Hay ejemplos de este estilo en su ciudad o estado? ¿Dónde?

Para saber más: academic.cengage.com/spanish/interacciones

Answers A. *Answers should include some of the following cities and states. Estados:* California, Colorado, Montana, Nevada, Nuevo México. *Ciudades:* Albuquerque, Amarillo, El Paso, Las Vegas, Los Ángeles, San Antonio, San Diego, San Francisco, Santa Fe.

Answers B. San Agustín / la Florida / muchas casas, fortalezas, iglesias; San Antonio / Texas / el Álamo, misiones, iglesias, casas; Carmel / California / una misión, patio interior, campanario, iglesia, residencia de los frailes

Answers C. Las características de la arquitectura española incluyen el uso de paredes gruesas de adobe, techos de tejas y vigas de madera. En San Antonio y la Misión de Carmelo se puede ver todas estas características. En los EE.UU. se puede ver buenos ejemplos de la arquitectura española en San Antonio, en las misiones de California, en Albuquerque y en otros lugares.

Lectura literaria
Para leer bien
Identifying Point of View in Literature

You have learned to identify the point of view by locating the main theme and by obtaining information about the author and his / her beliefs and background. The point of view of a literary work is often presented more subtly than in journalistic articles; nonetheless, it is an important key to understanding the work.

The following work is written by a Hispanic living in the U.S. The point of view represented by immigrants is different from that of native U.S. citizens and it is no longer the view point of a native of a Hispanic country.

La literatura de los hispanos en los EE.UU.

Durante las últimas décadas el número de hispanos que vive en los EE.UU. ha crecido rápidamente y representa una fuerza importante tanto económica como política. Su importante y rica cultura se refleja en su literatura escrita en español o a veces traducida al español. Los temas generalmente están relacionados a la situación particular de los inmigrantes: la pobreza, el aislamiento *(isolation),* la nostalgia por la patria. Aquí les presentamos un buen ejemplo de esta literatura que ilustra muchos de los temas de los inmigrantes.

You will find additional literary selections in the Heinle *Voices* Database at www.textchoice.com/voices. You may want to consider using «La muñeca menor» by Rosario Ferré or «En carne viva» by José Alcántara Almánzar with this unit.

389

Antes de leer: Casi una mujer

Esmeralda Santiago es escritora de cuentos, memorias y ensayos. Nació en el campo en Puerto Rico, pero en 1961 vino a vivir en Nueva York con sus seis hermanos y hermanas, su abuela y su madre. Se graduó del prestigioso Performing Arts High School de Nueva York y más tarde de la Universidad de Harvard. También tiene una maestría de Sarah Lawrence College. Ganó la fama con su libro *Cuando era puertorriqueña,* publicado en 1993. En otra memoria, *Casi una mujer,* Santiago sigue describiendo sus experiencias como inmigrante en los barrios de Brooklyn. En la siguiente selección de *Casi una mujer,* Santiago nos habla de las dificultades de ser inmigrante y el deseo de hablar bien el inglés.

D La autora y sus obras. Trabajando en parejas, contesten las siguientes preguntas acerca de la autora de *Casi una mujer.*

1. ¿Quién es la autora de *Casi una mujer* y dónde nació? ¿Cuándo y con quiénes vino a los EE.UU.?
2. ¿De qué escuelas y universidades se graduó?
3. ¿Cuáles son los títulos de sus dos libros? ¿Cuáles son sus temas literarios?
4. Utilizando la información sobre Esmeralda Santiago y el dibujo que acompaña la selección de *Casi una mujer,* en su opinión, ¿cuál será la idea principal de la selección que sigue?

E Punto de vista. ¿Cuáles son las ideas y los pensamientos de los inmigrantes acerca de los EE.UU.? ¿Qué punto de vista cree Ud. que van a presentar en sus obras literarias?

F El aislamiento *(isolation).* Trabajando en parejas, discutan y describan una experiencia o situación en la cual Ud. no conocía a nadie. ¿Cómo se sentía? ¿Qué hizo? ¿Qué pensaba?

G La lectura. Trabajando en parejas, describan cómo Uds. aprendieron a leer en inglés. ¿Cuántos años tenían? ¿Qué libros o materiales usaban? ¿Era fácil o difícil? ¿Iban Uds. a la biblioteca?

H La biblioteca. Utilizando el dibujo al principio de la siguiente lectura, describa a la chica y la biblioteca. ¿Por qué está ella en la biblioteca? ¿Qué va a leer?

Casi una mujer

El primer día de clases

Yo no hablaba inglés, así es que el orientador escolar° me ubicó° en una clase para estudiantes que habían obtenido puntuaciones° bajas en los exámenes de inteligencia, que tenían problemas de disciplina o que estaban matando el tiempo hasta que cumplieran dieciséis años° y podían salirse de la escuela. La maestra, una linda mujer un par de años mayor que sus estudiantes, me señaló° un asiento en el medio del salón. No me atreví a° mirar a nadie a los ojos. Unos gruñidos y murmullos° me seguían y aunque yo no tenía idea de lo que significaban, no me sonaron nada amistosos°.

director of orientation / placed me / scores / became sixteen years old / pointed out to me / I didn't dare / grunts and murmurs / friendly

Me apreté las manos° debajo de la mesa para controlar el temblor y me puse a examinar las líneas sobre el pupitre. Me concentré en la voz de la maestra, en las ondas de sonidos extraños que pululaban° sobre mi cabeza. Hubiera querido salir flotando de ese salón, alejarme° de ese ambiente hostil que permeaba cada rincón, cada grieta°. Pero mientras más trataba de desaparecer más presente me sentía hasta que, exhausta, me dejé ir, y floté con las palabras, convencida de que si no lo hacía me ahogaría° en ellas.

I clenched my hands together / swarmed / to go far away / crack / I would drown

Una visita a la biblioteca

En la escuela, me hice amiga de Yolanda, una nena que hablaba bien el inglés pero que conmigo hablaba español. Yolanda era la única puertorriqueña que yo conocía que era hija única°. A ella le daba curiosidad saber cómo era eso de tener seis hermanos y hermanas y yo a ella le preguntaba qué hacía todo el día sin tener a nadie con quién jugar o pelear.

only child

Un día Yolanda me pidió que la acompañara a la biblioteca. Le dije que no podía porque Mami nos tenía prohibido que nos quedáramos en ningún sitio, sin permiso, de regreso a casa. «Pídele permiso y vamos mañana. Si traes un papel que diga dónde vives, te pueden dar una tarjeta», me sugirió Yolanda, «y puedes sacar libros prestados. Gratis°», añadió cuando titubeé°.

Sin pagar / I hesitated

Yo había pasado por la Biblioteca Pública de Bushwick muchas veces y me habían llamado la atención sus pesadas puertas de entrada enmarcadas por columnas y las anchas ventanas que miraban desde lo alto al vecindario°. Alejada de la calle, detrás de un cantito de grama seca°, la estructura de ladrillos rojos parecía estar fuera de lugar en una calle de edificios de apartamentos en ruinas, y enormes e intimidantes proyectos de viviendas. Adentro, los techos eran altos con lámparas colgantes° sobre largas mesas marrón, colocadas° en el centro del salón y cerca de las ventanas. Los estantes alrededor del área estaban llenos de libros cubiertos de plástico. Cogí° uno,

neighborhood / a border of dry grass / hanging / arranged / I took

de una de las tablillas° de arriba, lo hojeé° y lo devolví a su sitio. Caminé todos los pasillos° de
arriba a abajo. Todos los libros eran en inglés. Frustrada, busqué a Yolanda, me despedí en voz baja
y me dirigí a la salida. Cuando iba saliendo, pasé por el Salón de los Niños, en donde una
bibliotecaria estaba leyéndole a un grupo de niños y niñas. Leía despacio y con expresividad, y
después de leer cada página, viraba° el libro hacia nosotros para que pudiéramos verlo. Cada
página tenía sólo unas pocas palabras y una ilustración que clarificaba su sentido. Si los
americanitos podían aprender inglés con esos libros, yo también podría.

Después de la sesión de lectura, busqué en los estantes los libros ilustrados que contenían las
palabras que necesitaría para mi nueva vida en Brooklyn. Escogí libros del alfabeto, de páginas
coloridas donde encontré: *car, dog, house, mailman*. No podía admitirle a la biliotecaria que esos
libros tan elementales eran para mí. «*For leettle seesters*», le dije, y ella asintió°, me sonrió y
estampó la fecha de entrega° en la parte de atrás del libro.

El estudio de inglés

Paraba en la biblioteca todos los días después de clase y en casa me memorizaba las palabras que
iban con las ilustraciones en las enormes páginas.

Mis hermanas y hermanos también estudiaban los libros y nos leíamos en voz alta las
palabras tratando de adivinar° la pronunciación.

«*Ehr-rahs-ser*», decíamos en lugar de «*eraser*». «*Keh-neef-eh*», por «*knife*" «*Dees*», por
«*this*» y «*dem*" por «*them*» y «*dunt*» por «*don't*».

En la escuela, escuchaba con cuidado y trataba de reconocer° aquellas palabras que sonaban
como las que habíamos leído la noche anterior. Pero el inglés hablado, a diferencia del español, no
se pronuncia como se escribe. «*Water*" se convertía en «*waddah*», «*work*" en «*woik*» y las
palabraschocabanunasconotras° en un torrente° de sonidos confusos que no guardaban ninguna
relación con las letras cuidadosamente organizadas en las páginas de los libros. En clase, casi nunca
levantaba la mano porque mi acento provocaba burlas° en el salón cada vez que abría la boca.

Delsa°, que tenía el mismo problema, sugirió que habláramos inglés en casa. Al principio nos
destornillábamos de la risa° cada vez que nos hablábamos en inglés. Las caras se nos
contorsionaban en muecas°, nuestras voces cambiaban y las lenguas se nos trababan° al tratar de
reproducir los sonidos. Pero, según los demás, se nos fueron uniendo y practicábamos entre
nosotros, se nos fue haciendo más fácil y ya no nos reíamos tanto. Si no sabíamos la traducción para
lo que estábamos tratando de decir, nos inventábamos la palabra, hasta que formábamos nuestro
propio idioma, ni español ni inglés, sino ambos en la misma oración, y a veces, en la misma palabra.

«*Pasa mí esa sabaneichon*», le decía Héctor a Edna° para pedirle que le pasara una sábana°.
«*No molestándomi*», le soplaba° Edna a Norma° cuando ésta la molestaba.

Veíamos la televisión con el volumen bien alto aunque Tata° se quejaba de que oír tanto
inglés le daba dolor de cabeza. Poco a poco, según aumentaba° nuestro vocabulario, se fue
convirtiendo en un vínculo° entre nosotras, uno que nos separaba de Tata y de Mami que nos
observaba perpleja°, mientras su expresión pasaba del orgullo°, a la envidia°, a la preocupación.

small shelves / I glanced through / aisles

she turned

agreed
due date

to guess

to recognize

words ran together / stream

jeers, laughter
nombre de una hermana
we laughed like crazy
grimaces / our tongues got twisted

nombre de un hermano /
nombre de una hermana /
sheet / whispered / nombre de una hermana / su abuela /
increased / bond
perplexed / pride / envy

Después de leer

I Los personajes. Identifique los siguientes personajes que aparecen en la selección de *Casi una mujer.*

Nombre	Descripción	Relación con Esmeralda
Mami	muy estricta	la madre de Esmeralda
Tata	vieja, no habla inglés	la abuela de Esmeralda
Yolanda	puertorriqueña, hija única, habla inglés y español	una amiga de Esmeralda
la maestra	linda, joven (un par de años mayor que los estudiantes)	la maestra de Esmeralda
Delsa, Edna, Héctor y Norma	ninguna descripción de ellos	hermanos de Esmeralda

J El primer día de clases. Describa el primer día de clases de Esmeralda en los EE.UU. ¿Cómo se sentía? ¿Qué hacía? ¿Qué pensaba? Compare la experiencia de Esmeralda con su propia experiencia en una situación nueva.

K Varios puntos de vista. Describa la reacción de la madre, la abuela y los hijos al uso del inglés. ¿Por qué dice Esmeralda al final «Mami… nos observaba perpleja, mientras su expresión pasaba del orgullo, a la envidia, a la preocupación»? ¿Qué cambios suceden en la familia a causa del inglés?

L Comparaciones. Compare sus experiencias como estudiante de español con las experiencias de Esmeralda y su deseo de aprender inglés.

Para saber más: academic.cengage.com/spanish/interacciones

Expansion J. Describa el exterior y el interior de la biblioteca. ¿Qué representaba la biblioteca para Esmeralda? Compare sus experiencias en la biblioteca con sus experiencias en la excuela.

Answers K. *Answers should include some of the following: Reacción de la madre:* No sabía hablar inglés pero al principio estaba muy orgullosa de sus hijos y su manera de hablar el nuevo idioma. *Reacción de la abuela:* No le gustaba nada el inglés. Decía que oír mucho inglés le daba dolor de cabeza. *Reacción de los hijos:* Quieren hablar bien el inglés y estudian bastante para aprenderlo. La madre tiene miedo de perder a sus hijos porque no puede comunicarse con ellos en inglés. Cree que sus hijos van a perder sus tradiciones.

Bienvenidos al Cono Sur:
Argentina, Chile, Paraguay, y Uruguay

The **Culture Standard** is emphasized in this section. Students will learn about the geography, climate, population, languages, cities, government, and economy of Argentina, Chile, Paraguay, and Uruguay.

En la foto. ¿Cómo se llaman las cataratas de la foto? (Son las cataratas de Iguazú.) ¿Dónde se encuentran? (Están en la frontera entre Argentina, Brasil y Paraguay.) ¿Cómo son? (Son grandes, altas, lindas.)

Geografía y clima

Argentina: Grandes variaciones geográficas. Parte central: la pampa *(grasslands);* norte: El Chaco, con ríos y árboles; sur: Patagonia, con lagos y glaciares. *Chile:* País largo y angosto entre el Pacífico y los Andes. Casi 3.000 kilómetros de costa. Norte: desierto de Atacama, la región más seca del mundo; valle central: tierras fértiles y clima templado; montañas: centros de esquí. *Paraguay:* Uno de los dos países de Sudamérica sin salida directa al mar. El río Paraguay divide el país en dos regiones distintas. Este: tierra fértil donde vive la mayoría de la población; oeste: el Gran Chaco, una región infértil y árida que ocupa 60% del territorio del país. *Uruguay:* El más pequeño de los países de habla española de Sudamérica. Terreno llano con muchas estancias de ganado (ovejas y vacas).

Población

Argentina: 40.000.000 de habitantes; *Chile:* 16.150.000 habitantes; *Paraguay:* 6.550.000 habitantes; *Uruguay:* 3.430.000 habitantes

Lenguas

Argentina: el español (oficial); alemán, francés, inglés, italiano; *Chile:* el español; *Paraguay:* el español y el guaraní (dos lenguas oficiales); *Uruguay:* el español (oficial) y portuñol o brasilero (una mezcla de portugués y español)

Economía

Argentina: El peso (argentino) es la moneda oficial. La economía se basa en productos agrícolas como carne, trigo y lana, automóviles y textiles. *Chile:* El peso (chileno) es la moneda oficial. La economía se basa en cobre, productos agrícolas como trigo, fruta y vino, pescado y mariscos. *Paraguay:* El guaraní es la moneda oficial. La economía se basa en carne, algodón, azúcar y madera. *Uruguay:* El peso (uruguayo) es la moneda oficial. La economía se basa en carne, lana, pieles y artículos de cuero.

Introducción geográfica

Conteste las siguientes preguntas usando mapas de Argentina, Chile, Paraguay y Uruguay.

1. ¿Cuáles son las capitales y otras ciudades importantes de Argentina, Chile, Paraguay y Uruguay?

2. ¿Qué rasgos geográficos tienen en común estos cuatro países? ¿Cuáles son otros rasgos geográficos importantes en cada país?

3. ¿Qué ventajas y desventajas ofrece la geografía de estos países?

To complete the above exercise, have students use the maps of Argentina, Chile, Paraguay, and Uruguay located in the opening pages of the textbook, on the transparencies, or on a map located in the classroom.

Las cataratas de Iguazú

 Heinle Transparency Bank: A-4, A-8, A-9, A-13 La América del Sur; Country profiles: Argentina, Paraguay, Uruguay, Chile. Use these maps to illustrate the geography of the regions of this section.

To listen to this song, access the *Interacciones, 6th Edition* playlist at academic.cengage.com/spanish/interacciones

Notas musicales

«*Perfume*», por Bajofondo Tango Club, es una canción romántica en que el perfume de una mujer le recuerda al hombre un amor apasionado. El ritmo de la canción es «neotango», un sonido que es una fusión de música electrónica con el tango, el ritmo y baile famoso que se originaron en Buenos Aires y en Montevideo a fines del siglo XIX.

Perseguiré	
los rastros°	scents
de este afán°	deseo
como busca el agua a la sed	
la estela° de tu perfume	wake, trail
Me atravesó°	crossed over me
tu suave vendaval°	viento
rumbo a tu recuerdo seguí	
la senda° de tu perfume	path

Un artista del grupo suramericano, Bajofondo Tango Club.

«Perfume»

Después de escuchar «Perfume», conteste las siguientes preguntas.

1. ¿Cómo se llama el grupo que canta «Perfume»? ¿De dónde es?

2. ¿Cuál es el tema de la canción?

3. ¿Qué simboliza el perfume en la canción?

4. ¿Por qué la música de Bajofondo Tango Club se considera «neotango» y no simplemente «tango»?

Point out. The music of Bajofondo Tango Club is representative of a sound called Neotango. This style is a fusion of modern sounds with traditional tango rhythms of the Río de la Plata region of Uruguay and Argentina.

Answers to Introducción geográfica. 1. *Argentina:* La capital es Buenos Aires; otras ciudades importantes son Bahía Blanca, Córdoba, Mar del Plata, Mendoza, Rosario, Tucumán y Viedma. *Chile:* Santiago es la capital; otras ciudades importantes son Antofagasta, Arica, Concepción, Puerto Montt, Punta Arenas, Valparaíso y Viña del Mar. *Paraguay:* Asunción es la capital; otras ciudades importantes son Ciudad del Este y Encarnación. *Uruguay:* Montevideo es la capital; otra ciudad importante es Punta del Este. **2.** Argentina y Chile son países andinos; la cordillera de los Andes ocupa gran parte de su territorio. Argentina y Uruguay tienen una costa en el Atlántico; Chile tiene una larga costa en el Pacífico. Argentina: la pampa, una región muy fértil; las Cataratas del Iguazú; Chile: el desierto de Atacama, la región más seca del mundo; Paraguay: el Gran Chaco, una región de tierras bajas con una pequeña población; Uruguay: Punta del Este y otras playas en el Atlántico.

Answers to «Perfume». 1. El grupo se llama Bajofondo Tango Club y es de la América del Sur. **2.** El tema es el amor de un hombre por una mujer. Él la recuerda cuando siente la fragancia de su perfume. **3.** Simboliza el amor, los recuerdos, la pasión, etc. **4.** Se considera «neotango» porque tiene una combinación de tango y música eléctrica y un sonido moderno.

 Go to the **Bienvenidos al Cono Sur** section of your *Cuaderno de actividades* for additional exercises on this song.

 Para saber más: academic.cengage.com/spanish/interacciones

Viña del Mar, Chile

Cultural Themes

Chile
Travel in the Hispanic World

Communicative Goals

Buying a ticket and boarding a plane
Explaining previous wants, advice, and doubts
Making polite requests
Discussing contrary-to-fact situations
Getting a hotel room
Explaining when actions will occur
Describing future actions that will take place before other future actions

Warm-up. Have students describe the photo. ¿Qué hay en la foto? ¿Qué actividades se asocian con este lugar?

Have students provide English examples of the topics, situations, and phrases that would be covered in each of the communicative goals of this chapter. **Modelo:** *Discussing contrary-to-fact situations.* Students might answer, "*If I had the money, I would go to Chile.*"

Video on DVD		Audio	
Cuaderno de actividades		Atajo	
iLrn Heinle Learning Center		Music	
academic.cengage.com/ spanish/interacciones		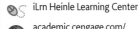 iRadio	

Presentación

En el aeropuerto

Práctica y conversación

11.1 Definiciones. Explíquele las siguientes palabras a un/a compañero/a de clase.

la pista / la etiqueta / el boleto de ida y vuelta / el despegue / la aeromoza / la tarjeta de embarque / un vuelo sin escalas

11.2 ¡Buen viaje! ¿Qué hace Ud. cuando viaja en avión? Ordene las oraciones en forma lógica.

___4___ Sube al avión.

___7___ Reclama el equipaje.

___1___ Compra un boleto.

___5___ Se abrocha el cinturón.

___2___ Confirma la reservación.

___3___ Factura el equipaje.

___6___ Desembarca.

11.3 Datos prácticos. Ud. hace un viaje de negocios a Santiago de Chile y necesita información sobre la ciudad. Conteste las siguientes preguntas utilizando la información a continuación.

1. ¿Cómo se llama el aeropuerto internacional? ¿Dónde está?
2. ¿Qué formas de transporte se usan para viajar dentro de la ciudad? ¿Y de Santiago al resto de Chile?
3. ¿Qué idiomas se hablan en los establecimientos turísticos?
4. ¿Cuál es la diferencia entre la hora local en Santiago y la hora local en su región de los EE.UU.? (Cuando son las ocho en Nueva York, son las siete en Santiago.)
5. ¿Cuánto cuesta una habitación doble en un hotel de cinco estrellas?
6. ¿Dónde se puede conseguir información turística?
7. ¿Dónde se puede cambiar dinero?
8. ¿Cuándo están abiertos los grandes centros comerciales?
9. ¿A qué agencia se debe llamar si se pierde la Tarjeta de Turismo?

SANTIAGO
DATOS PRÁCTICOS

INFORMACION GENERAL

– Santiago está ubicado a 543 mts. sobre el nivel del mar, en la zona central de Chile, a 2.051 kms. al sur de Arica, la ciudad más septentrional del país y a 3.141 kms. al norte de Punta Arenas, la ciudad más austral. Cien kms. la separan de la costa del Océano Pacífico y 40 kms. de la Cordillera de Los Andes.

Clima

– La capital del país presenta clima templado con una temperatura media anual de 14.5° (21°C en enero, verano y 8.4°C en julio, invierno), con una pluviosidad promedio anual de 346 mm.

Población

– El país tiene más de 13 millones de habitantes, de los cuales 5 millones viven en Santiago.

Idioma

– El idioma oficial es el español. En los establecimientos y empresas turísticas el personal superior habla inglés y/o francés.

Hora

– Invierno: –4 horas GMT
– Verano: –3 horas GMT

Aeropuerto Internacional Comodoro Arturo Merino Benítez.

Está a 17 km. del centro de la ciudad. El transporte a Santiago es efectuado por buses (US$ 1.3 aproximadamente) y taxis (US$ 18 aproximadamente) (*).

TRANSPORTES

En el transporte urbano destaca el **METRO** que cruza la ciudad de oriente a poniente y de norte a sur. Buses, colectivos y taxis recorren la ciudad.

(*) US$ 1 = $ 350 (al mes de Mayo de 1992)

La ciudad está conectada al resto del país a través de:

– **Aviones:** dos líneas aéreas nacionales Ladeco y Lan Chile cubren diariamente rutas nacionales con vuelos regulares. Se encuentran disponibles empresas de taxis aéreos.

– **Buses:** Recorren todo el territorio con servicios a bordo de comida, bar, video y teléfono, entre otros. Existen terminales en: Buses Norte: Amunátegui 920 (Tel. 671.21.41); Los Héroes: Roberto Pretot 21 (Tel. 696.92.50); Santiago: Av. L. Bernardo O'Higgins 3800 (Tel. 779.13.85) Alameda: Av. L. Bernardo O'Higgins 3794 (Tel. 776.10.23).

– **Trenes:** Corren desde Santiago hacia el sur con estación terminal en Puerto Montt. La Estación Central de Ferrocarriles se ubica en Av. L. Bernardo O'Higgins 3322 (Tel. 689.51.99).

CAMBIO DE MONEDA Y USO DE TARJETA DE CREDITO

Se puede realizar en bancos, casas de cambio y principales hoteles. La mayoría de las tarjetas de crédito son aceptadas en tiendas, hoteles y agencias de viaje.

Bancos

El horario de los bancos es: lunes a viernes de 9:00 a 14:00 hrs.

Casas de cambio

Horario de casas de cambio: similar a horario de comercio.

COMERCIO

Los locales comerciales están abiertos de 10:00 a 20:00 hrs. de lunes a viernes y de 10:00 a 14:00 hrs. los sábados. Los grandes centros comerciales permanecen abiertos de lunes a domingo de 10:00 a 21:00 hrs.

COMUNICACIONES

Código telefónico para Chile (56).
Código telefónico para Santiago (2).
Centros públicos de telefonía y fax en distintos sectores de la ciudad. Consultar Entel-Chile.

INFORMACION TURISTICA

SERNATUR (Servicio Nacional de Turismo)

– Oficina en Aeropuerto Internacional y en Providencia 1550. Tel. 236.05.31. Horario: 8:30 a 18:30 hrs. de lunes a viernes y sábado de 9:00 a 13:00 hrs.

FESTIVOS

1 enero / viernes y sábado Santo (variable: marzo-abril) / 1 mayo / Corpus Christi (variable: mayo-junio) / 29 junio / 15 agosto / 18-19 septiembre / 12 octubre / 1 noviembre / 8 diciembre / 25 diciembre /.

HOTELES

Valores referenciales, habitación doble
5☆ desde US$ 180
4☆ desde US$ 100
3☆ desde US$ 40.

ALIMENTACION

Valores referenciales:
Almuerzo, desde US$ 5
Snack o refrigerio, desde US$ 3

DIRECCIONES UTILES

– **Aeropuerto Internacional**
Informaciones: Tel. 601.97.09 / 601.90.01 / 601.96.54
Ladeco, Tel. 601.94.45
Lan Chile, Tel. 601.91.65

– **Estación Central de Ferrocarriles**
Av. L. Bernardo O'Higgins 3322.
Reservas e Informaciones. Tel. 689.51.99 / 689.54.01 / 689.57.18.

Ventas de Pasajes
– Av. L. Bernardo O'Higgins 853. L. 21
tel. 39.82.47.
– Metro Escuela Militar, L. 25 Tel. 228.29.83.
Lunes a viernes de 8:30 a 13:00 hrs.
Sábado de: 9:00 a 13:00 hrs.

– **Compañía de Teléfonos de Chile (C.T.C.)**
Llamadas Nacionales e Internacionales
Moneda 1151

– **Empresa Nacional de Telecomunicaciones, ENTEL**
Huérfanos 1133
Tel. 690.26.12.

– **Télex Chile**
Llamadas Nacionales e Internacionales y Facsímil
Morande 147
Tel. 696.88.07

– **Servicio de Extranjería**
Por pérdida de Tarjeta de Turismo
Policía Internacional, Depto. Fronteras
General Borgoño 1052, Tel. 37.12.92 / 698.22.11.
Lunes a viernes de 8:30 a 12:15 hrs. y de 15:00 a 18:30 hrs.

– **Prórroga Tarjeta de Turismo**
Intendencia Región Metropolitana
Moneda 1342, Tel. 672.53.20
Lunes a viernes de 9:00 a 13:00 hrs.

EMERGENCIAS

Ambulancia: Tel. 224.44.22
Asistencia Pública: Tel. 34.22.91.
Bomberos: Tel. 132
Carabineros: Tel. 133

Diseño/Design Sernatur 1992

11.4 Entrevista personal. Hágale preguntas a su compañero/a de clase.

Pregúntele...

1. si le gusta viajar en avión. ¿Por qué?
2. qué línea aérea prefiere.
3. si prefiere un vuelo directo. ¿Por qué?
4. dónde prefiere sentarse en el avión.
5. si lleva mucho equipaje cuando viaja. ¿Por qué?
6. qué hace si pierde el avión.

11.5 Creación. En una narración cuente lo que pasa en el dibujo de la **Presentación.**

Modelo *Es un aeropuerto y hay varias personas. Algunas están esperando para hablar con el agente de la línea Buenviaje. También hay una familia.*

VOCABULARIO

En el aeropuerto	*At the airport*	A bordo	*On board*
el/la aduanero/a	*customs agent*	el/la aeromozo/a (A) el/la auxiliar de vuelo (E)	*flight attendant*
el billete	*ticket*		
el boleto de ida y vuelta	*round-trip ticket*		
el control de seguridad	*security check*	el asiento al lado de la ventanilla en el pasillo	*window seat* *aisle seat*
la etiqueta	*luggage tag*	el aterrizaje	*landing*
la línea aérea	*airline*	el despegue	*take-off*
la maleta	*suitcase*	el equipaje de mano	*carry-on luggage*
el maletero	*porter*		
el maletín	*briefcase*	la fila	*row*
el pasaje (A)	*fare*	la sección de (no) fumar	*(no) smoking section*
el/la pasajero/a	*passenger*		
la pista	*runway*	la tarjeta de embarque	*boarding pass*
la puerta	*gate*		
la sala de reclamación de equipaje	*baggage claim area*	un vuelo directo sin escalas	*direct flight*
el talón	*baggage claim check*	abordar el avión	*to board*
la tarifa (E)	*fare*	abrocharse el cinturón de seguridad	*to fasten the seatbelt*
el terminal	*terminal*		
el vuelo internacional nacional	*flight international flight domestic flight*	aterrizar	*to land*
		bajar del avión desembarcar	*to get off of the plane*
confirmar una reservación	*to confirm a reservation*		
facturar el equipaje	*to check luggage*	caber debajo del asiento	*to fit under the seat*
hacer una reservación	*to make a reservation*	desabrocharse	*to unfasten*
		despegar	*to take off*
pasar por la aduana	*to go through customs*	hacer escala	*to stop over*
perder el avión	*to miss the plane*	subir al avión	*to get on the plane*
reclamar el equipaje	*to claim luggage*	volar (ue)	*to fly*

 Heinle Spanish Transparency Bank: o-3, o-4: En el aeropuerto, en el avión. Use these images to illustrate additional vocabulary to your students

Warm-up 1. Before listening to the dialogue, have students describe the people in the drawing. Ask questions such as: ¿Dónde están estas personas? ¿Por qué están ahí? Descríbalas.

Warm-up 2. Ask students to think of the English expressions they use at the airport when they are checking in. Have them explain how they think this differs from or is similar to the way it is done in the Hispanic world.

Have students listen to the dialogue once. Then ask them to provide a statement explaining the gist of the conversation.

Así se habla   CD 2, Track 14

Buying a Ticket and Boarding a Plane

Comprehension check. After playing the dialogue a second time, have students answer the following: ¿Qué quiere Mireya? (Quiere un pasaje a Valparaíso.) ¿Por qué? (Porque tiene una emergencia personal.) ¿Logra Mireya lo que quiere? Explique. (Sí. El empleado le consigue un asiento en el vuelo de las doce.) ¿Está sola Mireya? (No, está con su amiga Anabela.) ¿Qué tiene que hacer Mireya antes de abordar el avión? (Facturar su equipaje y pasar por Seguridad.) Cuando Ud. viaja, ¿también tiene que pasar por Seguridad? Explique. (Sí.)

MIREYA: Señor, tengo una emergencia personal y quisiera saber si podría comprar un pasaje para el vuelo de esta tarde o de esta noche a Valparaíso.

EMPLEADO: A ver, déjeme ver.

MIREYA: Gracias, señor. Ojalá que tenga suerte porque en realidad...

EMPLEADO: Sí, sí, tiene suerte, no se preocupe. Aquí hay un asiento disponible en el vuelo de esta mañana, el de las doce. ¿Le conviene o prefiere más tarde?

MIREYA: No, no, está bien, mejor aún.

EMPLEADO: Muy bien, entonces, ¿tiene sus maletas para facturárselas?

MIREYA: Un momentito, por favor. Anabela, si fueras tan amable, ¿me podrías pasar mis maletas? Me voy en el vuelo de las doce.

ANABELA: ¡Qué suerte! Aquí están. ¿Las pongo aquí?

EMPLEADO: Sí, gracias. Muy bien... ya está todo listo. Su vuelo sale a las doce por la puerta 8A. Aquí tiene su tarjeta de embarque. No se olvide que tiene que pasar por Seguridad primero.

MIREYA: Sí, no se preocupe. Gracias, señor.

When you are traveling by plane, you can use the following expressions.

Quiero un pasaje de ida y vuelta a...	*I want a round-trip ticket to . . .*
Quiero sentarme al lado de la ventanilla / del pasillo / en el medio.	*I want to sit by the window / aisle / in the middle.*
¿A qué hora sale el vuelo?	*At what time does the flight leave?*
¿A qué hora empiezan a abordar?	*At what time do you start boarding?*
El vuelo está retrasado / sale a la hora.	*The flight is late / is leaving on time.*
El vuelo número... sale por la puerta número...	*Flight number . . . leaves through gate number . . .*

Facture su equipaje.	*Check your luggage.*
Muestre su tarjeta de embarque.	*Show your boarding pass.*
Cargue su equipaje de mano.	*Take your hand luggage.*
Ponga su equipaje de mano debajo del asiento delantero.	*Put your hand luggage under the seat in front (of you).*
Abróchese el cinturón.	*Fasten your seatbelt.*
Observe el aviso de no fumar.	*Observe the no-smoking sign.*
Ubique las salidas de emergencia.	*Find the emergency exits.*

 To hear more about Spanish pronunciation visit academic.cengage.com/ spanish/interacciones.

Práctica y conversación

11.6 De viaje. ¿Qué dice Ud. si está en un aeropuerto y necesita lo siguiente?

1. Quiere comprar un pasaje de Nueva York a Valparaíso.
2. Necesita un pasaje de Nueva York a Santiago con regreso a Nueva York.
3. Prefiere un asiento que le permita mirar por la ventana durante el vuelo.
4. Tiene que llevar dos maletas.
5. No sabe por qué puerta sale su avión.
6. Quiere hacer algunas compras pero no sabe si tiene tiempo antes de que salga su avión.

11.7 ¡Voy a Santiago! Con un/a compañero/a, completen el siguiente diálogo.

VIAJERO/A: Buenos días, necesito comprar un pasaje para Santiago de Chile para salir el día de hoy.

EMPLEADO/A: Muy bien... Déjeme ver... Sólo tenemos espacio en primera clase. ¿Le parece bien?

VIAJERO/A: Sí, no hay problema, pero ¿cuánto me va a costar más o menos?

EMPLEADO/A: Bueno, depende. ¿Quiere de _ida y vuelta_ o sólo de _ida_?

VIAJERO/A: No, de _ida y vuelta_ porque tengo que regresar aquí a los Estados Unidos.

EMPLEADO/A: Y, ¿cuándo desea regresar?

VIAJERO/A: _Answers will vary_.

EMPLEADO/A: En ese caso le va a costar $2.500.

VIAJERO/A: Es mucho dinero, pero bueno, ¡qué se va a hacer!

EMPLEADO/A: Yo le puedo arreglar todo ahora mismo. ¿Dónde quisiera sentarse? ¿Prefiere _al lado de la ventanilla_ o _al lado del pasillo_?

VIAJERO/A: Preferiría _Answers will vary_ si fuera posible.

EMPLEADO/A: Muy bien. Aquí tiene su _boleto_ y su _tarjeta de embarque_. ¡Que tenga buen viaje!

Warm-up 11.6. Brainstorm with students about some of the things to think about before making a flight reservation.

Answers 11.6. *Possible answers:* **1.** Quisiera un pasaje de ida de Nueva York a Valparaíso, por favor. **2.** Quisiera un pasaje de ida y vuelta de Nueva York a Santiago. **3.** Quisiera sentarme al lado de la ventanilla. **4.** Quisiera facturar mis dos maletas. **5.** ¿Por qué puerta sale el vuelo número... ? **6.** ¿A qué hora sale mi vuelo / el vuelo número... ?

Warm-up 11.7. Brainstorm with students about what they do when they have to go on a trip unexpectedly. Then, ask them what they think are the similarities/differences between traveling here in the United States and in Hispanic countries.

Instructions 11.7. Have students form pairs and ask them to complete the activity. Ask students to use the expressions they have learned.

Estructuras

Explaining Previous Wants, Advice, and Doubts

Imperfect Subjunctive

The imperfect subjunctive is used to express the same functions as the present subjunctive; the main difference is that the situations requiring the use of the imperfect subjunctive occurred in the past.

Since the imperfect subjunctive uses the preterite indicative as the basis for the stem, you may want to review the formation of the preterite prior to introducing the formation of the imperfect subjunctive.

Imperfect Subjunctive of Regular Verbs		
volar	**perder**	**subir**
volara	perdiera	subiera
volaras	perdieras	subieras
volara	perdiera	subiera
voláramos	perdiéramos	subiéramos
volarais	perdierais	subierais
volaran	perdieran	subieran

a. To obtain the stem for the imperfect subjunctive, drop the **-ron** ending from the third-person plural form of the preterite: **volaron → vola-; perdieron → perdie-; subieron → subie-.** To this stem, add the endings that correspond to the subject: **-ra, -ras, -ra, -ramos, -rais, -ran.** Note the written accent on the first-person plural form.

b. There are no exceptions to this method of formation of the imperfect subjunctive. Thus, the imperfect subjunctive will show the same irregularities as the preterite.

Imperfect Subjunctive of Irregular Verbs			
-i- Stem		**-j- Stem**	
hacer	**hiciera**	decir	**dijera**
querer	**quisiera**	traer	**trajera**
venir	**viniera**		
-u- Stem		**-y- Stem**	
andar	**anduviera**	caer	**cayera**
estar	**estuviera**	creer	**creyera**
poder	**pudiera**	leer	**leyera**
poner	**pusiera**	oír	**oyera**
saber	**supiera**		
tener	**tuviera**		
-cir Verbs		**-uir Verbs**	
traducir	**tradujera**	construir	**construyera**

Other Irregular Stems			
dar	**diera**	ir	**fuera**
haber	**hubiera**	ser	**fuera**
The imperfect subjunctive of **hay (haber)** is **hubiera**.			

Stem-Changing Verbs		
e → i		o → u
pedir	**pidiera**	dormir	**durmiera**

c. The same expressions that require the use of the present subjunctive also require the use of the imperfect subjunctive. The present subjunctive is used when the verb in the main clause is in the present tense. When the verb in the main clause is in a past tense, then the imperfect subjunctive is used.

Dudan que despeguemos a tiempo.	*They doubt that we will take off on time.*
Dudaban que **despegáramos** a tiempo.	*They doubted that we would take off on time.*
La aeromoza les dice a todos los pasajeros que se abrochen el cinturón.	*The flight attendant tells all the passengers to fasten their seatbelts.*
La aeromoaza les **dijo** a todos los pasajeros que **se abrocharan** el cinturón.	*The flight attendant told all the passengers to fasten their seatbelts.*

d. In Spain and in certain other Spanish dialects, an alternate set of endings for the imperfect subjunctive is commonly used: **-se, -ses, -se, -semos, -seis, -sen.** You will see these forms frequently in reading selections and will need to recognize them.

Práctica y conversación

11.8 Mi primer viaje. ¿Recuerda su primer viaje en avión? Explique lo que era necesario hacer.

> **Modelo** comprar los boletos dos semanas antes del viaje
> *Era necesario que yo comprara los boletos dos semanas antes del viaje.*

1. hacer una reservación
2. estar en el aeropuerto con una hora de anticipación
3. ir al terminal internacional
4. tener el pasaporte
5. saber el número del vuelo
6. oír el anuncio del vuelo
7. poner el equipaje de mano debajo del asiento

11.9 En el terminal. Explique lo que un empleado de la línea aérea les aconsejó a los pasajeros.

Les aconsejó que…
poner las etiquetas en las maletas / facturar todo el equipaje / pasar por el control de seguridad / averiguar el número del vuelo / tener lista la tarjeta de embarque / abordar el avión a tiempo

Point out. To review the expressions that require the use of the subjunctive in noun clauses, see the following: **Capítulo 5, Segunda situación:** expressions of wishing, hoping, commanding, and requesting; **Capítulo 6, Segunda situación:** expressions of emotion, judgment, and doubt.

Point out. There is a great variety of English translations of Spanish subjunctive verbs and expressions.

Point out. The forms ending in **-se** will not be practiced in *Interacciones*.

To hear more about the subjunctive visit academic.cengage.com/spanish/interacciones.

Answers 11.8. 1. Era necesario que yo hiciera una reservación. **2.** Era necesario que yo estuviera en el aeropuerto con una hora de anticipación. **3.** Era necesario que yo fuera al terminal internacional. **4.** Era necesario que yo tuviera el pasaporte. **5.** Era necesario que yo supiera el número del vuelo. **6.** Era necesario que yo oyera el anuncio del vuelo. **7.** Era necesario que yo pusiera el equipaje de mano debajo del asiento.

Answers 11.9. Les aconsejó que pusieran las etiquetas en las maletas. Les aconsejó que facturaran todo el equipaje. Les aconsejó que pasaran por el control de seguridad. Les aconsejó que averiguaran el número del vuelo. Les aconsejó que tuvieran lista la tarjeta de embarque. Les aconsejó que abordaran el avión a tiempo.

11.10 A bordo. Ud. acaba de regresar de un viaje por la América del Sur. Cuéntele a un/a compañero/a qué fue necesario hacer antes de salir de viaje y qué consejos le dieron sus familiares.

Modelo Estudiante 1: *Acabo de regresar de un viaje y disfruté mucho, pero antes de salir tuve que sacar las visas y renovar mi pasaporte. Mis padres duda-ban que yo pudiera hacer todo en tan corto tiempo, pero lo hice.*

Estudiante 2: *¿Y qué consejos te dieron tus padres?*

Estudiante 1: *¡Imagínate! Ellos querían que no saliera en la noche.*

Making Polite Requests

Other Uses of the Imperfect Subjunctive

In addition to expressing past wants, advice, and doubts, the imperfect subjunctive has other uses.

a. The imperfect subjunctive forms of **deber, poder,** and **querer** are often used to soften a statement or request so that it is more polite. In such cases, the imperfect subjunctive is the main verb of the sentence. Compare the translations of the following sentences.

El aduanero brusco

Quiero revisar su equipaje.	*I want to look through your luggage.*
Pase por aquí. Abra sus maletas.	*Come through here. Open your suitcases.*

El aduanero cortés

Quisiera revisar su equipaje.	*I would like to look through your luggage.*
¿Pudiera Ud. pasar por aquí y abrir sus maletas?	*Could you step through here and open your suitcases?*

b. The imperfect subjunctive is always used after the expression **como si** meaning *as if.*

Esa mujer se comporta **como si pasara** algo de contrabando.	*That woman behaves as if she were smuggling something.*

Gramática suplementaria. The conditional of **deber, poder,** and **querer** can also be used to soften a request. **¿Podría Ud. ayudarme?** *(Could you help me?)* **Uds. no deberían hacer eso.** *(You shouldn't do that.)* **¿Querría Ud. ir conmigo?** *(Would you like to go with me?)*

To hear more about the subjunctive visit academic.cengage.com/spanish/interacciones.

Práctica y conversación

11.11 El aduanero brusco. Ayude a este aduanero a ser más cortés. Dígale otra manera de expresar las siguientes frases.

1. Ud. debe pasar por aquí.
2. Quiero ver su declaración de aduana.
3. Ud. debe abrir su equipaje.
4. Quiero revisar sus maletas.
5. ¿Puede Ud. cerrar sus maletas?

Answers 11.11. 1. Ud. debiera pasar por aquí. **2.** Quisiera ver su declaración de aduana. **3.** Ud. debiera abrir su equipaje. **4.** Quisiera revisar sus maletas. **5.** ¿Pudiera Ud. cerrar sus maletas?

11.12 Como si... Complete las siguientes oraciones de una manera lógica.

1. Siempre trabajo como si _____.
2. Mi novio/a maneja como si _____.
3. Mi mejor amigo/a gasta dinero como si _____.
4. Mi profesor/a nos da tarea como si _____.
5. Mis padres me tratan como si yo _____.

 11.13 Quisiera... Ud. es un/a estudiante de intercambio en Chile y quiere invitar a sus padres chilenos a cenar en un restaurante muy elegante. Invítelos; ellos aceptan. Luego, en el restaurante, el mesero les pregunta qué quieren comer y beber; pidan la comida. Mientras están comiendo, agradézcales toda su generosidad y hospitalidad. Ellos responden.

Discussing Contrary-to-Fact Situations

If Clauses with the Imperfect Subjunctive and the Conditional

Contrary-to-fact ideas are often joined with another idea expressing what would or would not be done if a certain situation were true. *If I had the money, I would go to Chile.*

When a clause introduced by **si** *(if)* expresses a contrary-to-fact situation or an improbable idea, the verb in the **si** clause must be in the imperfect subjunctive. The verb in the main or result clause must be in the conditional.

Contrary-to-fact situation

Si tuviera tiempo, te **llevaría** al aeropuerto.

If I had time (which I don't), *I would take you to the airport.*

Improbable situation

Si abordáramos ahora mismo, no **llegaríamos** a Santiago sino hasta las 10.

If we were to board right now (which is unlikely), *we wouldn't arrive in Santiago until 10:00.*

Reminder. When the verb of the **si** clause is in the present tense, the verb of the result clause is often in the future tense. Compare the verbs of the following examples: **Si tengo dinero, iré a Chile. Si tuviera dinero, iría a Chile.**

Gramática suplementaria. The **si** clause can be the first or second clause of the sentence. **Si tuviera dinero, iría a Chile. Iría a Chile si tuviera dinero.**

To hear more about the subjunctive visit academic.cengage.com/spanish/interacciones.

Práctica y conversación

11.14 Si yo fuera aeromozo/a... Si Ud. fuera aeromozo/a, ¿qué haría?

Si yo fuera aeromozo/a...
recoger las tarjetas de embarque / ayudar a los pasajeros / servir refrescos / hablar con los pilotos / contestar las preguntas de los pasajeros / prepararles las comidas a los pasajeros / viajar mucho

11.15 Un viaje a Latinoamérica. Explique bajo qué condiciones Ud. iría a Latinoamérica.

Iría a Latinoamérica si...
hablar mejor el español / ganar mucho dinero en la lotería / no preocuparme por los estudios / tener más tiempo / conocer a alguien que quisiera viajar conmigo / no conseguir trabajo / ¿?

11.16 ¿Qué haría Ud.? Complete las siguientes oraciones de una manera lógica. Luego, compare sus respuestas con las de su compañero/a.

1. Si pudiera viajar a un lugar, _____.
2. _____ si tuviera mucho dinero.
3. Si pudiera ser otra persona, _____.
4. Me gustaría _____ si _____.
5. Si tuviera mucho tiempo libre, _____.

11.17 ¿Qué harían Uds.? En grupos, dos estudiantes hablan de lo que harían si pudieran viajar a un país extranjero. El/La tercer/a estudiante toma apuntes y después informa a la clase lo discutido.

Modelo Estudiante 1: *Mira, Javier, si pudiera ir a un país extranjero, me gustaría ir a Chile. Si fuera en enero, haría calor y podría ir a las playas.*

Estudiante 2: *Suena maravilloso. Yo quisiera ir a la Argentina. Visitaría Buenos Aires y luego iría a Bariloche.*

Answers 11.14. Si yo fuera aeromozo/a, recogería las tarjetas de embarque, ayudaría a los pasajeros, serviría refrescos, hablaría con los pilotos, contestaría las preguntas de los pasajeros, les prepararía las comidas a los pasajeros, viajaría mucho.

Answers 11.15. Iría a Latinoamérica si hablara mejor el español, ganara mucho dinero en la lotería, no me preocupara por los estudios, tuviera más tiempo, conociera a alguien que quisiera viajar conmigo, no consiguiera trabajo.

Warm-up 11.16. Have students brainstorm about some of the things they would do if they had a lot of money, time, power, influence.

Warm-up 11.17. Have students brainstorm about the different places they would like to visit during their lifetime, what they would like to see and do there, who they would like to meet.

Perspectivas

El transporte en el mundo hispano

Hay una gran variedad de medios de transporte en el mundo hispano y cada uno tiene sus ventajas y desventajas. El uso de un medio en vez de otro depende de las características geográficas del lugar y de su situación económica.

El autobús es un medio de transporte muy común en todo el mundo hispano pero especialmente en Hispanoamérica. Los autobuses tienen nombres distintos

VALENCIA - ALICANTE
ALICANTE - VALENCIA

HORARIOS
A PARTIR DEL 24-06-96

UBESA
grupo ENATCAR

según el país o la región. En México lo llaman «el camión»; en la Argentina, «el colectivo»; en Cuba y Puerto Rico, «la guagua»; y en Chile, «el bus». Generalmente los autobuses interurbanos son grandes y muy cómodos; a veces tienen televisores y servicio de comida.

En la mayoría de las ciudades del mundo hispano, el transporte público está bien desarrollado y generalmente es mucho más eficaz utilizarlo que mane-

jar y tratar de encontrar un lugar para estacionar el coche. En las ciudades de Barcelona, Buenos Aires, Caracas, Madrid, México, D.F. y Santiago los habitantes y los turistas pueden utilizar el sistema de trenes subterráneos, llamado el metro, para ir de un lugar a otro.

Pero a pesar de tener buenos sistemas de transporte público, muchas personas prefieren la conveniencia de

OFICINAS CENTRALES
Polígono Industrial Vara de Quart
C/. Dels Coeters, 5 - Tel. (96) 359 26 11
46014 **VALENCIA**

CENTRALES DE INFORMACION Y VENTA:
VALENCIA: ESTACION DE AUTOBUSES - TEL. (96) 340 08 55
GANDIA: MAGISTRADO CATALAN, 3 - TEL. (96) 287 16 54
DENIA: PLAZA ARCHIDUQUE CARLOS, 4 - TEL. (96) 578 05 64
JAVEA: PRINCIPE DE ASTURIAS, 50 - TEL. (96) 579 08 45
BENISA: PLA DE CARRALS, S/N. - TEL. (96) 573 01 92
CALPE: CAPITAN PEREZ JORDA, S/N. - TEL. (96) 583 82 98
BENIDORM: JAIME I - APTOS. VALENCIA II - TEL. (96) 585 01 51
AV. EUROPA, 8 (CENTRO LA NORIA) - TEL. (96) 680 39 55
ALICANTE: ESTACION AUTOBUSES - TEL. (96) 513 01 43

...y en el resto de oficinas de
nuestra red comercial......

SERVICIO DE
PAQUETERIA EXPRESS

• BUEN VIAJE •

UBESA

manejar su propia motocicleta o su propio coche.

En muchos países hay sistemas nacionales de aviones o de trenes. En España RENFE, la Red Nacional de Ferrocarriles Españoles, mantiene un sistema de trenes de muchas categorías, entre ellos el AVE, el tren de Alta Velocidad Española, que transporta pasajeros entre Madrid y Sevilla y a otros lugares.

Heinle Transparency Bank: G-3, G-4: Plan del subte de Buenos Aires, Plan del Metro de Madrid. Use these images to illustrate the subway systems of large cities.

En Hispanoamérica la naturaleza dificulta el transporte. En Centroamérica y México las montañas separan los países y las regiones dentro de los países. En Sudamérica los Andes forman una barrera natural entre las regiones de la costa del Pacífico y el interior del continente. A causa de las montañas es difícil construir carreteras o vías ferroviarias; por eso dependen del transporte aéreo. No debe ser sorprendente saber que la primera línea aérea nacional fue Avianca de Colombia ni que hay más aeropuertos que estaciones de tren en Bolivia.

Además del transporte público anteriormente mencionado, también existen taxis o la posibilidad de alquilar un coche para viajar dentro y fuera de las ciudades.

Interacciones: Capítulo 11, Primera situación

Para saber más: academic.cengage.com/spanish/interacciones

Práctica y conversación

Answers 11.18. 1. el metro (un autobús, un taxi) 2. el camión (el tren, un avión) 3. el colectivo (el tren, el avión) 4. el avión 5. un coche alquilado, un taxi

11.18 Los medios de transporte. Explique qué medio de transporte van a utilizar las siguientes personas.

1. Un turista en Madrid quiere ir de su hotel al otro lado de la ciudad.

2. Una familia mexicana quiere viajar de Guadalajara a la capital.

3. Un argentino quiere viajar de Buenos Aires a Córdoba.

4. Una colombiana quiere ir de Bogotá a Cali.

5. Un turista en Santiago no quiere usar el transporte público para trasladarse dentro de la ciudad.

 11.19 Un viaje en Chile. Ud. y un/a compañero/a quieren ir de Santiago a Viña del Mar. Discutan los medios de transporte disponibles para ir de una ciudad a otra. ¿Cuáles son las ventajas o desventajas de cada uno? ¿Cómo van a viajar de su hotel a la estación de autobuses o de tren o al aeropuerto? ¿Qué medio de transporte van a utilizar para viajar entre las dos ciudades? Justifiquen su respuesta.

Presentación

Una habitación doble, por favor

Práctica y conversación

11.20 ¿Quién lo ayuda? ¿Qué empleado del hotel lo/la ayuda a Ud. en las siguientes situaciones?

1. Ud. tiene muchas maletas pesadas.
2. Quiere un plano de la ciudad.
3. Necesita cobrar cheques de viajero.
4. Los huéspedes de una habitación vecina hacen mucho ruido.
5. Necesita un taxi.
6. Le faltan toallas y jabón.
7. Quiere reservaciones en un restaurante de lujo.

Answers 11.20. **1.** el botones **2.** el/la conserje **3.** el/la recepcionista **4.** el/la recepcionista **5.** el portero **6.** la camarera (la criada) **7.** el/la conserje

The alternate drawing that corresponds to this activity can be found in **Apéndice A**.

11.21 ¿Qué me dices? Ud. y su compañero/a de clase están ayudando a su amigo/a que trabaja de recepcionista en el Hotel Alay. Las hojas que contienen las quejas de algunos huéspedes están en desorden. ¿Pueden Uds. juntar cada queja con el nombre del huésped que la puso? A continuación está su hoja; la de su compañero/a está en el **Apéndice A**. Conversen para descubrir la información que falta.

Se necesita limpiar la habitación 223.
El señor Sánchez quiere ducharse pero no puede.
Los enchufes en la habitación 418 no funcionan.
Hace mucho frío en la habitación de la señora Cirre.
En la habitación 614 el aire acondicionado está descompuesto.

11.22 La reunión anual. Ud. trabaja en Santiago de Chile para una compañía multinacional con oficinas en España y en las capitales de la América del Sur. Ud. está encargado/a de organizar su próxima reunión y pidió información en varios hoteles. Trabajando en parejas, discutan los servicios de estos dos hoteles y decidan cuál es el mejor para la reunión de los 300 empleados de su compañía. Justifique su decisión.

Modelo *Pienso que para la reunión de la compañía es mejor que vayamos al hotel El Condado porque tiene salas de conferencia, telex y servicio de mensajería.*

Situado al borde del mar, sobre el Puerto Deportivo y junto al Paseo Marítimo de Benalmádena-Costa, a 7 Kms. del aeropuerto y a 15 Kms. del centro de Málaga Capital, a 2 Kms. del Golf Torrequebrada. 245 habitaciones y 10 suites con vistas al mar, totalmente climatizadas y con teléfono directo, TV vía satélite, terraza y baño completo. Restaurante, salones sociales, de banquetes, seminarios y congresos, salón de juego y TV, piano bar, peluquería, sauna y gimnasio, pista de tenis, 2 piscinas, una de ellas climatizada. Servicio de lavandería y limpieza en seco.

Disfrute de nuestros restaurantes «Alay» y «Mar de Alborán» y deguste la gran variedad de exquisitos platos.

Para cocktails, cenas, almuerzos de trabajo y banquetes, el Hotel Alay le ofrece cómodas facilidades y un servicio muy esmerado.

Bar americano: Lugar favorito de encuentro para tomar una copa y gozar de una buena música en vivo.

Gran selección de salones para reuniones y banquetes.

Avda. del Alay, s/n
BENALMADENA-COSTA
Costa del Sol - MALAGA - SPAIN
Phone 95 - 224 14 40
Fax 95 - 244 63 80
Telex 77034

Un sistema organizado por un eficiente equipo de profesionales para brindar una excelente atención y servicio.

Amplias habitaciones que incluyen baños con «jacuzzi» y sauna privada, TV color y minibar; restaurantes, bar, cafetería, discoteca, salas de conferencias para ejecutivos, telex y servicio de mensajería.

Ubicación excelente cerca de playas, área comercial y zona artística, y a sólo 25 minutos del Aeropuerto Internacional.

11.23 Creación. En una narración cuente lo que pasa en el dibujo de la **Presentación.**

Modelo *Es un dibujo del vestíbulo (del salón de entrada) de un hotel muy grande y lujoso. En el centro del dibujo hay una familia con el padre, la madre y tres hijos. Tienen mucho equipaje.*

VOCABULARIO

Heinle Transparency Bank L-3, L-4, L-5: **En el hotel (1–2), la Guía Michelin.** Use these images to illustrate additional vocabulary to your students.

Los hoteles	*Hotels*	una almohada	*a pillow*
el albergue juvenil	*youth hostel*	una manta	*a blanket*
el hotel de lujo con	*luxury hotel with*	una toalla de baño	*a bath towel*
piscina	*swimming pool*	unos ganchos (A)	*some hangers*
salón de cóctel	*cocktail lounge*	unas perchas de	
terraza	*terrace*	colgar (E)	
el motel	*motel*	tener	*to have*
el parador	*government-run historic inn*	aire acondicionado	*air conditioning*
		balcón	*a balcony*
la pensión	*boarding house*	baño	*a bathroom*
alojarse	*to stay*	calefacción	*heat*
		ducha	*a shower*
Registrarse	*To check in*	tener problemas	*to have problems*
la caja de	*safety box*	con el enchufe	*with the electric outlet*
seguridad			
la estancia	*stay*	el grifo	*the faucet*
la habitación	*(hotel) room*	el inodoro	*the toilet*
doble	*double room*	el lavabo	*the sink*
sencilla	*single room*	el voltaje	*the voltage*
el/la huésped	*guest*	cómodo/a	*comfortable*
la pensión	*full board*	incómodo/a	*uncomfortable*
completa			
la recepción	*registration desk*	**Los empleados**	*Employees*
el salón de entrada	*lobby*	el botones	*bellhop*
el vestíbulo		la camarera	*chambermaid*
bajar el equipaje	*to bring down the luggage*	la criada	
		el/la conserje	*concierge*
cargar	*to carry*	el portero	*doorman*
hacer	*to make a reservation*	el/la recepcionista	*desk clerk*
una reserva (E)			
una reservación (A)		**La cuenta**	*The bill*
llenar la tarjeta	*to fill out the registration form*	el recargo por	*additional charge for*
de recepción		las llamadas	*telephone calls*
completo/a (E)	*full*	telefónicas	
lleno/a (A)		el servicio de	*room service*
disponible	*available*	habitación	
		el servicio de	*laundry service*
La habitación	*Room*	lavandería	
necesitar	*to need*	desocupar la	*to vacate the room*
jabón	*soap*	habitación	
papel higiénico	*toilet paper*		

Así se habla

CD 2, Track 15

Getting a Hotel Room

SRA. MENÉNDEZ:	¿No te habrás olvidado lo que te pedí, Juan?
SR. MENÉNDEZ:	¿Qué me pediste, querida?
SRA. MENÉNDEZ:	Que reservaras una habitación doble de lujo. ¡No me digas que te olvidaste!
SR. MENÉNDEZ:	¿Doble? Este ... por supuesto que no, querida.
SRA. MENÉNDEZ:	Y en un piso alto, supongo.
SR. MENÉNDEZ:	Este... sí, sí, sí... por supuesto...
SRA. MENÉNDEZ:	A menos que te hayas olvidado...
SR. MENÉNDEZ:	No, no querida, ¿cómo se me iba a olvidar?... Este... mira... este... ¿Por qué no esperas mejor en el saloncito mientras yo... este... lleno la tarjeta de recepción?
SRA. MENÉNDEZ:	¿Esperar? ¿En el saloncito? ¿Por qué?
SR. MENÉNDEZ:	Este... para que... para que no te canses, mi amor, por supuesto.

The following expressions are used when you want to get a hotel room.

Quisiera una habitación doble / sencilla con baño.	*I would like a double / single room with a bath(room).*
Prefiero una habitación que dé a la calle / atrás / al patio.	*I prefer a room facing the street / the back part / the patio.*
¿Acepta tarjetas de crédito / cheques de viajero / dinero en efectivo?	*Do you accept credit cards / traveler's checks / cash?*

Warm-up 1. Before listening to the dialogue, have students work in pairs and describe the drawing. Ask questions such as: ¿Dónde están estas personas? Describa a las personas y el lugar. ¿Qué cree Ud. que va a pasar? ¿Por qué? ¿Ha estado Ud. en un lugar / una situación similar? Describa el lugar / la situación.

Comprehension check. After playing the dialogue a second time, have students answer the following: ¿Qué quería la Sra. Menéndez? (Quería una habitación doble, de lujo y en un piso alto.) ¿Cree Ud. que el Sr. Menéndez se había acordado de hacer lo que su esposa le había pedido? Justifique su respuesta. (No. Él duda, se pone nervioso y le dice que lo espere en un saloncito.) ¿Cómo cree Ud. que es la personalidad de la Sra. Menéndez? (dominante, exigente) ¿Y la de su esposo? (tranquilo, complaciente) ¿Conoce Ud. a alguien que sea como ellos?

🎧 To hear more about Spanish pronunciation visit academic.cengage.com/spanish/interacciones.

Por favor, llene la tarjeta de recepción.	*Please fill out the registration form.*
Tengo que registrarme.	*I have to check in.*
¿A qué hora tengo que pagar la cuenta?	*At what time do I have to check out?*
Necesito un recibo, por favor.	*I need a receipt, please.*
¿Me podría enviar el equipaje a la habitación?	*Could you send my luggage to my room?*

Práctica y conversación

Warm-up 11.24. Brainstorm with students about some of the things they like to have in their hotel room, and what type of services they like to get. Write their answers on the board.

11.24 En el hotel. Un/a estudiante hace el papel de viajero/a y otro/a el de recepcionista. ¿Qué dicen en la siguiente situación?

Answers 11.24. Quisiera una habitación, por favor. ¿Tiene reservación? No, no tengo. Bueno, no importa. Tenemos habitaciones. ¿Qué tipo de habitación prefiere? ¿Doble? ¿Sencilla? ¿Con baño? *Answers vary.* Muy bien. Su habitación es la número... en el... piso, y cuesta... por día. ¿Tiene aire acondicionado? ¿Televisor con cable / con satélite? ¿Hay servicio de habitación? ¿Hay algún restaurante? Sí, la habitación tiene de todo. El servicio de habitación es sólo hasta las... de la noche / No hay servicio de habitación. Sí / No hay restaurante. Muy bien. Por favor, llene la tarjeta de recepción. ¿Me podría enviar el equipaje a la habitación? Sí, por supuesto / No, no tenemos empleados. Que tenga una buena estadía en nuestra ciudad. Muchas gracias.

VIAJERO/A:	Necesita una habitación.
RECEPCIONISTA:	Quiere saber si el/la viajero/a tiene reservación.
VIAJERO/A:	Contesta negativamente.
RECEPCIONISTA:	Tiene habitaciones, pero quiere saber qué tipo de habitación necesita el/la viajero/a.
VIAJERO/A:	Responde.
RECEPCIONISTA:	Quiere saber en qué sección del hotel prefiere la habitación.
VIAJERO/A:	Responde.
RECEPCIONISTA:	Le da la información necesaria: número de habitación, piso, precio por día, hora de salida.
VIAJERO/A:	Quiere saber qué facilidades hay: aire acondicionado, televisor con cable o satélite, servicio de habitación, restaurantes, etc.
RECEPCIONISTA:	Le da la información.
VIAJERO/A:	Decide quedarse en ese hotel.
RECEPCIONISTA:	Le da la tarjeta de recepción.
VIAJERO/A:	Quiere que le lleven el equipaje a la habitación.
RECEPCIONISTA:	Responde. Le desea al / a la viajero/a una buena estadía en la ciudad.
VIAJERO/A:	Responde.

Warm-up 11.25. Have students brainstorm a list of similarities and differences between traveling in the U.S. and traveling abroad. Then ask them what they do when they arrive in a foreign city and don't have a htel reservation. Ask them what their priorities are and how they differ from those they have when traveling in the U.S.

11.25 Necesito una habitación. Trabajando en parejas, dramaticen la siguiente situación. Ud. acaba de llegar a Santiago de Chile. Son las doce de la noche y está muy cansado/a y no tiene reservación en ningún hotel. Del aeropuerto Ud. llama a un hotel y pide la información que necesita. El/La otro/a estudiante es el/la recepcionista del hotel.

Modelo   Estudiante 1: *Buenas noches, Hotel Cortijo.*
Estudiante 2: *Mi nombre es Alejandro Tudela y quisiera saber si tienen una habitación con baño para esta noche.*
Estudiante 1: *¿Para cuántas personas?*

Estructuras

Explaining When Future Actions Will Take Place

Subjunctive in Adverbial Clauses

In Spanish the subjunctive is used in clauses when it is not certain when or if an action will take place: *We will spend our vacation in Viña del Mar provided that we can get a room in a good hotel.*

a. The subjunctive is always used in adverbial clauses introduced by the following phrases:

a menos que	*unless*	en caso que	*in case that*
antes que	*before*	para que	*so that*
con tal que	*provided that*	sin que	*without*

Nos alojaremos en un hotel con piscina **con tal que tengan** una habitación disponible.

We will stay in a hotel with a pool provided that they have an available room.

Note that the future activity (**nos alojaremos**) is dependent upon the outcome of another uncertain action (**tengan**).

b. The subjunctive is used with the following adverbs of time when a future and uncertain action is implied.

así que		cuando	*when*
en cuanto	*as soon as*	después que	*after*
luego que		hasta que	*until*
tan pronto como		mientras	*while*

Subirán el equipaje **después que Uds. llenen** la tarjeta de recepción.

They will take your luggage up after you fill out the registration form.

When these adverbs of time express a completed action in the past or habitual action in the present, they are followed by verbs in the indicative. Compare the following examples.

Future action

Saldremos para el aeropuerto **tan pronto como llegue** tu papá.

We will leave for the airport as soon as your dad arrives.

Past action

Salimos para el aeropuerto **tan pronto como llegó** tu papá.

We left for the airport as soon as your dad arrived.

Habitual action

Siempre salimos para el aeropuerto **tan pronto como llega** tu papá.

We always leave for the airport as soon as your dad arrives.

Point out. Some native speakers use the **de** in the expressions **antes de que / con tal de que / en caso de que**.

Point out. The infinitive is generally used with **antes de / para** when there is no change of subject. **Saldremos para Viña del Mar antes (de) que mi hermano almuerce. Saldremos antes de almorzar.**

Point out. Hasta / después de are followed by the infinitive when there is no change of subject. **Pasamos por la aduana después de facturar el equipaje.**

Point out. Adverbs of place, manner, and condition such as **aunque, como,** and **donde** will use the subjunctive only when they express an uncertainty. **Iremos aunque llueva. Viajaré como me diga el agente.**

To hear more about the subjunctive visit academic.cengage.com/spanish/interacciones.

c. The subjunctive is used with the following expressions of purpose if they point to an event that is still in the future or uncertain.

a pesar de que aun cuando	in spite of even when	aunque de manera que de modo que	although / even if so that

Nos alojaremos en el Hotel Pacífico **aunque no tenga** aire acondicionado.	*We will stay in the Hotel Pacífico even if it doesn't have air conditioning.*

When these adverbs express a certainty, the indicative is used.

Nos alojamos en el Hotel Pacífico **aunque no tenía** aire acondicionado.	*We stayed in the Hotel Pacífico although it didn't have air conditioning.*

Práctica y conversación

Answers 11.26. 1. ¿Visitaremos Viña del Mar? Visitaremos Viña del Mar cuando vayamos a Valparaíso. **2.** ¿Iremos a Portillo? Iremos a Portillo a menos que no queramos esquiar. **3.** ¿Haremos una excursión a La Serena? Haremos una excursión a La Serena mientras estemos en ruta a Antofagasta. **4.** ¿Pasaremos por Concepción? Pasaremos por Concepción a menos que sea la época de lluvias. **5.** ¿Viajaremos a Punta Arenas? Viajaremos a Punta Arenas sin que olvidemos que es la ciudad más al sur del continente. **7.** ¿Volaremos a la isla de Pascua? Volaremos a la isla de Pascua tal pronto como tengamos suficiente tiempo.

11.26 Vacaciones en Chile. Un/a compañero/a de clase le hace preguntas a Ud. sobre unas vacaciones que Uds. piensan pasar en Chile. Conteste según el modelo.

Modelo pasar por El Arrayán: cuando / ir a Farellones para esquiar
Estudiante 1: *¿Pasaremos por El Arrayán?*
Estudiante 2: *Pasaremos por El Arrayán cuando vayamos a Farellones para esquiar.*

1. visitar Viña del Mar: cuando / ir a Valparaíso
2. ir a Portillo: a menos que / no querer esquiar
3. hacer una excursión a La Serena: mientras / estar en ruta a Antofagasta
4. pasar por Concepción: a menos que / ser la época de la lluvia
5. viajar a Puntas Arenas: sin que / olvidar que es la ciudad más al sur del continente
6. volar a la isla de Pascua: con tal que / tener suficiente tiempo

Answers 11.27. 1. Generalmente las personas pagan su pasaje al extranjero a menos que hayan sido enviadas por su compañía o lugar de trabajo. **2.** Saben que tendrán que volver a trabajar en cuanto (tan pronto como) regresen a la oficina. **3.** Saben también que tendrán que administrar su dinero muy bien hasta que regresen a su país. **4.** Los estudiantes prefieren los albergues juveniles a menos que tengan muchísimo dinero. **5.** Muchas veces los viajeros piensan en quedarse a vivir en el extranjero aunque sepan que sólo se trata de un sueño.

11.27 Los viajeros. Combine las dos oraciones que se presentan a continuación, usando las frases adverbiales que correspondan.

a menos que en cuanto	hasta que aun cuando	cuando aunque	tan pronto como luego que

Modelo Los viajeros generalmente facturan su equipaje. Sólo llevan una maleta pequeña.
Los viajeros generalmente facturan su equipaje a menos que sólo lleven una maleta pequeña.

1. Generalmente las personas pagan su pasaje al extranjero. Han sido enviadas por su compañía o lugar de trabajo.
2. Saben que tendrán que volver a trabajar. Regresan a la oficina.
3. Saben también que tendrán que administrar su dinero muy bien. Regresan a su país.
4. Los estudiantes prefieren los albergues juveniles. Tienen muchísimo dinero.
5. Muchas veces los viajeros piensan quedarse a vivir en el extranjero. Saben que sólo se trata de un sueño.

11.28 ¿Cómo podemos ayudarlo/la? Un/a estudiante hace el papel de un/a empleado/a de un hotel y otro/a el de un/a viajero/a que tiene muchos problemas en su habitación (la calefacción no funciona, necesita toallas, ganchos, jabón, no han subido su equipaje, la habitación no está limpia, el teléfono no funciona, etc.). El/La tercer/a estudiante toma apuntes de la conversación y luego informa a la clase.

Modelo   Estudiante 1: *Disculpe, señor, pero quisiera que mandara a alguien para arreglar la calefacción.*
Estudiante 2: *Muy bien, señor Morales, tan pronto como llegue el técnico, lo mando a su habitación.*

Warm-up 11.28. Have students brainstorm about the problems they have had at the hotels where they have stayed, what they have done to solve them, and what the result was.

Describing Future Actions That Will Take Place Before Other Future Actions

Future Perfect Tense

The future perfect tense expresses an action that will be completed by some future time or before another future action. *We will have checked into the hotel before our friends do.*

Review. You may want to review the formation of the past participle prior to introducing the future perfect tense: **Capítulo 10, Segunda situación.**

Future Perfect Tense			
habré		I will have	
habrás	-AR	you will have	
	viajado		traveled
habrá		he, she, you will have	
	-ER		
	aprendido		learned
habremos		we will have	
habréis	-IR	you will have	
	decidido		decided
habrán		they, you will have	

Reminder. The past participle does not change form: **Marta habrá salido para las 7. Ramón habrá salido para las 7.**

a. The future perfect tense is formed with the future tense of the auxiliary verb **haber** + *past participle* of the main verb.

b. The future perfect tense expresses actions that will be completed before an anticipated time in the future.

Habré salido cuando Uds. lleguen.   *I will have gone when you arrive.*
Habré salido para las 5.   *I will have gone by 5:00.*

Point out. Like all "perfect tenses," the future perfect is formed with the auxiliary verb **haber** + the past participle.

c. As is the case with the other perfect tenses, reflexive and object pronouns precede the conjugated forms of **haber.**

Me habré graduado para el año 2012.   *I will have graduated by 2012.*

Práctica y conversación

Answers 11.29. La maestra y los alumnos están en clase. Estudian gramática española. La maestra es exigente y antipática. Habrá amado.

11.29 El futuro perfecto. Lea la siguiente tira cómica y conteste las preguntas.

1. ¿Quiénes son los personajes en la tira cómica y dónde están?
2. ¿Qué estudian en la clase?
3. ¿Cómo es la maestra?
4. ¿Cuál es el futuro perfecto de *amar*?

Answers 11.30. 1. Alberto habrá viajado a Chile. **2.** Bárbara y Bernardo se habrán casado. **3.** Tú habrás conseguido un buen trabajo. **4.** Elena habrá escrito una novela. **5.** (Nosotros) Habremos aprendido a hablar español. **6.** Ángela se habrá hecho médica. **7.** Mis amigos y yo nos habremos graduado de la universidad.

11.30 Para el año 2015. Explique lo que las siguientes personas habrán hecho para el año 2015.

Modelo   Mi hermano / terminar sus estudios
Mi hermano habrá terminado sus estudios.

1. Alberto / viajar a Chile
2. Bárbara y Bernardo / casarse
3. tú /conseguir un buen trabajo
4. Elena / escribir una novela
5. nosotros / aprender a hablar español
6. Ángela / hacerse médica
7. mis amigos y yo / graduarse de la universidad

 11.31 Para este fin de semana. Ud. y su compañero/a hablan sobre lo que Uds. habrán hecho para este fin de semana. Mencionen por lo menos cinco actividades.

Modelo   Estudiante 1: *Para este fin de semana habré terminado de estudiar para mi examen de economía y habré escrito mi trabajo para la clase de literatura inglesa.*
Estudiante 2: *Yo no habré terminado de estudiar. ¡Qué problema!*

Warm-up 11.32. Have students brainstorm about how they plan their schedule when they have fallen behind in school, at home, at their place of work.

Instructions 11.32. Have students role-play the activity with different types of bosses and/or employees: a demanding / skeptical / ill-tempered boss, a responsible / irresponsible / sincere / untrustworthy employee.

11.32 Planes personales. Trabajando en parejas, dramaticen la siguiente situación. Ud. es un/a empleado/a de un hotel y hoy llegó a trabajar muy tarde. Su jefe le explica que todo está muy atrasado y le dice todo lo que tiene que hacer. Ud. le da un plan detallado de lo que piensa haber terminado para el mediodía, para las cuatro de la tarde y para las ocho de la noche. Él/Ella se muestra muy sorprendido/a.

Modelo   Estudiante 1: *¡Gutiérrez! ¡Ha llegado tarde y tiene muchas cosas que hacer hoy!*
Estudiante 2: *No se preocupe, señor Palacios. Para mediodía habré terminado de limpiar todo el hotel y habré arreglado la calefacción de todos los cuartos. Para las tres de la tarde habré escrito todos los informes.*
Estudiante 1: *¿Qué? ¡Eso es imposible!*

¿Qué oyó Ud.? CD 2, Track 16

Para escuchar bien

Identifying the Main Topic

En el aeropuerto de Santiago

After you listen to a conversation, you are sometimes required to answer questions about what happened. You might be asked to explain how you perceive the situation: fair or unfair, expected or unexpected. You might also be asked about the attitude of the people involved: calm or nervous, selfish or generous, upfront or dubious, arrogant or humble. To make these judgments, you rely on the factual information you hear, the words and expressions the speaker uses, and your own personal background information concerning the topic or situation.

Antes de escuchar

11.33 La fotografía. Trabajando en parejas, miren la fotografía que se presenta en esta página y hagan las siguientes actividades.

1. Describan el lugar, las personas y las cosas que se ven en la fotografía.
2. ¿Qué creen Uds. que están haciendo las personas en la fotografía? Justifiquen su respuesta.

Al escuchar

11.34 Los apuntes. Escuche la conversación entre Pilar y la empleada de la línea LanChile en el aeropuerto de Santiago. Tome los apuntes que considere necesarios y complete las siguientes oraciones.

1. Pilar lleva _____ de equipaje.
2. Antes de ir a su puerta de salida, Pilar tiene que llevar sus maletas a _____.
3. Prefiere sentarse en la parte _____ del avión y prefiere un asiento _____.
4. Pilar quisiera tener tiempo para poder _____.
5. La empleada le dice que después de pasar por Inmigración, hay _____ donde ella _____.

Answers 11.33. 1. Hay varios empleados y pasajeros en un aeropuerto. Los pasajeros tienen mucho equipaje. **2.** *Some possible answers:* Los pasajeros están esperando a facturar su equipaje para un vuelo internacional.

It will probably be necessary to play the dialogue more than once. During the first playing, students listen for the general idea. During the second playing, students should focus on the details.

Answers 11.34. 1. dos maletas y un maletín de mano **2.** Seguridad **3.** de atrás, en la ventanilla **4.** comprar cosas en el aeropuerto **5.** tiendas, podrá comprar algunas cosas

Después de escuchar

Answers 11.35. Pilar va al mostrador de LanChile y presenta su pasaporte y visa. Después que la empleada le dé su boleto, ella tendrá que llevar su equipaje a Seguridad. Su vuelo sale en cuarenta y cinco minutos, pero después de pasar por Inmigración podrá ir a unas tiendas y comprar.

11.35 Resumen. Trabajando en parejas, resuman la conversación entre Pilar y la empleada de LanChile.

11.36 Algunos detalles. Escoja entre las alternativas que se presentan a continuación las que mejor reflejen lo que ocurrió.

1. La conversación se trata de...
   a. lo que tiene que hacer Pilar antes de subir al avión.
   b. los nuevos reglamentos del aeropuerto.
   c. las compras que se pueden hacer en el aeropuerto.

2. Pilar está fastidiada porque...
   a. hay mucha gente haciendo cola en Seguridad.
   b. no hay asientos disponibles al lado de la ventana.
   c. su vuelo sale dentro de cincuenta y cinco minutos.

3. Lo primero que tiene que hacer Pilar es...
   a. comprar regalos para sus familiares.
   b. pasar por Inmigración.
   c. ir a la puerta de embarque.

4. Podemos pensar que después de que Pilar pase por Inmigración ella...
   a. subirá al avión inmediatamente.
   b. irá a tomar un café.
   c. comprará muchos regalos.

Interacciones: **Capítulo 11, Segunda situación**

Para saber más: academic.cengage.com/spanish/interacciones

Tercera situación

Imágenes culturales

Las elecciones presidenciales de Chile

Antes de mirar

A Vocabulario nuevo. Ud. necesita aprender el nuevo vocabulario que se usa en el vídeo *Las elecciones presidenciales de Chile*. Las palabras de la Columna A son palabras comunes o conocidas. Ud. necesita adivinar *(to guess)* lo que significan las palabras relacionadas que se encuentran en las columnas B y C.

A	B	C
1. Chile	el/la chileno/a	
2. Santiago	el/la santiaguino/a	
3. el/la presidente/a	la presidencia	presidencial
4. la basura	el/la basurero/a	
5. igual	desigual	la desigualdad
6. la fiesta	los festejos	

B El título. Mire el título del vídeo de esta sección: *Las elecciones presidenciales de Chile*. ¿Qué significa el título? En su opinión, ¿de qué va a tratar este vídeo? Después, mire la foto de arriba y descríbala. En su opinión, ¿quién es Michelle? ¿A qué se refiere «la» en el titular «Michelle la lleva»?

C La idea principal. Mire el vídeo por primera vez para determinar la idea principal del vídeo. También revise *(check)* y corrija sus respuestas anteriores.

Actividades de vídeo

Después de completar estas actividades de **Antes de mirar,** complete las otras actividades del vídeo para **Capítulo 11** en el *Cuaderno de actividades.*

Lectura cultural

Para leer bien

Cross-Referencing

Authors generally use synonyms in order to avoid the repetition of the same word within a sentence or paragraph as well as within the entire article or work. This use of synonyms or symbols to refer to frequently mentioned things or people is called cross-referencing. In the following sentence about Santiago, Chile, there are two sets of cross-references.

> *Hay quienes piensan que el conquistador español don Pedro de Valdivia se equivocó de lugar cuando en 1541 decidió fundar la ciudad que más tarde sería la capital de Chile: Santiago de la Nueva Extremadura.*

In the first cross-reference the word **el conquistador** is used in place of **Pedro de Valdivia**. This reference provides additional information about the man who founded Santiago by explaining he was also a Spanish conquistador. In the second cross-reference the words **el lugar / la ciudad / la capital / Santiago** are used to refer to the place where Valdivia located the city and to provide further information about it.

Sometimes this avoidance of repetition is accomplished by using pronouns and possessives that also form cross-references.

> *La playa de Reñaca es la favorita de la juventud; su arena blanca invita a tenderse sobre ella.*

The first step in making cross-references is to recognize the synonyms for the already mentioned nouns in a reading. After recognizing synonyms, it is the job of the reader to make the connections among the synonyms, pronouns, and possessives.

Antes de leer

Answers A. *La playa de Reñaca:* las olas, el mar, la arena, el sol; *los Andes:* los sitios elevados, las montañas; *la Carretera Panamericana:* la ruta, la vía, el camino

A Palabras parecidas. Identifique en la columna a la derecha las palabras que tienen algo en común con los tres lugares nombrados a la izquierda.

la ruta
las olas
la playa de Reñaca   el mar
los Andes   la vía
la Carretera Panamericana   los sitios elevados
la arena
el camino
el sol
las montañas

B Las contrarreferencias (*cross-references*). Identifique las contrarreferencias en las siguientes oraciones.

1. Uno de los principales atractivos turísticos de Santiago es el llamado Parque Metropolitano, situado en el cerro San Cristóbal, mole de piedra y tierra...
2. La playa de Reñaca, con dos kilómetros de extensión, es la playa favorita de la juventud y el más importante centro de actividades del verano.
3. La cordillera de los Andes se sumerge en el mar de Drake y reaparece más tarde en el Continente Blanco —la Antártida— donde todo es nieve pura, eterna y blanca.
4. Santiago, o mejor dicho, la Región Metropolitana, reúne las mejores condiciones para el desarrollo de la producción nacional: gran concentración de población, personal calificado, recursos naturales suficientes, buenas vías de acceso y suficiente agua y energía.

Answers B. 1. uno de los principales atractivos turísticos: el Parque Metropolitano, el cerro San Cristóbal, mole de piedra y tierra **2.** la playa de Reñaca: la playa favorita de la juventud, el más importante centro de actividades del verano **3.** el Continente Blanco: la Antártida, donde todo es nieve **4.** Santiago: la Región Metropolitana, las mejores condiciones para el desarrollo de la producción nacional, gran concentración de población, personal calificado, recursos naturales, buenas vías de acceso, suficiente agua y energía

Al leer

C Las contrarreferencias. Mientras Ud. lee la siguiente lectura, «Chile: Un mundo de contrastes sorprendentes», utilice la nueva estrategia para comprender las contrarreferencias. Esta estrategia lo/la ayudará a comprender mejor las ideas principales de la selección.

Chile: Un mundo de contrastes sorprendentes

Santiago: La ciudad-jardín

Hay quienes piensan que el conquistador Pedro de Valdivia se equivocó de lugar cuando en 1541 decidió fundar la ciudad que más tarde sería la capital de Chile: Santiago de la Nueva Extremadura. Esta opinión se renueva° cada año cuando llega el otoño y se acentúa° en el invierno. En ambas estaciones Santiago, que está situado en un valle, sufre los efectos del progreso urbano que se traduce en una contaminación atmosférica. Esta contaminación dificulta que los turistas puedan visualizar lo que casi siempre es evidente en la primavera y el verano: el cielo azul, los verdes cerros° que rodean° Santiago y el enorme y blanco telón de fondo° que constituye la cordillera de los Andes.

is renewed / becomes
accentuated

hills / surround
backdrop

Fundada el 12 de febrero de 1541 por el ya mencionado capitán de Valdivia, Santiago se caracteriza por ser la ciudad más poblada de Chile. Concentra casi el 40 por ciento de los habitantes del país, al ser un constante foco de atracción de migraciones rurales. Miles de trabajadores del campo y de las ciudades más pequeñas emigran anualmente a Santiago en busca de trabajo.

Santiago, o mejor dicho, la Región Metropolitana, reúne las mejores condiciones para el desarrollo° industrial: gran concentración de población, personal calificado, recursos naturales° suficientes, buenas vías de acceso y suficiente agua y energía. Es aquí donde se elabora° prácticamente el 50 por ciento de toda la producción nacional. Las principales industrias manufactureras son las textiles, las de prendas de vestir°, industria del cuero, fábricas de productos metálicos, maquinarias° y equipos, productos alimenticios, bebidas y tabacos, industrias de madera y sus productos derivados.

development
natural resources
is manufactured
articles of clothing
machinery

Santiago tiene modernos sistemas de transporte y comunicaciones. Desde el centro de la ciudad, se desprende° la Carretera Panamericana. Una ruta internacional conecta la capital con la Argentina y hay también otras carreteras y vías que la unen con todo el país. Paralela a los caminos se extiende una red ferroviaria°; el aeropuerto internacional recibe pasajeros y carga del exterior.

issues forth

railway network

Uno de los principales atractivos turísticos de Santiago es el llamado Parque Metropolitano situado en el cerro San Cristóbal, mole° de piedra y tierra de más de 300 metros de altura. Allí se encuentran sitios para picnic, un jardín zoológico°, piscinas al aire libre y salas de concierto.

mass, pile
zoo

Para los amantes° de la naturaleza y los paseos° hay muchas posibilidades, desde las canchas de esquí hasta las aguas termales, los ríos para hacer canotaje°, valles y bosques° para acampar sin más temor que el silencio y sin más ruido que el de los riachuelos° y los pájaros.

lovers / strolls
boating / forests
streams

Viña del Mar

Viña del Mar, Chile

La vida se inicia tarde en Viña del Mar. La gente comienza a salir de sus casas hacia las once y media de la mañana, pero antes los más deportistas, como en todo centro de veraneo°, han salido a trotar°, a andar en bicicleta o, simplemente, a caminar por las costaneras° o por la gran avenida que accede a todas las playas del litoral°. Reñaca, con dos kilómetros de extensión, es la playa favorita de la juventud y el más importante centro de actividades del verano.

summer resort
to jog / sea-side walkways
coast

Las vacaciones invitan a comer fuera de casa, jugar, bailar. Viña del Mar lo ofrece todo. Las marisquerías° alternan con los restaurantes en los treinta kilómetros del camino costero. El Casino Municipal es el centro de esparcimiento° más completo de la ciudad. Sus salas atraen a jugadores de ruleta y de tragamonedas°; en su café concert durante todo el año se presentan figuras internacionales de la canción y del espectáculo. La juventud tiene otras preferencias. Los últimos ritmos europeos se unen al rock latino en las discotecas de la región. Viña del Mar también ofrece una intensa vida cultural con teatro, conciertos, exposiciones y concursos° de pintura y escultura.

lugar donde se vende y se come pescado y mariscos /
recreation / slot machines

competitions

Magallanes

La geografía y el clima de Chile ofrecen grandes y sorprendentes contrastes. En el norte está el desierto de Atacama, el territorio más seco del mundo, mientras al otro extremo del país todo es nieve.

La Antártida chilena

La región de Magallanes y la Antártida chilena están situadas en el sur entre la Argentina y el océano Pacífico. Aunque Magallanes es la región de mayor superficie° del país es la menos poblada, con solamente 130.000 habitantes. Este territorio extenso y variado es sumamente hermoso. El paisaje° casi siempre incluye glaciares, icebergs, fiordos o islas con canales° sinuosos. Allí la cordillera de los Andes está sumergida en el mar de Drake, pero reaparece más al sur en la Antártida.

Además de ser una de las regiones más bellas del país, también es una de las más ricas en recursos naturales. La economía depende de la industrialización de los recursos mineros, ganaderos°, marinos y forestales.

Magallanes también ofrece muchas atracciones turísticas; los visitantes pueden gozar de una gastronomía sabrosa, la práctica° deportiva y las costumbres tradicionales, al mismo tiempo que viajan por una región vasta e impresionante.

area

landscape / channels

livestock

participation

Después de leer

D Tres regiones distintas. Complete las oraciones con información del artículo.

Santiago

1. La ciudad de Santiago fue fundada por _____ en _____.
2. En el otoño y en el invierno Santiago sufre _____.
3. _____ es la ciudad más poblada del país; allá se concentra casi _____.
4. Santiago reúne las mejores condiciones para el desarrollo industrial: _____.
5. Las principales industrias de Santiago son _____.
6. El Parque Metropolitano es _____; allí se encuentran _____.

Viña del Mar

7. Viña del Mar es _____ que se encuentra en _____.
8. El Casino Municipal es _____.
9. Otras atracciones turísticas de Viña del Mar son _____.

La región de Magallanes

10. La región de Magallanes se encuentra _____.
11. Es la región de mayor _____ y la menos _____.
12. Entre la belleza escénica de esta región se destacan _____, _____ y _____.

E Descripciones geográficas. Describa Santiago, Viña del Mar y Magallanes. ¿Cuáles son las características geográficas? ¿Cómo es el clima? ¿Cuáles son las ventajas y desventajas de cada región? ¿Se puede comparar estas regiones con algunas regiones en los EE.UU.? ¿Cuáles?

F En defensa de una opinión. ¿Qué evidencia hay en el artículo que confirma la idea siguiente? «Chile es un mundo de sorprendentes contrastes.»

Interacciones

A En el aeropuerto de Santiago. You are in the airport in Santiago waiting for your return flight to the U.S. Role-play the following situation with a classmate, who is the ticket agent in the airport. You go to the LanChile check-in counter. Confirm that your ticket is correct and check in two suitcases. Obtain the seat of your choice; find out when the plane leaves and the gate number; then get your boarding pass. Ask if you have time to do some shopping before departure. Find out when and where to go through customs.

B Una reservación. You and your family are going to spend a week's vacation in Viña del Mar. Call the Hotel Solimar to obtain a room reservation. Talk with the reservation clerk (played by a classmate). Find out if there are rooms available when you want to arrive and the price for the type of room/s you want. Describe any special room items or characteristics you need. Arrange a payment method and confirm your reservation.

C Para el año 2015. Interview at least five classmates to find out three things they will have done by the year 2015. Compile the results and explain what the majority of the class will have done by that date.

D El viaje de sus sueños. You are a contestant on the TV quiz show *El viaje de sus sueños*. In order to win the trip of your dreams, you must explain in three minutes or less where and with whom you would go and what you would do if you were to win the trip. You also need to explain under what conditions you would travel or engage in certain activities. After listening to all the contestants, the class should decide on the winner.

Así se escribe

Para escribir bien

Explaining and Hypothesizing

When supporting an opinion in a memo, letter, essay, or term paper, it is frequently necessary to explain and hypothesize. Hypothesizing involves expressing improbabilities and explaining under what conditions certain events would take place. Hypothesizing often involves the use of contrary-to-fact *if* clauses. Study the examples of explaining and hypothesizing found in the following letter.

Explanation
Thank you for inviting me to spend time with you in Chile this summer. However, I don't think that I can come because I have to work.

Hypothesis
I have applied for a scholarship this semester. If I receive it, then I would quit my job. Under these circumstances, I would be able to visit you. Even if I were to receive a full tuition scholarship, I would not be able to spend the entire summer with you since I also need to take one course in order to graduate on time.

The following phrases used to express conditions and cause will help you explain and hypothesize.

Expressions of Condition and Cause

Si yo tuviera la oportunidad / más tiempo / más dinero...	*If I had the opportunity / more time / more money...*
Si yo fuera + *adjective:* Si yo fuera(más) rico/a / joven / viejo/a...	*If I were + adjective: If I were rich(er) / young(er) / old(er)...*
Si yo fuera + *noun:* Si yo fuera el/la presidente/ a /el/la jefe/a / el/la dueño/a...	*If I were + noun: If I were the president / the boss / the owner...*
a causa de / por + *noun:* No viajaría allá a causa del / por el calor.	*because of + noun: I wouldn't travel there because of the heat.*
porque + *clause:* No viajaría allí porque siempre hace mucho calor.	*because + clause: I wouldn't travel there because it's always very hot.*
puesto que: Puesto que no pagan bien, no trabajaría allí.	*since (used at the beginning of a sentence) Since they don't pay well, I wouldn't work there.*

Antes de escribir

Lea las descripciones de las tres composiciones dadas a continuación y escoja una según sus intereses y habilidades.

A is a practice exercise for all three composition topics but is especially useful for **D: Un viaje a Santiago.**

Answers A. Verbs in the **si**/*if* clause must be in the imperfect subjunctive.

A Las condiciones Para aprender a apoyar una opinión y expresar condiciones, escriba una lista de las condiciones bajo las cuales Ud. puede hacer un viaje al extranjero este verano. Utilice la frase dada a continuación para empezar su lista y ponga los verbos de la segunda cláusula en el imperfecto del subjuntivo.

> Viajaría al extranjero este verano si...

B is a practice exercise for all three composition topics but is especially useful for **E: Un puesto en Valparaíso.**

Answers B. Verbs in the **si**/*if* clause must be in the imperfect subjunctive.

B Las condiciones de empleo. Para aprender a apoyar una opinión y expresar condiciones, escriba una lista de las condiciones necesarias para aceptar un empleo en otro país. Utilice la frase dada a continuación para empezar su lista y ponga los verbos de la segunda cláusula en el imperfecto del subjuntivo.

> Aceptaría un empleo en otro país si...

C is a practice exercise for all three composition topics but is especially useful for **F: Las vacaciones de primavera.**

Answers C. Verbs in the second or result clause must be in the conditional.

C Un año sin vacaciones. Escriba una lista explicando lo que pasaría si la universidad eliminara las vacaciones. Utilice la frase dada a continuación para empezar su lista; ponga los verbos de la segunda cláusula en el condicional.

> Si la universidad eliminara las vacaciones...

Al escribir

Escriba su composición utilizando las frases para expresar condiciones y causas y una de las listas creadas en Prácticas **A, B** o **C.**

D Un viaje a Santiago. Un/a amigo/a suyo/a estudia en Santiago, Chile, este año y lo/la invita a Ud. a pasar el mes de junio con él/ella. Escríbale una carta explicándole bajo qué condiciones podría visitarlo/la.

> **D Grammar:** verbs: conditional, verbs; *If*-clauses; **Phrases/Functions:** expressing conditions, hypothesizing; writing a letter (formal); **Vocabulary:** leisure, traveling

E Un puesto en Valparaíso. Hace muchos años que Ud. vive y trabaja en Santiago y le gustan su trabajo y su casa. Ayer recibió una carta de la Compañía Valdez ofreciéndole un puesto excelente en Valparaíso. Escríbales una carta, diciéndoles que aceptará el puesto con tal que ellos hagan ciertas cosas. Explique las condiciones bajo las cuales Ud. aceptaría su oferta.

> **E Grammar:** verbs: conditional, verbs; *If*-clauses; **Phrases/Functions:** expressing conditions, hypothesizing; writing a letter (informal); **Vocabulary:** office, professions, working conditions

F Las vacaciones de primavera. El presidente de la universidad piensa que los estudiantes no son serios y deben estudiar más. Por eso quiere eliminar las vacaciones de primavera este año y dice que todos los alumnos tienen que pasar ese tiempo en la biblioteca o en los laboratorios. Ud. tiene que hablar en nombre de *(on behalf of)* los estudiantes en una reunión con el presidente. Escriba su discurso *(speech)* describiendo su posición, explicándole al presidente lo que pasaría si él eliminara las vacaciones. También explique lo que los estudiantes querrían que el presidente hiciera.

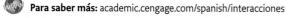

F Grammar: verbs: conditional, verbs; *If*-clauses; **Phrases/Functions:** expressing conditions, hypothesizing; expressing an opinion; **Vocabulary:** leisure, planning a vacation

Después de escribir

Antes de entregarle su composición a su profesor/a, Ud. debe leerla de nuevo y corregir los errores. Preste atención a las cláusulas con **si**. ¿Están todos los verbos en la cláusula empezando con **si** en el imperfecto del subjuntivo? ¿Están todos los verbos en la cláusula principal en el condicional? También revise las frases para expresar condiciones y causas.

Answers. All composition topics should include new vocabulary and grammar structures from this chapter as well as phrases for explaining and hypothesizing.

Interacciones: **Capítulo 11, Tercera situación**

Para saber más: academic.cengage.com/spanish/interacciones

CAPÍTULO 12 Los deportes

Esquiando en las montañas de Argentina

Cultural Themes

Argentina, Paraguay, and Uruguay
Sports in the Hispanic World

Communicative Goals

Discussing sports and games
Explaining what you would have done under certain conditions
Discussing what you hoped would have happened
Discussing contrary-to-fact situations
Describing illnesses
Expressing sympathy and good wishes
Discussing unexpected events
Linking ideas

Have students describe the photo.**¿Qué hay en la foto? ¿Cuántas personas hay y quiénes son? ¿Qué hacen? ¿Dónde están?**

Have students provide English examples of the topics, situations, and phrases that would be covered in each of the communicative goals of this chapter. **Modelo:** *Discussing sports and games.* Students might answer: *How was the game? The game was a disaster!*

DVD	Video on DVD		Audio
	Cuaderno de actividades		Atajo
	iLrn Heinle Learning Center		Music
WWW	academic.cengage.com/spanish/interacciones		iRadio

Presentación

¿Fuiste al partido del domingo?

Práctica y conversación

12.1 El equipo deportivo. ¿Qué equipo deportivo necesita Ud. para practicar los siguientes deportes?

el golf / el béisbol / el básquetbol / el tenis / el fútbol / el volibol / el hockey

12.2 De compras. ¿De qué hablan las personas que están en el dibujo de la **Presentación**? Trabajando en parejas, dramaticen su conversación.

12.3 Creación. En una narración cuente lo que pasa en el dibujo de la **Presentación.**

Modelo   *Es una tienda de equipo deportivo. Hay muchos niños jugando con el equipo deportivo. Algunos adultos hablan con los vendedores.*

Answers 12.1. *el golf*: los palos de golf, la pelota de golf; *el béisbol*: el bate, la pelota de béisbol, el guante de béisbol; *el básquetbol*: la canasta, la pelota (el balón) de básquetbol; *el tenis*: la red, la raqueta, la pelota de tenis; *el fútbol*: el balón de fútbol; *el volibol*: la red, la pelota (el balón) de volibol; *el hockey*: los palos de hockey, los patines de hielo, el disco, el casco

12.4 Póngase en forma. Según este anuncio, ¿qué servicios ofrece el gimnasio Mister Muscle para que Ud. se ponga en forma? ¿Qué piensa Ud. de estos servicios?

MISTER MUSCLE

TODO LO QUE NECESITAS PARA ESTAR EN FORMA

Consulta médico-deportiva y nutricional
Servicio de entrenadores personales
Se alquilan aparatos para publicidad ...

Mini-Gimnasios para casa

* Cinta de andar motorizada con 1CV de pot. Y 0.7 a 10 km/h.
* Plegado vertical
* Monitor electrónico completo
* Ideal para trabajos de fondo físico y cardio-vasculares.

* Estación múltiple de ejercicio
* 70 kg en placas de hierro
* Recomendado para trabajo y tonificación de todos los grupos musculares.

Dietética Especializada

*Proteínas
*Aminoácidos
*Vitaminas
*Lipotrópicos
*Potenciadores

Ropa deportiva U.S.A

* Maillot   * Pantalones   * Mallas
* Tops   * Camisetas   * Baggies

¡¡ INVIERTA EN SALUD !!
NOSOTROS LE PRESUPUESTAMOS SU GIMNASIO EN CASA

Usera
C/ Dolores Barranco, 47
28026-Madrid

Conde de Casal
C/Doctor Esquerdo, 183
28007-Madrid

Cuatro Caminos
C/ Santa Engracia, 157
28003-Madrid

Argüelles
C/ Quintana, 24
28008-Madrid

VOCABULARIO

En el estadio	*At the stadium*	al golf	*golf*
el/la árbitro/a	*referee, umpire*	al hockey	*hockey*
el/la campeón/ona	*champion*	al tenis	*tennis*
el deporte	*sport*	saltar	*to jump*
el/la entrenador/a	*coach*		
el equipo	*team*	**En el gimnasio**	*In the gym*
el juego	*game*	entrenarse	*to train*
el partido	*game, match*	hacer ejercicios	*to exercise*
el puntaje	*score*	ejercicios aeróbicos	*to do aerobic exercises*
batear	*to bat*	ejercicios de calentamiento	*to do warm-up exercises*
coger la pelota	*to catch the ball*	ponerse en forma	*to get in shape*
dar una patada patear	*to kick*	practicar el boxeo	*to box*
entrenar	*to coach*	la gimnasia	*to do gymnastics*
ganar el campeonato	*to win the championship*	la lucha libre	*to wrestle*
jugar(ue)	*to play*	sudar	*to sweat*
al baloncesto (E) al básquetbol (A)	*basketball*	**El equipo deportivo**	*Sports equipment*
al fútbol	*soccer*	el bate	*bat*
al volibol	*volleyball*	la canasta	*basket*
lanzar tirar	*to throw*	el casco	*helmet*
		el disco	*hockey puck*
En el campo deportivo	*On the field*	el marcador	*scoreboard*
la cancha	*playing area*	el palo de golf de hockey	*golf club hockey stick*
la pista	*track*	los patines de hielo	*ice skates*
correr	*to run*	la pelota	*ball*
hacer jogging	*to jog*	la raqueta	*tennis racquet*
jugar al béisbol	*to play baseball*	la red	*net*

Así se habla

CD 2, Track 17

Discussing Sports and Games

Warm-up 1. Before listening to the dialogue, have students work in pairs and describe the drawing. Ask questions such as: ¿Dónde están estas personas? ¿Qué están haciendo? ¿Qué tipo de atletas son? Justifique su opinión. ¿Qué cree que pasó?

ADA: Y, ¿qué tal tu partido de tenis, Felipe?
FELIPE: Hubiera podido ser mejor.
ADA: Pero, ¿qué pasó?
FELIPE: Nada, sino que al final me cansé y no pude jugar tan bien.
ADA: ¿Quién ganó?
FELIPE: Javier.
ADA: ¡Qué lástima! Lo siento.
FELIPE: Está bien, no te preocupes. Si hubiera practicado más y me hubiera mantenido en forma, no habría perdido.
ADA: Pero si practicaste bastante, mi amor. Todos los días ibas al Club.
FELIPE: Evidentemente no fue suficiente.
ADA: Bueno, ojalá que ganes la próxima semana.

Comprehension check. After playing the dialogue a second time, have students answer the following: ¿Qué quiere saber Ada? (Quiere saber cómo le fue a Felipe en su partido de tenis.) ¿Qué le pasó a Felipe? (Felipe perdió.) ¿Por qué? (Se cansó al final y no pudo jugar bien.) ¿Cuál es la razón que da Felipe? (No practicó lo suficiente.) ¿Cómo se siente Ada con esta noticia? (Está triste.) ¿Qué espera Ada que pase la próxima semana? (Que gane Felipe.)

When you want to discuss sports, you can use the following expressions:

Para informarse:

¿Qué tal el partido?	*How was the game?*
¿Quién ganó?	*Who won?*

Comentarios negativos:

Perdimos.	*We lost.*
Nos derrotaron.	*They defeated us.*
¡Qué desastre!	*What a disaster!*
¡Qué horrible / terrible / espantoso!	*How horrible / terrible / dreadful!*
¡Ni me cuentes!	*Don't tell me!*
No quiero oír nada más.	*I don't want to hear any more.*
Lo siento.	*I'm sorry.*

To hear more about Spanish pronunciation visit academic.cengage.com/ spanish/interacciones.

Comentarios positivos:

Increíble.	*Incredible.*
Buenísimo.	*Very good.*
Fantástico.	*Fantastic.*
¡Qué bien!	*Great!*

Warm-up 12.5. Brainstorm with students about some of their favorite sport teams and how they feel when they win or lose.

Answers 12.5. 1. Ganamos. **2.** ¡Qué desastre! **3.** ¿Cuál fue el puntaje final? **4.** ¡Ni me cuentes! **5.** Espero que la situación mejore en el futuro / el próximo partido sea mejor.

Warm-up 12.6. Brainstorm with students about what they do when they cannot go to their favorite game, where they get information about the results, what type of information they are interested in, etc. Then, ask them to think of the similarities / differences there might be between sport fans in the U.S. and in Hispanic countries.

Práctica y conversación

12.5 ¡Qué partido! Trabajando en parejas, comenten cómo reaccionan Uds. en las siguientes situaciones.

1. Su equipo favorito de fútbol ganó el último partido.

2. Su equipo favorito de hockey perdió.

3. Ud. quiere saber el puntaje final.

4. Ud. no quiere oír nada más.

5. Ud. espera que la situación mejore en el futuro.

12.6 Un partido de fútbol. El equipo de fútbol / básquetbol de su universidad jugó hoy contra uno de los más fuertes rivales. Ud. no pudo ir. Pregúntele a un/a compañero/a qué pasó.

Modelo Estudiante 1: *Dime, Carlos, ¿qué tal el partido de fútbol?*
Estudiante 2: *Fue un desastre. Perdimos tres a cero.*

Estructuras

Explaining What You Would Have Done Under Certain Circumstances

Conditional Perfect

In English the conditional perfect tense is expressed with *would have + the past participle* of the main verb. It is used to express what you would have done under certain conditions or circumstances. *With your height and athletic abilities, I would have been a professional basketball player.*

Conditional Perfect Tense		
haber	**+**	***past participle***
habría		**-AR**
habrías		jugado
habría		**-ER**
habríamos		corrido
habríais		**-IR**
habrían		asistido

a. The conditional perfect tense is formed with the conditional of the auxiliary verb **haber** + *past participle* of the main verb.

b. The conditional perfect is used to express something that would have or might have happened if certain other conditions had been met.

Con más tiempo **habría asistido** al campeonato en Buenos Aires.

With more time I would have attended the championship in Buenos Aires.

Práctica y conversación

12.7 Con más tiempo. Forme por lo menos seis oraciones describiendo lo que habrían hecho las siguientes personas con más tiempo.

yo
mi novio/a
el equipo de la universidad
mis amigos
tú
nosotros

ponerse en forma
entrenarse
ganar el campeonato
hacer ejercicios aeróbicos
practicar lucha libre
jugar al golf

12.8 Entrevista personal. Pregúntele a su compañero/a de clase lo que habría hecho con más tiempo y bajo condiciones ideales.

Pregúntele ...

1. qué deportes habría practicado. ¿Por qué?
2. cómo se habría puesto en forma.
3. cuándo se habría entrenado.
4. dónde se habría entrenado.
5. qué equipo deportivo habría necesitado.
6. ¿?

Reminder. You may want to review the formation of the past participle prior to introducing the conditional perfect tense in **Capítulo 10, Segunda situación.**

Reminder. The formation of the conditional perfect is consistent with the formation of other perfect tenses: auxiliary verb **haber** + the past participle.

Reminder. The past participle does not change form: **Con más experiencia, Marta habría ganado su partido. Con más experiencia, los tenistas habrían ganado su partido.**

Answers 12.7. Yo me habría puesto en forma. Mi novio/a se habría entrenado. El equipo de la universidad habría ganado el campeonato. Mis amigos habrían hecho ejercicios aeróbicos. Tú habrías practicado lucha libre. Nosotros habríamos jugado al golf.

12.9 Yo creo que ... Su equipo favorito perdió un partido importantísimo ayer. Trabajando en parejas, hablen de lo que Uds. habrían hecho para ganar.

Modelo   Estudiante 1: *Oye, Felipe, ¿qué pasó que perdimos el juego ayer?*
Estudiante 2: *Bueno, es que el entrenador les dijo a los jugadores que no pasaran mucho la pelota y así se perdieron muchas oportunidades.*
Estudiante 1: *¡Caramba! Yo les habría dicho todo lo contrario.*

Discussing What You Hoped Would Have Happened

Past Perfect Subjunctive

When you explain what you hoped or doubted had already happened, you use the past perfect subjunctive.

Past Perfect Subjunctive		
haber	**+**	*past participle*
hubiera		-AR
hubieras		practicado
hubiera		-ER
hubiéramos		corrido
hubierais		-IR
hubieran		salido

Reminder. To review the expressions that require the use of the subjunctive in noun clauses, see the following: **Capítulo 5, Segunda situación:** expressions of wishing, hoping, commanding, and requesting; **Capítulo 6, Segunda situación:** expressions of emotion, judgment, and doubt.

Gramática suplementaria. There is a great deal of variation in the way that the past perfect subjunctive will translate into English.

To hear more about the subjunctive visit academic.cengage.com/ spanish/interacciones.

a. The past perfect subjunctive (sometimes called the pluperfect subjunctive) is formed with the imperfect subjunctive of the auxiliary verb **haber** + *past participle* of the main verb.

b. The same expressions that require the use of the other subjunctive tenses can also require the use of the past perfect subjunctive.

Esperaba / Dudaba / Era mejor que ya **hubieran terminado** el partido.

I hoped / I doubted / It was better that they had already finished the game.

Note that the phrases requiring the use of the past perfect subjunctive are also in a past tense.

c. The past perfect subjunctive is used instead of the imperfect subjunctive when the action of the subjunctive clause occurred before the action of the main clause. Compare the following examples.

Esperaba que los Tigres **ganaran** el campeonato.

I hoped that the Tigers would win the championship.

Esperaba que los Tigres ya **hubieran ganado** el campeonato.

I hoped that the Tigers had already won the championship.

Práctica y conversación

12.10 ¡No ganamos! El equipo de béisbol ha perdido el campeonato. Explique lo que Ud. dudaba que el equipo hubiera hecho antes de llegar a los partidos finales.

Dudaba que el equipo . . .
entrenarse bien / mantenerse en forma / escuchar al entrenador / querer ganar / correr bastante

 12.11 Para tener éxito. Su compañero/a no salió bien en su competencia deportiva. Explíquele lo que era necesario que hubiera hecho antes de la competencia.

Modelo   hacer ejercicios
              Estudiante 1: *No hice ejercicios.*
              Estudiante 2: *Era necesario que hubieras hecho ejercicios.*

ponerse en forma / hacer ejercicios de calentamiento / llegar al gimnasio a tiempo / sudar mucho / hacer jogging / entrenarse todos los días

 12.12 Entrevista personal. Converse con su compañero/a de clase acerca de todo lo que Ud. y él/ella esperaban que sus padres / amigos / profesores / jefes hubieran hecho el año pasado.

Modelo   Estudiante 1: *Javier, estoy muy triste. Yo esperaba que mis padres hubieran ahorrado dinero suficiente para ir todos a España este verano.*
              Estudiante 2: *Yo también estoy desilusionado. Yo hubiera preferido que me hubieran dicho antes que no viajaría con el equipo.*

Discussing Contrary-to-Fact Situations

If Clauses With the Conditional Perfect and the Past Perfect Subjunctive

Contrary-to-fact ideas, such as *If I had been more careful,* are often joined with another idea expressing what would have or would not have been done. *If I had been more careful, I would not have broken my arm.*

a. When a clause introduced by **si** *(if)* expresses a contrary-to-fact situation that occurred in the past, the verb in the **si** clause must be in the past perfect subjunctive. The verb in the main or result clause is in the conditional perfect tense.

Si **nos hubiéramos entrenado** más, **habríamos ganado** el campeonato.	*If we had trained more* (but we didn't), *we would have won the championship.*

b. The following will help clarify the sequence of tenses in *if* clauses.

1. **Si** + *present indicative* + *present indicative* or *future*

   Si **haces** ejercicios, **te pondrás** en forma.   *If you exercise, you will get in shape.*

2. **Si** + *imperfect subjunctive* + *conditional*

   Si **hicieras** ejercicios, **te pondrías** en forma.   *If you exercised, you would get in shape.*

3. **Si** + *past perfect subjunctive* + *conditional perfect*

   Si **hubieras hecho** ejercicios, **te habrías puesto** en forma.   *If you had exercised, you would have gotten in shape.*

Answers 12.10. Dudaba que el equipo se hubiera entrenado bien. Dudaba que el equipo se hubiera mantenido en forma. Dudaba que el equipo hubiera escuchado al entrenador. Dudaba que el equipo hubiera querido ganar. Dudaba que el equipo hubiera corrido bastante.

Answers 12.11. No me puse en forma. Era necesario que te hubieras puesto en forma. No hice ejercicios de calentamiento. Era necesario que hubieras hecho ejercicios de calentamiento. No llegué al gimnasio a tiempo. Era necesario que hubieras llegado al gimnasio a tiempo. No sudé mucho. Era necesario que hubieras sudado mucho. No hice jogging. Era necesario que hubieras hecho jogging. No me entrené todos los días. Era necesario que te hubieras entrenado todos los días.

Warm-up 12.12. Have students brainstorm about some of the things they and their friends like doing but don't have the time or money to do. Then, ask them for some phrases they would use to express these feelings.

Reminder. The **si** clause can be the first or the second clause of the sentence. **Si tuviera más tiempo, jugaría al tenis todos los días. Jugaría al tenis todos los días si tuviera más tiempo.**

To hear more about the subjunctive visit academic.cengage.com/spanish/interacciones.

Práctica y conversación

12.13 **Mejor entrenado/a.** Explique lo que no habría ocurrido si Ud. hubiera podido evitarlo *(avoid it)*.

Si yo hubiera podido evitarlo, ...
los jugadores no estar en mala forma / las prácticas no ser tan cortas /
los jugadores no llegar tarde al gimnasio / el equipo no perder / ¿?

12.14 **Más consejos.** Explíquele a su compañero/a que él/ella habría ganado la competencia si hubiera escuchado sus consejos.

Habrías ganado la competencia si ...
dormir más / comer comidas más nutritivas / tomar tus vitaminas / prestar atención /
practicar más horas / ¿?

12.15 **¡Te lo dije!** Su amigo/a es capitán/ana de un equipo deportivo de su universidad y está muy triste porque su equipo perdió el campeonato nacional. Ud. cree que es porque el equipo no practicó, no descansó, no se alimentó lo suficiente, etc. Dígale que no habría perdido si hubiera seguido sus consejos.

Modelo   Estudiante 1: *Oye, Armando, comprende la situación. Tu equipo no habría perdido si hubiera tenido más disciplina y hubiera entrenado más.*
Estudiante 2: *No, Fernando. Ellos sí entrenaron bastante.*
Estudiante 1: *Bueno, pero tu equipo no habría perdido si tú hubieras seguido mis consejos.*

Answers 12.13. Si yo hubiera podido evitarlo, los jugadores no habrían estado en mala forma. Si yo hubiera podido evitarlo, las prácticas no habrían sido tan cortas. Si yo hubiera podido evitarlo, los jugadores no habrían llegado tarde al gimnasio. Si yo hubiera podido evitarlo, el equipo no habría perdido.

Answers 12.14. Habrías ganado la competencia si hubieras dormido más. Habrías ganado la competencia si hubieras comido comidas más nutritivas. Habrías ganado la competencia si hubieras tomado tus vitaminas. Habrías ganado la competencia si hubieras prestado atención. Habrías ganado la competencia si hubieras practicado más horas.

Warm-up 12.15. Have students brainstorm about the type of comment they make when a friend of theirs / a sibling loses a game / gets bad grades / has something bad happen to them.

Instructions 12.15. Have students form pairs and role-play this activity. Then, have them check their responses with those of a different pair.

Perspectivas

Los deportes del mundo hispano

En España y los países latinoamericanos, existen una gran variedad de deportes que son diversiones populares para los hombres y las mujeres. Unos de estos deportes se juegan en equipos como el fútbol pero otros son deportes individuales como el ciclismo o la pesca. Y hay deportes que utilizan animales como la corrida de toros o la charreada.

El fútbol es el deporte preferido en todo el mundo hispano. En todos los países del mundo hispano se puede ver las personas de casi todas las edades improvisando una cancha de fútbol en cualquier lugar para jugar un partido con amigos o familiares. Los que no quieren jugar al fútbol lo miran en la televisión o en un estadio. A diferencia de los EE.UU. donde los deportes universitarios juegan un papel muy importante, la mayoría de las universidades del mundo hispano no patrocinan (sponsor) equipos de deportes. Por eso, no hay mucha rivalidad entre universidades en cuanto a los deportes y la mayoría de los equipos de fútbol son patrocinados por negocios y asociaciones.

En el mundo hispano los equipos de fútbol compiten en campeonatos regionales, nacionales e internacionales. Cada cuatro años el Campeonato Mundial de Fútbol tiene lugar en un país diferente y los mejores equipos de todo el mundo compiten. Entre los mejores muchas veces se puede encontrar los equipos de la Argentina, España, México y el Perú.

Aunque muchos piensan que la corrida de toros es muy popular en todo el mundo hispano, solamente se puede ver este espectáculo en Colombia, España, México, el Perú y Venezuela. Muchos dicen que no es un deporte sino un arte en el cual se puede ver el triunfo de la inteligencia humana sobre la fuerza del animal. En México la charreada es más popular que la corrida de toros. En una charreada los hombres y las mujeres en trajes tradicionales demuestran sus habilidades de montar a caballo.

5 Cultural products Stadiums, sports arenas, athletes in the Hispanic world, products associated with sports Cultural practice Participation in sporting events; when and where sporting events take place Cultural comparisons Comparisons of popular sports and diversions in the Hispanic world compared with those in the U.S

Práctica intercultural. Have students complete the following pertaining to U.S. culture. Describa un partido universitario de básquetbol o de fútbol americano. Después, describa un partido profesional de básquetbol o de fútbol americano. ¿Cuáles son las diferencias entre los partidos profesionales y los universitarios? ¿Dónde tienen lugar estos partidos? ¿Quiénes participan y quiénes asisten? ¿Cuál es la importancia de estos deportes? ¿Qué otros deportes son populares en los EE.UU.?

For additional information on Argentina and sports in the Hispanic world, view the film *Camila* and complete the activities in ***Más allá de la pantalla*: Capítulo 9**. RESUMEN: La película narra el romance de Camila O'Gorman con un joven sacerdote en el contexto de una sociedad autoritaria y conservadora de la Argentina del siglo XIX. Escenas de la vida gauchesca.

Una charreada

En México, Centroamérica y el Caribe muchos juegan al béisbol. A veces los jugadores de béisbol en estas regiones llegan a ser miembros de los equipos profesionales de los EE.UU. El básquetbol también es popular en estas regiones.

Actualmente el golf es el deporte que crece más rápidamente en popularidad en España y hay muchas nuevas canchas de golf en todas partes del país. En España también se practica el jai alai o la pelota vasca que es un deporte semejante al *squash* o al ráquetbol. En vez de una raqueta los jugadores utilizan una pequeña canasta *(basket)* para coger y lanzar la pelota. También practican el jai alai en México, Cuba y la Florida.

Además de los deportes arriba mencionados, los hispanos practican muchísimos otros deportes como el ciclismo, el esquí, la natación, el tenis, la pesca y la caza.

Un partido de jai alai

Práctica y conversación

Answers 12.16. *Answers should include the following:* El fútbol: no se puede usar las manos; hay un campeonato mundial cada cuatro años; casi todos los equipos son profesionales o nacionales. El fútbol americano: se puede usar todo el cuerpo; hay equipos en cada nivel escolar y también equipos profesionales; hay campeonatos universitarios y un campeonato nacional cada año.

12.16 El fútbol. Trabajando en parejas, discutan las diferencias entre el fútbol y el fútbol americano incluyendo información acerca de la manera de jugar el deporte, los equipos y los campeonatos.

12.17 Los deportes populares. Trabajando en parejas, preparen una lista de los deportes populares en el mundo hispano indicando el país o la región donde se practica. Después indiquen las semejanzas y diferencias entre los deportes del mundo hispano y los de EE.UU.

Interacciones: **Capítulo 12, Primera situacion**

Para saber más: academic.cengage.com/spanish/interacciones

Presentación

En el consultorio del médico

Práctica y conversación

12.18 Los síntomas. Describa los síntomas de las siguientes enfermedades.

la gripe / la mononucleosis / el catarro / la bronquitis / la pulmonía

12.19 Los consejos. ¿Qué consejos le da Ud. a su compañero/a de clase en las siguientes situaciones?

1. No puede dormirse.
2. Tiene dolor de estómago.
3. Se ha fracturado el brazo.
4. Tiene el tobillo hinchado.

5. Sufre de dolores musculares.
6. Tiene escalofríos.
7. Le duele la garganta.

12.20 Entrevista personal. Pregúntele a su compañero/a de clase sobre su salud.

Pregúntele...

1. qué hace cuando tiene dolor de cabeza.
2. si sufre de alergias.
3. qué hace si se siente deprimido/a.
4. qué toma para una tos fuerte.
5. qué hace si sufre de insomnio.
6. qué hace cuando tiene fiebre.

12.21 Herbalife. Según el anuncio a la derecha, ¿qué ventajas ofrece el programa Herbalife para controlar el peso? ¿Hay desventajas? ¿Cuáles?

12.22 ¿Qué me dices? Ud. y su compañero/a trabajan como voluntarios en un hospital. Cada uno de Uds. tiene una lista incompleta de los pacientes que llegaron a la sala de emergencia. Uds. tienen que combinar las dos listas. Su lista está a continuación y la lista incompleta de su compañero/a está en el **Apéndice A.** Conversen para completar la lista con los nombres de todos los pacientes, sus problemas y la hora en que llegaron.

CONTROLA TU PESO

CONTROLA TU PESO Y VOLUMEN, COMIENDO TUS PLATOS FAVORITOS, CON UN BUEN PROGRAMA NUTRICIONAL DE UNA COMPAÑIA INTERNACIONAL CON 15 AÑOS DE EXPERIENCIA

HERBALIFE

SATISFACCION GARANTIZADA DURANTE 30 DIAS O TE DEVOLVEMOS TU DINERO
INFORMA: Srta. MATI
(91) 473 30 85
"CREMA ANTI-CELULITICA" ¡YO LA TENGO!

The alternate drawing that corresponds to this activity can be found in **Apéndice A.**

PACIENTE	PROBLEMA	HORA
Mónica García		
Tomás Zapatero		
Pilar Díaz	Ataque severo de asma	3:10
Francisco Sánchez		
Carmen Llaneras	Infección de garganta	5:30
Susana Aznar		
Ricardo Acebes	Mareos y fiebre alta	7:00
Omar Pérez	Se cortó la mano	10:30

12.23 Creación. En una narración cuente lo que pasa en el dibujo de la **Presentación.**

Modelo *Es una escena en el consultorio de un médico. Hay varios pacientes enfermos o heridos. En el centro hay una enfermera ayudando a un hombre desmayado.*

VOCABULARIO

Los síntomas	Symptoms
desmayarse	to faint
estar deprimido/a	to feel depressed
estar mal	to feel sick
no estar bien	
sentirse (ie) mal	
estornudar	to sneeze
marearse	to feel dizzy, seasick
mejorarse	to get better
padecer de	to suffer from
alergia	an allergy
asma	asthma
dolores musculares	muscular aches
insomnio	insomnia
mareos	dizziness
sonarse (ue) la nariz	to blow one's nose
sufrir	to suffer
tener dolor de	to have a
cabeza	headache
estómago	stomachache
garganta	sore throat
tener una erupción	to have a rash
escalofríos	chills
fiebre	a fever
toser	to cough
vomitar	to vomit

Las enfermedades	Diseases
la apoplejía	stroke
el cáncer	cancer
la cardiopatía isquémica	coronary heart disease
el catarro	cold
el resfriado	
la depresión mayor	clinical depression
la gripe	flu
la intoxicación por alimentos	food poisoning
la migraña	migraine
la jaqueca	
la pulmonía	pneumonia

Los remedios	Medicines
los antibióticos	antibiotics
la aspirina	aspirin
las gotas	drops
el jarabe para la tos	cough syrup
las pastillas	tablets
la penicilina	penicillin
las píldoras	pills
la receta	prescription
las vitaminas	vitamins
la vacuna contra la gripe	flu shot
operar a alguien	to operate on someone
ponerse una inyección	to get a shot
recetar un remedio	to prescribe a medicine

Las heridas	Injuries
la curita	band-aid
las muletas	crutches
la venda	bandage
el yeso	cast
cortarse el dedo	to cut one's finger
enyesar el brazo	to put one's arm in a cast
fracturarse la muñeca	to fracture one's wrist
golpearse la rodilla	to hit one's knee
herirse (ie, i)	to hurt oneself
lastimarse el hombro	to hurt one's shoulder
dar puntos en la mano	to get stitches in one's hand
romperse la pierna	to break one's leg
tener una contusión	to be bruised
torcerse (ue) el tobillo	to sprain one's ankle
vendar el dedo del pie	to bandage one's toe

Heinle Transparency Bank: K-4, K-5: Una visita al médico, los consejos del médico. Use these images to illustrate additional vocabulary to your students.

Heinle Transparency Bank: K-1, K-2, K-3: El cuerpo, las enfermedades, la nutrición. Use these images to illustrate additional vocabulary to your students.

Así se habla  CD 2, Track 18

Expressing Sympathy and Good Wishes

Warm-up 1. Before listening to the dialogue, have students work in pairs and describe the drawing. Ask questions such as: ¿Dónde están estas personas?

Describa a las personas y el lugar. ¿Qué cree Ud. que ha pasado? Justifique su respuesta. ¿Ha estado Ud. en una situación similar? Describa la situación.

Comprehension check. After playing the dialogue a second time, have students answer the following questions about the content: ¿Cómo se sentía Carmencita? ¿Por qué? (Se sentía muy triste porque su padre había muerto.) ¿Por qué ha sido esta situación particularmente difícil? (Porque fue una cosa violenta, inesperada.) ¿Qué le ofrece Ana María a Carmencita? (su apoyo)

ANA MARÍA: Carmencita, cuánto lamento la muerte de tu padre. Mi sentido pésame.

CARMENCITA: Gracias, Ana María. En realidad ha sido horrible. Tan inesperado.

ANA MARÍA: Sí, ha sido una cosa tan violenta. Francamente ha sido una impresión muy fuerte para todos.

CARMENCITA: Un hombre tan fuerte, tan lleno de vida y entusiasmo, se muere de un momento al otro. Si hubiera estado enfermo o si lo hubiéramos visto deteriorarse poco a poco, quizás el choque no habría sido tan fuerte. ¿Pero morirse así? Es espantoso. No se lo deseo a nadie.

ANA MARÍA: Mira, aquí estamos, ya sabes. Si necesitas cualquier cosa, por favor, avísanos, que para eso somos las amigas.

CARMENCITA: Sí, claro. Muchas gracias por venir, Ana María. Muchas gracias por todo. De repente te tomo la palabra y te llamo un día de éstos.

ANA MARÍA: Por favor, hazlo.

When you want to express sympathy or good wishes, you can use the following expressions.

Expressing sympathy:

¡Cuánto lo siento!	*I'm so sorry!*
Lo siento mucho.	*I'm very sorry!*
Mi (más) sentido pésame.	*Receive my (deepest) sympathies.*

Expressing good wishes:

Que se / te mejore/s.	*I hope you get better.*
Que Dios le / te bendiga.	*May God bless you.*
Le / Te deseo lo mejor.	*I wish you the best.*
Feliz cumpleaños.	*Happy birthday.*
Feliz Navidad / Año Nuevo.	*Merry Christmas. / Happy New Year.*
¡Felices vacaciones!	*Enjoy your vacation!*

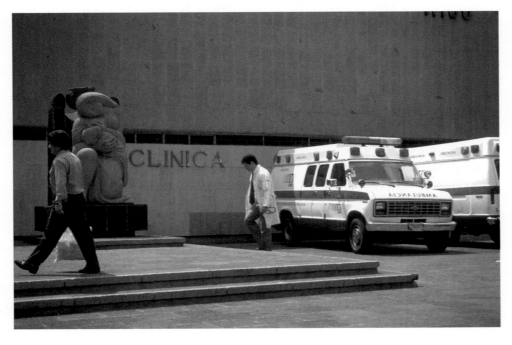

To hear more about Spanish pronunciation visit academic.cengage.com/ spanish/interacciones.

Práctica y conversación

12.24 ¡Qué vida ésta! ¿Qué dice Ud. en las siguientes situaciones?

1. Su compañero/a de cuarto está muy triste porque su abuelo está muy enfermo.
2. Su novio/a está muy contento/a porque consiguió el trabajo que quería.
3. Su padre recibió un ascenso.
4. Su mejor amigo/a se va de vacaciones al Caribe.
5. Su compañero/a de clase cumple veintiún años.
6. Su vecino/a se siente muy enfermo/a.

12.25 ¡Buena suerte! Con un/a compañero/a, dramaticen la siguiente situación. Su compañero/a está en el hospital y lo / la van a operar. El / Ella está muy preocupado/a y asustado/a. Ud. le hace una visita y trata de darle ánimo.

Modelo Estudiante 1: *Mira, Rosalinda, ésta es una operación sencilla. No te preocupes.*
Estudiante 2: *Sí, lo sé, pero estoy muy preocupada y asustada.*
Estudiante 1: *Comprendo, pero si necesitas cualquier cosa, por favor, avísame.*

Warm-up 12.24. Brainstorm with students about some of the situations that make people feel good and situations that make people feel bad.

Instructions 12.24. Have students work in pairs. Then, call on a few students to role-play the situation.

Answers 12.24. 1. ¡Cuánto lo siento! / ¡Que se mejore! **2.** ¡Me alegro por ti! / ¡Qué bien! **3.** ¡Te felicito! **4.** ¡Te deseo lo mejor! **5.** ¡Feliz cumpleaños! **6.** ¡Lo siento mucho! / ¡Que te mejores!

Warm-up 12.25. Brainstorm with students about what they do when a friend is in the hospital.

Instructions 12.25. Have students work in pairs and role-play the situation.

Estructuras

Discussing Unexpected Events

Reflexive for Unplanned Occurrences

In English we often describe accidents, unintentional actions, and unexpected events with the words *slipped* or *got*. For example: *The pills slipped out of my hands; The prescription got lost.* Spanish uses a very different construction to convey these ideas.

Gramática suplementaria.
The indirect object pronoun can be translated as the subject of the sentence or even as a possessive: **Se me olvidó la receta.** = *I forgot the prescription.* Here the indirect object pronoun **me** = the subject *I* in the English sentence. **Se le olvidaron las llaves.** = *He forgot his keys* or *His keys slipped his mind.* Here the indirect object **le** = the subject *He* in the English sentence as well as the possessive *his*.

a. To express when something happens to someone accidentally or unexpectedly, Spanish uses **se** + *indirect object pronoun* + *verb* in the third person.

Se me perdió la receta.	*My prescription got lost.*
Se me perdieron las píldoras.	*My pills got lost.*

b. In these constructions the subject normally follows the verb. When the subject is singular, the verb is third-person singular; when the subject is plural, the verb is third person plural.

Se le cayó la botella de aspirinas.   *The aspirin bottle slipped out of his hands.*

c. The indirect object pronoun refers to the person who experienced the action. The indirect object pronoun can be clarified with the phrase **a** + *noun* or *pronoun*.

A Eduardo se le cayó la botella
    de aspirinas.   *The aspirin bottle slipped out of Eduardo's hands.*

d. Verbs frequently used in this construction are

acabar	*to finish, run out of*	ocurrir	*to occur*
caer	*to fall, slip away*	olvidar	*to forget, slip one's mind*
escapar	*to escape*	perder	*to lose*
ir	*to go, run away*	quedar	*to remain, have left*
morir	*to die*	romper	*to break*

Práctica y conversación

Answers 12.26. 1. Se me acabó la aspirina. **2.** Al Dr. Maura se le acabaron los antibióticos. **3.** Se nos acabó el jarabe para la tos. **4.** A la Dra. Valle se le acabó la penicilina. **5.** Se te acabaron las vitaminas. **6.** A las enfermeras se les acabaron las gotas.

12.26 Me falta. ¿Qué se les acabó a las siguientes personas?

Modelo   el Dr. Flores / las pastillas
       Al Dr. Flores se le acabaron las pastillas.

1. yo / la aspirina
2. el Dr. Maura / los antibióticos
3. nosotros / el jarabe para la tos
4. la Dra. Valle / la penicilina
5. tú / las vitaminas
6. las enfermeras / las gotas

12.27 ¡Qué mala suerte! Forme por lo menos seis oraciones explicando lo que les pasó a las siguientes personas.

yo	caer	la botella de jarabe
tú	romper	las gafas
mi mejor amigo/a	perder	las recetas
nosotros	olvidar	la pierna
mi compañero/a	acabar las píldoras	el dinero

12.28 ¡Se me cayó! Con un/a compañero/a, dramatice la siguiente situación. Ud. no sabe dónde está la receta que el/la médico/a le había dado y ya no tiene más pastillas. Explíquele al / a la médico/a que no es culpa suya.

Modelo   Estudiante 1: *Disculpe, doctor, pero se me ha perdido la receta.*
                 Estudiante 2: *¿Y se le han acabado las pastillas?*
                 Estudiante 1: *Sí, ya se me acabaron.*

Warm-up 12.28. Have students brainstorm about what they do or say when they do something accidentally: drop an expensive vase, forget to run an errand for someone, forget to do their homework, erase files from the computer, etc.

Instructions 12.28. Have students divide into pairs and role-play the activity. Ask students to role-play this situation.

Linking Ideas

Relative Pronouns: *Que* and *quien*

Relative pronouns are used to link short sentences and clauses together in order to provide smooth transitions from one idea to another. The most common English relative pronouns, *that, which, who,* and *whom,* are often expressed in Spanish with **que** and **quien/es.**

a. Que = *that, which, who*

1. **Que** is the most commonly used relative pronoun; it may be used as a subject or object of a verb and may refer to a person or thing.

Primero debes tomar la penicilina, **que** es un remedio común para la pulmonía. El médico **que** conocí esta mañana me dijo **que** no vas a sufrir mucho más.

First you should take penicillin, which is a common medicine for pneumonia. The doctor that I met this morning told me that you're not going to suffer much longer.

2. **Que** may also be used after short prepositions such as **a, con, de,** or **en** to refer to a place or thing.

No sé **de que** te quejas.   *I don't know what you are complaining about.*

b. Quien/es = *who, whom*

1. The relative pronoun **quien/es** is used after prepositions to refer to people.

Las dos enfermeras **con quienes** hablabas son mis primas.

The two nurses with whom you were talking are my cousins.

2. **Quien/es** may also be used to introduce a nonrestrictive clause, that is, a clause set off by commas that is almost an aside and not essential to the meaning of the sentence.

El Dr. Rivas, **quien** es nuestro médico, dijo que vas a mejorarte pronto.

Dr. Rivas, who is our doctor, said that you will get better soon.

In spoken language, **que** is generally used in these nonrestrictive clauses; **quien/es** is more normally used in written language.

c. The relative pronoun is often omitted in English. In Spanish the relative pronoun must be used to join two clauses.

Esos edificios **que** ves a la derecha son los hospitales de la universidad.

Those buildings (that) you see on the right are the university hospitals.

¿Conoces a todas las personas **con quienes** trabajas en la clínica?

Do you know all the people (that) you work with in the clinic?

Gramática suplementaria. In most cases, the English word *who* will not translate as **quien/es.** Generally *who* = **que**: *The doctor who gave me these pills ...* = **El doctor que me dio estas píldoras...** The English word *whom* will generally translate as **quien/es**; *whom* is an object and will often follow a preposition, as in *for whom, by whom, to whom, from whom.*

Gramática suplementaria. In Spanish the relative pronoun always follows the preposition, as in **con quienes.** The word order in spoken English is often quite different from the Spanish equivalent. *The doctor I talked with . . .* = **El doctor con quien hablé . . .**

Práctica y conversación

Warm-up 12.29. Have students talk about the defining characteristics of some of their classmates: those who always do their homework, those who are always late, those who are always prepared, those who speak Spanish very well, those who are always tired, those who practice sports, etc.

12.29 ¿Quiénes son? Explique quiénes son las siguientes personas.

> **Modelo**   José / el médico / recetarnos un remedio
> *José es el médico que nos recetó un remedio.*

1. Paco / el chico / estar deprimido
2. Susana / la chica / estornudar todo el tiempo
3. la Sra. Blanca / la profesora / tener dolor de estómago
4. el Sr. Gómez / el trabajador / cortarse el dedo
5. María / la enfermera / poner inyecciones

Answers 12.29. 1. Paco es el chico que está deprimido. **2.** Susana es la chica que estornuda todo el tiempo. **3.** La Sra. Blanca es la profesora que tiene dolor de estómago. **4.** El Sr. Gómez es el trabajador que se cortó el dedo. **5.** María es la enfermera que pone inyecciones.

12.30 Enfermeros y pacientes. Explique quiénes son estas personas. Siga el modelo. Luego, compare sus respuestas con las de su compañero/a.

> **Modelo**   El Dr. Ochoa es el médico. Hablé con el Dr. Ochoa ayer.
> *El Dr. Ochoa es el médico con quien hablé ayer.*

1. Julio es un muchacho muy activo. Le enyesé la pierna a Julio.
2. Susana es una enfermera muy eficiente. Yo trabajé con Susana.
3. Mario es un estudiante. Le operé la mano a Mario.
4. La Sra. Blanca es la enfermera. Compré un regalo para la Sra. Blanca.
5. Mariano es el jugador de fútbol. Le di puntos en la cabeza a Mariano.

Answers 12.30. 1. Julio es un muchacho muy activo a quien le enyesé la pierna. **2.** Susana es una enfermera muy eficiente con quien yo trabajé. **3.** Mario es un estudiante a quien le operé la mano. **4.** La Sra. Blanca es la enfermera para quien compré un regalo. **5.** Mariano es el jugador de fútbol a quien le di puntos en la cabeza.

12.31 ¿Quién es? Complete las siguientes oraciones, utilizando pronombres relativos.

1. Mi mejor amigo/a es la persona _____.
2. El capitán del equipo de fútbol es la persona _____.
3. Los enfermos son las personas _____.
4. El entrenador es la persona _____.
5. El campeón de boxeo es la persona _____.

Expansion 12.31. Have students identify who the following persons are / were: Leonardo di Caprio, Penélope Cruz, Celia Cruz, Cameron Díaz, Elvis Presley.

Warm-up 12.32. Have students think about what they do when they are in a place they don't know at all and what type of questions they ask.

12.32 ¡No conozco nada ni a nadie! En grupos, dramaticen esta situación. Ud. está en Buenos Aires visitando a unos amigos que lo / la llevan a conocer varios lugares y personas. Ud. les hace preguntas y ellos le contestan.

> **Modelo**   Estudiante 1: *¿Qué plaza es ésta?*
> Estudiante 2: *Ésta es una plaza que se ha hecho muy famosa. Es la Plaza de Mayo.*

Linking Ideas

Relative Pronouns: Forms of *el que*, *el cual*, and *cuyo*

The relative pronouns **que** and **quien/es** are most often used in the spoken language. In more formal written and spoken Spanish other relative pronouns are often used.

This last grammar section of the textbook can be considered an optional grammar point that can be omitted.

If you choose to complete this grammar section, do not expect students to obtain full control of these structures. You will probably want to use this section as an introduction to these additional relative pronouns and not require students to demonstrate control.

a. el que, la que, los que, las que = *who, whom, that, which*

Forms of **el que** agree in gender and number with their antecedent, that is, the person or thing they refer back to.

b. el cual, la cual, los cuales, las cuales = *who, whom, that, which*

Forms of **el cual** also agree in number and gender with their antecedent.

c. Forms of **el que** and **el cual** are used only after a preposition or after a comma. When there is no preposition or comma, the relative **que** is used. The choice between forms of **el que** or **el cual** is often just a matter of personal preference similar to *that* or *which* in most cases in English.

1. Forms of **el que** or **el cual** are used to avoid confusion when there are two possible antecedents.

   El primo de mi mamá, **el que (el cual)** vive en Buenos Aires, es un cirujano famoso.

   The cousin of my mother, who (the cousin) lives in Buenos Aires, is a famous surgeon.

2. Forms of **el que** are generally used after short prepositions such as **a, con, de, en.**

   La alergia **de la que** sufre Amalia produce síntomas terribles.

   The allergy from which Amalia suffers produces terrible symptoms.

3. Forms of **el cual** are preferred after prepositions of more than one syllable and after the short prepositions **por, para,** and **sin.**

   El remedio **por el cual** pagué muchísimo me dio dolores por todas partes.

   The medicine for which I paid a lot made me ache all over.

d. Forms of **el que** are also used as the equivalent of *the one/s that.*

   Estas pastillas son buenas, pero **las que** el médico me recetó el mes pasado eran mejores.

   These pills are good, but the ones that the doctor prescribed for me last month were better.

e. lo que and **lo cual** = *what, that, which*

Lo que / lo cual refers back to a situation, a previously stated idea or sentence, or something that hasn't yet been mentioned.

   El tobillo roto me duele un poco, pero **lo que** me molesta más es el yeso.

   My broken ankle hurts me a little, but what bothers me most is the cast.

f. cuyo = *whose*

Cuyo is a relative adjective; it agrees in number and gender with the item possessed.

   Eduardo, **cuya madre** es médica, piensa hacerse médico también.

   Eduardo, whose mother is a doctor, plans to become a doctor also.

Práctica y conversación

Answers 12.33. 1. Éstos son los antibióticos con los que (los cuales) curan la infección. **2.** Éste es el papel en el que (el cual) el doctor escribe la receta. **3.** Éstas son las vitaminas de las que (las cuales) la enfermera me habló. **4.** Éste es el jarabe para la tos con el que (el cual) Paco se puso mejor. **5.** Éstas son las píldoras con las que (las cuales) perdí mucho peso.

12.33 ¿Qué es esto? Explique qué son las siguientes cosas. Combine las dos oraciones en una nueva oración, usando una preposición y una forma de **el que** o **el cual.**

> **Modelo**   Éste es el consultorio. El doctor Milagros trabaja en este consultorio.
> *Éste es el consultorio en el que (el cual) trabaja el doctor Milagros.*

1. Éstos son los antibióticos. Curan la infección con estos antibióticos.
2. Éste es el papel. El doctor escribe la receta en este papel.
3. Éstas son las vitaminas. La enfermera me habló de estas vitaminas.
4. Éste es el jarabe para la tos. Paco se puso mejor con este jarabe para la tos.
5. Éstas son las píldoras. Perdí mucho peso con estas píldoras.

Answers 12.34. 1. Lo que le enojó fue que se torció el tobillo. **2.** Lo que le pareció increíble fue que no se rompió la pierna. **3.** Lo que no le importó fue que padeció de alergias. **4.** Lo que le molestó fue que se cortó el dedo. **5.** Lo que le puso furioso fue que le puso una inyección.

12.34 Reacciones. Describa la reacción del paciente en las siguientes situaciones.

> **Modelo**   No le dio puntos. Esto le gustó.
> *Lo que le gustó fue que no le dio puntos.*

1. Se torció el tobillo. Esto le enojó.
2. No se rompió la pierna. Esto le pareció increíble.
3. Padeció de alergias. Esto no le importó.
4. Se cortó el dedo. Esto le molestó.
5. Le puso una inyección. Esto le puso furioso.

12.35 Más reacciones. Complete las siguientes oraciones de una manera lógica.

1. Lo que me gusta más es _____.
2. Lo que necesito es _____.
3. Lo que no me gusta es _____.
4. Lo que me enoja es _____.
5. Lo que me parece ridículo es _____.

Instructions 12.36. Have students prepare this activity individually. Then, have them check their answers with a partner.

 12.36 ¡Qué suerte! Forme por lo menos cinco oraciones usando una frase de cada columna para describir cómo se sienten estas personas. Luego, compare sus respuestas con las de su compañero/a.

Este chico	cuyo	herida no sana	está contento/a
Aquella señora	cuya	hermano tiene gripe	está triste
Ese hombre	cuyos	píldoras se perdieron	está frustrado/a
Ese médico	cuyas	pacientes vinieron ayer	está furioso/a

 12.37 Mi opinión de mis clases. Con un/a compañero/a discuta lo que más le gustó / no le gustó de sus clases este semestre, lo que le pareció más/menos interesante, lo que necesita hacer, lo que quiere hacer.

> **Modelo**   Estudiante 1: *¿Sabes qué? Lo que más me gustó de mis clases fue aprender sobre los países hispanos, sobre todo sobre aquellos cuyas culturas indígenas son tan interesantes.*
> Estudiante 2: *A mí también. Lo que quiero hacer ahora es viajar para conocer esos países.*
> Estudiante 3: *Sí, yo también. Tengo que buscar a mi amigo cuyo hermano ha estado allá.*

¿Qué oyó Ud.? CD 2, Track 19

Para escuchar bien

Identifying Levels of Politeness

Un partido de fútbol

You have probably heard the expression, "It is not what he said, but the way he said it." Sometimes the way people say something, that is, the intonation of the voice and grammatical structures they use, affects the way you respond to them. In English, for example, you would respond differently to each of the following: "Come here!"; "Could you please come here?;" "Do you mind coming here?"; and "Do you think you could come here, please?" The same phenomenon occurs in Spanish where different levels of politeness are used in different circumstances and with different people. Note the difference between the following: **"Ven acá"; "¿Puedes venir acá, por favor?"; "¿Podrías venir acá, por favor?";** and **"¿Serías tan amable de venir acá, por favor?"**

Antes de escuchar

12.38 La fotografía. Trabajando en parejas, miren la fotografía que se presenta en esta página y hagan las siguientes actividades.

1. Describan el lugar, las personas y las cosas que se ven en la fotografía.
2. ¿Qué están haciendo las personas en la fotografía?

Answers 12.38. 1. El lugar es un estadio donde dos equipos están jugando al fútbol. Hay mucha gente, se ven los arcos, la cancha y los avisos comerciales. **2.** *Some possible answers:* Los jugadores están jugando al fútbol. El público está viendo el partido.

It will probably be necessary to play the dialogue more than once. During the first playing, students listen for the general idea. During the second playing, students should focus on the details.

Answers 12.39. *Some possible notes:* 1. le duele la rodilla 2. no jugara al fútbol 3. la rodilla se le ha roto 4. Ricardo se haya roto la rodilla, se la ha golpeado 5. molesto.

Answers 12.40. *Some possible answers:* Ricardo va a ver al Dr. Velásquez porque le duele la rodilla. Él cree que se ha roto la rodilla pero el doctor le dice que sólo se la ha golpeado. El doctor le había dicho que no jugara al fútbol, pero unos amigos fueron a buscarlo y él no hizo caso a las recomendaciones del médico. Jugando con sus amigos, Ricardo se golpeó la rodilla. El doctor está molesto con Ricardo porque no le hizo caso.

Al escuchar

12.39 Los apuntes. Escuche la conversación entre Ricardo y el Dr. Velásquez. Tome los apuntes que considere necesarios y complete las siguientes oraciones.

1. Ricardo va a ver al Dr. Velásquez porque _____.
2. El doctor le había dicho que no _____.
3. Ricardo cree que _____.
4. El doctor no cree que _____ sino que solamente _____.
5. El doctor está _____ con Ricardo porque él no le hizo caso.

Después de escuchar

12.40 Resumen. Trabajando en parejas, resuman la conversación entre Ricardo y el Dr. Velásquez.

12.41 Algunos detalles. Escoja entre las alternativas que se presentan a continuación las que mejor recuenten lo que ocurrió.

1. Sabemos que el doctor Velásquez está molesto con Ricardo porque le dice . . .

   a. «¿Qué pasó? ¿Se te olvidó?»
   b. «¡Que te mejores!"
   c. «¡Qué mala suerte!"

2. Sabemos que Ricardo es amable con el Dr. Velásquez porque dice:

   a. «Aquí me tiene otra vez.»
   b. «¡Gracias, doctor!»
   c. «Se lo prometo.»

3. Cuando el doctor Velásquez le dice a Ricardo: «Y ya sabes, que no se te vuelva a olvidar, porque a mí se me va a acabar la paciencia», sabemos que él está...

   a. molesto.
   b. impaciente.
   c. decepcionado.

4. Podemos suponer que después de ver al Dr. Velásquez, Ricardo...

   a. se irá con sus amigos.
   b. va a jugar al fútbol y al básquetbol.
   c. se va a cuidar mucho.

Interacciones: **Capítulo 12, Segunda situación**

Para saber más: academic.cengage.com/spanish/interacciones

Imágenes culturales  DVD

La importancia del fútbol en Argentina

Warm-up. To help students comprehend the video more easily, review the information about Argentina in **Bienvenidos al Cono Sur: Argentina, Chile, Paraguay y Uruguay.** Also review the sports vocabulary in the **Vocabulario** for **Capítulo 12, Primera situación, Presentación.**

Vocabulario del vídeo. The following vocabulary will help you understand this video segment and complete the exercises: **el/la maestro/a** (teacher); **la conferencia de prensa** (press conference); **destacar** (to emphasize).

Answers B. La importancia del fútbol en Argentina = The Importance of Soccer in Argentina. Va a tratar del fútbol en la vida de los argentinos. En la pantalla hay una pelota de fútbol. Parece que hay unos estudiantes sentados en el/la auditorio/sala de un colegio y que están mirando un partido de fútbol.

Answers C. En la Argentina el fútbol es tan importante que durante el campeonato mundial muchos jóvenes faltan a clase para mirar los partidos. Así, el Ministerio de Educación decidió que los estudiantes pueden mirar el campeonato de fútbol en clase.

The additional video activities located in the *Cuaderno de actividades* are designed to be completed by students on their own outside of class. However, the additional activities can also be completed in class if time permits.

Antes de mirar

A Los deportes importantes. Trabajando en parejas, preparen una lista de los deportes universitarios y profesionales más importantes en los EE.UU. ¿Qué actividades se asocian con los partidos y con los campeonatos? ¿Hay un deporte o campeonato más importante que todos los otros?

B El título. Mire el título del vídeo de esta sección: *La importancia del fútbol en Argentina.* ¿Qué significa el título? En su opinión, ¿de qué va a tratar este vídeo? Después, mire la foto de arriba y descríbala. ¿Qué objeto está en la pantalla? ¿Quiénes son las personas que están sentadas y qué están haciendo?

C La idea principal. Mire el vídeo por primera vez para determinar la idea principal del vídeo. También revise *(check)* y corrija sus respuestas anteriores.

Actividades de vídeo

Después de completar estas actividades de **Antes de mirar,** complete las otras actividades del vídeo para **Capítulo 12** en el *Cuaderno de actividades.*

Lectura cultural

Para leer bien

Responding to a Reading

The comprehension of a reading selection involves collaboration between the reader and the author in order to produce a shared meaning. Many reading selections are designed to elicit a response from the reader. That response can be emotional and/or intellectual.

Emotional responses range from laughter to tears, and from pleasure to fear or anger. Intellectual responses include agreeing or disagreeing with the point of view and making inferences, that is, drawing a conclusion or making a judgment about ideas presented in the reading. Making inferences can also involve "reading between the lines" in order to ascertain an author's total point of view.

By taking advantage of the decoding and comprehension techniques you have learned, you will learn to respond appropriately to a reading selection. The following are some useful guidelines.

1. Predict the content by scanning the title and opening sentences. Also use accompanying charts, photos, and art work.

2. Assign meaning to individual words and phrases by using context, cognate recognition, knowledge of prefixes and suffixes, and identification of the core of a sentence.

3. Identify the main ideas and supporting elements of the reading.

4. Use your background knowledge to help decode individual words and phrases and to comprehend the entire reading.

5. Identify the point of view expressed by the author.

6. Draw conclusions and make inferences about the author's point of view or main ideas. Agree or disagree with the ideas expressed.

7. The emotional response to the reading will occur automatically if you comprehend the passage. You must comprehend what the author is saying before laughter can occur; likewise, you must understand the tragic or unjust elements of a situation before you are moved to tears or anger.

Antes de leer

A Los géneros literarios. Generalmente se asocia una determinada emoción con un género literario o una clase de lectura. Esta asociación va a ayudarlo/la a Ud. a reaccionar al leer. ¿Con qué emociones se asocian las siguientes clases de lectura?

la poesía romántica / una tira cómica *(comic strip)* / un drama trágico / una novela policíaca / las noticias en la primera página de un periódico / su revista favorita

B Unas reacciones. A veces se puede reaccionar intelectual y emocionalmente. Lea la tira de Garfield que sigue y después conteste las preguntas.

1. ¿De qué se queja Garfield al principio de la tira? Al final, ¿se queja de la misma cosa?
2. ¿Cuál es el punto de vista del autor? ¿Le gusta o no la televisión? Según el autor, ¿para qué sirve la televisión?
3. ¿Cómo reaccionó Ud. emocionalmente al leer esta tira? ¿Cómo reaccionó Ud. intelectualmente? ¿Está Ud. de acuerdo con Garfield?

C El tema principal. Dé un vistazo al título, a la foto y a los primeros párrafos de la lectura que sigue para determinar el tema principal del artículo.

Al leer

D La comprensión total. Mientras Ud. lee «La Argentina deportiva», utilice la lista de técnicas de **Para leer bien,** para comprender la selección. Si Ud. puede identificar el punto de vista del autor y las ideas principales, Ud. va a responder automáticamente con la emoción apropiada.

Warm-up B. Prior to discussing the Garfield comic strip, ask students the following questions: ¿Quién es Garfield y cómo es? (Garfield es un gato gordo, perezoso e inteligente). ¿Qué le gusta? (Le gusta comer, especialmente lasagna.) A veces Garfield parece ser una persona y no un gato. ¿Qué tipo de persona representa Garfield? (Garfield representa a una persona anti-intelectual y floja.)

Instructions B. Ask for three student volunteers. Each one will read one of the three sections of the cartoon. Then proceed to the questions following the cartoon.

Answers B. 1. Se queja de los programas estúpidos y violentos de la televisión. Al final dice que en realidad le gustan esos programas. **2.** Al autor no le gusta la televisión; le molestan los programas de sexualidad y violencia. La televisión sólo sirve para divertirse.

Answers C. El tema principal: Los deportes que se practican en la Argentina.

La Argentina deportiva

Para muchas personas lo atractivo de la Argentina es la capital, con su música, su teatro, sus restaurantes y sus barrios étnicos. Para otras personas lo que atrae es la belleza natural del país, desde las cataratas de Iguazú a la magnífica desolación de Patagonia y desde su desértico norte hasta la cordillera andina. Pero los aficionados al deporte conocen otra Argentina que ofrece excelentes oportunidades para la aventura deportiva.

Los deportes de la nieve

San Carlos de Bariloche es una ciudad de 77.600 habitantes que se levanta a orillas del lago Nahuel Huapi a unos 2.000 kilómetros de Buenos Aires. Tiene un parecido con las ciudades y aldeas° alpinas de Suiza. Hay construcciones de piedra y madera con todo el sabor° alpino que uno pueda imaginar. Los hoteles son auténticos refugios para los aficionados a la nieve. Alrededor están las montañas, que son como grandes gigantes tocados por la nieve°.

La ciudad está dedicada por completo al turismo de la nieve. Muchas personas, sobre todo los amantes del esquí, pasan allí las vacaciones en busca del manto° blanco donde no van a perder la forma física.

La estación de esquí° más importante de San Carlos de Bariloche es Cerro Catedral, que comparte° su nombre con la montaña de 2.388 metros que la rodea. Es la estación más grande del hemisferio sur. En sus pistas se puede practicar tanto esquí alpino como nórdico. Dedicada en exclusiva a este deporte, Cerro Catedral cuenta con una pequeña villa al más puro estilo suizo. Chalés° de estilizada figura combinan paredes de piedra y tejados de pizarra°.

villages / flavor

topped off with snow

mantle, cloak

ski resort
shares

Chalets / slate roofs

Los deportes acuáticos

En los primeros días del verano argentino, San Carlos de Bariloche se convierte en punto de encuentro de los practicantes de los deportes acuáticos. A pocos kilómetros al norte de Bariloche está la ruta de los siete lagos y hacia el sur hay otros dos lagos grandes.

La pesca de trucha° en Argentina está localizada en esta región. Comenzando en Bariloche, se puede proceder a la ciudad de Esquel o a Junín de los Andes. Son los mejores centros para la pesca en la nación, particularmente desde febrero hasta mediados de abril, cuando abundan las enormes truchas en sus lagos.

trout

La escalada

También se puede practicar la escalada° alrededor de Bariloche. Además del Cerro Catedral, está el monte Tronador, que con sus 3.554 metros es el pico

mountain climbing

Bariloche, Argentina: Practicando la escalada

más alto de esta zona de los Andes. Acceder a este punto es una hermosa y dura excursión y una maravilla para los que buscan aventura. Los primeros hombres que conquistaron la cima° del Tronador fueron Germán Claussen (1934) y Otto Meiling (1937). Meiling fue un veterano guía que ascendió este monte más de sesenta veces. El último refugio antes de llegar a la cima del Tronador lleva su nombre; el cerro Otto que está cerca también homenajea° a este hombre que enseñó a cientos de personas las técnicas de escalada.

peak

pays tribute

La Argentina también ofrece otras aventuras en algunos de los más espectaculares paisajes del mundo, como los del parque nacional Torres del Paine en Patagonia, al sur del país. Allá se puede hacer paseos de largo kilometraje acampando a lo largo del camino. En el parque el impacto visual es impresionante por los afilados° pilares de granito que ascienden más de una milla hasta romper° las nubes.

pointed
break through

El polo es un deporte muy popular en la Argentina.

Los deportes de las pampas

Alrededor de la capital de la Argentina se extienden las pampas°, que son tierras dedicadas a la cría del ganado°. Las pampas argentinas están repletas° de estancias o ranchos grandes donde viven los gauchos que cuidan el ganado. También en las estancias entrenan a los famosos jugadores de polo, el orgullo de la Argentina. Actualmente muchas de estas estancias se han convertido en lugares de turismo y ofrecen vacaciones para los que quieren escaparse de la vida urbana y el estrés. En la estancia se puede pescar, montar a caballo y recorrer las pampas, pasear en bicicleta, kayak o canoa o aprender a jugar al polo. Pero también se puede nadar en la piscina y después sentarse a leer un buen libro.

grassy lands
cattle raising / filled

Además de la acción y aventura de los deportes argentinos se puede gozar de otra tradición nacional: la comida. La gastronomía argentina está basada en la famosa carne de las pampas pero con influencia italiana, española, francesa, alemana y suiza. Para los argentinos la comida es un ritual para ser disfrutado con amigos y familiares. Para muchos no hay nada mejor en el mundo.

Después de leer

E Los deportes. Complete el gráfico con los deportes que se practican en cada lugar mencionado.

Bariloche	el esquí (alpino y nórdico), la escalada, los deportes acuáticos
las pampas	montar a caballo, jugar al polo, pescar, pasear en bicicleta, kayak o canoa, nadar
Esquel y Junín de los Andes	la pesca de trucha
el parque nacional Torres del Paine	hacer paseos de largo kilometraje, acampar

F Unos detalles. Identifique los siguientes lugares y personas mencionados en el artículo.

Cerro Catedral / Tronador / Germán Claussen / Otto Meiling / Torres del Paine / Nahuel Huapi

G Las reacciones. ¿Cómo reaccionó Ud. intelectualmente a la información del artículo? ¿Cómo reaccionó Ud. emocionalmente a la información?

H En defensa de una opinión. ¿Qué evidencia hay en el artículo que confirma la siguiente idea? «La Argentina ofrece muchas oportunidades para el deporte y la aventura.»

Interacciones

A Una llamada al doctor. You aren't feeling well. You probably have the flu—you have a fever and a sore throat, you ache all over, and you've been coughing a lot. You call your doctor and speak briefly with the receptionist (played by a classmate). You ask him/her to let you speak with the doctor (played by another classmate). Describe your symptoms to the doctor. Find out if you need to come in to the office. Ask the doctor to prescribe something for your cough.

B ¡Si lo hubiera sabido! Take a survey of at least five of your classmates. Find out two things from each of them that they would have done differently in their university career if they had only known as beginning students what they know now. After completing the survey, report back to your classmates. As a group, you should draw up a list of the most important ideas that come from the surveys.

C Unos accidentes de tenis. You and three friends (played by classmates) decided to play tennis for the first time since last summer. Since you were all out of shape, you suffered some minor injuries. One person fell and hurt an ankle, another cut a hand on some broken glass on the court, a third sprained a wrist, and you bruised your leg rather badly. You go to the university clinic. A doctor (played by a classmate) will talk to each of you and help you individually.

D Un jugador importante. You are the sports reporter for the school newspaper. You must interview the star basketball player of your school and ask him/her about his/her basketball career. Discuss his/her best and worst games. Find out about his/her injuries and when and how they occurred. Ask him/her what he/she would have done differently if he had had the opportunity. Express good wishes and sympathy where appropriate.

Communicative modes incorporated. A interpersonal B interpersonal, interpretive C interpersonal D interpersonal

Vocabulary incorporated. A illnesses and their symptoms, expressions for making a telephone call B expressions for health and keeping in shape C accidents and illnesses, parts of the body D sports and games, expressions of good will and sympathy

Grammar incorporated. A reflexive for unplanned occurrences, relative pronouns B if clauses with conditional perfect and past perfect subjunctive C reflexive for unplanned occurrences D relative pronouns

Así se escribe

Para escribir bien

Writing Personal Notes and Messages

You frequently need to write brief notes on a card or in an e-mail message to family, friends, neighbors, and co-workers to wish them well or to express sympathy. Such notes are a more courteous and lasting way of expressing personal sentiments.

In reality, a note is a brief personal letter and, thus, consists of a salutation, brief body, and closing.

When expressing good wishes or sympathy in person, you have the opportunity to react to facial expressions, tone of voice, and the person's responses. However, in a personal note you need to include all the information you want the person to receive since there is no conversational give and take. In the body of the note you will need to explain why you are writing (i.e., you have just heard the good / bad news; you know it is the person's birthday; etc.). Then express your personal feelings and reactions.

The oral expressions taught in the **Así se habla** for the **Segunda situación** of this chapter are also appropriate for written notes. Other ways of expressing good wishes and sympathy include the following.

Indirect Commands

Que tenga/s un buen viaje.	*Have a good trip.*
Que se/te mejore/s pronto.	*Get well soon.*

Subjunctive Phrases

Me alegro que + *subjunctive*	*I'm very happy that . . .*
Siento que + *subjunctive*	*I'm sorry that . . .*

Exclamatory Phrases with *qué*

Qué + *noun*
   ¡Qué suerte / lástima!   *What luck / a pity!*
Qué + *adjective*
   ¡Qué bueno / terrible!   *How nice / terrible!*
Qué + *noun* and *adjective*
   ¡Qué noticias más buenas!   *What good news!*

Antes de escribir

Lea las descripciones de las tres composiciones dadas a continuación y escoja una según sus intereses y habilidades.

Answers A. Answers must include the format for a personal letter and phrases for expressing sympathy.

Answers B. Answers should correlate with the composition topic.

A Un mensaje de conmiseración (sympathy). Cree el formato para un mensaje personal a un/a amigo/a incluyendo el saludo, el espacio para el texto, la pre-despedida y la despedida. Después, cree una lista de frases para expresar conmiseración.

B Un mensaje para dar ánimo (encouragement). Cree una lista de frases para darle ánimo a la persona mencionada en la composición que Ud. escogió: (**C**) una persona enferma; (**D**) un atleta herido; (**E**) un/a estudiante con malas notas.

Al escribir

Escriba su composición utilizando su lista de frases de conmiseración de **A** y su lista de frases para dar ánimo de **B.**

C Su mejor amigo/a. Su mejor amigo/a asiste a otra universidad e iba a venir a vistarlo/la este fin de semana. Desgraciadamente, Ud. acaba de hablar por teléfono con su compañero/a de cuarto y él/ella le dijo que su amigo/a tiene gripe y no puede venir. Escríbale un mensaje por correo electrónico a su amigo/a expresando su conmiseración y dándole ánimo. Explíquele que puede venir otro fin de semana y déle información sobre lo que pueden hacer.

> **C Grammar:** verbs: compound tenses, verbs: compound tenses usage, verbs: *if* clauses; **Phrases/Functions:** describing health, encouraging, writing a letter (informal); **Vocabulary:** body, leisure, sickness

D Un partido de fútbol. Su hermano juega al fútbol norteamericano en el equipo de otra universidad. Durante el partido del sábado pasado, él se torció el tobillo y ahora no puede jugar; es más, no puede caminar. Escríbale un mensaje por correo electrónico expresando su conmiseración y dándole ánimo. Explíquele lo que Ud. habría esperado que hubiera pasado.

> **D Grammar:** verbs: compound tenses, verbs: compound tenses usage, verbs: *if* clauses; **Phrases/Functions:** describing health, encouraging, writing a letter (informal); **Vocabulary:** body, sickness, sports

E Un examen de química. Suspendieron a un/a amigo/a de otra universidad en un importante examen de química y ahora no quiere estudiar más. Escríbale a su amigo/a expresando su conmiseración y dándole ánimo. Explíquele cómo lo/la habría ayudado si hubiera estudiado con él/ella.

> **E Grammar:** verbs: compound tenses, verbs: compound tenses usage, verbs: *if* clauses; **Phrases/Functions:** describing health, encouraging, writing a letter (informal); **Vocabulary:** studies, university

Después de escribir

Antes de entregarle su composición a su profesor/a, Ud. debe leerla de nuevo y corregir los errores. Preste atención al tono de su mensaje personal. ¿Contiene su mensaje frases para expresar conmiseración y también para darle ánimo a la otra persona? Revise el vocabulario acerca del cuerpo, la salud y/o la universidad. También revise los verbos en las cláusulas con **si.**

 Interacciones: Capítulo 12, Tercera situación

 Para saber más: academic.cengage.com/spanish/interacciones

Answers. All composition topics should include new vocabulary and grammar structures from this chapter as well as phrases for expressing sympathy and giving encouragement.

Herencia cultural: El Cono Sur: Argentina, Chile, Paraguay y Uruguay

Cultural products and practices: famous people of Argentina, Chile, Paraguay, and Uruguay and what they have accomplished

Cultural comparisons: famous historical personnages and famous entertainment, literary, governmental figures of these four countries and the U.S.

Personalidades

Comprensión cultural 1. Have students work in pairs or groups of three. Assign one of the **personalidades** to each group and have them prepare a description of each person as well as a brief biography. Have each group report back to the class.

De ayer

▶ **Domingo Faustino Sarmiento** (1811–1888) fue un respetado político, educador y escritor argentino. Es considerado una de las personalidades suramericanas más ilustres del siglo XIX. Como el primer presidente civil de su país apoyó el desarrollo de la educación, el comercio, la agricultura, la inmigración y el transporte. Escribió cincuenta y dos libros, muchos sobre temas educativos. Una de sus obras más importantes es *Civilización y barbarie: Vida de Juan Facundo Quiroga.*

◀ **Carlos Gardel** (1890–1935) es un legendario cantante argentino conocido como «el Rey del Tango». Su popularidad como compositor, intérprete y artista de cine se consolidó en los años 1920 y 1930 y su fama se extendió por toda América Latina, Europa y los EE.UU. Murió trágicamente en un accidente de aviación y su funeral fue seguido por miles de argentinos. A pesar de haber muerto, la fama de Gardel continúa.

De hoy

▶ *La actriz y cantante* **Natalia Oreiro** (1977–) nació en Montevideo, Uruguay y empezó a actuar a los doce años. A los 17 años se trasladó a la Argentina y en poco tiempo ganó el papel principal de *Un argentino en Nueva York,* película de gran éxito mundial. Ha sido la protagonista de varias telenovelas incluso la actual «Sos mi vida», una telenovela muy popular en Sudamérica. Sus discos también han tenido mucho éxito.

◀ **Mario Benedetti** (1920–) es considerado uno de los grandes escritores latinoamericanos del siglo XX y ha ganado muchos premios prestigiosos por su obra literaria. Su vasta producción literaria incluye todos los géneros. Con la publicación de su novela *La tregua* ganó fama internacional. Otras obras importantes incluyen su novela *Primavera con una esquina rota* y sus colecciones de poesía *Inventario uno* e *Inventario dos.*

Heinle Transparency Bank: A-4, A-8, A-9, A-13: La América del Sur, Country profiles: Argentina, Paraguay, Uruguay y Chile. Use these images to illustrate and teach geographical information about El Cono Sur.

▶ La famosa escritora chilena, **Isabel Allende** (1942–), es una de las primeras novelistas latinoamericanas que ha alcanzado fama mundial. La primera de sus 16 novelas, *La casa de los espíritus,* es una crónica familiar que trata de su país natal. Con la traducción de sus novelas *Hija de la fortuna* y *Retrato en sepia* al inglés, Allende llegó a ser uno de los escritores más leídos en los EE.UU.

◀ **Emanuel Ginobili** (1977–), llamado Manu, nació en la Argentina. Su padre fue entrenador de básquetbol y sus dos hermanos también jugaron profesionalmente. Después de jugar en la Argentina y en Europa, actualmente juega con los Spurs de San Antonio. Este excelente atleta es el único jugador en la historia de básquetbol que ha ganado un campeonato de la Liga Europea, una Medalla de Oro de los Juegos Olímpicos y un anillo del campeonato de la NBA.

Arte y arquitectura

Buenos Aires: Una ciudad cosmopolita y artística

Buenos Aires: La Avenida 9 de Julio

Buenos Aires, la capital de la Argentina con once millones de habitantes, es una de las ciudades más grandes del mundo. Fue fundada en 1536, destruida poco después por los indígenas de la región y fundada otra vez. Llegó a ser una ciudad importante en el siglo XVIII por tener un puerto para la importación y exportación de mercancías de Europa y otros países de la América del Sur. Hoy en día es un gran centro comercial e industrial cuyo puerto tiene las dársenas *(wharves)* más grandes de Latinoamérica. A los habitantes de Buenos Aires se les llama «porteños» por la proximidad de Buenos Aires al puerto.

Comprensión cultural 2. Ask students: ¿Quién fue Domingo Faustino Sarmiento? Como presidente de la Argentina, ¿qué hizo para su país? ¿Con qué nombre es conocido Carlos Gardel? ¿En qué se basa su popularidad? ¿De dónde es Natalia Oreiro? ¿En qué se basa su fama? ¿Quién es Mario Benedetti? ¿Qué tipo de obras escribe y cuáles son algunas de sus obras? ¿Quién es Isabel Allende? ¿Cuáles son algunas de sus novelas? ¿Quién es Manu Ginobili? ¿Qué títulos y premios ha ganado?

For additional information on Buenos Aires, view the film/s *La historia oficial, Martín,* and/or *Nueve reinas* and complete the activities in **Más allá de la pantalla: Capítulo 3, Capítulo 8,** and/or **Capítulo 15.** RESUMEN: *La historia oficial:* Una mujer quiere saber el origen de su hija adoptiva y descubre lo que ocurrió en Argentina durante la dictadura. Escenas de Buenos Aires. *Martín:* El adolescente Martín vive en Buenos Aires con su madre. Después de una sobredosis su padre le lleva a vivir con él a Madrid donde tiene que adaptarse a una nueva vida. Escenas de Buenos Aires y Madrid. *Nueve reinas:* Dos hombres tratan de hacerse millonarios vendiendo una colección de estampillas falsas. Escenas de Buenos Aires.

Cultural products: Important sites and buildings in Buenos Aires **Cultural comparisons:** Architecture, types of sites, neighborhoods in Buenos Aires compared to other cities of Latin America and the U.S.

Además de su importancia como centro comercial, Buenos Aires es conocida como una de las ciudades más hermosas y elegantes del mundo. Al final del siglo XIX empezaron a agrandar las calles para el uso de los automóviles; así destruyeron muchas partes antiguas de la ciudad y construyeron nuevos edificios modernos a lo largo de calles y paseos abiertos y amplios. La Avenida 9 de Julio en el centro de Buenos Aires es una de las avenidas más grandes del mundo, con más de 150 metros de ancho. En el centro de la Plaza de la República que queda en la Avenida 9 de Julio hay un alto obelisco que conmemora la fundación de Buenos Aires hace cuatrocientos años.

El corazón de la ciudad es la Plaza de Mayo, rodeada de históricos edificios coloniales como el Cabildo *(town hall),* donde se hicieron los planes para el movimiento de independencia; la Catedral, que contiene la tumba de San Martín, el padre de la independencia argentina; y la Casa Rosada, la residencia oficial del presidente de la República. Muy cerca de la Plaza de Mayo se encuentran la iglesia de Nuestra Señora de la Merced, la Biblioteca Nacional, el centro comercial de la ciudad y museos de arte e historia.

Buenos Aires: La Plaza de Mayo

También cerca de la Plaza de Mayo está la Calle Florida con quioscos, boutiques y tiendas. Como es un lugar popular para reunirse con amigos a tomar una copa, la calle está reservada para el uso exclusivo de peatones.

El teatro es muy importante en la vida cultural de la ciudad. El Teatro Colón es un centro internacional de música y danza, y uno de los grandes teatros de ópera del mundo entero. El teatro tiene capacidad para 4.000 personas en un interior lujoso.

Buenos Aires: Teatro Colón

En los últimos años la Argentina ha llegado a ser un centro de producción de cine. Así, hay numerosos cines por todas partes de la ciudad y la selección de películas es tan buena como en cualquier ciudad del mundo.

Durante el siglo XIX Buenos Aires estimuló la inmigración europea y miles de inmigrantes alemanes, franceses, ingleses e italianos llegaron a la ciudad y fundaron sus barrios étnicos. Esta inmigración ayudó a establecer el aire cosmopolita de la ciudad. En la ciudad de Buenos Aires, todavía se pueden ver los barrios donde se mantienen la lengua, la comida y costumbres de su país de origen. Uno de los barrios más antiguos de la ciudad se llama San Telmo, con casas coloniales restauradas donde viven artistas y artesanos. Dentro de este ambiente artístico hay numerosos cafés, restaurantes y tanguerías donde se puede escuchar y bailar tango. Cada domingo hay una Feria de Antigüedades en la Plaza Dorrego en San Telmo.

Por todas partes de Buenos Aires hay confiterías donde sirven pasteles, helados, postres y bebidas de todo tipo. Además hay muchísimos cafés, incluyendo cafés literarios como el Tortoni, el más antiguo de la ciudad donde se puede escuchar tango y jazz por la noche.

Es evidente que Buenos Aires es una ciudad de estructura moderna y dinámica. La ciudad ha conservado sus viejas tradiciones artísticas, literarias y musicales dentro de un ambiente de arquitectura hermosa e interesante.

Warm-up 1. Have students work in pairs or small groups. Assign one photo to each group and have students describe the photo. Have each group report back to the class.

Warm-up 2. Explain the importance of **el tango** in Argentinian culture. Play tango music for the class. Ask students: **¿Qué es una tanguería y qué se hace allá?**

Comprensión

A Lugares de interés. Complete el siguiente gráfico con información acerca de los lugares de interés en Buenos Aires.

Answers A. *El puerto:* El puerto es un centro para la importación y exportación que tiene las dársenas más grandes de Latinoamérica. *La Avenida 9 de Julio y la Plaza de la República:* La Avenida 9 de Julio está en el centro de Buenos Aires; es una de las avenidas más grandes del mundo, con más de 150 metros de ancho. En el centro de la Plaza de la República en la Avenida 9 de Julio hay un alto obelisco que conmemora la fundación de Buenos Aires. *La Plaza de Mayo:* Representa el corazón de Buenos Aires; allí se encuentran históricos edificios coloniales como el Cabildo, la Catedral y la Casa Rosada. Cerca están la iglesia de Nuestra Señora de la Merced, la Biblioteca Nacional, el centro comercial de la ciudad y museos de arte e historia. *La Calle Florida:* Es una calle peatonal con quioscos, boutiques y tiendas. *El Teatro Colón:* Es un centro internacional de música, danza y ópera. Tiene capacidad para 4.000 personas en un interior lujoso y elegante. *El barrio San Telmo:* Es uno de los barrios más antiguos de la ciudad. Allí viven artistas y artesanos en casas coloniales restauradas.

Answers B. 1. Fue fundada en 1536. Fue destruida poco después por los indígenas de la región. Llegó a ser importante en el siglo XVIII. **2.** Tuvo inmigración europea y miles de alemanes, franceses, ingleses e italianos llegaron a la ciudad. Todavía se puede ver los barrios donde se mantienen la lengua, la comida y otras costumbres de los inmigrantes. Le dio su sentido cosmopolita.

Para saber más:
academic.cengage.com/
spanish/interacciones

LUGAR	CARACTERÍSTICAS / DESCRIPCIÓN / OTRAS COSAS DE INTERÉS
el puerto	
la Avenida 9 de Julio y la Plaza de la República	
la Plaza de Mayo	
la calle Florida	
el Teatro Colón	
el barrio San Telmo	

B La historia. Utilizando información de la lectura, conteste las siguientes preguntas acerca de la historia de Buenos Aires.

1. ¿Cuándo fue fundada la ciudad de Buenos Aires? ¿Qué le pasó poco después? ¿Cuándo llegó a ser importante?
2. ¿Qué tipo de inmigración tuvo Buenos Aires en el siglo XIX? ¿Qué evidencia de esta inmigración se nota todavía? ¿Qué característica le dio la inmigración a Buenos Aires?

C Comparaciones. Compare Buenos Aires con Nueva York, Washington, D.C., Chicago, San Francisco u otra ciudad de los EE.UU.

D En defensa de una opinión. ¿Qué evidencia hay en la lectura que confirma la siguiente idea? «Buenos Aires es una ciudad cosmopolita y artística.»

Lectura literaria

Para leer bien
Elements of Poetry

Many of the techniques that you have already learned to apply to works of fiction, such as short stories, can also be applied to the reading of poetry. In poetry, just as in fiction, you will need to identify the literary themes, the point of view of the author, and the setting and tone of the work. In addition, you will need to look for and understand the symbols used.

Generally, poetry employs fewer words to express an idea than does narrative fiction. Poets choose each word with great care in order to provide a great many ideas and evoke a maximum amount of feeling. As readers of poetry, we need to study each word and phrase carefully in order to capture all the possible meanings and emotions conveyed. Even though poems contain fewer words than a short story, it may take longer to read a poem because of the multiple meanings of each word and phrase.

Poetry is written and printed in a different format than prose. Each line of poetry is called **un verso** in Spanish, and **una estrofa** (*strophe*) is a grouping or block of lines of poetry. The length of each line of poetry and of each strophe contributes to the overall rhythm (**el ritmo**) of the poem as does the length of individual words. Some poetry contains rhyme (**la rima**) although modern poetry tends not to use this poetic device. Another important characteristic of poetry is repetition, including the repetition of certain words or phrases as well as the repetition of certain vowels or consonants.

You will find additional literary selections in the Heinle *Voices* Database at www.textchoice.com/voices. You may want to consider using the poems "Los sonetos de la muerte," "Sueño grande," "Pan," or "La desvelada" by Gabriela Mistral, or the short story "El sur" by Borges with this unit.

Antes de leer: Poemas de Pablo Neruda

◀ El chileno **Pablo Neruda** (1904–1973) fue tal vez el poeta más prestigioso de Hispanoamérica en el siglo XX. Trabajó como diplomático y viajó a muchos países de Latinoamérica, Europa y Asia. Durante sus viajes empezó a identificarse con las víctimas de la guerra, la injusticia social y la tiranía. Más tarde estas ideas aparecieron como temas de su poesía. Otros temas suyos incluyen el amor y la existencia humana. Ganó el premio Nóbel de Literatura en 1971.

El primero de los poemas de la **Lectura literaria** es el «Poema 20». Es una de las primeras obras de Neruda y forma parte de la colección *Veinte poemas de amor y una canción desesperada,* publicada en 1924. En el poema Neruda describe las emociones confusas de un amor perdido. El segundo poema, «Oda a unas flores amarillas», es de una colección llamada *Odas elementales* (1954) que se caracteriza por el lenguaje sencillo con temas dirigidos al pueblo.

E El autor y sus obras. Conteste las siguientes preguntas acerca del autor de «Poema 20» y «Oda a unas flores amarillas».

1. ¿Quién es el autor de «Poema 20» y «Oda a unas flores amarillas" y de dónde es? ¿Qué premio ganó?
2. ¿Qué puesto ocupó y qué hizo en este puesto?
3. ¿Con quiénes empezó a identificarse durante sus muchos viajes?
4. ¿Qué pasó con sus ideas sobre las víctimas?
5. ¿Cuáles son otros de sus temas poéticos?

F El escenario y el tono. Dé un vistazo a los cuatro primeros versos de «Poema 20» y al dibujo presentado al principio del poema. Después, describa el escenario y el tono general del poema.

G El punto de vista. Lea la información sobre Pablo Neruda para comprender su punto de vista general y el tema del «Poema 20». ¿Cuáles son las cosas que le importan a Neruda?

H El formato. Estudie el formato del «Poema 20» y conteste las siguientes preguntas. ¿Son largos o cortos los versos del poema? ¿Son largas o cortas las estrofas? ¿Hay versos que se repiten? ¿Cuáles?

Answers E. 1. Pablo Neruda es de Chile. Ganó el premio Nóbel de Literatura en 1971. **2.** Fue diplómatico y viajó a muchos países de Latinoamérica, Europa y Asia. **3.** Empezó a identificarse con las víctimas de la guerra, de la injusticia social y de la tiranía. **4.** Sus ideas sobre las víctimas aparecieron como temas en su poesía. **5.** Otros temas suyos son el amor y la existencia humana.

Answers F. *El escenario:* Es una hermosa noche estrellada. *El tono:* El tono general es triste.

Answers G. Neruda se identificó con las víctimas de la guerra, la injusticia social y la tiranía.

Answers H. Los versos son cortos. Las estrofas son muy cortas, de uno o dos versos solamente. Se repite el verso «Puedo escribir los versos más tristes esta noche».

Poema 20

Puedo escribir los versos más tristes esta noche.

full of stars — Escribir, por ejemplo: «La noche está estrellada°»
shiver / stars — y tiritan° «azules, los astros°» a lo lejos.»

spins — El viento de la noche gira° en el cielo y canta.

Puedo escribir los versos más tristes esta noche.
Yo la quise, y a veces ella también me quiso.

En las noches como ésta la tuve entre mis brazos.
La besé tantas veces bajo el cielo infinito.

Ella me quiso, a veces yo también la quería.
¡Cómo no haber amado sus grandes ojos fijos!

Puedo escribir los versos más tristes esta noche.
Pensar que no la tengo. Sentir que la he perdido.

like dew on grass — Oír la noche inmensa, más inmensa sin ella.
Y el verso cae al alma como al pasto el rocío°.

Qué importa que mi amor no pudiera guardarla.
La noche está estrellada y ella no está conmigo.

Eso es todo. A lo lejos alguien canta. A lo lejos.
Mi alma no se contenta con haberla perdido.

to approach her — Como para acercarla° mi mirada la busca.
Mi corazón la busca, y ella no está conmigo.

to whiten — La misma noche que hace blanquear° los mismos árboles.
Nosotros, los de entonces, ya no somos los mismos.

Ya no la quiero, es cierto, pero cuánto la quise.
Mi voz buscaba el viento para tocar su oído.

De otro. Será de otro. Como antes de mis besos.
Su voz, su cuerpo claro. Sus ojos infinitos.

Ya no la quiero, es cierto, pero tal vez la quiero.
act of forgetting — Es tan corto el amor, y es tan largo el olvido°.

Porque en noches como ésta la tuve entre mis brazos,
mi alma no se contenta con haberla perdido.

Aunque éste sea el último dolor que ella me causa,
y éstos sean los últimos versos que yo le escribo.

Oda a unas flores amarillas

Contra el azul moviendo sus azules,
el mar, y contra el cielo,
unas flores amarillas.

Octubre llega.

Y aunque sea tan importante el mar desarrollando
su mito, su misión, su levadura
estalla°   bursts
sobre la arena el oro
de una sola
planta amarilla
y se amarran°   fasten
tus ojos
a la tierra,
huyen del magno mar y sus latidos°.   heartbeats

Polvo° somos, seremos.   Dust

Ni aire, ni fuego, ni agua
sino
tierra,
sólo tierra
seremos
y tal vez
unas flores amarillas.

Después de leer

I «Poema 20»

1. **La noche.** Aunque es una noche hermosa, Neruda está muy triste. ¿Cuál es el origen de la tristeza de Neruda? ¿Qué relación hay entre la noche y la tristeza de Neruda? Justifique su respuesta con palabras o versos del poema.
2. **La historia de su amor.** Trabajando en parejas, hagan una lista de los versos con verbos en un tiempo *(tense)* pasado. Después, hagan un resumen del amor de Neruda.
3. **Sentimientos confusos.** Parece que Neruda no está seguro de sus sentimientos hacia la amada. Dé ejemplos de esta confusión usando, palabras o versos del poema.

J «Oda a unas flores amarillas»

1. **El escenario.** Describa el escenario, incluyendo la estación del año.
2. **El tema.** ¿Qué significa el verso «Polvo somos, seremos»? ¿Cuál es el tema central del poema?
3. **Los símbolos.** ¿Qué simbolizan las siguientes cosas en el poema? el otoño / el polvo / las flores amarillas

 Para saber más: academic.cengage.com/spanish/interacciones

Answers J. 1. *El escenario:* Es octubre. Se puede ver el mar azul y el cielo azul. También hay unas flores amarillas.
2. *El tema: We are dust and we will be dust.* El tema es la idea de que hemos nacido de la tierra y después de la muerte regresamos a la tierra. 3. *Los símbolos:* El otoño significa el comienzo del fin del año y el fin de la vida. El polvo significa la muerte. Las flores amarillas se refieren al ciclo del nacimiento, la vida y la muerte.

Answers I. 1. *La noche:* Answers should include some of the following poetic lines. En las noches como ésta la tuve entre mis brazos. Oír la noche inmensa, más inmensa sin ella. La noche está estrellada y ella no está conmigo. 2. *La historia de su amor, Versos con verbos en un tiempo pasado:* Yo la quise, y a veces ella también me quiso. En las noches como ésta la tuve entre mis brazos. La besé tantas veces bajo el cielo infinito. Ella me quiso, a veces yo también la quería. Sentir que la he perdido. Ya no la quiero, es cierto, pero cuánto la quise. Mi voz buscaba el viento para tocar su oído. Porque en noches como ésta, la tuve entre mis brazos. La historia de su amor: No sabemos mucho. Él la quiso y a veces ella lo quiso también. La besó bajo el cielo. 3. *Sentimientos confusos:* Answers should include some of the following conflicting feelings. Ya no la quiero. / Mi alma no se contenta con haberla perdido. / Ya no la quiero, es cierto, pero tal vez la quiero.

¿Qué me dices?
Information Gap Activities
Alternate Versions of Drawings

Capítulo preliminar

Práctica P.5; Página 5

Capítulo 1

Primera situación; Práctica 1.3; Página 22

Capítulo 2

Primera situación; Práctica 2.4; Página 51

	Susana	Mario y Juan
el viernes por la noche		
el sábado por la mañana		
el sábado por la noche		
el domingo		

Capítulo 3

Primera situación; Práctica 3.12; Página 99

Capítulo 4

Primera situación; Práctica 4.4; Página 123

Paco

María

Fernando

Teresa

José

Isabel

Capítulo 5

Segunda situación; Práctica 5.17; Página 179

8:00	
9:00	
9:30	
10:00	Clase de biología
11:00	
12:30	Almuerzo con Elisa
2:00	
3:00	Trabajar con Paco en un trabajo de ciencias
4:00	
5:00	Pasar por la biblioteca
8:00	

Capítulo 6

Primera situación; Práctica 6.11; Página 205

Pasar la aspiradora por la alfombra de la sala

limpiar la bañera y el lavabo

desherbar

planchar la ropa

Capítulo 7

Primera situación; Práctica 7.1; Página 243

El Corte Inglés   un collar de esmeraldas
La Zapatería Toledo   un lavaplatos
Grandes Liquidaciones   un regalo de boda
                           unas botas

Capítulo 8

Primera situación; Práctica 8.4; Página 279

	A	B	C	D	E	F	G	H	I	J	K	L	M	N	O
1						P	A	R	Q	U	E				
2															M
3															U
4															S
5															E
6			B												O
7			A												
8			N												
9			C												
10			O												

Capítulo 9

Primera situación; Práctica 9.4; Página 324

1. Publicista
2. Abogado
3. Especialista en computadoras
4. Representante de ventas
* Tiene buen sentido para los negocios y mucha experiencia en manejar diversas empresas.
* Se lleva bien con otras personas y nunca falta al trabajo.
* Trabaja bien con los números.

Capítulo 10

Primera situación; Práctica 10.4; Página 356

a Se vende aparato Blackberry. Precio negociable. tecno@red.com	**b** Busco empleo como especialista en computadoras. Tengo experiencia y talento artístico. enparo@ayudame.com	**c** Necesito empleo en ventas. Salario negociable. Llame 54-76-90.
d Quiero reproductor de mp3 a un buen precio. jose@tecla.com	**e** Se necesita computadora portátil usada pero en buenas condiciones. Tel. 48-12-00.	**f** Contratamos abogados expertos en los reglamentos del comercio de exportación y de importación. Mande curriculum vitae a Gómez y Gómez 8.

Capítulo 11

Segunda situación; Práctica 11.21; Página 410

Se necesita llevar toallas a la
habitación 508.
La habitación de la señora Garza está
muy sucia.
La calefacción en la habitación 324
está descompuesta.
Hace mucho calor en la habitación de
la señorita Pardo.
El televisor no funciona en la
habitación del señor Bose.

Capítulo 12

Segunda situación; Práctica 12.22; Página 442

PACIENTE	PROBLEMA	HORA
Mónica García	Está muy deprimida	8:30
Tomás Zapatero	Se rompió el pie	1:45
Pilar Díaz		
Francisco Sánchez	Se torció la rodilla	4:00
Carmen Llaneras		
Susana Aznar	Jaqueca severa	6:50
Ricardo Acebes		
Omar Pérez		

APPENDIX B Vocabulary at a Glance

The following lists of common vocabulary items are provided to aid you in describing the art and photo scenes in the textbook. For further vocabulary lists or explanations of vocabulary use, see the index under the appropriate topic heading.

Terms to Describe a Picture

el cuadro	*painting*	a la derecha	*on the right*
el dibujo	*drawing*	a la izquierda	*on the left*
la escena	*scene*	en el centro	*in the middle*
la foto(grafía)	*photo(graph)*	en el fondo	*in the background*
el animal	*animal*	en primer plano	*in the foreground*
el árbol	*tree*	la gente	*people*
el edificio	*building*	la persona	*person*

Cardinal Numbers

0	cero	19	diecinueve	90	noventa
1	uno	20	veinte	100	cien, ciento
2	dos	21	veintiuno	110	ciento diez
3	tres	22	veintidós	160	ciento sesenta
4	cuatro	23	veintitrés	200	doscientos
5	cinco	24	veinticuatro	300	trescientos
6	seis	25	veinticinco	400	cuatrocientos
7	siete	26	veintiséis	500	quinientos
8	ocho	27	veintisiete	600	seiscientos
9	nueve	28	veintiocho	700	setecientos
10	diez	29	veintinueve	800	ochocientos
11	once	30	treinta	900	novecientos
12	doce	31	treinta y uno	1.000	mil
13	trece	32	treinta y dos	2.000	dos mil
14	catorce	40	cuarenta	100.000	cien mil
15	quince	50	cincuenta	200.000	doscientos mil
16	dieciséis	60	sesenta	1.000.000	un millón
17	diecisiete	70	setenta	2.000.000	dos millones
18	dieciocho	80	ochenta	1.000.000.000	mil millones

Ordinal Numbers

primer/o	*first*	sexto	*sixth*
segundo	*second*	séptimo	*seventh*
tercer/o	*third*	octavo	*eighth*
cuarto	*fourth*	noveno	*ninth*
quinto	*fifth*	décimo	*tenth*

Colors

amarillo	*yellow*	gris	*gray*
anaranjado	*orange*	morado	*purple*
azul	*blue*	negro	*black*
blanco	*white*	pardo	*brown*
de color café	*coffee-colored*	rojo	*red*
de color fresa	*strawberry-colored*	rosado	*pink*
de color melón	*melon-colored*	verde	*green*

Articles of Clothing

la blusa	*blouse*	los pantalones	*pants, slacks*
los calcetines	*socks*	el sombrero	*hat*
la camisa	*shirt*	el suéter	*sweater*
la chaqueta	*jacket*	el traje	*suit*
la corbata	*tie*	el vestido	*dress*
la falda	*skirt*	los zapatos	*shoes*

Days of the Week

lunes	*Monday*	viernes	*Friday*
martes	*Tuesday*	sábado	*Saturday*
miércoles	*Wednesday*	domingo	*Sunday*
jueves	*Thursday*		

Months of the Year

enero	*January*	julio	*July*
febrero	*February*	agosto	*August*
marzo	*March*	se(p)tiembre	*September*
abril	*April*	octubre	*October*
mayo	*May*	noviembre	*November*
junio	*June*	diciembre	*December*

Seasons

la primavera	*spring*	el otoño	*autumn*
el verano	*summer*	el invierno	*winter*

Geography Terms

el este	*east*	el oeste	*west*
el norte	*north*	el sur	*south*
el lago	*lake*	el océano	*ocean*
el mar	*sea*	el río	*river*
el bosque	*forest*	la selva	*jungle*
la montaña	*mountain*	el valle	*valley*

APPENDIX  C

Metric Units of Measurement

Measurement of Length and Distance

1 centímetro	=	.3937 inch (less than 1/2 inch)
1 metro	=	39.37 inches (about 1 yard, 3 inches)
1 kilómetro (1.000 metros)	=	.6213 mile (about 5/8 mile)

Measurement of Weight

1 gramo	=	.03527 ounce
100 gramos	=	3.527 ounces (less than 1/4 pound)
1 kilogramo (1.000 gramos)	=	35.27 ounces (2.2 pounds)

Measurement of Liquid

1 litro	=	1.0567 quarts (slightly more than a quart)

Measurement of Land Area

1 hectárea	=	2.471 acres

Measurement of Temperature

C = centígrado o Celsius; F = Fahrenheit

0° C	=	32° F (freezing point of water)
37° C	=	98.6° F (normal body temperature)
100° C	=	212° F (boiling point of water)

Conversion of Fahrenheit to Celsius

$$C = \frac{5}{9} (F - 32) \ OR \ (F - 32) \div 1.8$$

Conversion of Celsius to Fahrenheit

$$F = \frac{9}{5} (C + 32) \ OR \ (C \times 1.8) + 32$$

APPENDIX D The Writing and Spelling System

The Alphabet

Letter	Name	Letter	Name	Letter	Name
a	a	k	ka	s	ese
b	be	l	ele	t	te
c	ce	m	eme	u	u
d	de	n	ene	v	ve, ve corta, uve
e	e	ñ	eñe	w	doble ve, uve doble
f	efe	o	o	x	equis
g	ge	p	pe	y	i griega
h	hache	q	cu	z	zeta
i	i	r	ere		
j	jota	rr	erre		

Some Guidelines for Spelling

Spanish has a more phonetic spelling system than English; in general most Spanish sounds correspond to just one written symbol.

1. There are a few sounds that can be spelled with more than one letter. The spelling of individual words containing these sounds must be memorized since there are no rules for the sound-letter correspondence.

Sound	Spelling	Example
/ b /	b, v	bolsa, verano
/ y /	ll, y, i + vowel	calle, leyes, bien
/ s /	s, z, ce, ci	salsa, zapato, cena, cinco
/ x /	j, ge, gi	jardín, gente, gitano

2. When an unstressed **i** occurs between vowels, then **i → y**. This is a frequent change in verb forms: **creyó; trayendo; leyeron.**

3. The letter **z** generally changes to **c** before **e: lápiz → lápices; vez → veces; empieza → empiece.**

4. The sound / g / is spelled with the letter **g** before **a, o, u,** and all consonants. Before **e** and **i** the / g / sound is spelled **gu.**

garaje   gordo   gusto   Gloria   grande
guerra   guía

5. The sound / k / is spelled with the letter **c** before **a, o, u,** and all consonants. Before **e** and **i** the / k / sound is spelled **qu**.

carta	cosa	curso	clase	criado
que	quien			

6. The sound / gw / is spelled with the letters **gu** before **a** and **o**. Before **e** and **i** the / gw / sound is spelled **gü**.

guapo   antiguo   vergüenza   pingüino

Syllabication

In dividing a word at the end of a written line, you must follow rules for syllabication. Spanish speakers generally pronounce consonants with the syllable that follows. English speakers generally pronounce consonants with the preceding syllable.

English: A mer i ca   English: pho tog ra phy
Spanish: A mé ri ca   Spanish: fo to gra fí a

The stress of a Spanish word is governed by rules that involve syllables. Unless you know how to divide a word into syllables, you cannot be certain where to place the spoken stress or written accent mark.

The following rules determine the division of Spanish words into syllables.

1. Most syllables in Spanish end with a vowel.

   me-sa   to-ma   li-bro

2. A single consonant between two vowels begins a syllable.

   u-na   pe-ro   ca-mi-sa

3. Generally two consonants are separated so that one ends a syllable and the second begins the next syllable. The consonants clusters **ch, ll,** and **rr** do not separate and will begin a syllable. Double **c** and double **n** will separate.

par-que	tam-bién	gran-de	cul-tu-ra
mu-cho	ca-lle	pe-rro	
lec-ción	in-nato		

4. When any consonant except **s** is followed by **l** or **r**, both consonants form a cluster that will begin a syllable.

   ha-blar   si-glo   a-brir   ma-dre   o-tro   is-la

5. Combinations of three or four consonants will divide according to the above rules. The letter **s** will end the preceding syllable.

cen-tral	san-grí-a	siem-pre	ex-tra-ño
in-dus-trial	ins-truc-ción	es-cri-bir	

6. A combination of two strong vowels (**a, e, o**) will form two separate syllables.

   mu-se-o   cre-e   ma-es-tro

7. A combination of a strong vowel (**a, e, o**) and a weak vowel (**i, u**) or two weak vowels is called a diphthong. A diphthong forms one syllable.

   cui-dad   cau-sa   bue-no   pien-sa

NOTE: A written accent mark over a weak vowel in combination with another vowel will divide a diphthong into two syllables.

rí-o   dí-a   Ra-úl

Written accent marks on other vowels will not affect syllabication: lec-ción.

Accentuation

Two basic rules of stress determine how to pronounce individual Spanish words.

1. For words ending in a consonant other than **n** or **s**, the stress falls on the last syllable.

   to**mar**   invi**tar**   pa**pel**   re**loj**   universi**dad**

2. For words ending in a vowel, -**n**, or -**s**, the stress falls on the next-to-last syllable.

   clase   **to**man   **ca**sas
   to**ma**mos   cor**ba**ta   som**bre**ro

3. A written accent mark is used to indicate an exception to the ordinary rules of stress.

   sábado   to**mé**   lec**ción**   **fá**cil

   NOTE: Words stressed on any syllable except the last or next-to-last will always carry a written accent mark. Verb forms with attached pronouns are frequently found in this category.

   ex**plí**quemelo   levan**tán**dose   prepa**rár**noslas

4. A diphthong is any combination of a weak vowel (**i**, **u**) and a strong vowel (**a**, **e**, **o**) or two weak vowels. In a diphthong the two vowels are pronounced as a single sound with the strong vowel (or the second of the two weak vowels) receiving slightly more emphasis than the other.

   piensa   al**muer**zo   ciu**dad**   **fui**mos

   A written accent mark can be used to eliminate the natural diphthong so that two separate vowel sounds will be heard.

   cafe**te**ría   **tí**o   conti**nú**e

5. Written accent marks can also be used to distinguish two words with similar spelling and pronunciation but with different meanings.

   a. Interrogative and exclamatory words have a written accent.

cómo	*how*	por qué	*why*
cuándo	*when*	qué	*what, how*
dónde	*where*	quién/es	*who, whom*

   b. Note the use of written accent marks on all but the neuter forms of demonstrative pronouns. There is a recent tendency to discontinue use of written accents marks on demonstrative pronouns. As a result you may see examples of these pronouns without the accent marks. However, the *Interacciones* program will continue to use them.

esta mesa	*this table*	ésta	*this one*
ese chico	*that boy*	ése	*that one*
aquellas montañas	*those mountains*	aquéllas	*those*

c. In ten common word pairs, the written accent mark is the only distinction between the two words.

aun	*even*	aún	*still, yet*
de	*of, from*	dé	*give*
el	*the*	él	*he*
mas	*but*	más	*more*
mi	*my*	mí	*me*
se	*himself*	sé	*I know*
si	*if*	sí	*yes*
solo	*alone*	sólo	*only*
te	*you*	té	*tea*
tu	*your*	tú	*you*

Capitalization

In Spanish, capital letters are used less frequently than in English. Small letters are used in the following instances where English uses capitals.

1. **yo** (*I*) except when it begins a sentence

   Manolo y **yo** vamos a España.   *Manolo and I are going to Spain.*

2. names of the days of the week and months of the year

   Saldremos el **martes** 26 de **abril**.   *We will leave on Tuesday, April 26.*

3. nouns or adjectives of nationality and names of languages

   Susana es **argentina;** habla   *Susan is Argentinian; she speaks*
   español y estudia **inglés**.   *Spanish and is studying English.*

4. words in the title of a book except for the first word and proper nouns

   Cien años de soledad   *One Hundred Years of Solitude*
   La casa de Bernarda Alba   *The House of Bernarda Alba*

5. titles of address except when abbreviated: **don, doña, usted, ustedes, señor, señora, señorita, doctor,** but **Ud.,Uds., Sr., Sra., Srta., Dr., Dra.**

   Aquí viene el **doctor** Robles con   *Here comes Doctor Robles with Doña*
   doña Mercedes y la **Srta.**   *Mercedes and Miss Guzmán.*
   Guzmán.

APPENDIX E — Verb Conjugations

Los verbos regulares

Infinitive	Present Indicative	Imperfect	Preterite	Future	Conditional	Present Subjunctive	Imperfect Subjunctive	Commands Familiar/Formal
hablar to speak	hablo	hablaba	hablé	hablaré	hablaría	hable	hablara	habla (no hables)
	hablas	hablabas	hablaste	hablarás	hablarías	hables	hablaras	hable
	habla	hablaba	habló	hablará	hablaría	hable	hablara	hablad (no habléis)
	hablamos	hablábamos	hablamos	hablaremos	hablaríamos	hablemos	habláramos	hablen
	habláis	hablabais	hablasteis	hablaréis	hablaríais	habléis	hablarais	
	hablan	hablaban	hablaron	hablarán	hablarían	hablen	hablaran	
aprender to learn	aprendo	aprendía	aprendí	aprenderé	aprendería	aprenda	aprendiera	aprende (no aprendas)
	aprendes	aprendías	aprendiste	aprenderás	aprenderías	aprendas	aprendieras	aprenda
	aprende	aprendía	aprendió	aprenderá	aprendería	aprenda	aprendiera	aprended (no aprendáis)
	aprendemos	aprendíamos	aprendimos	aprenderemos	aprenderíamos	aprendamos	aprendiéramos	aprendan
	aprendéis	aprendíais	aprendisteis	aprenderéis	aprenderíais	aprendáis	aprendierais	
	aprenden	aprendían	aprendieron	aprenderán	aprenderían	aprendan	aprendieran	
vivir to live	vivo	vivía	viví	viviré	viviría	viva	viviera	vive (no vivas)
	vives	vivías	viviste	vivirás	vivirías	vivas	vivieras	viva
	vive	vivía	vivió	vivirá	viviría	viva	viviera	vivid (no viváis)
	vivimos	vivíamos	vivimos	viviremos	viviríamos	vivamos	viviéramos	vivan
	vivís	vivíais	vivisteis	viviréis	viviríais	viváis	vivierais	
	viven	vivían	vivieron	vivirán	vivirían	vivan	vivieran	

Los verbos regulares

(continued)

Compound tenses

Present progressive	estoy estás está	} hablando	aprendiendo	viviendo
Present perfect	he has ha hemos habéis han	} hablado	aprendido	vivido
Past perfect	había habías había habíamos habíais habían	} hablado	aprendido	vivido
Future perfect	habré habrás habrá habremos habréis habrán	} hablado	aprendido	vivido
Conditional perfect	habría habrías habría habríamos habríais habrían	} hablado	aprendido	vivido
Present perfect subjunctive	haya hayas haya hayamos hayáis hayan	} hablado	aprendido	vivido
Past perfect subjunctive	hubiera hubieras hubiera hubiéramos hubierais hubieran	} hablado	aprendido	vivido

Los verbos con cambios en la raíz

Infinitive Present Participle/ Past Participle	Present Indicative	Imperfect	Preterite	Future	Conditional	Present Subjunctive	Imperfect Subjunctive	Commands Familiar/ Formal
pensar *to think* e → ie pensando pensado	pienso piensas piensa pensamos pensáis piensan	pensaba pensabas pensaba pensábamos pensabais pensaban	pensé pensaste pensó pensamos pensasteis pensaron	pensaré pensarás pensará pensaremos pensaréis pensarán	pensaría pensarías pensaría pensaríamos pensaríais pensarían	piense pienses piense pensemos penséis piensen	pensara pensaras pensara pensáramos pensarais pensaran	piensa (no pienses) piense pensad (no penséis) piensen
acostarse *to go to bed* o → ue acostándose acostado	me acuesto te acuestas se acuesta nos acostamos os acostáis se acuestan	me acostaba te acostabas se acostaba nos acostábamos os acostabais se acostaban	me acosté te acostaste se acostó nos acostamos os acostasteis se acostaron	me acostaré te acostarás se acostará nos acostaremos os acostaréis se acostarán	me acostaría te acostarías se acostaría nos acostaríamos os acostaríais se acostarían	me acueste te acuestes se acueste nos acostemos os acostéis se acuesten	me acostara te acostaras se acostara nos acostáramos os acostarais se acostaran	acuéstate (no te acuestes) acuéstese acostaos (no os acostéis) acuéstense
sentir *to be sorry* e → ie, i sintiendo sentido	siento sientes siente sentimos sentís sienten	sentía sentías sentía sentíamos sentíais sentían	sentí sentiste sintió sentimos sentisteis sintieron	sentiré sentirás sentirá sentiremos sentiréis sentirán	sentiría sentirías sentiría sentiríamos sentiríais sentirían	sienta sientas sienta sintamos sintáis sientan	sintiera sintieras sintiera sintiéramos sintierais sintieran	siente (no sientas) sienta sentaos (no sintáis) sientan
pedir *to ask for* e → i, i pidiendo pedido	pido pides pide pedimos pedís piden	pedía pedías pedía pedíamos pedíais pedían	pedí pediste pidió pedimos pedisteis pidieron	pediré pedirás pedirá pediremos pediréis pedirán	pediría pedirías pediría pediríamos pediríais pedirían	pida pidas pida pidamos pidáis pidan	pidiera pidieras pidiera pidiéramos pidierais pidieran	pide (no pidas) pida pedid (no pidáis) pidan
dormir *to sleep* o → ue, u durmiendo dormido	duermo duermes duerme dormimos dormís duermen	dormía dormías dormía dormíamos dormíais dormían	dormí dormiste durmió dormimos dormisteis durmieron	dormiré dormirás dormirá dormiremos dormiréis dormirán	dormiría dormirías dormiría dormiríamos dormiríais dormirían	duerma duermas duerma durmamos durmáis duerman	durmiera durmieras durmiera durmiéramos durmierais durmieran	duerme (no duermas) duerma dormid (no durmáis) duerman

Los verbos con cambios de ortografía

Infinitive / Present Participle / Past Participle	Present Indicative	Imperfect	Preterite	Future	Conditional	Present Subjunctive	Imperfect Subjunctive	Commands Familiar/Formal
comenzar (e → ie) *to begin* z → c before e comenzando comenzado	comienzo comienzas comienza comenzamos comenzáis comienzan	comenzaba comenzabas comenzaba comenzábamos comenzabais comenzaban	comencé comenzaste comenzó comenzamos comenzasteis comenzaron	comenzaré comenzarás comenzará comenzaremos comenzaréis comenzarán	comenzaría comenzarías comenzaría comenzaríamos comenzaríais comenzarían	comience comiences comience comencemos comencéis comiencen	comenzara comenzaras comenzara comenzáramos comenzarais comenzaran	comienza (no comiences) comience comenzad (no comencéis) comiencen
conocer *to know* c → zc before a, o conociendo conocido	conozco conoces conoce conocemos conocéis conocen	conocía conocías conocía conocíamos conocíais conocían	conocí conociste conoció conocimos conocisteis conocieron	conoceré conocerás conocerá conoceremos conoceréis conocerán	conocería conocerías conocería conoceríamos conoceríais conocerían	conozca conozcas conozca conozcamos conozcáis conozcan	conociera conocieras conociera conociéramos conocierais conocieran	conoce (no conozcas) conozca conoced (no conozcáis) conozcan
construir *to build* i → y; y inserted before a, e, o construyendo construido	construyo construyes construye construimos construís construyen	construía construías construía construíamos construíais construían	construí construiste construyó construimos construisteis construyeron	construiré construirás construirá construiremos construiréis construirán	construiría construirías construiría construiríamos construiríais construirían	construya construyas construya construyamos construyáis construyan	construyera construyeras construyera construyéramos construyerais construyeran	construye (no construyas) construya construid (no construyáis) construyan
leer *to read* i → y; stressed i → í leyendo leído	leo lees lee leemos leéis leen	leía leías leía leíamos leíais leían	leí leíste leyó leímos leísteis leyeron	leeré leerás leerá leeremos leeréis leerán	leería leerías leería leeríamos leeríais leerían	lea leas lea leamos leáis lean	leyera leyeras leyera leyéramos leyerais leyeran	lee (no leas) lea leed (no leáis) lean

Los verbos con cambios de ortografía

Infinitive Present Participle/ Past Participle	Present Indicative	Imperfect	Preterite	Future	Conditional	Present Subjunctive	Imperfect Subjunctive	Commands Familiar/ Formal
pagar	pago	pagaba	pagué	pagaré	pagaría	pague	pagara	paga (no pagues)
to pay	pagas	pagabas	pagaste	pagarás	pagarías	pagues	pagaras	pague
g → gu	paga	pagaba	pagó	pagará	pagaría	pague	pagara	pagad (no paguéis)
before e	pagamos	pagábamos	pagamos	pagaremos	pagaríamos	paguemos	pagáramos	
pagando	pagáis	pagabais	pagasteis	pagaréis	pagaríais	paguéis	pagarais	paguen
pagado	pagan	pagaban	pagaron	pagarán	pagarían	paguen	pagaran	
seguir	sigo	seguía	seguí	seguiré	seguiría	siga	siguiera	sigue (no sigas)
(e → i, i)	sigues	seguías	seguiste	seguirás	seguirías	sigas	siguieras	siga
to follow	sigue	seguía	siguió	seguirá	seguiría	siga	siguiera	seguid (no sigáis)
gu → g	seguimos	seguíamos	seguimos	seguiremos	seguiríamos	sigamos	siguiéramos	sigan
before a, o	seguís	seguíais	seguisteis	seguiréis	seguiríais	sigáis	siguierais	
siguiendo	siguen	seguían	siguieron	seguirán	seguirían	sigan	siguieran	
seguido								
tocar	toco	tocaba	toqué	tocaré	tocaría	toque	tocara	toca (no toques)
to play, to touch	tocas	tocabas	tocaste	tocarás	tocarías	toques	tocaras	toque
c → qu	toca	tocaba	tocó	tocarás	tocaría	toque	tocara	tocad (no toquéis)
before e	tocamos	tocábamos	tocamos	tocaremos	tocaríamos	toquemos	tocáramos	
tocando	tocáis	tocabais	tocasteis	tocaréis	tocaríais	toquéis	tocarais	toquen
tocado	tocan	tocaban	tocaron	tocarán	tocarían	toquen	tocaran	

Los verbos irregulares

Infinitive Present Participle/ Past Participle	Present Indicative	Imperfect	Preterite	Future	Conditional	Present Subjunctive	Imperfect Subjunctive	Commands Familiar/ Formal
andar *to walk* andando andado	ando andas anda andamos andáis andan	andaba andabas andaba andábamos andabais andaban	anduve anduviste anduvo anduvimos anduvisteis anduvieron	andaré andarás andará andaremos andaréis andarán	andaría andarías andaría andaríamos andaríais andarían	ande andes ande andemos andéis anden	anduviera anduvieras anduviera anduviéramos anduvierais anduvieran	anda (no andes) ande andad (no andéis) anden
caer *to fall* cayendo caído	caigo caes cae caemos caéis caen	caía caías caía caíamos caíais caían	caí caíste cayó caímos caísteis cayeron	caeré caerás caerá caeremos caeréis caerán	caería caerías caería caeríamos caeríais caerían	caiga caigas caiga caigamos caigáis caigan	cayera cayeras cayera cayéramos cayerais cayeran	cae (no caigas) caiga caed (no caigáis) caigan
dar *to give* dando dado	doy das da damos dais dan	daba dabas daba dábamos dabais daban	di diste dio dimos disteis dieron	daré darás dará daremos daréis darán	daría darías daría daríamos daríais darían	dé des dé demos deis den	diera dieras diera diéramos dierais dieran	da (no des) dé dad (no deis) den
decir *to say, tell* diciendo dicho	digo dices dice decimos decís dicen	decía decías decía decíamos decíais decían	dije dijiste dijo dijimos dijisteis dijeron	diré dirás dirá diremos diréis dirán	diría dirías diría diríamos diríais dirían	diga digas diga digamos digáis digan	dijera dijeras dijera dijéramos dijerais dijeran	di (no digas) diga decid (no digáis) digan
estar *to be* estando estado	estoy estás está estamos estáis están	estaba estabas estaba estábamos estabais estaban	estuve estuviste estuvo estuvimos estuvisteis estuvieron	estaré estarás estará estaremos estaréis estarán	estaría estarías estaría estaríamos estaríais estarían	esté estés esté estemos estéis estén	estuviera estuvieras estuviera estuviéramos estuvierais estuvieran	está (no estés) esté estad (no estéis) estén

Los verbos irregulares

Infinitive Present Participle/ Past Participle	Present Indicative	Imperfect	Preterite	Future	Conditional	Present Subjunctive	Imperfect Subjunctive	Commands Familiar/ Formal
haber to have habiendo habido	he has ha [hay] hemos habéis han	había habías había habíamos habíais habían	hube hubiste hubo hubimos hubisteis hubieron	habré habrás habrá habremos habréis habrán	habría habrías habría habríamos habríais habrían	haya hayas haya hayamos hayáis hayan	hubiera hubieras hubiera hubiéramos hubierais hubieran	
hacer to make, do haciendo hecho	hago haces hace hacemos hacéis hacen	hacía hacías hacía hacíamos hacíais hacían	hice hiciste hizo hicimos hicisteis hicieron	haré harás hará haremos haréis harán	haría harías haría haríamos haríais harían	haga hagas haga hagamos hagáis hagan	hiciera hicieras hiciera hiciéramos hicierais hicieran	haz (no hagas) haga haced (no hagáis) hagan
ir to go yendo ido	voy vas va vamos vais van	iba ibas iba íbamos ibais iban	fui fuiste fue fuimos fuisteis fueron	iré irás irá iremos iréis irán	iría irías iría iríamos iríais irían	vaya vayas vaya vayamos vayáis vayan	fuera fueras fuera fuéramos fuerais fueran	ve (no vayas) vaya id (no vayáis) vayan
oír to hear oyendo oído	oigo oyes oye oímos oís oyen	oía oías oía oíamos oíais oían	oí oíste oyó oímos oísteis oyeron	oiré oirás oirá oiremos oiréis oirán	oiría oirías oiría oiríamos oiríais oirían	oiga oigas oiga oigamos oigáis oigan	oyera oyeras oyera oyéramos oyerais oyeran	oye (no oigas) oiga oíd (no oigáis) oigan

Los verbos irregulares

Infinitive / Present Participle / Past Participle	Present Indicative	Imperfect	Preterite	Future	Conditional	Present Subjunctive	Imperfect Subjunctive	Commands Familiar/ Formal
poder (o → ue) *can, to be able* pudiendo podido	puedo puedes puede podemos podéis pueden	podía podías podía podíamos podíais podían	pude pudiste pudo pudimos pudisteis pudieron	podré podrás podrá podremos podréis podrán	podría podrías podría podríamos podríais podrían	pueda puedas pueda podamos podáis puedan	pudiera pudieras pudiera pudiéramos pudierais pudieran	puede (no puedas) pueda poded (no podáis) puedan
poner *to place, put* poniendo puesto	pongo pones pone ponemos ponéis ponen	ponía ponías ponía poníamos poníais ponían	puse pusiste puso pusimos pusisteis pusieron	pondré pondrás pondrá pondremos pondréis pondrán	pondría pondrías pondría pondríamos pondríais pondrían	ponga pongas ponga pongamos pongáis pongan	pusiera pusieras pusiera pusiéramos pusierais pusieran	pon (no pongas) ponga poned (no pongáis) pongan
querer (e → ie) *to want, wish* queriendo querido	quiero quieres quiere queremos queréis quieren	quería querías quería queríamos queríais querían	quise quisiste quiso quisimos quisisteis quisieron	querré querrás querrá querremos querréis querrán	querría querrías querría querríamos querríais querrían	quiera quieras quiera queramos queráis quieran	quisiera quisieras quisiera quisiéramos quisierais quisieran	quiere (no quieras) quiera quered (no queráis) quieran
reír *to laugh* riendo reído	río ríes ríe reímos reís ríen	reía reías reía reíamos reíais reían	reí reíste rió reímos reísteis rieron	reiré reirás reirá reiremos reiréis reirán	reiría reirías reiría reiríamos reiríais reirían	ría rías ría riamos riáis rían	riera rieras riera riéramos rierais rieran	ríe (no rías) ría reíd (no riáis) rían

Los verbos irregulares

Infinitive / Present Participle / Past Participle	Present Indicative	Imperfect	Preterite	Future	Conditional	Present Subjunctive	Imperfect Subjunctive	Commands Familiar/Formal
saber *to know* sabiendo sabido	sé sabes sabe sabemos sabéis saben	sabía sabías sabía sabíamos sabíais sabían	supe supiste supo supimos supisteis supieron	sabré sabrás sabrá sabremos sabréis sabrán	sabría sabrías sabría sabríamos sabríais sabrían	sepa sepas sepa sepamos sepáis sepan	supiera supieras supiera supiéramos supierais supieran	sabe (no sepas) sepa sabed (no sepáis) sepan
salir *to go out* saliendo salido	salgo sales sale salimos salís salen	salía salías salía salíamos salíais salían	salí saliste salió salimos salisteis salieron	saldré saldrás saldrá saldremos saldréis saldrán	saldría saldrías saldría saldríamos saldríais saldrían	salga salgas salga salgamos salgáis salgan	saliera salieras saliera saliéramos salierais salieran	sal (no salgas) salga salid (no salgáis) salgan
ser *to be* siendo sido	soy eres es somos sois son	era eras era éramos erais eran	fui fuiste fue fuimos fuisteis fueron	seré serás será seremos seréis serán	sería serías sería seríamos seríais serían	sea seas sea seamos seáis sean	fuera fueras fuera fuéramos fuerais fueran	sé (no seas) sea sed (no seáis) sean
tener *to have* teniendo tenido	tengo tienes tiene tenemos tenéis tienen	tenía tenías tenía teníamos teníais tenían	tuve tuviste tuvo tuvimos tuvisteis tuvieron	tendré tendrás tendrá tendremos tendréis tendrán	tendría tendrías tendría tendríamos tendríais tendrían	tenga tengas tenga tengamos tengáis tengan	tuviera tuvieras tuviera tuviéramos tuvierais tuvieran	ten (no tengas) tenga tened (no tengáis) tengan

Los verbos irregulares

Infinitive Present Participle/ Past Participle	Present Indicative	Imperfect	Preterite	Future	Conditional	Present Subjunctive	Imperfect Subjunctive	Commands Familiar/ Formal
traer *to bring* trayendo traído	traigo traes trae traemos traéis traen	traía traías traía traíamos traíais traían	traje trajiste trajo trajimos trajisteis trajeron	traeré traerás traerá traeremos traeréis traerán	traería traerías traería traeríamos traeríais traerían	traiga traigas traiga traigamos traigáis traigan	trajera trajeras trajera trajéramos trajerais trajeran	trae (no traigas) traiga traed (no traigáis) traigan
venir *to come* viniendo venido	vengo vienes viene venimos venís vienen	venía venías venía veníamos veníais venían	vine viniste vino vinimos vinisteis vinieron	vendré vendrás vendrá vendremos vendréis vendrán	vendría vendrías vendría vendríamos vendríais vendrían	venga vengas venga vengamos vengáis vengan	viniera vinieras viniera viniéramos vinierais vinieran	ven (no vengas) venga venid (no vengáis) vengan
ver *to see* viendo visto	veo ves ve vemos veis ven	veía veías veía veíamos veíais veían	vi viste vio vimos visteis vieron	veré verás verá veremos veréis verán	vería verías vería veríamos veríais verían	vea veas vea veamos veáis vean	viera vieras viera viéramos vierais vieran	ve (no veas) vea ved (no veáis) vean

Spanish - English Vocabulary

s vocabulary includes the meanings of all Spanish words and expressions which have been glossed or listed as
ve vocabulary in this textbook. Most proper nouns, conjugated verb forms, and cognates used as passive
abulary are not included here.

The Spanish style of alphabetization has been followed: **n** precedes **ñ**. A word without a written accent mark
ears before the form with a written accent: i.e., **si** precedes **sí**.

m-changing verbs appear with the change in parentheses following the infinitive: **(ie)**, **(ue)**, or **(i)**. A second
el in parentheses **(ie, i)** indicates a preterite stem change.

The number following the English meaning refers to the chapter in which the vocabulary item was first
oduced actively; the letters **CP** stand for **Capítulo preliminar.**

e following abbreviations are used:

A	Americas	*m*	masculine
abb	abbreviation	*n*	noun
adv	adverb	*obj*	object
adj	adjective	*pl*	plural
art	article	*pp*	past participle
conj	conjunction	*poss*	possessive
dir obj	direct object	*prep*	preposition
E	Spain	*pron*	pronoun
f	feminine	*refl*	reflexive
fam	familiar	*rel*	relative
form	formal	*s*	singular
indir obj	indirect object	*subj*	subject
inf	infinitive		

to, at, toward; **a bordo**   on
oard **11; a casa**   home; **a causa**
e   because of, as a conse-
uence of; **a continuación**
ollowing; **a cuadros**   plaid,
heckered **7; a la derecha**   to
on) the right; **a la izquierda**
o (on) the left; **a menos que**
nless; **a menudo**   often; **a**
ayas   striped **7; a tiempo**   on
ime; **a través de**   through,
cross; **a veces**   sometimes
erto   *pp* opened
gado/a   lawyer **10**
nar   to pay in installments
rdar   to board **11**
azar   to hug, embrace
azo   hug
igo   coat **7**
il   *m* April
ir   to open
ocharse   to fasten **11**
urdo   absurd
elo/a   grandfather/mother **3;**
buelos   grandparents **3**
rrido   bored, boring

aburrir   to bore; **aburrirse**   to
   get bored
acá   here
acabar   to finish; *refl* run out of;
   acabar de + *inf*   to have just
   (done something)
acantilado   cliff
acaso   perhaps
acceso   access
accidente   *m* accident;
acción   *f* stock **9**
accionista   *m/f* stockbroker **10**
aceite   *m* oil; salad oil
aceituna   olive
acento   accent
acentuar   to accent
aceptar   to accept
acera   sidewalk **8**
acerca de   about, concerning
acercarse a   to approach
acero   steel
acetona   nail polish remover
ácido graso tran   trans fatty acid
aclarar   to clear up
acomodar   to accommodate
aconsejable   advisable
aconsejar   to advise **3**

acontecimiento   event
acordarse (ue) de   to remember
acortar   to shorten **7**
acostarse (ue)   to go to bed
acostumbrarse   to become
   accustomed, get used to
actitud   *f* attitude
actividad   *f* activity
activo   active
actual   *adj* current, present-day
actualmente   nowadays, at the
   present time
actuar   to act
acuerdo   agreement; **de acuerdo**
   I agree; **estar de acuerdo**   to
   agree, be in agreement; **llegar a
   un acuerdo**   to reach an
   agreement
acusado/a   accused person **6**
adelantado   early
adelante   forward; come in
adelanto   advance, advancement
además   besides, furthermore
adentro   inside
adiós   good-bye
adivinanza   riddle
adivinar   to guess

adjetivo adjective

administración *f* management **9;** **administración de empresas** business administration **5**

admirar to admire **8**

adolescente *m/f* teenager

¿adónde? where? (used with verbs of motion)

adornar to decorate, adorn

adorno decoration, ornament

aduana customs **10; derechos de aduana** duty taxes **10; pasar por la aduana** to go through customs **11**

aduanero/a customs agent **11**

adverbio adverb

advertir (ie, i) to warn

aéreo *adj* air **11**

aeróbico aerobic **12**

aeromozo/a *(A)* flight attendant **11**

aeropuerto airport **11**

afeitadora shaver **1**

afeitarse to shave **1**

aficionado/a fan, sports fan

afuera outside **4; afueras** outskirts, suburbs

agarrar to take

agencia agency **1; agencia de empleos** employment agency; **agencia de viajes** travel agency

agente *m/f* agent

agosto August

agradable pleasant

agradecer to appreciate, thank

agrado pleasure

agresivo aggressive

agrícola agricultural

agrio sour

agua water **1; agua mineral** mineral water, bottled water

aguacate *m* avocado **4**

aguacero heavy shower, downpour

ahí there (near person addressed)

ahijado/a godson /daughter; **ahijados** godchildren

ahogarse to drown **6**

ahora now

ahorrar to save money **10**

ahorros *pl* savings **10; cuenta** *f* **de ahorros** savings account **10**

aire *m* air; **aire acondicionado** *m* air conditioning **11; al aire libre** outdoor **2**

aislado isolated

aislamiento isolation

ajedrez *m* chess

al (a + el) to the + ms *noun;* **al día** per day; **al** + *inf* on, upon; **al lado de** beside, next to; **al principio** in the beginning

albergue *m* hostel **11; albergue juvenil** *m* youth hostel **11**

albóndigas meatballs **4**

alcalde *m* mayor

alcance *m* reach; **estar al alcance** to be within reach

alcanzar to gain, obtain

alcohólico alcoholic

alegrarse to be happy

alegre happy, cheerful **3**

alegría happiness

alemán/ana German

alergia allergy **12**

alérgico allergic; **ser alérgico a** to be allergic to

alfabetización *f* literacy

alfombra rug, carpet **6**

algarabía hustle-bustle

algo something

algodón *m* cotton **7; algodón de azúcar** cotton candy **8**

alguien someone

algunas veces sometimes

alguno, algún, alguna any, some, someone; *pl* a few

alimentarse to feed oneself

alimento food, nourishment

alivio relief

allá there

allí there

almacén *m* department store **1; (grandes) almacenes** *(E) m pl* department store **1**

almeja clam **4**

almohada pillow **11**

almorzar (ue) to have lunch **3**

almuerzo lunch **4**

alojarse to stay in a hotel **11**

alpargata espadrille shoe

alquilar to rent **10**

alquiler *m* rent

alrededor de around

altavoz *m* loud-speaker

alternativa alternative

altiplano high plateau

altitud *f* altitude

alto tall, high **CP**

altura altitude

alumno/a student

alzar to raise, lift

ama de casa housewife

amabilidad *f* kindness

amable nice, kind

amanecer *m* dawn; **del amanecer al anochecer** from dawn to dusk

amar to love **3**

amargo bitter

amarillo yellow

amatista amethyst

ambiente *m* environment, atmosphere

amigable friendly

amigo/a friend **CP**

ampliar to extend

amplio extensive

amoblar (ue); amueblar to furnish

amor *m* love

análisis *m* analysis

anaranjado *adj* orange

ancho wide **7**

andar to walk

anécdota anecdote

anfitrión/ona host/hostess

ángel *m* angel

angosto narrow

anillo ring **3; anillo de boda** wedding ring **3; anillo de compromiso** engagement ring **3**

anoche last night

anochecer *m* dusk

ansioso anxious

ante *m* suede ; *prep* before, in the presence of

anteayer day before yesterday

anteojos *pl* eyeglasses **CP**

anterior before

antes de *prep* before

antes que *conj* before

antibiótico antibiotics **12**

anticipar to anticipate; **con anticipación** in advance

antiguo former, ancient

anunciar to announce **6**

anuncio advertisement; **anuncio clasificado** classified ad **9; anuncio comercial** commercial **6**

añadir to add

año year; **tener...años** to be . . . years old; **primer año** freshman year **5**

aparato appliance; **aparato Blackberry** Blackberry **9; aparato de gimnasio** exercise machine

aparcar to park

aparecer to appear
apartamento apartment
apellido last name **CP**
apenas hardly
aperitivo appetizer **4**
apertura de clases beginning of the term **5**
apetecer to have an appetite for
apetito appetite **4**
aplaudir to applaud **8**
aplicado studious **5**
apogeo peak; **en pleno apogeo** at the height of
apoplejía stroke **12**
aprender to learn **5; aprender de memoria** to memorize **5**
apretado tight **7**
apretar (ie) to pinch, be too tight **7**
aprobar (ue) to pass (an exam) **5**
apropiado appropriate
aprovechar to take advantage of
aptitud *f* aptitude, skill **9**
apuntes notes, classnotes; **tomar apuntes** to take notes
apurado in a hurry
apurarse to hurry
aquel, aquella *adj* that (distant); **aquellos, aquellas** *adj* those (distant); **aquél, aquélla** *pron* that (one), former; **aquéllos, aquéllas** *pron* those, former
aquello *neuter pron* that
aquí here
árbitro referee, umpire **12**
árbol *m* tree **6**
arco arch
archivar to file **10**
archivo file cabinet **9**
arena sand **2**
arete *m* earring **7**
argentino *adj* Argentinian
arquitecto/a arquitect
arquitectura architecture **5**
arreglar to arrange, to repair, to straighten up **6; arreglarse** to get ready **1**
arreglo care **1**; arrangement, repair
arrepentirse (ie, i) to repent
arrestar to arrest **6**
arroz rice **4**
arrugado wrinkled
arte *m* art **5; bellas artes** fine arts **5**
artesanía craftsmanship
artículo article, item
artista *m/f* artist

artístico artistic **9**
asado roast/ed
ascenso promotion **9**
ascensor elevator
asegurar to assure, to insure **7**
asesinar to murder
asesinato murder **6**
asesino/a murderer **6**
así in this way, thus; **así que** as soon as
asiduo frequent
asiento seat **8**
asignatura subject **5**
asistencia attendance
asistente *m/f* **ejecutivo** executive assistant **10**
asistente social *m/f* social worker
asistir a to attend **5**
asma asthma **12**
asociarse to associate
asombrar to astonish
aspecto aspect
áspero rough
aspiradora vacuum cleaner **6; pasar la aspiradora** to vacuum **6**
aspirante *m/f* applicant **9**
aspirina aspirin **12**
asunto subject matter
asustadizo easily scared
asustado scared **8**
asustarse to get scared
atacar to attack
atar to tie
atender (ie) to take care of **10**
atentado terrorista terrorist attack **6**
atento attentive
aterrizaje *m* landing **11**
aterrizar to land **11**
atleta *m/f* athlete
atlético athletic **CP**
atracción *f* amusement park ride, attraction **8; parque** *m* **de atracciones** amusement park **8**
atraer to attract
atrás *adv* back; **de atrás** behind
atrasarse to be late
atravesar **(ie)** to cross
atribuir to attribute to
atún *m* tuna **4**
aumento raise
aun even; **aun cuando** even when
aún still, yet
aunque although
ausente absent

austral *m* previous currency of Argentina
autobús *m* bus **8**
automóvil *m* automobile
autopista highway
autoridad *f* authority
autorretrato self-portrait
auxiliar de vuelo *m/f* flight attendant **11**
avance *m* advance; **avance rápido** fast forward on a CD/DVD player
avanzado avanced **10**
avanzar to advance, move forward
ave *f* bird
avenida avenue **8**
aventura adventure **2; de aventura** *adj* adventure **2**
averiguar to verify, find out
avión *m* airplane **11**
avisar to advise, to inform
aviso notice, sign
ayer yesterday
ayuda help
ayudar to help
ayuntamiento city hall **8**
azúcar sugar
azucarera sugar bowl
azul blue **CP**

B

bacalao cod
bachillerato high-school diploma **5**
bailar to dance **CP**
bailarín/a dancer
baile *m* dance
bajar to lower, to get off **11; bajar el equipaje** to take the luggage down; **bajarse** to get off
bajo short **CP**
balanza balance; **balanza de pagos** balance of payments **10**
balcón *m* balcony **11**
baloncesto *(E)* basketball **12**
bancario *adj* banking **10**
banco bank **1**
banda terrorista terrorist organization **6**
banquero banker
bañarse to bathe **1**
bañera bathtub **6**
baño bathroom **11; cuarto de baño** bathroom **6; toalla de baño** bath towel **11**

bar *m* bar **2**
barato inexpensive, cheap
barba beard **CP**
barco boat
barrer to sweep **6**
barrio neighborhood **8**
básquetbol *m (A)* basketball **12**
¡basta! enough
bastante *adj* enough; **bastante** *adv* rather
basura garbage, trash **6; sacar la basura** to take out the garbage **6**
bata robe **7**
bate *m* bat **12**
batear to bat **12**
batido milk shake
batir to beat
bautismo baptism
bebé *m* baby
beber to drink
bebida beverage **4**
beca scholarship **5**
béisbol *m* baseball **12**
bellas artes fine arts **5**
belleza beauty
beneficiar to benefit
beneficio benefit; **beneficio social** fringe benefit **9**
besar to kiss
biblioteca library **5**
bicicleta bicycle; **bicicleta estacionaria** stationary bike; **montar (en) bicicleta** to ride a bicycle **2**
bien well, very
bienvenido welcome
bigote *m* moustache **CP**
billete *m* ticket **8;** bill **10; billete de ida y vuelta** round-trip ticket **11**
billetera wallet
biología biology **5**
bisabuelo/a great-grandfather/mother **3; bisabuelos** greatgrandparents **3**
bistec *m* steak
bisutería costume jewelry **7**
blanco white
blando soft
bloqueador *m* sun block **2**
blusa blouse
boca mouth
bocacalle *f* intersection **8**
bocadillo sandwich
boda wedding, wedding ceremony **3; regalo de boda** wedding gift **3; torta de boda** wedding cake **3**

bol *m* bowl **4**
boletería ticket office
boleto ticket **8; boleto de ida y vuelta** round-trip ticket **11**
bolígrafo pen, ballpoint pen
bolívar *m* currency of Venezuela
bolsa *(E)* purse **7; bolsa (de acciones) (de valores)** stock market **9**
bombero/a firefighter **8**
bonito nice, pretty
bono bond **9**
borracho drunk **2**
borrador *m* rough draft
bosque *m* forest, woods
bota boot **7**
botones *m s* bellman **11**
boutique *f* boutique **7**
boxeo boxing **12; practicar el boxeo** to box **12**
brazo arm **12**
brillante *m* diamond **7**
brillar to shine
bromear to joke
bronceado suntan, suntanned
bronceador *m* sun lotion **2; bronceador solar con filtro** sunscreen **2**
broncearse to tan **2**
bruja witch
bueno, buen, buena *adj* good; **bueno** *adv* well, all right; **buena suerte** good luck; **lo bueno** the good thing; **buenos días** good morning; **buenas noches** good evening; **buenas tardes** good afternoon
bufanda scarf **7**
buscar to look for; **en busca de** in search of

C

caballero gentleman
caballitos *m pl* carousel
caballo horse; **montar a caballo** to ride horseback **2**
caber to fit **11**
cabeza head **12**
cada *m/f adj* each, every; **cada dos días** every other day
cadena chain **7;** network
cadera hip
caer to fall, slip away; **caer bien (mal)** to suit (not to suit); to get along well (poorly); **caer un aguacero** to rain cats and dogs
café *m* café, coffee **4;** coffee shop; **café al aire libre** outdoor café **2; café con leche** coffee with

warmed milk; **café solo** bl coffee
caja box, cash register; **caja d seguridad** safety-deposit box **10**
cajero/a cashier **7; cajero automático** ATM **10**
cajón *m* drawer
calamar *m* squid
calcetín *m* sock **7**
calculadora calculator **9**
calcular to calculate
cálculo calculus
caldo soup, broth **4; caldo d pollo con fideos** chicken dle soup
calefacción *f* heating system
calendario calendar
calentador *m (A)* jogging su
calentamiento global globa warming **9**
calentar (ie) to heat
calidad *f* quality
cálido warm
caliente hot **1**
calificación *f* qualification (skill)
callado quiet
callarse to be quiet
calle *f* street **8**
calmar to calm, ease
calor *m* heat; **hace calor** hot; **tener calor** to be ho
caloría calorie **4**
calvo bald **CP**
calzado footwear **7**
calzar to wear shoes **7**
cama bed **6**
cámara camera; **cámara digital** digital camera **9**
camarero/a *(A)* flight attendant; *(E)* waiter/waitress **4;** chambermaid **11**
camarones *m pl (A)* shrimp **4**
cambiar to change; **cambiar dinero** to exchange currency **10; cambiarse de ropa** to change clothes **1**
cambio change **9; cambio climático** climate change **9; en cambio** on the other hand
caminadora treadmill **2**
caminar to walk
camino road; **en camino** on the way to
camión *m* truck; **camión de juguete** toy truck
camisa shirt **1; camisa de noche** nightgown **7**

camiseta tee-shirt **7**

campaña electoral electoral campaign **6**

campeón/a *m* champion **12**

campeonato championship **12**

campesino/a rural person

campo country, rural area, field **3**; **campo de estudio** field of study **5**; **campo de golf** golf course **2**; **campo deportivo** sports field **5**

campus *m* campus **5**

canadiense *m/f adj* Canadian

canal *m* channel **6**

canasta basket **12**

cáncer *m* cancer **12**

cancha playing area, court, field **12**; **cancha de tenis** tennis court **2**

canción *f* song **CP**

canoso *adj* gray hair

cansado tired

cantante *m/f* singer **8**

cantar to sing

cantidad *f* quantity

caña de pescar fishing rod

capital *f* capital (city); *m* capital (money)

capítulo chapter

cara face

caracol *m* snail

característica characteristic

caramelo caramel

carbohidrato carbohydrate **4**

cárcel *f* jail **6**

cardiopatía isquémica coronary heart disease **12**

carecer to be in need of, lack

cargar to carry **11**

cariño affection **3**; **tener cariño a** to be fond of **3**

cariñoso affectionate **3**

carne *f* meat **4**; **carne de cerdo** pork **4**; **carne de res** beef

carnet estudiantil *m* student I.D. card **CP**

caro expensive **4**

carpeta file folder **9**; **carpeta predeterminada** default folder **9**

carpintero/a carpenter

carrera career **9**; race

carro *(A)* car

carta letter **1**; **carta de recomendación** letter of recommendation **9**; **cartas** *(A)* playing cards

cartel *m* poster, sign

cartera wallet, *(A)* purse **7**

cartero/a mail carrier

casa house; **a casa** home; **en casa** at home; **casa de espejos** house of mirrors **8**; **casa de fantasmas** house of horrors **8**; **casa de muñecas** dollhouse

casado married **CP**

casamiento wedding, wedding ceremony

casarse to get married **3**; **casarse con** to marry **3**

casco helmet **12**

casi almost

castaño chestnut **CP**

castellano Spanish

castillo castle **2**

catalán/a Catalan

catarata waterfall

catarro cold **12**

catedral *f* cathedral **8**

catedrático/a university professor **5**

católico Catholic

catorce fourteen

causar to cause

cazar to hunt

CD *m* CD **CP**; **poner un CD** to play a CD **CP**

cebolla onion

celebración celebration

célebre famous

celos *m* jealousy; **tener celos** to be jealous **3**

celular cellular **9**

cemento cement **8**

cena dinner **4**; wedding reception **3**

cenar to eat dinner **3**

centígrado centigrade

centro center, downtown **8**; **centro comercial** shopping center, mall **1**; **centro cultural** cultural center **8**; **centro estudiantil** student center **5**

cepillarse to brush (one's teeth, hair) **1**

cepillo brush **1**; **cepillo de dientes** toothbrush **1**

cerca *adv* next to, near, close

cerca de *prep* near

cercano *adj* near, close

cerdo pig; **carne de cerdo** pork **4**

ceremonia de enlace wedding ceremony **3**

cero zero

cerrar (ie) to close

cerveza beer **4**

césped *m* lawn, grass **6**

ceviche *m* marinated fish and seafood **4**

chaleco vest **7**

chamaco/a *(A)* kid, youngster

champú *m* shampoo **1**

chancletas flip-flops **7**

chandal *m (E)* jogging suit **7**

chaqueta jacket

charlar to chat **CP**

chat *m* chat **CP**; **chat a tiempo** *m* real time chat; **sala de chat** chat room

chau good-bye

chaval/a *(E)* kid, youngster

cheque *m* check; **cheque de viajero** traveler's check; **cobrar un cheque** to cash a check **10**; **rebotar un cheque** to bounce a check **10**

chequear to check

chequera *(A)* checkbook **10**

chévere wonderful

chicano/a Mexican-American

chicle *m* chewing gum

chico/a kid, youngster; **chico** *adj* small **7**

chiflar to boo, hiss **8**

chile *m* chili pepper **4**; **chiles rellenos** stuffed peppers

chimenea chimney

chino/a Chinese

chip *m* microchip **9**

chisme *m* gossip

chismear to gossip

chiste *m* joke **CP**

chistoso funny, amusing

chocolate *m* chocolate, hot chocolate **4**

choque *m* shock

chorizo hard sausage

cibernauta *m/f* person who uses the Internet **9**

cicatriz *m* scar **CP**

ciclismo biking, cycling

cien, ciento hundred

ciencia science; **ciencias de educación** education (course of study) **5**; **ciencias económicas** economics **5**; **ciencias exactas** natural science **5**; **ciencias políticas** political science **5**; **ciencias sociales** social sciences **5**

científico/a scientist; *adj* scientific

cierto certain, definite, right, true

cigarrillo cigarette

cinco five

cincuenta fifty

cine *m* movie theater 2

cinta tape; **cinta adhesiva** utility tape 9

cinturón *m* belt; **cinturón** *m* **de seguridad** seatbelt 11; **(des-)abrocharse el cinturón de seguridad** to (un-)fasten the seatbelt 11

cita appointment, date

ciudad *f* city; **ciudad universitaria** campus 5

claro light (in color), clear; of course

clase *f* class 5; **clase alta** upper class; **clase económica** economy class (travel); **primera clase** first class (travel)

clásico classical

clasificación de crédito *f* credit rating 10

clavel *m* carnation

cliente *m/f* customer 1

clima *m* climate

climático *adj* climate 9

clínica private hospital 8

club *m* club 2

cobrar to charge, collect money; **cobrar un cheque** to cash a check 10

cobre *m* copper

cocina kitchen 6

cocinar to cook

cocinero/a cook, chef

cóctel *m* cocktail 4; **cóctel de camarones** shrimp cocktail; **cóctel de mariscos** seafood cocktail

coche *m* car

código code; **código postal** zip code

coger to take, seize; to catch 12

coincidir to coincide

cola line; **hacer cola** to stand in line

colaborar to collaborate

colesterol *m* cholesterol 4

colchón neumático *m* air mattress 2

colegio elementary school, boarding school, college preparatory high school

colgar (ue) to hang, to hang up 6

colina hill

colocar to place, put

colombiano/a Colombian

colonial colonial 8

color *m* color; **de color café** brown CP; **de color melón** melon-colored; **de un solo color** solid color 7

collar *m* necklace 7; **collar de brillantes** diamond necklace 7

combinar to match, combine 7

comedia comedy 2

comedor *m* dining room 6

comentar to comment 8

comenzar (ie) to begin

comer to eat

comercio trade 10; **comercio de exportación** export trade 10; **comercio de importación** import trade 10

comestibles *m* food, foodstuffs, unprepared food; **tienda de comestibles** grocery store

cometa *m* comet; kite

cómico funny 2

comida food, meal, main meal 4; **comida chatarra** junk food 4; **comida completa** complete meal 4; **comida criolla** native or regional food 4; **comida ligera** light meal 4; **comida para llevar** carry out (food) 4; **comida rápida** fast food 4; **comida típica** typical meal 4

comisaría police station 8

comité *m* committee

como as, like, since; **¡Cómo no!** Of course!; **como si** as if; **tan +** *adj* or *adv* **+ como** as + *adj* or *adv* + as; **tanto como** as much as

¿cómo? how?

comodidad *f* comfort

cómodo comfortable 11

compañero/a companion; **compañero/a de clase** classmate; **compañero/a de cuarto** roommate; **compañero/a de juegos** playmate

compañía (Cía.) company (Co.) 1

comparar to compare

compartir to share, divide

competir (i, i) to compete

complacer to please

complacerse to take pleasure

complejo turístico tourist resort 2

completamente completely

completar to complete

completo full 11

complicado complicated

complicarse to become complicated

comportamiento behavior

comportarse to behave 3

compra purchase; **hacer compras** to shop, purchase 1; **hacer compras por Internet** to shop online 7; **ir de compras** to go shopping CP; **comprador/a** buyer, shopper; **tienda de compras por Internet** Internet store 7

comprar to buy 1

comprender to understand

comprensivo understanding

comprometerse con to become engaged to 3

compromiso engagement, commitment 3

compuesto *pp* composed

computadora *(A)* computer 1; **computadora portátil** laptop computer 9

comunicarse to communicate

comunidad *f* community

con with; **con tal que** provided that; **conmigo** with me; **contigo** with you *fam s*

concierto concert CP

conciliatorio conciliatory

conciso concise

concluir to conclude

concha shell

condimentado spicy

condimento dressing, condiment

conducir to drive

conductor/a driver 8

conectar to connect

conferencia lecture 5; **dar una conferencia** to give *a* lecture 5

confesar (ie) to confess

confianza trust, confidence 9; **ser de confianza** to be close friends

confiar en to confide in, trust 3

confirmar to confirm 11

confitería sweetshop, tea shop

conflictivo conflictive

confundirse to be confused

confusión *f* confusion

conjunto band, musical group 2

conocer to know, to meet, to make an acquaintance of, to recognize

conocido/a acquaintance; *adj* familiar, well-known

conocimiento knowledge 9

conquistador *m* conqueror

consciente aware

conseguir (i, i) to get, obtain 9

consejero/a advisor, counselor
consejo advice 3; **consejo financiero** financial advice 10
conserje *m* concierge 11
consentir (ie, i) to consent to, agree
conservar to keep, preserve
considerar to consider
consistir en to consist of
constituir to constitute
construcción *f* construction
construir to construct
consultorio doctor's or dentist's office
consumo consumption 10
contabilidad *f* accounting 5
contador/a accountant 10
contaminación *f* pollution; **contaminación del aire** air pollution
contar (ue) to count, tell **CP**
contenido content
contento content, happy
contestar answer
continuar to continue; **a continuación** following
contra against
contratar to hire
contrato contract
contribuir to contribute
control *m* control; **control de seguridad** *m* security check 11; **control remoto** *m* remote control
controlar to control
contusión *f* bruise 12; **tener una contusión** to be bruised 12
convencer to convince
conveniente convenient
convenir to agree, be suitable
conversación *f* conversation
conversar to converse, talk
convertir (ie, i) to convert; to become
cooperación *f* cooperation
cooperador cooperative
cooperar to cooperate
coordinación *f* coordination
copa drink 2; goblet, glass with a stem 4
coqueta flirt, flirtatious
corazón *m* heart
corbata tie
cordero lamb
cordillera mountain range
correcto correct, right
corregir (i, i) to correct
correo post office, mail 1; **correo electrónico** e-mail 1

correr to run 2
correspondencia mail
corresponder to correspond
corrida de toros bullfight 8
cortacésped *m* lawnmower 6; **carro cortacésped** *m* riding lawnmower; **cortacésped de motor** *m* power lawnmower
cortar to cut 6; **cortar el césped** to cut the grass 6
cortarse to cut oneself 12
corte *f* court; *m* cut
cortés courteous, polite
cortesía courtesy, politeness
corto short **CP**
cosa thing
cosmopolita cosmopolitan
costa coast
costar (ue) to cost
costo cost 10; **costo de vida** cost of living 10
costumbre *f* custom 3; **de costumbre** usual
creación *f* creation
crear to create
crecer to grow
crédito credit 10; **clasificación** *f* **de crédito** credit rating 10; **tarjeta de crédito** credit card 10
creer to believe
crema de afeitar shaving cream 1
crema dental *(A)* toothpaste
criada maid, chambermaid 11
criar to bring up (children), raise (animals); to look after
crimen *m* crime 6
crisis *f* crisis
crisol *m* melting pot
criticar to criticize 8
cruce *m* intersection 8
crucero cruise
crucigrama *m* crossword puzzle **CP**; **hacer crucigramas** solve crossword puzzles **CP**
cruzar to cross
cuaderno notebook
cuadra *(A)* (street) block 8
cuadrado square
cuadro painting 8
¿cuál/es? which one/s?
cualidad *f* quality
cualquier/a any
cuando *conj* when
¿cuándo? when?
¿cuánto? how much? *pl* how many?
cuarenta forty
cuartel *m* **de policía** police station 8

cuarto room, quarter; *adj* fourth; **cuarto de baño** bathroom 6
cuatro four
cuatrocientos four hundred
cubano/a Cuban
cubierto place setting 4; *pp* covered
cubo bucket, pail; **cubos de letras** blocks
cubrir to cover
cuchara soup spoon 4
cucharita teaspoon 4
cuchillo knife 4
cuello neck
cuenta account, bill, check 11; **cuenta a plazo fijo** fixed account; **cuenta corriente** checking account 10; **cuenta de ahorros** savings account 10; **cuenta mancomunada** joint account
cuento story, tale
cuero leather 7
cuerpo body
cuidado care; **con cuidado** carefully; **tener cuidado** be careful
cuidadoso careful 9
cuidar to look after, to care for
cuidarse to take care of oneself
culpable guilty 6
cultivar to grow plants
cultura culture; **centro cultural** cultural center 8
cumpleaños *m* birthday
cumplir to carry out, to fulfill, execute 5; **cumplir...años** to turn ... years old
cuñado/a brother/sister-in law 3
cura *m* priest 3; *f* cure
curandero/a healer
curar to cure
curita band-aid 12
curriculum vitae *m* résumé 9
cursar to take courses
curso course 5; **curso electivo** elective class 5; **curso obligatorio** required class 5
cuyo whose

D

dama de honor bridesmaid 3
damas checkers
dar to give; **dar a** to face; **dar a luz** to give birth; **dar ánimo** to encourage; **dar consejos** to give advice 3; **dar puntos** to get stitches 12; **dar un paseo** to

take a walk **CP; dar una patada** to kick **12; dar vueltas** to turn around and around; **darse cuenta de** to realize, become aware; **darse por vencido** to give up, acknowledge defeat

dato fact, a piece of information

de of, from, about; **de acuerdo** I agree; **de alguna manera** some way; **de algún modo** some how; **de atrás** behind; **de casualidad** by chance; **de flores** flowered **7; de la mañana** A.M.; **de la noche** P.M.; **de la tarde** P.M.; **de lujo** luxurious; **de lunares** polka dot **7; de nada** you are welcome; **de ninguna manera** no way; **de ningún modo** by no means; **de película** out of the ordinary, incredible; **de repente** suddenly; **de retraso** delayed; **de talla media** of average height **CP; de un solo color** solid color **7; de vez en cuando** from time to time

debajo de under, underneath

deber to have to do something, must

débil weak, soft (sound)

decidir to decide

décimo tenth

decir to say, to tell

decisión *f* decision; **tomar una decisión** to make a decision **9**

declaración *f* declaration

declararse en quiebra to file for bankruptcy **10**

decorar to decorate

dedicarse a to devote oneself to

dedo finger **12; dedo de pie** toe **12**

defender (ie) to defend

dejar to leave, let, allow, to leave something; **dejar la piel en** to put a lot of effort in something **5; dejar una clase** to drop a class **5**

del (de + el) of the + *ms noun*

delante de in front of

delgado slender **CP**

delicado delicate

delicioso delicious

delito crime, offense **6**

demás *adj* rest (of a quantity)

demasiado too much

demora delay

demorarse to delay

demostrar (ue) to demonstrate

dentífrico *(E)* toothpaste

dentista *m/f* dentist

dentro de in, inside of

departamento department

depender de to depend on

dependiente/a salesclerk **7**

deporte *m* sport **CP**

deportivo *adj* sport **12**

depositar to deposit **10**

depresión mayor *f* clinical depression **12**

deprimente depressing

deprimido depressed **12**

derecha right; **a la derecha** to the right

derecho law (course of study) **5;** *adv* straight; **derechos de aduana** duty taxes **10; seguir (i, i) derecho** to go straight

derrotar to defeat

desabrocharse to unfasten **11**

desafortunado unfortunate

desagradable unpleasant

desaparecer to disappear **9**

desarrollar to develop **9**

desarrollo development **10**

desastre *m* disaster **6**

desatar to untie

desayunar to have breakfast

desayuno breakfast **4**

descansar to relax, rest **1**

descargar to download **CP**

desconocido unknown

descontar (ue) to discount

descortés discourteous, impolite

describir to describe

descripción *f* description **CP**

descubierto *pp* discovered

descubrir to discover

descuento discount

desde from, since

desdén *m* scorn

desear to want, desire

desembarcar to get off **11**

desempleo unemployment **9**

desfile *m* parade **8**

desierto desert

desinfectante *m* disinfectant

desmayarse to faint **12**

desmoralizado demoralized

desocupado unoccupied

desocupar to vacate **11**

desodorante *m* deodorante **1**

desorden *m* disorder

desorganizado unorganized

despacio slowly

despedida farewell

despedir (i, i) to fire, to dismiss **9;** to see someone off; **despedirse (i, i)** to say goodbye

despegar to take off **11**

despegue *m* takeoff **11**

despejarse to clear up (weather)

despertador *m* alarm clock **1**

despertarse (ie) to wake up **1**

después *adv* afterwards, later; **después de** *prep* after; **después que** *conj* after

destacar to stand out

destreza skill **9**

destruir to destroy

desventaja disadvantage

desvestirse (i, i) to get undressed **1**

detalle *m* detail

detener to detain, to stop on a CD/DVD player

detergente *m* detergent

deteriorarse to deteriorate

detrás de behind, in back of

deuda debt

devolución *f* return (of something)

devolver (ue) to return something **7**

día *m* day; **día de la boda** wedding day **3; al día** per day; up to date; **día feriado** holiday

diamante *m* diamond

diálogo dialogue

diario daily

dibujo drawing, sketch **8; dibujo animado** cartoon

diciembre *m* December

dictar una conferencia to give a lecture

dicho *pp* said

diecinueve nineteen

dieciocho eighteen

dieciséis sixteen

diecisiete seventeen

diente *m* tooth **1; cepillo de dientes** toothbrush **1**

dieta diet **4; dieta alta en proteínas** high protein diet; **dieta baja en calorías, en grasa, en sal, en carbohidratos** a low calorie / fat / salt / carb diet; **estar a dieta** to be on a diet **4**

diez ten

diferente different

difícil difficult

dificultad *f* difficulty

diligencia errand **1; hacer diligencias** run errands **1**

dinero money 10; **dinero en efectivo** cash 10; **cambiar dinero** to exchange currency 10 **diputado/a** representative 6

dirección *f* direction, address CP

directo direct 11

director/a de personal director of personnel

dirigir to direct

discar to dial (a telephone)

disco record, computer disk 9; hockey puck 12; **disco compacto** CD; **disco duro** hard drive 9

discoteca discotheque 2

disculpar to excuse

discurso speech 6

discusión *f* discussion

discutir to discuss 8

diseño design 7

disfraz *m* costume; **fiesta de disfraces** costume party

disfrutar de to enjoy, to make the best out of something, to have 2

disgustar to displease

disminuir to diminish

disponible available 11

distinguir to distinguish

distracción *f* distraction

distraído distracted

distribuir to distribute

distrito district; **distrito postal** zip code

diversión *f* hobby, amusement, recreation

diverso diverse; **diversos** various

divertido fun, amusing

divertirse (ie, i) to enjoy oneself, to have fun 2

dividirse to be divided

divorciado divorced CP

doblar to turn

doce twelve

doctorado doctorate 5

documento document, official paper CP; computer file 9

dólar *m* dollar

doler (ue) to ache, feel pain (emotional or physical)

dolor *m* ache, pain 12; **dolor muscular** muscular ache 12

doméstico domestic 6

domicilio residence CP

domingo Sunday

dominó dominoes

don sir, male title of respect

¿dónde? where?

doña lady, female title of respect

dormilón/a heavy sleeper 1

dormir (ue, u) to sleep; **dormirse (ue, u)** to fall asleep

dormitorio bedroom 6

dos two; **dos veces** twice

doscientos two hundred

drama *m* drama 2

dramatizar to dramatize

ducha shower 11

ducharse to shower 1

duda doubt

dudar to doubt

dudoso doubtful

dueño/a owner

dulce *adj* sweet; *n m pl* candy

durante during

durar to last

duro hard

DVD *m* DVD CP; **poner un DVD** to play a DVD CP

E

e and (replaces **y** before words beginning with **i-** and **hi-**)

economía economy 9

económico inexpensive 4; **ciencias económicas** economics 5

echar: echar de menos to miss someone; **echar una carta** to mail a letter; **echar una siesta** to take a nap 1; **echarles flores y arroz** to throw flowers and rice; **echarse** to put on 2

edad *f* age CP

edificio building 8

educación *f* education; **ciencias de educación** education (course of study) 5

efectivo *n* cash

efecto effect; **efectos personales** personal effects

eficaz efficient

egoísta selfish

ejecutar to fill, execute

ejecutivo/a executive 10

ejemplo example; **por ejemplo** for example

ejercer to exercise

ejercicio exercise; **ejercicio aeróbico** aerobic exercise 12; **ejercicio de calentamiento** warm-up exercise 12; **hacer ejercicios** to exercise CP

el the

él *subj pron* he; *prep pron* him

elecciones *f pl* election 6

electricista *m/f* electrician

eléctrico electric 1

electrodoméstico appliance

elegante dressy, elegant 7

elegir (i, i) to choose, elect 5

elíptica elliptical machine

ella *subj pron* she; *prep pron* her

ellos/as *subj pron* they; *prep pron* them

embajada embassy

embarazada pregnant

embarcar to board

emborracharse to get drunk 2

embotellamiento traffic jam 8

emitir to broadcast

empanada turnover 4

empeorar to make worse

empezar (ie) to begin

empleado/a employee 11

emplear to employ, hire 9

empleo employment, job 1; **agencia de empleos** employment agency

empresa company 9; **administración** *f* **de empresas** business administration 5

en in, on, at; **en casa** at home; **en caso que** in case that; **en cuanto** as soon as; **en grupo** in a group; **en línea** online CP; **en parejas** in pairs; **en punto** on the dot, exactly; **en vez de** instead of

enamorarse de to fall in love with 3

encaje *m* lace 7

encantador charming

encantar to adore, love, delight

encanto charm

encargado in charge of

encargarse de to be in charge of 9

encargo message

encender (ie) to light

enciclopedia encyclopedia

encima de on top of, over

encontrar (ue) to find, meet; **encontrarse (ue) con** to meet; **encontrarse (ue) de mora** to default 10

enchilada cheese or meat filled tortilla 4

enchufe *m* electric outlet 11

energía energy 9; **energía ócolica** wind energy 9; **energía nuclear**

nuclear energy **9**; **energía renovable** renewable energy **9**
enérgico energetic
enero January
enfadarse to get angry
enfatizar to emphasize
enfermarse to get sick
enfermedad *f* disease, illness **12**
enfermero/a nurse
enfermizo sickly
enfermo sick
enfrentarse to face
enfrente de in front of
engordar to gain weight **4**
engrapadora stapler **9**
enlace *m* link **9**
enojado angry **3**
enojarse to get angry
enriquecer to enrich
ensalada salad **4**
ensaladera salad bowl
enseñanza teaching **5**
enseñar to teach, show
entender (ie) to understand **10**
enterarse de to find out about **9**
entero entire
entidad *f* entity
entonces then, at that time
entrada (E) entrée, main course; (A) first course; ticket **8**; entrance; **salón** *m* **de entrada** lobby **11**
entrar (en) to enter **CP**; **entrar en un chat (en línea)** to chat online **CP**
entre between, among
entregar to hand in, deliver **5**
entremés *m* (E) appetizer; hors d'oeuvre
entrenador/a coach **12**
entrenar to coach **12**; **entrenarse** to train **12**
entrevista interview **9**
entrevistar to interview **6**
entusiasmado enthusiastic
enviar to mail, send **CP**; **enviar mensajes de texto** to send a text messages **CP**
envolver (ue) to wrap **7**
envuelto *pp* wrapped
enyesar to put a cast on **12**
equipaje *m* baggage, luggage **11**; **equipaje de mano** carry-on luggage, hand luggage **11**; **bajar el equipaje** to bring the luggage down; **subir el equipaje** to bring the luggage up
equipo team, equipment **12**

equivocado mistaken
equivocarse to be mistaken
error *m* mistake, error
erupción *f* rash **12**
esbelto slender
escala stop(over); **hacer una escala** to make a stop(over) **11**; **sin escala** direct (flight) **11**
escaladora stairclimber
escalofrío chill **12**
escáner *m* scanner **1**
escaparate *m* store window (E), display case (A) **7**
escaparse to escape
escaso scarce
escena scene
escoba broom
escocés/a Scottish
escoger to choose
escribir to write; **escribir a máquina** to type
escrito *pp* written
escritorio desk; **escritorio de la computadora** desktop **9**
escuchar to listen to **CP**
escuela school; **escuela primaria** elementary school; **escuela secundaria** high school
ese, esa *adj* that; **esos, esas** *adj* those
ése, ésa *pron* that (one); **ésos, ésas** *pron* those; **eso** *neuter pron* that
esforzarse (ue) to make an effort **5**
esfuerzo effort
esmeralda emerald
espacio space
espada sword **8**
espalda back
espantoso awful
España Spain
español/a Spanish
espárragos *m pl* asparagus
especial special
especialidad *f* specialty; **especialidad de la casa** restaurant specialty; **especialidad del día** today's special
especialista *m/f* specialista **especialista en computadoras** computer specialist **10**
especialización *f* major area of study
especializarse en to major in **5**
específico specific

espectáculo show, floorshow, variety show **2**; **espectáculo de variedades** variety show **8**
espejo mirror **1**; **casa de espejos** house of mirrors **8**
esperanza hope
esperar to hope, wait for, expect
espiar to spy
esponja sponge
esponsales *m* engagement announcement **3**
esposo/a husband/wife **3**
esquema *m* chart
esquí *m* ski; **esquí acuático** *m* water-skiing **2**; **practicar el esquí acuático** to waterski **2**
esquiar to ski
esquina corner **8**
establecer to establish
establecerse to settle
estación *f* season, station **8**; **estación de servicio** gas station **1**; **estación de taxi** taxi stand **8**; **estación de trenes** train station **8**
estacionamiento parking **8**
estadio stadium **5**
estado state; **estado civil** marital status **CP**; **estado de cuenta** bank statement
Estados Unidos (EE.UU.) United States
estadounidense *m/f adj* of or from the United States
estampado printed (fabric) **7**
estampilla (A) stamp **1**
estancia stay **11**
estar to be **CP**; **estar a dieta** to be on a diet **4**; **estar al alcance** to be within reach; **estar bien (mal) educado** to be well (poorly) brought up **3**; **estar de** + profession to work as; **estar de acuerdo** to be in agreement; **estar de huelga** to be on strike; **estar de moda** to be in style **7**; **estar de pie** to stand; **estar de vacaciones** to be on vacation **2**; **estar embarazada** to be pregnant; **estar en liquidación** to be on sale **7**; **estar en oferta** to be on sale; **estar loco por** to be crazy about **4**; **estar mal** to feel sick **12**; **estar pendiente** to be hanging
estatura height
este *m* east

este, esta *adj* this; **estos, estas** *adj* these

éste, ésta *pron* this (one), latter; **éstos, éstas** *pron* these (ones), latter; **esto** *neuter pron* this

estómago stomach 12

estornudar to sneeze 12

estrecho narrow 7

estricto strict

estuche *m* box

estudiante *m/f* student; **estudiante de intercambio** exchange student

estudiantil *adj* student CP

estudiar to study 1; **estudiar en el extranjero** to study abroad 5

estudio study

estudioso studious

estupendo terrific, marvelous

etanol *m* ethanol 9

etiqueta label 7; luggage tag 11

étnico ethnic

europeo European

evasión fiscal *f* tax evasion 10

evento event

evidente evident

evitar to avoid 6

evocar to evoke

exacto exact; **ciencias exactas** natural sciences 5

examen *m* exam 1; **examen de ingreso** entrance exam 5

examinar to examine, give a test

excluir to exclude

excursión *f* outing 3

excusa excuse

exhausto exhausted

exhibición *f* display

exhibir to exhibit, display

exigente demanding

exigir to demand

existir to exist

éxito success; **tener éxito** to be successful

exótico exotic

experiencia experience 9

experimentar to experience, undergo

explicar to explain

exportar to export 10

exposición *f* exhibit 8

expresar to express

expulsar to eject on a CD/DVD player

extrañar to miss someone, something, or some place

extranjero/a *adj.* foreign; n. foreigner; **al extranjero** abroad 10; **estudiar en el extranjero** to study abroad 5

F

fábrica factory 1

fabricación *f* manufacturing

fabuloso fabulous

fácil easy

factura bill, receipt

facturar to check (luggage) 11

facultad *f* school, college 5

falda skirt

falso false

falta lack

faltar to be missing, lacking; to need; **faltar a** to miss, be absent from 5

familia family 3

familiar *adj* family 3; *n* relative

famoso famous

fantasía fantasy

fantasma *m* ghost 8

fantástico fantastic

farmacéutico/a pharmacist

farmacia pharmacy (course of study) 5; pharmacy, drugstore 8

fascinar to fascinate

favor *m* favor; **por favor** please

favorito favorite

febrero February

fecha date; **fecha de nacimiento** date of birth CP; **fecha de vencimiento** due date 10

felicidades *f* congratulations

felicitaciones *f* congratulations

felicitar to congratulate

feliz happy 3

feo ugly 7

feria festival, holiday

fértil fertile

fideo noodle 4

fiebre *f* fever 12

figura figure

fijarse en to notice, pay attention to

fijo fixed, steady

fila row 11

filosofía y letras liberal arts 5

fin *m* end; **fin de semana** weekend

final final

finalmente finally

financiero financial 10; **consejo financiero** financial advice 10

financista *m/f* financier 10

finanzas *f pl* finance 9

fingir to pretend

fino of good quality

firmar to sign

física physics 5

físico physical CP

flaco skinny

flan *m* caramel custard 4

flexible flexible

flojo lax, weak 5; loose fitting 7

flor *f* flower 6

folklórico folkloric

folleto brochure

fondo background; bottom; fund

forma form, shape

formidable splendid

formulario form

forzar (ue) to force

foto *f* photo

(foto)copia (photo)copy

(foto)copiadora copying machine 1

fotocopiar to photocopy

foto(grafía) photo(graph)

fracturarse to fracture 12

francamente frankly

francés/a *adj* French

frase *f* sentence, phrase

frecuencia frequency

frecuentemente frequently

fregadero sink 6

fregar (ie) to clean, scrub, wash 6

fregona mop; **pasarle la fregona al suelo** to mop

fresa strawberry

fresco coolness, cool temperature; **hace fresco** it's cool

frijol *m* bean

frío cold; **hace frío** it's cold; **tener frío** to be cold

frito *pp* fried

frontera border

fruta fruit 4; **fruta del tiempo** fruit in season

frutero fruit bowl

fuego fire; **fuegos artificiales** fireworks

fuente *f* fountain 8; source

fuera de outside of; **estar fuera de servicio** to be down (not working) 9

fuerte strong

fuerza force

fumar to smoke; **sección de (no) fumar** (no) smoking section 11

funcionar to work, operate, function
funcionario/a official
fundar to found, establish
furioso furious
fútbol *m* soccer **CP**

G

gafas *f pl* eyeglasses; **gafas de sol** sunglasses **2**
galería art gallery **8**
gallego/a Galician
gambas *pl (E)* shrimp
gana desire, wish, longing; **tener ganas de** + *inf* to feel like (doing something)
ganar to win **12**
gancho *(A)* clothes hanger **11**
ganga bargain **7**
garganta throat **12**
gaseosa mineral (soda) water **2**
gasolina gasoline
gasolinera gas station **8**
gastar to spend (money)
gato cat
gazpacho chilled vegetable soup **4**
gemelos/as twins **3**
generalmente generally
gente *f* people
gentil nice, kind
gentileza kindness
geográfico geographical
geografía geography
gerente *m/f* manager **10**
gimnasia gymnastics **12**; **practicar la gimnasia** do -gymnastics **12**
gimnasio gymnasium **2**
giro bank draft **10**; **giro al extranjero** foreign draft **10**; **giro postal** money order
gitano gypsy
glaciar *m* glacier
global global **9**
globalización *f* globalization
globo balloon **8**
gobierno government
golf *m* golf **CP**; **campo de golf** course golf **2**; **palos de golf** golf clubs **12**
golpear to hit
golpearse to hit oneself **12**
gordo fat **CP**
gordinflón chubby
gota drop **12**
gozar de to enjoy, to make the best out of something, to have **2**

gozoso enjoyable
grabar to record; **grabar un DVD/CD** to burn a DVD/CD **6**
gracia grace, wit; **tener gracia** to be witty
gracias thanks
gracioso funny, amusing
graduación graduation
graduado/a graduate
graduarse to graduate **5**
gran (before *s n*) great; **grande** big, large **7**; **gran rueda** Ferris wheel **8**
granate *m* garnet
grande big, large
grapa staple **9**
grapadora stapler
grasa dietary fat **4**; **grasa no saturada** unsaturated fat; **grasa poliinsaturada** poly-unsaturated fat; **grasa saturada** saturated fat
gratis free (of charge)
grifo faucet **11**
gripe *f* flu **12**
gris gray
gritar to shout
grupo group **8**; **en grupo** in a group
guacamole *m* avocado dip **4**
guante *m* glove **7**
guapo handsome
guardar to keep, save, put away
guerra war **6**
guía *m/f* guide; **guía de televisión** *f* TV guide **6**
guitarra guitar **CP**
gustar to like, to be pleasing
gusto pleasure, taste; **de buen (mal) gusto** in good (bad) taste **7**

H

haber there to be; **hay** there is, there are; **hubo** there was, there were; **haber** to have (auxiliary verb)
habilidad *f* skill **1**
habitación *f* room **11**; **habitación doble** double room **11**; **habitación sencilla** single room **11**
habitante *m/f* inhabitant
hablador talkative
hablar to talk
hacer to do, make **1**; **hacer** + unit of time + preterite ago; **hacer**

clic to click **9**; **hacer cola** to stand in line; **hacer compras** to purchase **1**; **hacer daño** to harm, injure; **hacer de niñero/a** to babysit; **hacer diligencias** to run errands **1**; **hacer ejercicios** to exercise **CP**; **hacer el favor** to do the favor; **hacer el papel** to play the part; **hacer escala** to make a stop(over); **hacer jogging** to jog **12**; **hacer juego con** to match **7**; **hacer la cama** to make the bed **6**; **hacer la sobremesa** to have after-dinner conversation **3**; **hacer las maletas** to pack; **hacer pilates** to exercise using the Pilates Method **2**; **hacer un brindis** to propose a toast; **hacer un picnic** to go on a picnic; **hacer un viaje** to take a trip
hacerse to become
hacha hatchet
hambre hunger **4**; **tener hambre** to be hungry **4**; **morirse de hambre** to be starving **4**
hardware *m* hardware **9**
harina flour
hasta *prep* until, as far as, even; **hasta luego** good-bye; **hasta pronto** good-bye
hasta que *conj* until
hay there is, there are; **hay que** + *inf* it is necessary + *inf*; **no hay de qué** you are welcome
hecho *pp* done, made
helado ice cream **4**
herida injury, wound
herido *pp* wounded **12**
herir (ie, i) to hurt
herirse (ie, i) to get hurt **12**
hermanastro/a stepbrother/sister **3**
hermano/a brother /sister **3**
hermoso beautiful, pretty
hervir (ie, i) to boil
hielo ice
hijastro/a stepson/daughter **3**
hijo/a son/daughter **3**; *pl* children **3**
hinchado swollen
hipoteca mortgage **10**
historia history **5**
histórico historic **8**
hockey *m* hockey **12**; **disco de hockey** hockey puck; **palo de hockey** hockey stick **12**
hoja de papel sheet of paper

¡hola! hi!

holandés/a Dutch

hombre *m* man; **hombre de negocios** businessman 10

hombro shoulder 12

honrado honorable, honest

hora hour, time of day; **horas extras** overtime 1; **horas pico** *(A)*, **horas punta** *(E)* rush hours; **media hora** half hour

horario schedule 5

horno oven 6

hospedarse to stay as a guest

hospital *m* hospital 8

hotel *m* hotel 2

hoy today; **hoy (en) día** nowadays, at the present time

huachinango red snapper 4

hubo there was, there were

huelga strike 6

huésped *m/f* guest 11

hueso bone

huevo egg

huir to run away

humedad *f* humidity

húmedo humid, damp

I

idea idea

ideal ideal

identidad *f* identity CP

identificar to identify

idioma *m* language used by a cultural group; **idioma extranjero** foreign language 5

iglesia church 3

igual equal

ilustrar to illustrate

imaginación *f* imagination

imaginarse to imagine

impaciente impatient

impedir (i, i) to impede, obstruct, prevent

importante important

impermeable *m* raincoat 7; **impermeable** *adj* waterproof

importar to be important, to matter; to import 10

imposible impossible

impresión *f* impression

impresora printer 1

impuesto tax

incendio fire 6

incluir to include

incómodo uncomfortable 11

increíble incredible

independencia independence

indicar to indicate

indiferencia indifference

indiferente indifferent

indígena indigenous

indio/a Indian

individuo individual

industria industry

inesperado unexpected

infeliz unhappy 3

inferior inferior

inferir (ie, i) to infer

inflación *f* inflation 10

influir to influence

información *f* information

informar to inform 6

informática computer science 5; information technology 9

informe *m* report 9

ingeniería engineering 5

ingeniero/a engineer

inglés/a English

ingresar to enter; to deposit 10

ingreso admission 5; income; **examen de ingreso** entrance exam 5

inicial initial; **pago inicial** down payment 10

iniciativa initiative 9

inicio beginning

injusticia injustice

inmediato immediate

inocencia innocence

inodoro toilet 6

inolvidable unforgettable

insatisfecho unsatisfied

inscribirse to enroll in a class 5

inscripción *f* registration

insistir en to insist on

insomnio insomnia 12

insoportable intolerable

instalar to install

interno internal

instituto high school

instruir to instruct

intentar to try, make an attempt

interacción *f* interaction

intercambiar to exchange

intercambio exchange; **estudiante de intercambio** exchange student

interconectar to network 9

interés *m* interest; **tasa de interés** interest rate 10

interesante interesting

interesar to be interesting, to interest

internacional international 6

Internet (used without an article) Internet 9; **hacer compras por Internet** to shop online 7; **tienda de compras por Internet** Internet store 7

interrumpir to interrupt

íntimo close, intimate 3

intoxicación por alimentos *f* food poisoning 12

intranquilo uneasy

inundación *f* flood 6

inútil useless

invertir (ie, i) to invest 10

investigación *f* research 5

invierno winter

invitación *f* invitation

invitado/a guest 3

invitar to invite

inyección *f* injection 12

iPod *m* iPod

ir to go CP; **ir de compras** to go shopping CP; **ir a misa** to attend Mass

irlandés/a Irish

irse to go away, leave, run away

isla island

-ísimo very, extremely

italiano/a Italian

izquierda left; **a la izquierda** to (on) the left

J

jabón *m* soap 1

jamás never

jamón *m* ham

japonés/a Japanese

jaqueca migraine headache 12

jarabe *m* syrup 12; **jarabe para la tos** cough syrup 12

jardín *m* yard 6; **jardín zoológico** zoo 8

jefe/a boss 10; **jefe/a de ventas** sales manager

jícama jicama 4

jornada work day

jornal *m* day's work

joven *m/f adj* young 3

joya jewel; *pl* jewels, jewelry 7; **joyas de fantasía** costume jewelry

joyería jewelry shop 7

juego game 12; **hacer juego con** to match 7; **juego de suerte** game of chance 8

jueves *m* Thursday

juez/a *m/f* judge 6

jugar (ue) to play (a sport, game) CP; **jugar a la casita, jugar a la**

mamá to play house; **jugar a ladrones y policías** to play cops and robbers; **jugar al escondite** to play hide and seek; **jugar a las visitas** to have a tea party

jugo *(A)* juice

juguete *m* toy **3**; **de juguete** *adj* toy

julio July

junio June

junto together; **junto a** next to

justificar to justify

justo *adj* fair, just; *adv* coincidentally

juventud *f* youth

juzgar to judge

L

la the; *dir obj pron* it, her, you *(form s)*

labio lip

labor *f* work

laboratorio laboratory; **laboratorio de lenguas** language lab **5**

laca hair spray **1**

lado side; **al lado de** next to, beside; **por otro lado** on the other hand

ladrillo brick **8**

ladrón/a thief **6**

lago lake

lamentar to be sorry

lámpara lamp

lana wool **7**

lancha motorboat, launch **2**

langosta lobster

lanzar to throw **12**

lápiz *m* pencil; **lápiz de labios** lipstick **1**

largo long **CP**

las the; *dir obj pron* them, you *(form pl)*

lástima pity; **¡Qué lástima!** That's too bad!

lastimar to injure, hurt, offend

lastimarse to get hurt **12**

lavabo sink **6**

lavadora washing machine **6**

lavandería laundry room **6**

lavaplatos dishwasher **6**

lavar to wash

lavarse to wash oneself **1**; **lavarse los dientes** to brush one's teeth **1**

le *indir obj pron* (to, for) him, her, you *(form s)*

lección *f* lesson

leche *f* milk

lechón *m* **asado** roast suckling pig

lechuga lettuce

lector/a reader; **lector de discos** disk drive **9**; **lector de CD-ROM** CD-ROM drive **9**; **lector de DVD** DVD drive **9**

lectura reading

leer to read **CP**

legal legal

legumbre *f* vegetable

lejos *adv* far

lejos de *prep* far from

lema *m* slogan

lengua language, tongue

lenguado sole **4**

lenguaje *m* specialized language

lentes *(A) m* eyeglasses; **lentes de contacto** *m pl* contact lenses **CP**

les *indir obj pron* (to, for) them, you *(form pl)*

letrero sign, billboard **8**

levantar to raise, lift; **levantar pesas** to lift weights **2**

levantarse to get up **1**

ley *f* law **6**

libertad *f* freedom

libre free; **libre de derechos de aduana** duty free

librería bookstore **5**

libreta (de ahorros) savings book

libro book

licenciado having a university degree

licenciarse en to receive a bachelor's degree **5**

licenciatura bachelor's degree **5**

liceo high school

licor *m* liquor

ligero light in weight

limón *m* lemon

limonada lemonade

limpiar to clean **6**

limpieza cleaning, cleanliness; **productos de limpieza** cleaning products

limpio clean

lindar to border

lindo nice, pretty **7**

línea line; **línea aérea** airline **11**; **en línea** online **CP**; **tienda en línea** online store **7**

lingüística linguistics

lino linen **7**

liquidación *f* sale **7**; **estar en liquidación** to be on sale **7**; **tienda de liquidaciones** discount store **7**

líquido liquid

liso smooth

lista list; **lista de vinos** wine list **4**

listo ready (with **estar**), clever, smart (with **ser**)

liviano light

llamada call **11**

llamar to call

llamarse to be called

llano plain

llave *f* key

llegar to arrive; **llegar a ser** to become; **llegar de visita** to visit; **llegar tarde** to arrive late, be tardy

llenar to fill, fill out **1**

lleno full **11**

llevar to carry, take, to wear **CP**; **llevar a cabo** to carry out, accomplish; **llevar una vida feliz** to lead a happy life **3**; **llevarse bien** to get along well **1**; **comida para llevar** carry-out (food) **4**

llorar to cry **3**

llover (ue) to rain; **llover a cántaros** to rain heavily, to pour

lluvia rain

lo *dir obj pron* it, him, you *(form s)*; **lo** *neuter def art* the; **lo mejor** the best thing; **lo mismo** the same thing; **lo peor** the worst thing; **lo que** what, that which

local local **6**; *m* place, quarters

loción *f* lotion; **loción solar** sunscreen

loco crazy; **estar loco por** to be crazy about **4**

locura craziness

locutor/a announcer **6**

lógico logical

lograr to achieve, obtain

lomo loin **4**

los the; *dir obj pron* them, you *(form pl)*

lotería lottery

lucir traje de novia y velo to wear a wedding gown and veil

lucha libre wrestling **12**; **practicar la lucha libre** to wrestle **12**

luego later, then, afterwards; **luego que** as soon as

lugar *m* place; **lugar de nacimiento** birthplace **CP**

lujo luxury **4**; **de lujo** luxurious, deluxe **4**; **tienda de lujo** expensive store **7**

luna de miel honeymoon **3**

lunar *m* beauty mark **CP**

lunes *m* Monday

luz *f* light

M

macanudo wonderful

madera wood **8**

madrastra stepmother **3**

madre *f* mother **3**

madrina maid of honor; god-mother **3**

madrugada dawn

madrugador/a early riser **1**

madrugar to get up early

maduro mature **9**

maestría master's degree **5**

maestro/a teacher

magnífico wonderful

mal *adv* bad, sick **12**; *adj* before m s noun bad, evil; **mal educado** bad-mannered

mala hierba weeds **6**

maleta suitcase **11**; **hacer las maletas** to pack

maletero porter **11**

maletín *m* briefcase **11**

malhumorado bad humored

malo *adj* sick (with **estar**), bad, evil (with **ser**); **lo malo** the bad thing

mancha stain

mandar to mail, send **CP**; **mandar mensajes de texto** to send text messages **CP**; **¿mande?** what?

mando a distancia *(E)* remoto control

manejar to drive

manera manner; **de alguna manera** somehow, some way; **de manera que** so that; **de ninguna manera** by no means, no way; **de todas maneras** at any rate

manguera hose **6**

manifestación *f* demonstration **6**

mano *f* hand **12**

manta blanket **11**

mantener to maintain **6**

manzana apple; *(E)* (street) block **8**

mañana *f* morning; **de la mañana** A.M.; **pasado mañana** day after tomorrow; **por la mañana** in the morning; *adv* tomorrow

mapa *m* map

maquillaje *m* make-up **1**

maquillarse to put on make-up **1**

máquina machine; **máquina de escribir** typewriter; **máquina de fax** fax machine **1**; **escribir a máquina** to type

maquinaria machinery; computer hardware

mar *m* sea **2**

maravilloso wonderful

marca brand **7**

marcador *m* scoreboard **12**

marearse to feel dizzy, seasick **12**

mareo dizziness **12**

marido husband **3**

mariscos seafood **4**; **cóctel de mariscos** seafood cocktail

marítimo maritime, marine

martes *m* Tuesday

marzo March

más more; **más o menos** more or less; **más tarde** later

masticar to chew

matador *m* bullfighter **8**

matemáticas *f* mathematics **5**

materia material; subject **5**; **materia prima** raw material

materno maternal

matrícula tuition **5**

matricularse to register **5**

matrimonio married couple

maya Mayan

mayo May

mayor older; **la mayor parte** most

me *dir obj pron* me; *indir obj pron* (to, for) me; *refl pron* myself

medianoche *f* midnight

medias *f pl* stockings **7**

medicina medicine (course of study) **5**

médico/a doctor

medio middle, average **CP**; **media hora** half hour; **medio tiempo** half-time, part-time **1**; **mediodía** *m* noon

medir (i, i) to measure

mejillón *m* mussel **4**

mejor better, best; **lo mejor** the best thing

mejorar to improve

mejorarse to get better, improve **12**

memoria memory; **aprender de memoria** to memorize **5**

mencionar to mention

menor younger

menos less, except; **a menos que** unless; **menos mal** thank goodness

mensaje *m* message **CP**; **mensaje de texto** text message **CP**

mensajero/a messenger

mensual monthly **10**; **pago mensual** monthly payment **10**

mentir (ie, i) to lie

mentira lie

menú *m* menu **4**; **menú del día** special menu of the day **4**; **menú turístico** tourist menu **4**

menudo tripe soup **4**; **a menudo** often

mercadeo marketing **9**

mercado market

mercancía merchandise **7**

merecer to merit, deserve

merienda snack **4**

mes *m* month

mesa table **4**; **poner la mesa** to set the table **6**; **recoger la mesa** to clear the table **6**

mesero/a *(A)* waiter, waitress **4**

meta goal

metal *m* metal

meter to put, place

metro subway **8**

mexicano/a Mexican

mi *poss adj* my

mí *prep pron* me

microondas *m* microwave oven **6**

miedo fear; **dar miedo a** to scare; **tener miedo de** to be scared of

miembro member

mientras while

miércoles *m* Wednesday

migraña migraine **12**

mil thousand

milagro miracle, surprise

millón *m* million

mimado spoiled **3**

mineral *m* mineral; **agua mineral** mineral water

minero *adj* mining

mínimo minimum

minuto minute

mío *poss adj* and *pron* my, mine
mirar to watch, look at **CP**
misa Mass
mismo same; **lo mismo** the same thing
mitad *f* half
mixto mixed, tossed; **ensalada mixta** tossed salad
mocasín *m* loafer shoe
mochila backpack
moda style **7**; fashion; **estar de moda** to be in style **7**; **estar pasado de moda** out of style **7**
moderado moderate
moderno modern
modo manner, way; **de algún modo** some way, somehow; **de modo que** so that; **de ningún modo** by no means; **de todos modos** at any rate
molestar to annoy, to bother
molestia bother, nuisance
molesto annoyed **3**
monarquía monarchy
moneda coin, currency **10**
monitor *m* monitor **9**
mono cute **3**
monótono monotonous
montaña mountain; **montaña rusa** roller coaster **8**
montañoso mountainous
montar to ride **2**; **montar a caballo** to ride horseback **2**; **montar (en) bicicleta** to ride a bicycle **2**
morado purple
moreno brunette **CP**
morir (ue, u) to die; **morirse de hambre** to be starving **4**
mostrador *m* counter
mostrar (ue) to show **7**
motel *m* motel **11**
moto(cicleta) motorcycle
mover (ue) to move
móvil *m* cell phone
movimiento movement
mozo/a *(A)* waiter, waitress
muchacho/a boy /girl **3**
mucho *adv* much, a lot; *adj* much, *pl* many, a lot
mudarse to move (change residence)
mueble *m* piece of furniture; *pl* furniture **6**
muerto *pp* dead
mujer *f* woman; **mujer de negocios** businesswoman **10**

muleta crutch **12**
multimedia *m/f adj* multimedia **9**
multinacional international
mundial *adj* worldwide
muñeca doll **3**; wrist **12**
museo museum **3**
música music **2**; **música alternativa** alternative music **2**; **música clásica** classical music; **música country** country music **2**; **música hip/hop** hip/hop music **2**; **música jazz** jazz; **música rap** rap music **2**; **música reaggeton** reaggeton music **2**; **tienda de música** music store **7**
musical musical **8**
músico/a musician **8**
muy very

N

nacer to be born
nacimiento birth **CP**
nacional national **6**
nacionalidad *f* nationality **CP**
nada nothing; **de nada** you are welcome
nadar to swim **2**
nadie no one, nobody
naipe *m* playing card
naranja *n* orange
nariz *f* nose **12**; **sonarse (ue) la nariz** to blow one's nose **12**
narración *f* narration
narrar to narrate
natación *f* swimming
navegar to sail **2**; **navegar Internet / la red** to surf the Internet **9**
Navidad *f* Christmas
neblina fog
necesario necessary
necesitar to need **11**
negar (ie) to deny
negocio transaction, deal; *pl* business **9**; **hombre/mujer de negocios** businessman / woman **10**
negro black **CP**
nervioso nervous
nevar (ie) to snow
ni nor; **ni...ni** neither . . . nor; **ni siquiera** not even
nieto/a grandson /daughter; *pl* grandchildren **3**
nieve snow
ninguno, ningún, ninguna no, none, no one, (not) . . . any

niñero/a babysitter
niño/a child; boy /girl; *pl* children
no no, not
noche *f* night, evening; **camisa de noche** nightgown **7**; **de la noche** P.M.; **esta noche** tonight; **Nochebuena** Christmas Eve; **Nochevieja** New Year's Eve; **por la noche** in the evening
nombrar to name
nombre *m* first name **CP**; **a nombre de** in the name of **4**
noreste *m* northeast
noroeste *m* northwest
norte *m* north
nos *dir obj pron* us; *indir obj pron* (to, for) us; *refl pron* ourselves
nosotros *subj pron* we; *prep pron* us
nostalgia nostalgia
nota grade, note **5**
noticia news item **6**; *pl* news **1**
noticiero news program **6**
novecientos nine hundred
novedad *f* novelty
novela novel **CP**
noveno ninth
noventa ninety
noviazgo engagement period **3**
noviembre *m* November
novio/a boyfriend/girlfriend, fiancé/e **3**; *pl* engaged couple, bride and groom **3**
nublado cloudy
nuera daughter-in-law **3**
nuestro *poss adj* our; *poss pron* our, ours
nueve nine
nuevo new
nuez *f* nut
número number **10**; size (clothing) **7**
numerosos numerous
nunca never
nutrición *f* nutrition **4**

O

o or; **o...o** either . . . or
obedecer to obey
obligación *f* obligation
obligar to oblige, force
obligatorio obligatory
objeto object
obra (literary, artistic or charitable) work **8**
obrero/a worker

observar to observe
obtener to obtain
obvio obvious
ocasión occasion
ocasionar to cause
océano ocean
ochenta eighty
ocho eight
ochocientos eight hundred
octavo eighth
octubre *m* October
ocupación *f* occupation
ocupado busy
ocupar to occupy
ocurrencia occurrence, idea; **¡Qué ocurrencia!** What a crazy idea!
ocurrir to occur
oeste *m* west
ofender to offend
oferta offer, sale item; **estar en oferta** to be on sale
oficina office 1; **oficina administrativa** administrative office 5; **oficina comercial** business office 9; **oficina de correos** post office; **oficina de turismo** tourist bureau 8
oficinista *m/f* office worker 10
ofrecer to offer 9
oír to hear, listen to
ojalá (que) I hope that
ojo eye CP; **¡ojo!** be careful!
ola wave 2
oler (ue) to smell
olor *m* aroma, smell
olvidar to forget
ómnibus *m* bus
once eleven
ondulado wavy
ópalo opal
ópera opera 2
operador/a operator 10; **operador/a de computadoras** computer operator 10
operarle a uno to operate on someone 12
opinar to have an opinion
oponerse to be opposed
oportunidad *f* chance
oración *f* sentence
orden *f* order
ordenador *m (E)* computer
ordenar to order
organizar to organize, arrange
orgullo pride
orgulloso proud
oro gold 7

orquesta orchestra 2
orquídea orchid
os *dir obj pron* you *(fam pl)*; *indir obj pron* (to, for) you *(fam pl)*; *refl pron* yourselves *(fam pl)*
otoño autumn
otro other, another
oyente *m/f* listener; **ser oyente** to audit 5

P

paciencia patience
paciente *adj* patient; *m/f* patient
padecer to suffer 12
padrastro stepfather 3
padre *m* father, priest 3; *pl* parents 3
padrino best man, godfather, *pl* godparents 3
paella seafood, meat and rice casserole
pagar to pay 10; **pagar a plazos** to pay in installments 10; **pagar al contado** to pay in cash
página page; **página base** Home Page 9
pago payment 10; **balanza de pagos** balance of payments 10; **pago inicial** down payment 10; **pago mensual** monthly payment 10
país *m* country
pájaro bird
palabra word
palacio palace 8
palo stick, club; **palo de golf** golf club 12; **palo de hockey** hockey stick 12
palomitas *f pl* popcorn 8
palta *(A)* avocado
pampa grassy plain in Argentina
pan *m* bread
pantalones *m pl* pants 1
pantalla screen 9
pantufla slipper 7
papa potato
papá *m* father
papel *m* paper, role; **hacer el papel** to play the role; **papel higiénico** toilet paper 11
papelera wastebasket 6
paquete *m* package 1
par *m* pair 7
para *prep* for, in order to; **para que** *conj* so that

parada de autobús bus stop 8
parador *m* government-run historic inn 11
parafrasear to paraphrase
paraguas *m s* umbrella 7
parar to stop
pardo brown
parecer to seem; **parecerse a** to look like
parecido similar
pareja *f* couple 3; **en parejas** in pairs
pariente *m* relative 3; **parientes políticos** in-laws 3
parque *m* park 8; **parque de atracciones** amusement park 8
parte *f* part; *m* report; **¿de parte de quién?** who is calling? **la mayor parte** the greater part; **parte** *m* **de las carreteras** traffic report; **todas partes** everywhere
participar en to participate
particular particular
partido game, match 12
partir to leave, depart, set off
párrafo paragraph
pasado *pp* last, past; **pasado de moda** out of style; **pasado mañana** day after tomorrow
pasaje *m (A)* fare 11
pasajero/a passenger 11
pasantía internship 5
pasaporte *m* passport CP
pasar to come in, pass; to happen; to spend time; **pasar la aspiradora** to vacuum 6; **pasar lista** to take attendance 5; **pasar por la aduana** to go through customs 11; **pasarle la fregona al suelo** to mop; **pasarlo bien** to have a good time 2
pasatiempo *m* leisure-time activity CP
Pascua Easter
pasearse to take a walk 2
paseo walk, outing; **dar un paseo** to take a walk CP
pasillo aisle 11
pasta de dientes toothpaste 1; **pasta dental** *(A)* toothpaste; **pasta dentífrica** *(E)* toothpaste
pastel *m* pastry
pastilla tablet 12
patada kick 12

patata *(E)* potato
patear to kick **12**
paterno paternal
patín *m* skates **12; patines de hielo** ice skates **12**
patinaje *m* skating
patinar to skate
patio patio **4**
patria native country
patriótico patriotic
pausar to pause on a CD/DVD player
paz *f* peace **6**
peatón/a pedestrian **8**
peca freckle **CP**
pecho chest
pedazo piece
pedido order **10**
pedir (i, i) to ask for something, to request, to order **4; pedir prestado** to borrow **10**
peinarse to comb one's hair **1**
peine *m* comb **1**
pelear to fight
película movie, film **2; película de acción** action movie; **película documental** documentary; **película de terror** horror movie; **película de vaqueros** western
peligroso dangerous **8**
pelirrojo red-haired **CP**
pelo hair **CP**
pelota ball **12**
peluquería beauty shop, barber shop
pena shame
penicilina penicillin **12**
península peninsula
pensar (ie) to think; **pensar +** *inf* to plan; **pensar de** to think of, think about; **pensar en** to think of, think about someone or something
pensión *f* boarding house **11; pensión completa** full board **11**
peor worse; **lo peor** the worst thing
pequeñito/a toddler
pequeño small in size; young
percha *(E)* clothes hanger **11**
perder (ie) to lose; to waste; to miss something, to fail to get something; **perder el avión** to miss the plane **11; perder peso** to lose weight **4**
perderse to get lost

perdido lost
perezoso lazy **5**
perfumarse to put on perfume **1**
periódico newspaper **CP**
periodismo journalism **5**
periodista *m/f* journalist
perla pearl **7**
permiso permission; **permiso de conducir** driver's license **CP**
permitir to permit, allow
pero but
perro/a dog
persecución *f* persecution
perseguir (i, i) to pursue
persona person
personaje *m* character (in literary work)
personal *adj* personal **1;** *m n* personnel **9**
personalidad *f* personality
pertenecer to belong
pesa weight; **pesas libres** free weights; **levantar pesas** to lift weights **2**
pesado heavy; **ser pesado** to be boring, to be unpleasant
pésame condolence
pesar to weigh; **a pesar de que** in spite of
pesca fishing
pescado fish (as food) **4**
pescar to fish **2; caña de pescar** fishing rod
peseta previous currency of Spain
peso weight; currency in Mexico and several Latin-American countries; **perder peso** to lose weight **4**
petición *f* **de mano** marriage proposal **3**
petróleo oil
pez *m* fish
piano piano **CP**
picante spicy
picar to snack
picnic *m* picnic; **hacer un picnic** to go on a picnic
pie *m* foot; **a pie** on foot; **dedo del pie** toe **12; estar de pie** to stand
piedra stone **8; piedra preciosa** precious stone **7**
piel *f* fur **7;** skin; **dejar la piel en** to put a lot of effort in something **5**
pierna leg **12**
pieza piece

pijama pajamas **7**
pila battery; **pila de combustible de hidrógeno** hydrogen fuel cell **9**
pilates *m* Pilates Method of exercise **2**
píldora pill **12**
pimentero pepper shaker **4**
pimienta pepper
pintura painting **8**
piña pineapple
piscina swimming pool **2**
piso floor **6**
pista runway **11;** track **12; pista anterior** back on a CD/DVD player; **pista siguiente** forward on a CD/DVD player
pistola de juguete toy gun
placer *m* pleasure
plan *m* plan
plancha iron **6**
planchar to iron **6**
planear to plan
planificación *f* planning
planificar to plan
plano map
plantar to plant **6**
plata silver
platillo saucer **4**
plato plate, course **4; plato de la casa** restaurant's specialty; **plato del día** today's specialty; **plato principal** entrée, main course **4**
playa beach **2**
plaza square; **plaza de toros** bullring **8; plaza mayor** main square **8**
plazo installment **10**
plomero/a plumber
plomo lead
población *f* population
pobre poor; (precedes noun) unfortunate
pobreza poverty
poco *adj* little, small (quantity), slight; *pl* few; *adv* little, not much; **un poco de** a little, a little bit of
poder *m* power; **poder (ue)** to be able, can
política politics **6; ciencias políticas** political science **5**
político/a politician **6**
policía *m* policeman; *f* police; **mujer policía** policewoman
policíaca *adj* mystery **2**
pollo chicken **4**

polvo dust

poner to put, place; **poner el despertador** to set the alarm clock 1; **poner fin** to end; **poner la mesa** to set the table 6; **poner la tele** to turn on the TV; **poner un CD** to play a CD CP; **poner un DVD** to play a DVD CP; **poner un vídeo** to play a video CP; **poner una inyección** to get a shot 12

ponerse to put on 1; to become; **ponerse en forma** to get in shape 12

popular popular

por for, by, in, through; **por aquí / allí** around here / there; **por ciento** percent; **por desgracia** unfortunately; **por ejemplo** for example; **por eso** therefore, for that reason; **por favor** please; **por fin** finally; **por la mañana / noche / tarde** in the morning / evening / afternoon; **por lo general** generally; **por lo menos** at least; **por medio** through, by means of; **por otro lado** on the other hand; **¿por qué?** why?; **por supuesto** of course; **por último** finally

porque because

portal de la Web m Web site 9

portarse to behave

portero doorman 11

portugués/a Portuguese

poseer to own, to possess

posgrado post graduate

posteriormente finally

postre m dessert 4

practicar to practice, participate in (sports) CP

precio price 7

precioso lovely, precious 7; **piedra preciosa** precious stone 7

preciso necessary

predecir to predict

preferencia preference 4

preferentemente preferably

preferir (ie, i) to prefer

pregunta question; **hacer preguntas** to ask questions

preguntar to ask a question; **preguntar por** to ask about

premio prize

prenda de vestir article of clothing

preocupado preoccupied, worried

preocuparse (por) to worry (about)

preparar to prepare; **prepararse** to prepare oneself 1

preparativo preparation

presentador/a show host

presentación f presentation

presentar to introduce, present; **presentarse** to appear

presente present

presidencial presidential 8

presidente m/f president

préstamo loan 10

prestar to lend; **prestar atención** to pay attention 5

presupuesto budget 10

pretender to claim, pretend

pretexto pretext

previo previous

primavera spring

primero, primer, primera adj first; **primer año** freshman year 5

primo/a cousin 3; **primo/a hermano/a** first cousin; **primo/a segundo/a** second cousin

principio beginning; **al principio** in the beginning

probar (ue) to prove, to try, taste, test something; **probarse (ue)** to try on 7

problema m problem 9; **¡Ningún problema!** No problem!

procedimiento procedure

procesador m **de textos** word processor

producir to produce

producto product 10

profesional professional 1

profesión f profession, job CP

profesor/a teacher in secondary school, professor

profesorado faculty 5

programa m program 9; **programa de concursos** game show 6

programación f **de computadoras** computer programming

programador/a programmer 10

progreso progress

prohibir to prohibit

prometer to promise

prometido/a fiancé/e

pronóstico forecast

pronto soon

propiedad f property

proponer to propose

proteger to protect

proteína protein 4

protestar to protest 6

provisional temporary

provocar to tempt

próximo next

proyecto plan, project

prueba test, quiz

publicidad f advertising 9; **hacer publicidad** to advertise 10

publicista m/f advertising person 10

público audience, public 10

pueblo town; people

puente m bridge 8

puerta door, gate 11

puertorriqueño/a Puerto Rican

pues well. . .

puesto booth, stand 8; position, job 9; pp put, placed; **puesto que** because, since

pulmonía pneumonia 12

pulpo octopus

pulsera bracelet 7

puntaje m score 12

punto point; stitch 12; **dar puntos** to get stitches 12; **en punto** exactly, on the dot

Q

que rel pron that, which, who

¡qué! how! what (a)!; **¡qué barbaridad!** how awful! **¡qué va!** no way! **¿qué?** what?, which?; **¿qué hay de nuevo?** what's new?; **¿qué tal?** how are things?; **¿qué tiempo hace?** what's the weather like?

quedar to be located, be left, be remaining; **quedarle bien** to fit 7; **quedar viudo/a** to be widowed CP; **quedarse** to remain, stay; **quedarse con** to keep for oneself

quehacer m **doméstico** task, chore, pl housework 6

quejarse (de) to complain (about)

quemar to burn 6; **quemarse** to burn oneself 2; **quemarse las pestañas** to burn the midnight oil 5

querer (ie) to want, wish; to love 3; **querer decir** to mean

querido dear (greeting for a personal letter)

queso cheese

quiebra bankruptcy **10**; **declararse en quiebra** to file for bankruptcy **10**

¿quién/es? who?

química chemistry **5**

químico chemist

quince fifteen

quinientos five hundred

quinto fifth

quiosco newsstand **8**

quitagrapas *m s* staple remover **9**

quitarse to take off (clothing) **1**

quizás perhaps, maybe

R

radio *f* radio (sound from); *m* radio (set)

ramo bouquet

rápido rapid; **comida rápida** fast food **4**

raqueta racquet **12**

raro strange, rare

rascacielos *m* skyscraper **8**

rastrillo rake

rato short time, while; **ratos libres** free time

ratón mouse

raza race

razón *f* reason; **tener razón** to be right

reacción *f* reaction

reaccionar to react

reajuste *m* adjustment **10**

real actual, true

realidad *f* reality; **en realidad** actually, as a matter of fact

realidad *f* **virtual** virtual reality **9**

rebaja reduction, sale **7; en rebaja** on sale

rebajar to reduce, lower

rebobinar to rewind on a CD/DVD player

rebotar un cheque to bounce a check **10**

recado message

recambio parts (of machinery)

recargo additional charge **11**

recepción *f* registration desk **11**

recepcionista *m/f* receptionist **10**; desk clerk **11**

receta prescription **12**; recipe

recetar to prescribe a medicine **12**

recibir to receive

recién recently; **recién casados** newlyweds **3**

recientemente recently

reclamar el equipaje to claim luggage **11**

recoger to pick up, put away **1**

recomendación *f* recommendation

recomendar (ie) to recommend **4**

reconocer to recognize

recontar (ue) to recount, tell

recordar (ue) to remember

recuento recount; inventory

recurso resource

red *f* net **12**; network **9**

redactar to write, draft

redondo round

referirse (ie, i) to refer

reforma fiscal tax reform **10**

refresco soft drink **2**

refrigerador *m* refrigerator **6**

refugio shelter

regalar to give (a present) **7**

regalo gift, present; **regalo de bodas** wedding gift; **tienda de regalos** gift store **7**

regañar to scold **3**

regar (ie) to water **6**

regadera watering can

regador giratorio *m* sprinkler

región *f* region

registrarse to check in **11**

reglamento regulation **10**

regordete chubby

regresar to return; **de regreso** *adj* return

regular all right, so-so

reina queen; **reyes** king and queen

reintegrar to reimburse

reír (i, i) to laugh **3**

relación *f* relationship; **relaciones públicas** public relations **9**

relajado relaxed

religioso religious

rellenito chubby

reloj *m* watch, clock **7; reloj de pulsera** wristwatch **7**

remedio remedy, medicine **12**

rendirse (i, i) to give oneself up **6**

renta income **10**

reñir (i, i) to quarrel **3**

reparar to repair

repartir to deliver

repasar to review **5**

repetir (i, i) to repeat

reportar to report

reportero/a reporter **6**

representante *m/f* representative; **representante de ventas** *m/f* sales representative **10**

reproducir to play on a CD/DVD player

reproductor *m* player; **reproductor** *m* **de mp3** mp3 player **CP; reproductor** *m* **de DVD/CD** DVD/CD player **6**

república republic

requerido required

requerir (ie, i) to require **5**

requisito requirement **5**

res; carne *f* **de res** beef

rescatar to rescue **6**

reserva *(E)* reservation

reservación *f (A)* reservation **4**

reservar to reserve **8**

resfriado *m* cold **12; estar resfriado** to have a cold **12**

residencia home, dormitory; **lugar** *m* **de residencia** city or area of residence; **residencia estudiantil** dormitory **5**

resolver (ue) to resolve **9**

respetar to respect **3**

respetuoso respectful

responder to respond

responsabilidad *f* responsibility **10**

responsable responsible **9**

reproducir to play on a CD/DVD player

respuesta answer

restaurante restaurant **4**

resto rest

resuelto *pp* resolved

resultado result

resumen *m* summary

retirar dinero to withdraw money **10**

retrasado delayed

retrato portrait **8**

reunión *f* meeting

reunirse to get together **1**

revisar to check

revista magazine **CP**

rey *m* king; *pl* king and queen

rezar to pray

rico rich, delicious **4**

ridículo ridiculous

rímel *m* mascara **1**

rincón *m* corner **4**

río river

risa laughter

rizado   curly

rizar   to curl **1**

robar   to rob **6**

robo   robbery **6**

robot   *m* robot

roca   rock

rodeado   surrounded

rodear   to surround

rodilla   knee **12**

rogar (ue)   to beg, to implore

rojizo   reddish

rojo   red

romántico   romantic **2**

romper   to break **12**

ron   *m* rum **2**

ropa   clothing **1; cambiarse de ropa**   to change clothing **1; ropa de hombres**   men's clothing **7; ropa de mujeres** women's clothing **7**

rosa   rose

rosado   pink

roto   *pp* broken, torn

rótulo   sign, billboard **8**

rubí   *m* ruby

rubio   blond **CP**

ruido   noise

ruidoso   noisy

ruinas   *f pl* ruins

ruso/a   Russian; **montaña rusa** roller coaster **8**

ruta   route

rutina   routine

S

sábado   Saturday

saber   to know; (to taste); **saber** + *inf*   to know how to

sabor   *m* flavor, taste

sabroso   delicious **4**

sacapuntas   *m s* pencil sharpener **9**

sacar   to take out, to get, to withdraw **6; sacar buenas (malas) notas**   to get good (bad) grades **5; sacar fotos**   to take pictures; **sacar la basura**   to take out the garbage **6; sacar la mala hierba** to weed **6; sacar prestado un libro**   to check out a book **5**

sacudir   to dust **6**

sal   *f* salt

sala   living room **6; sala de chat** chat room; **sala de reclamación de equipaje**   baggage claim area **11**

salado   salty

salario   salary **10**

salchicha   sausage

salchichón   *m* salami

saldo de la cuenta bancaria   bank account balance **10**

salero   salt shaker **4**

salida   departure; exit

salir (de)   to leave; to turn out to be, to come out; **salir con**   to date, go out with **3; salir mal** fail **5**

salón   *m* large room; **salón de cóctel**   cocktail lounge **11; salón de entrada**   lobby **11**

salsa   sauce

saltar   to jump **12**

salud   *f* cheers, health

saludable   healthy

saludar   to greet

saludo   greeting

salvar   to rescue something or someone

sandalias   sandals **2**

sandwich, sándwich   *m* sandwich

sangre   *f* blood

sangría   wine punch

santo   saint; **santo patrón** patron saint

satisfacer   to satisfy

satisfecho   *pp* satisfied

se   *refl pron* himself, herself, itself, yourself/ves, themselves

secador   *m* hair dryer **1**

secadora   clothes dryer **6**

secar   to dry; **secarse**   to dry off **1**

sección   *f* department; section **9; sección de (no) fumar**   (no) smoking section **11**

secretario/a   secretary

secuestrar   to kidnap, hijack

sed   *f* thirst; **tener sed**   to be thirsty

seda   silk **7**

seguido   often

seguir (i, i)   to follow, pursue; **seguir derecho**   to go straight; **seguir un curso**   to take a course **5**

según   according to

segundo   second

seguridad   *f* security; **caja de seguridad**   safety deposit box **10; cinturón** *m* **de seguridad** seatbelt **11; control** *m* **de seguridad**   security check

seguro   certain, sure

seis   six

seiscientos   six hundred

seleccionar   to choose

selva   jungle

sello   *(E)* stamp, seal

semáforo   traffic light **8**

semana   week; **fin de semana** weekend

semejante   similar

semejanza   similarity

semestre   *m* semester **5**

sencillo   *adj* simple, plain; *n* loose change **10**

sentarse (ie)   to sit down

sentido   sense **9; sentido de humor**   sense of humor; **tener sentido**   to make sense

sentir (ie, i)   to be sorry, regret, feel; **sentirse a gusto**   to feel at ease; **sentirse mal**   to feel sick **12**

señal *f* **de tráfico**   traffic sign **8**

señalar   indicate

señor   *m* Mr., sir, gentleman, *abb* **Sr.**

señora   Mrs., lady, *abb* **Sra.**

señorita   Miss, young lady, unmarried lady, *abb* **Srta.**

separado   separated **CP**

separar   to separate

septiembre, setiembre   *m* September

séptimo   seventh

ser   to be **CP; ser indulgente con** to be soft on **6**

serie   *f* series

serio   serious

servicio   service **10; estar fuera de servicio**   to be down (not working) **9; servicio de habitación**   room service **11; servicio de lavandería** laundry service **11**

servidor   *m* network server **9**

servilleta   napkin **4**

servir (i, i)   to serve

sesenta   sixty

setecientos   seven hundred

setenta   seventy

sexto   sixth

si   if

sí   yes

sicología   psychology **5**

sicológico   psychological

sicólogo/a   psycologist

sidra   cider

siempre   always

sierra   mountain range

siesta   nap **1**

siete   seven

siglo century
significado meaning
siguiente following
silla chair
sillón armchair
símbolo symbol
similar similar
simpático nice
simplificado simplified
sin *prep* without; **sin embargo** however; **sin que** *conj* without
singular singular
sino but, but rather
síntoma *m* symptom 12
sitio place
situación *f* situation
situar to put, place
SMS *m* text message
sobre on top of, over
sobremesa after-dinner conversation 3
sobresaliente outstanding 5
sobresalir to excel 5
sobretodo overcoat 7
sobrino/a nephew (niece) 3
sociable sociable
sociología sociology 5
software *m* software 9
sol *m* sun 2; **hace sol** it's sunny; **el nuevo sol** Peruvian currency; **tomar el sol** to sunbathe 2
soldadito de juguete toy soldier
soler (ue) to be accustomed to
solicitar to apply 9
solicitud *f* job application 9
solo *adj* alone
sólo *adv* only
solomillo sirloin
soltero *adj* unmarried *n* bachelor **CP**
solución *f* solution
solucionar to solve
sombra de ojos eye shadow 1
sombrero hat 2
sombrilla beach umbrella 2
sonar (ue) to sound; **sonarse (ue) la nariz** to blow one's nose 12
sonreír (i, i) to smile 3
sonriente smiling
soñar (ue) to dream
sopa soup 4
soportar to tolerate 4
sorprendente surprising
sorprender to surprise
sorpresa surprise
sortija ring

sospechoso suspect 6
sótano basement
su *poss adj* his, her, its, your *(form s)*, their, your *(pl)*
suave smooth, soft
subdesarrollo underdevelopment 10
subir to go up(stairs); **subir el equipaje** to take the luggage up; **subir al avión** to board the plane 11
subscribirse to subscribe
suceder to follow or succeed (someone in a post), happen
sucio dirty
sucre *m* currency in Ecuador
sudadera sweatshirt 7; **sudadera con capucha** hoodie 7
sudar to sweat 12
suegro/a father/mother-in-law 3
sueldo salary 9
suelo floor
suelto *adj* light in consistency; *n* loose change 10
sueño dream, sleep; **tener sueño** to be sleepy
suerte *f* luck; **buena (mala) suerte** good (bad) luck; **juego de suerte** game of chance; **tener suerte** to be lucky
suéter *m* sweater
sufrir to suffer 12
sugerencia suggestion
sugerir (ie, i) to suggest 4
supermercado supermarket 1
supervisor/a supervisor 9
suponer to suppose
supuesto *pp* supposed; **¡por supuesto!** of course!
sur *m* south
sureste *m* southeast
suroeste *m* southwest
sustituir to substitute
suyo *poss adj* and *pron* his, her, hers, its, your, yours *(form s and pl)*, their, theirs

T

tabla board; **tabla de planchar** ironing board 6; **tabla de windsurf** windsurfing board 2
taco crisp tortilla filled with meat, lettuce, tomatoes, cheese 4
tacón *m* heel 7; **zapatos de tacón** high-heel shoes 7
tal such; **tal vez** maybe, perhaps

talento talent 9
talón *m* baggage claim check 11; heel; **zapatos con el talón descubierto** mule shoes
talonario *(E)* checkbook 10
talla size 7; **de talla media** of average height **CP**
taller *m* garage, repair shop, workshop
también also, too
tampoco neither, not . . . either
tan so; **tan...como** as . . . as; **tan pronto como** as soon as
tanque *m* automobile gasoline tank 1
tanto/a so much, as much; **tantos/as** so many, as many; **tanto...como** as. . . as
taquilla ticket window 8
tapa *(E)* appetizer
tardar to take time; **tarde** late 1; **más tarde** later
tarde *f* afternoon; **de la tarde** P.M.; **por la tarde** in the afternoon
tarea task; homework 1
tarifa *(E)* fare 11
tarjeta card **CP**; **tarjeta de crédito** credit card 10; **tarjeta de débito** debit card 10; **tarjeta de embarque** boarding pass 11; **tarjeta de identidad** I.D. card **CP**; **tarjeta de recepción** registration form 11; **tarjeta postal** postcard
tasa rate; **tasa de cambio** rate of exchange 10; **tasa de interés** interest rate 10
tatarabuelo/a great-greatgrandfather/mother; *pl* great-great-grandparents
tataranieto/a great-greatgrandchild
tauromaquia art of bullfighting 8
taxi *m* taxi 8
taza cup 4
tazón *m* bowl
te *dir obj* you *(fam s)*; *indir obj pron* (to, for) you *(fam s)* *refl pron* yourself *(fam s)*
té *m* tea 4
teatro theater 2
tecla key 9
teclado keyboard 9
técnico technical 9
tecnología technology
tecnológico technological
tela fabric, material 7

tele *f* TV 6
telefónico *adj* telephone
telefonista *m/f* telephone operator
teléfono telephone; **teléfono celular** cellular phone 9
telegrama *m* telegram
telenovela soap opera 1
telepromoción *f* informercial
televidente *m/f* television viewer
televisión *f* television CP
televisor *m* television set 6
tema *m* topic, theme
temer to fear
temeroso fearful
temperatura temperature
templado moderate
temporada season, period; **temporada de exámenes** examination period 5
temprano early 1
tenacillas de rizar *(E)* (hair) curler 1
tender (ie) a + *inf* to have a tendency
tenedor *m* fork 4
tener to have CP; **tener...años** to be . . . years old; **tener calor** to be hot; **tener celos** to be jealous 3; **tener dolor de**... to have a . . . ache, to have a pain in . . . 12; **tener en cuenta** to take into account; **tener frío** to be cold; **tener ganas de** + *inf* to feel like (doing something); **tener hambre** to be hungry; **tener la bondad de** + *inf* to be so kind as to (do something); **tener miedo de** to be afraid of; **tener que** + *inf* to have to (do something); **tener pinta de** to look like; **tener razón** to be right; **tener sed** to be thirsty; **tener sueño** to be sleepy; **tener suerte** to be lucky
tenis *m* tennis CP; **zapatos de tenis** tennis shoes 7
tercero, tercer, tercera third
terminar to finish
terminal *f* terminal 11
termómetro thermometer
ternera veal
terraza terrace 11
terremoto earthquake 6
territorio territory
terrorismo terrorism 6
testigo *m/f* witness 6

texto textbook 5; **libro de texto** textbook 5; **mensaje de texto** text message CP
ti *prep pron* you *(fam s)*
tiempo time, period of time, weather; **a tiempo** on time; **chat a tiempo** *m* real time chat; **tiempo completo** full time 1
tienda store, shop 1; **tienda de compras por Internet** Internet store 7; **tienda de ropa de hombres** men's clothing store 7; **tienda de ropa de mujeres** women's clothing store 7; **tienda en línea** online store 7
tierra land; soil; earth
timbre *m (A)* stamp
tímido shy, timid 8
tintorería dry cleaner 1
tío/a uncle/aunt 3; *pl* uncle and aunt 3; **tío/a abuelo/a** great uncle/aunt
tiovivo carousel
típico typical
tipo type, kind
tira cómica comic strip
tirar to throw 12
titular *m* headline 6
título degree 5; title
toalla towel 1; **toalla de baño** bath towel 11
tobillo ankle 12
tocadiscos *m* disk player, record player
tocar to play (a musical instrument) CP; to knock; to be one's turn
todavía still, yet; **todavía no** not yet
todo all, every; **todos los días** every day; **todas partes** everywhere
tomar to take, eat, drink; **tomar el sol** to sunbathe 2; **tomar un curso** take a course 5; **tomar un examen** to take an exam 5; **tomar una decisión** to make a decision 9
tomate *m* tomato
topacio topaz
torcerse (ue) to sprain 12
torero bullfighter
tormenta storm
toro bull 8
torta cake
torturar to torture
tos *f* cough

toser to cough 12
trabajador *adj* hard-working 5; *n* worker
trabajar to work 1
trabajo work, job 9
traducir to translate
traer to bring, carry
tráfico traffic
trágico sad, tragic 2
traje *m* suit; **traje de baño** bathing suit 2; **traje de luces** bullfighter's suit 8; **traje de novia** wedding gown 3
tranquilizar to calm
tranquilo calm
transmitir to transmit
tranvía trolley 8
trapeador *m* mop; **trapear el suelo** to mop
trapo rag
trasnochar to stay up all night 5
tratar to handle or treat something or somebody; **tratar de** to try, make an attempt; **tratarse de** to be about, deal with
trato treatment, relation 3
travieso naughty, mischievous 3
trayecto route, way
trece thirteen
treinta thirty
tren *m* train 8
tres three
trescientos three hundred
trigo wheat
trimestre *m* quarter
triste sad 3
tristeza sadness
triunfar to triumph, win
tropical tropical
tu *poss adj* your *(fam s)*
tú *subject pron* you *(fam s)*
tumulto commotion
turismo tourism 8 **turista** *m/f* tourist
turístico *adj* tourist 2
turquesa turquoise
tuyo *poss adj and pron* your, yours *(fam s)*

U

u or (replaces **o** in words beginning with **o-** or **ho-**)
ubicar to locate
último last; **por último** finally
un/a a, an, one; **unos/as** some, a few, several
único only, unique

unido   close-knit, united **3**
universidad   *f* college, university **5**
universitario   *adj* university **5**
uno   one
uña   fingernail
usar   to use **1; usar talla** ___ to wear size ___ **7**
uso   use **9**
usted   *subj pron* you *(form s)*; *abb* **Ud.**; *prep pron* you *(form s)*
ustedes   *subj pron* you *(fam and form pl)*; *abb* **Uds.**; *prep pron* you *(fam and form pl)*
útil   useful
utilizar   to use
uva   grape
¡uy!   Oh!

V

vacaciones   *f pl* vacation **2; estar de vacaciones**   to be on vacation **2**
vaciar   to empty **6**
vacío   empty
vacuna contra la gripe   flu shot **12**
valer   to be worth
valiente   brave, courageous **8**
valle   *m* valley
valor   *m* value; *pl* securities, assets **9**
valorar   to appraise **7**
variación   *f* variation
variado   assorted, varied
variar   to vary
variedad   *f* variety
varios   *pl* various
vasco/a   Basque
vascuense   *m* Basque language
vaso   (drinking) glass **4**
vecino/a   neighbor
vegetal   *m* vegetable
vehículo   vehicle
veinte   twenty
veinticinco   twenty-five
veinticuatro   twenty-four
veintidós   twenty-two
veintinueve   twenty-nine
veintiocho   twenty-eight
veintiséis   twenty-six
veintisiete   twenty-seven
veintitrés   twenty-three
veintiún,   veintiuno/a   twenty-one
velero   sailboat **2**
velo   veil
vencer   to defeat

venda   bandage **12**
vendar   to bandage **12**
vendedor/a   salesperson
vender   to sell
venezolano/a   Venezuelan
venir   to come
venta   sale **9**
ventaja   advantage
ventana   window **4**
ventanilla   small window, ticket window **11**
ver   to see **CP**
verano   summer
verdad   *f* truth; **¿verdad?**   right?, true?
verdadero   actual, true
verde   green; **tarjeta verde** resident visa, green card
verduras   *f pl* vegetables
verificar   to verify **10**
vestíbulo   lobby **11**
vestido   dress **1**
vestirse (i, i)   to get dressed **1**
vez   *f* time (in a series), occasion, instance; **a veces**   sometimes, at times; **algunas veces**   sometimes; **de vez en cuando**   from time to time; **dos veces**   twice; **en vez de**   instead of; **muchas veces**   often; **otra vez**   again; **una vez**   once
viajar   to travel
viaje   *m* trip; **hacer un viaje** to take a trip
viajero   *adj* and *n* traveler; **cheque** *m* **de viajero** traveler's check
victoria   victory
vida   life
vídeo   video **CP; poner un vídeo** to play a video **CP**
videocasetera   VCR
videocinta   videotape **6**
vidrio   glass (material) **8**
viejo   old **3**
viento   wind; **hace viento**   it's windy
viernes   *m* Friday
vino   wine **2; vino blanco**   white wine; **vino tinto**   red wine
violencia   violence
violento   violent
violín   *m* violin
visitar   to visit **3**
visto   *pp* seen
vistoso   bright, colorful, flashy **7**
vitamina   vitamin **12**
vitrina   *(E)* display case **7**; *(A)* store window **7**

viudo/a   widower/widow **CP**
vivir   to live
vivo   alive (with **estar**), lively, alert (with **ser**)
vocabulario   vocabulary
volar (ue)   to fly **11**
volibol   *m* volleyball **12**
voltaje   *m* voltage **11**
volumen   *m* volume
volver (ue)   to return; **volver *a*** + *inf* to do something again;
volverse   to become
vomitar   to vomit **12**
vos   *subj pron* you *(fam s)* in Argentina, Uruguay, and other parts of Hispanic America
vosotros/as   *subj pron* you *(fam pl, E)*; *prep pron* you *(fam pl, E)*
voz   *f* voice; **en voz alta**   out loud
vuelo   flight **11**
vuelto   *pp* returned; *n* money returned as change **10**
vuestro   *poss adj* your *(fam pl, E)*; *poss adj and pron* your, yours *(fam pl, E)*

W

Web   *f* World Wide Web **9**
whisky   *m* whisky **2**
windsurf   *m* windsuring; **tabla de windsurf**   windsurfing; board **2**

Y

y   and
ya   already; **ya no**   not any more, no longer
yate   *m* yacht **2**
yerno   son-in-law **3**
yeso   cast **12**
yo   I
yoga   *m* yoga **2**
yugoslavo/a   Yugoslavian

Z

zafiro   sapphire
zapatería   shoe store **7**
zapato   shoe **7; zapatos bajos** low-heeled shoes **7; zapatos con el talón descubierto**   mules; **zapatos de plataforma**   platform shoes; **zapatos de punta descubierta**   open-toed shoes; **zapatos de tacón**   high heels **7; zapatos de tenis**   tennis shoes **7; zapatos deportivos**   athletic shoes **7**
zona de ventas   sales zone
zumo   *(E)* juice

Index

Credits

Text Credits

We have made every effort to trace the ownership of all copyrighted material and to secure permission from copyright holders. In the event of any question arising as to the use of any material, we will be pleased to make the necessary corrections in future printings. Thanks are due to the following authors, publishers, and agents for permission to use the material indicated.

4: AT&T ad, used by permission; **8:** Used by permission of Quintus Communications Group; **17:** "Mafalda," used by permission of Julietta Colombo Marrón for Quino América y publicaciones y autorizaciones, España; **32:** Naturaleza y Vida ad, used by permission; **43:** "España está de moda," used by permission of *Cambio 16*; **65:** Ad for Tosca "La petite boîte club," from *Vive Madrid*; **77:** "24 horas: De vacaciones en Benidorm, Sociedad Anónima," from *Cambio 16*, 16 de agosto de 1999; **85:** "Rima XVII, XXI, and XXXIII," by Gustavo Adolfo Bécquer; **92:** Ad for Xcaret, ecological park, used by permission of Xcaret International Center, Mexico; **114-115:** Icon and slogan for Mexico City metro; "El estupendo metro de México," used by permission of *Américas* Magazine, Sept.–Oct., 1986, pp. 2–7; **117:** Ad, used by permission of Happy Holidays Travel; **141:** Ad of El Mitzón Restaurant, Mexico; **147:** "México y su riquea culinaria," used by permission of El Nuevo Herald On-Line, © Clearance Center, Inc.; **159:** "El recado," used by permission of Elena Poniatowska; **178:** Used by permission of Fundación José Ortega y Gassett Estudios Internacionales; **200:** Survey data, used by permission of *Cambio 16*; **226:** "El techo de Venezuela," used by permission of *Américas* Magazine, Sept. –Oct. 1986; **236:** "Un día de éstos," used by permission of Agencia Literaria Carmen Balcells, S.A.; **258:** Ad, used by permission of *Vanidades*; **270:** "La Guayabera, Cómoda, fresca y elegante," used by permission of *Americas* Magazine, Jan./Feb. 1987; **271:** Ad of "La Casa de las Guayaberas," used by permission of Quintus Communications Group; **298:** "Peanuts," used by permission of United Media Reprints Dept., New York; **306:** "El retorno de los balcones de Lima," used by permission of the author Catherine Elton and *Américas* Magasine; **317:** "La camiseta de Margarita," by Ricardo Palma; **324:** Newspaper ads, Puerto Rico; **333:** Classified ads, Puerto Rico; **335:** Ads for small personal products from *Fingerhut* Catalog; **347:** "El español: un idioma emergente", used by permission of *Cambio 16*, Oct. 23, 2000; **356:** Ad for Tracfone Cell Phone, from *People en español,* Mayo 2007; **365:** Ads for Hispanic businesses, used by permission of *La voz latina*, March 5, 2003; **367:** Ad of NationsBank, from *Miami Mensual,* Quintus Communications Group; **380:** "Homenaje al triunfo de la mujer hispana," used by permission of *Vanidades*, Editorial *América* S.A.; **391:** "Casi una mujer," used by permission of Frank Cantor from Cantomedia; **398:** Touristic ad about Santiago de Chile; **410:** Ad for Hotel Alay, Malaga, Spain; **411:** Ad for El Condado Miraflores Hotel, Perú; **423:** "Chile: un mundo de contrastes sorprendentes," used by permission od *Chile ahora*; **432:** Ad for Muscle Gym, used by permission of *Cambio 16*; **455:** "Garfield" © Paws Inc., used by permission of Universal Press Syndicate; **456:** "La Argentina deportiva," used by permission of *Vanidades*; **468:** "Poema 20" and "Oda a unas florers amarillas," used by permission of Agencia Literaria: Carmen Balcells, S.A.

Photo Credits

This page constitutes an extension of the copyright page. We have made every effort to trace the ownership of all copyrighted material and to secure permission from copyright holders. In the event of any errors arising as to the use of any material, we will make the necessary corrections in future printings. Thanks are due to the following authors, publishers, and agents for permission to use the material indicated. Images not credited were provided by Cengage Learning or the Author.

2: © Cengage Learning/Heinle Image Resource Bank; **13 all:** © PhotoDisc/Getty Images; **14:** © Chip & Rosa Maria de la Cueva Peterson; **15:** © PhotoDisc/Getty Images; **18:** © Digital Vision/Getty; **19:** © Virgin Records Spain 2003; **20:** © Cengage Learning/Heinle Image Resource Bank; **29:** © PhotoDisc/Getty Images; **30:** © Jose Manuel Revuelta Luna/Alamy; **35:** © PhotoDisc/Getty Images; **44:** © Cengage Learning/Heinle Image Resource Bank; **45:** © PhotoDisc/Getty Images; **48:** © Bill Bachmann/Index Stock Imagery/Photolibrary; **53:** © Kevin Dodge/Masterfile; **55:** © PhotoDisc/Getty Images; **61:** © PhotoDisc/Getty Images; **67:** © Peter Menzel Photography; **68 all:** © PhotoDisc/Getty Images; **76:** © World Pictures/Alamy; **79 top:** © BrandX Pictures/Jupiter Images; **79 bottom:** © Corbis/RF; **82 top left:** © RobertFrerck/Odyssey/Chicago; **82 top right:** Hulton Archive/Getty; **82 center:** Sygma/Corbis; **82 bottom left:** © CHRISTOPHE